14 November 19

Gelukkige verjaardag

I0992378

Liefde,

Johan, Ousus, Hannerie en Christine

Read Anne-Marie 2021.

Dalene Matthee

MOERBEI-BOS

Tafelberg

Tafelberg-Uitgewers Beperk,
Waalstraat 28, Kaapstad

Stofomslag deur Helmut Starcke
Geset in 11 op 13 pt Zapf Book Light
(Monotype Lasercomp)
Gedruk en gebind deur
Nasionale Boekdrukkery, Goodwood, Kaap
Eerste uitgawe, eerste druk 1987

ISBN 0 624 02510 1

VIR DIE BOS

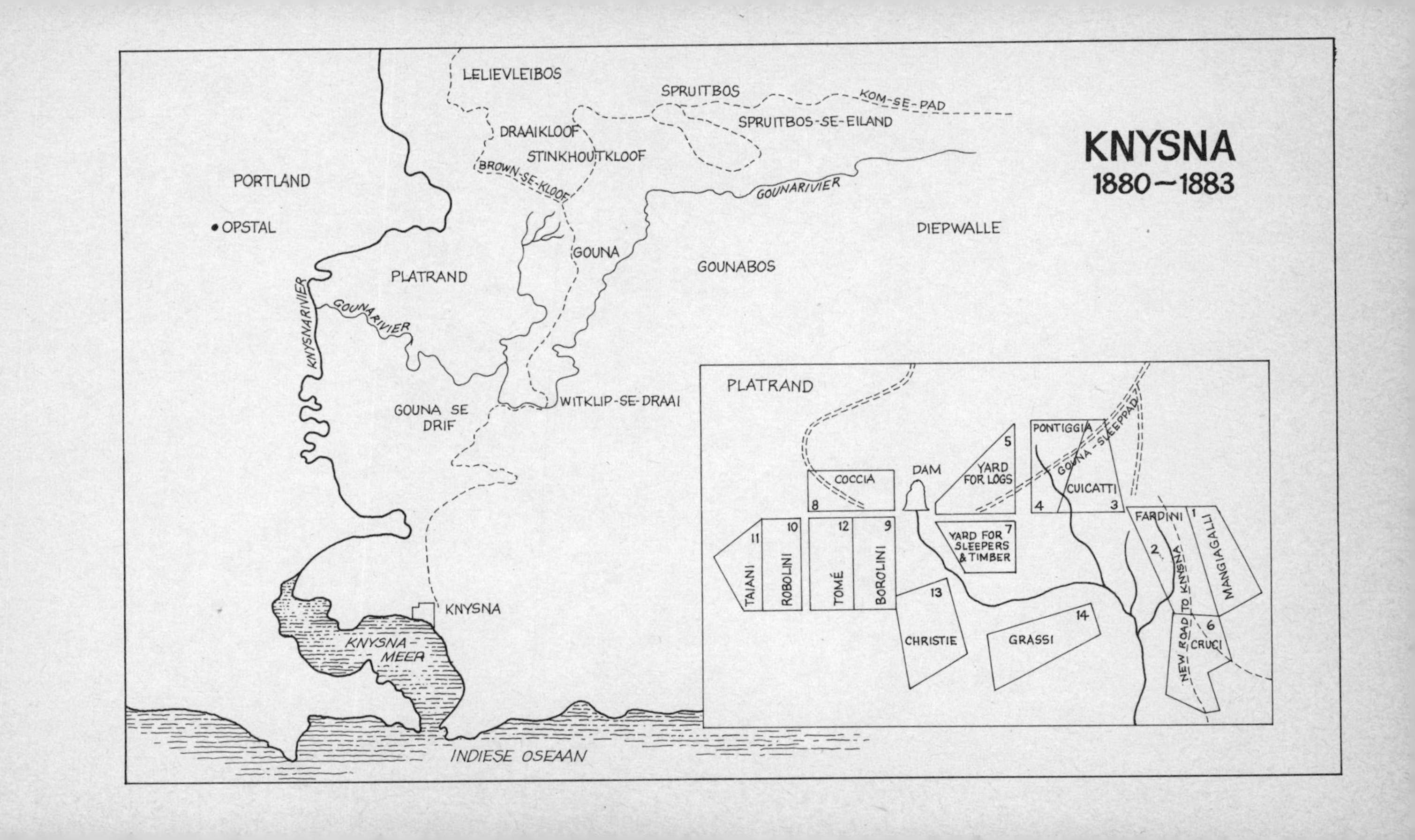
KNYSNA
1880–1883
LELIEVLEIBOS
SPRUITBOS
KOM-SE-PAD
SPRUITBOS-SE-EILAND
DRAAIKLOOF
STINKHOUTKLOOF
BROWN-SE-KLOOF
PORTLAND
OPSTAL
GOUNARIVIER
DIEPWALLE
GOUNA
GOUNABOS
PLATRAND
KNYSNARIVIER
GOUNARIVIER
GOUNA SE DRIF
WITKLIP-SE-DRAAI
KNYSNA
KNYSNA-MEER
INDIESE OSEAAN
PLATRAND
COCCIA
8
DAM
5
YARD FOR LOGS
PONTIGGIA
GOUNA SLEEPPAD
CUICATTI
4
3
11
10
12
9
TAIANI
ROBOLINI
TOMÉ
BOROLINI
7
YARD FOR SLEEPERS & TIMBER
13
CHRISTIE
14
GRASSI
FARDINI
1
2
MANGIAGALLI
NEW ROAD TO KNYSNA
6
CRUCI

Een

Vyftien jaar lank het ek, Silas Miggel, in vrede op die platrand by Gouna gewoon. Ek en my meisiekind, Mirjam. Op die elfde dag van Junie van die jaar 1881, net 'n dag na my vyf-en-veertigste verjaar, loop ek die môre by my deur uit om te gaan water skep by die vat en net daar skrik ek my stokstyf versteen op my voete:

Uit die boskloof aan die oostekant het 'n yslike houtslee met vier osse voor, en swaar gelaai met goed, gekom. Dit was nie godsmoontlik nie want daar was nie 'n pad nie. Daar kon nie 'n pad wees nie, nie deur daardie klowe en driwwe nie, daar was net die voetpad. En agter die eerste slee het 'n tweede een uit die ruigtes gekom. Groot slees, van die soort waarmee jy sware hout uitry. Ek sê vir myself: hou teë die skrik, dis 'n spokery. Ek glo nie aan 'n spokery nie, maar wat anders? Van waar ek gestaan het, kon ek nie uitmaak wie se slees dit was nie en ek begin nader stap soos een in 'n droom; jy loop en loop, maar dis of jy nie vorentoe kom nie.

Mirjam was vroegmôre weg dorp toe om winkelgoed te koop, êrens sou sy die slees langs die pad gekry het. Ek het son toe gekyk en die tyd gemeet: twee en 'n halwe uur se stap tot op die dorp, halfuur vir die winkel, bietjie meer as drie uur terug, want terug is nege myl se sware klim. Nee, sy was nie laat nie. Daarby het ek darem met die troos gestaan dat sy die geweer by haar het. Ek het haar nooit sonder die geweer laat loop nie en sy was sommer nog klein toe ek haar leer skiet het om goed te skiet.

'n Derde slee het uit die kloof gekom.

Die voorste een was Jacobus Gerber, houtkapper van Diepwalle, se slee. "Jacobus," sê ek toe ek by hom kom, "wat vir 'n geneuk is dit vanmôre hier?"

"Moenie nog vra nie, Silas." Sy baard was dae lank en sy oë rooi geaar. "Ons het op niks na nie bo by Witkop-se-draai verongeluk tot onder in die kloof."

"Ek staat in verbasing lat julle nie verongeluk het nie," sê ek. "Hoe de duiwel het julle tot hier gekom?"

"Vra my nie. Dis die vyfde dag vanlat ons die dorp uit is. Die meeste van die tyd moes ons die voetpad wyer kap en op plekke nuwe pad maak. Ons is tot niet. Die stomme osse ook."

Daar was bondels en trommels en lanterns en kaste op die slee. "Wie se goed is dit?" Ek was bang om dit te vra maar ek moes, en Jacobus gee my nie antwoord nie. "Ek vra wie se goed dit is?"

"Ek het vir Mister White gesê hy gaat hom hier bo teen Silas Miggel kom vasloop, maar hy wou nie hoor nie."

Slegter tyding as White se naam kon ek nie gekry het nie. Hy was die goewermentsman op die dorp wat oor alle vreemdes aangestel was: Superintendent van Immigrante.

"Waar's White?"

"Agter iewers. En moenie my verkwalik nie, Silas, ek het verlede Saterdag 'n vrag hout uitgery en was net mooi klaar afgelaai toe hulle kom sê daar word houtslees gesoek om 'n treksel uit Gouna toe te ry. Pond 'n dag. Ek het my wa gaat uitspan en my slee gaat haal – so 'n genadetjie tref nie aldag nie. Die vervloekste houtkoper had my weer vrot beduiwel, ek moes eersteklas hout aflaai vir derdeklas se prys. Ek sien jy staat soos 'n boom so styf, ek het gesê hulle gaat hulle hier bo teen jou kom vasloop."

Die tweede slee was Gert Stoffel s'n. "Is my Mirjam langs die pad by julle verby?" loop vra ek hom.

"Nee, oom Silas."

My Mirjam was nie onnooslik nie, sy sou iewers in die ruigte geskuil het.

'n Vierde slee het uit die kloof gekom. Op die slee het 'n bondel kinders met groot swart oë al skommelend en klouend gesit. Agter die slee was 'n stuk of twintig stofvuil mans en swartgerokte vroue te voet. Van die vroue het geloop en huil.

"En dié?" vra ek vir Gert.

"Ek weet nie, oom, party van die vroumense huil al vanlat ons op die dorp weg is."

Die osse het 'n wye draai oor die oopte gemaak, opgedam en tot stilstand gekom. Van die mans het die kinders afgetel en almal het na mý kom staan en staar. "Waar's die goewermentsman wat by julle is?" vra ek vir die naaste een.

"Scusi, signor?"

Dalk is hulle Engels, sê ek vir myself en slaan oor. Maar weer is dit net "Scusi, signor?" Nie Engels nie, nie Hollands nie. Hulle het nie soos Engelse gelyk nie. En toe begin hulle al meer om my saamdrom en dit praat en beduie in die vreemdste taal, dat ek verwonderd staan of hulle hulleself verstaan.

"Ek weet nie wat julle sê nie!" skree ek tussen hulle in. "Ek ken net Hollands en 'n paar monde Engels en dis al." Twee van die mans het met 'n stuk plank gestaan. Op die plank, onder 'n nat sak toegemaak, was 'n vierkantige ding en 'n ander het met 'n emmer water geloop en die sak nog natter bly spat, kompleet of die ding gelawe moes word. "Wat het julle daar onder die sak?" vra ek, maar hulle verstaan my nie.

Toe sien ek White uit die ruigte kom. By hom was nog 'n vreemdeling en ek het dadelik gesien dis 'n Engelsman.

"Mister Miggel! Mister Miggel!" begin White roep toe hy my gewaar. Hy swaai sy arms en gaan te kere soos een wat goedertrou vooruit moet stuur.

Elke keer as White my gemistermiggel het, was daar moeilikheid.

"Met wat se gedruis kom Mister vandag hier op my werf aan?" vlieg ek hom in toe hy by my kom. "Wil Mister hê ek moet van ontsteltenis neerslaan?"

"Wag nou, wag nou." Hy het sy hand uitgesteek asof hy my wou wegdruk. "Laat ek jou voorstel aan Mister Christie. Mister Christie kom van Londen af en praat nie Hollands nie." Hulle het soos osse gestaan en blaas.

Ek het die Christie-man 'n kyk gegee wat hom sommer laat verbyhou het. "Wat kom soek hy in die Bos as hy in Londen hoort?" vra ek vir White. "En wat se geneuk gaat vanmôre hier aan?"

"Bly asseblief net kalm, Miggel, die mense is moeg en honger en ontevrede. Volgens die kaart in my besit is ons nege myl ten noorde van Knysna, maar die skelm houtkappers het ons met die vreeslikste ompad tot hier gebring sodat hulle meer geld uit die slees kon maak. Dis die vyfde dag vandat ons op die dorp weg is."

"Beskou dit as 'n mirakel lat julle dit in vyf dae tot hier gemaak het sonder om te verongeluk. Daarby kan ek Mister die versekering gee lat daar nie 'n ompad hierheen is nie, en ek sal graag wil weet waarheen Mister nou eintlik met hulle op pad is." In my hart het ek geweet, maar ek het nog bly hoop.

White het rondgetrap. "Ek het genoeg moeilikheid, Miggel, asseblief. Dis kroongrond hierdie. Jy weet dit al die jare, ons het dit vir jou gesê en jou gewaarsku. Ek bring die mense tot hier, ons trek nie verder nie, en dit sal nie help om my só te staan en aankyk nie, jy't geweet dis kroongrond."

Dis was of 'n wurggord om my gorrel slaan.

Kroongrond. Kroonbos. Kroongoed. Elke blêssitse boswagter se eerste en laaste verweer. Alles was die kroon s'n: bloubokkies, bosbokke, bosvarke, olifante, voetpaaie, sleeppaaie, wapad by Diepwalle. Elke boom in die Bos was kroon se boom en voor jy kon kap, moes kroon se liksens in jou sak wees. Voor jy jou geweer kon laai om 'n olifant te skiet, moes jy kroon se permissiebrief hê, want vang hulle jou daarsonder, is dit kroon se tronk toe vir sit of betaal. Nie dat almal hulle aan permissie of liksens gesteur het nie. Hulle sê Josafat Stander het meer olifanttande uit die Bos uit gesmokkel as wat die kroon kon tel en permissie het hy nog nooit van geniemand gevra nie. Die enigste geluk wat aan die kant van die bosmense gestaan het, was dat die kroon se bos te ontsaglik groot was vir die kroon se wagters om almal by te kom; 'n man kon darem gereeld van die kroon se wild vir die pot vang, solank jy net die strikke ver van die voetpaaie af gestel het. Boswagters is bang vir verdwaal, hulle swenk nie uit 'n voetpad nie.

En vra jy 'n boswagter wie die kroon nou eintlik is, kry jy by elkeen 'n ander antwoord: Queen Victoria; die goewerment; Jackson, die magistraat op die dorp; Mister White; kaptein Harison, die hoofbewaarder wat so min as moontlik sy voet in die Bos gesit het; of die honourable Barrington van Poortland, wat met tye in die kroon se parlement in die Kaap loop sit het. En dan was ek, Silas Miggel, die een wat moes loop kyk dat alles oorkant op sy grond nie vergaan nie. Soos ek die ding verstaan het, het net die liewe Here en die houtkappers nie sê gehad in die kroon nie. Gert Oog van Grooteiland het eendag vir 'n wagter gevra aan wie hý reken die houtkappers dan behoort. Toe sê die man hulle behoort ook aan die kroon, aan wie anders? Toe stamp Gert hom in 'n byangelbos in en hy moes agterna loop os verkoop om skade te betaal. Solank jy binne-in die Bos op een van die ooptes, een van die eilande, gewoon het waar die kroon jou nie kon sien nie, was daar nie veel moeilikheid nie. Die kroon moes hout hê vir die treinpaaie en telegraafpale en hawens en stoele en katels en tafels, en die hout moes gekap en uit die Bos gesleep word en daarvoor moes daar houtkappers wees.

Die moeilikheidmaker was ek, Silas Miggel, wat op 'n dag die oormoed had om op die rand van Gouna se deel van die Bos, op die groot oopte wat ons die platrand noem, vir my en Mirjam te loop huis opslaan waar die kroon my openlik kon sien as hulle wou. Mirjam was toe nog nie twee nie. Maar lank voor sy mens was, het ek al sin gehad vir die platrand. Die jare toe ek nog voorkapper in my oorle pa se span was, het ons die osse op die platrand laat wei wanneer ons die keer in Gouna se bos kom kap het. Vir my was die platrand die mooiste stuk oopte: aan die westekant, dis nou na Poortland se kant toe, lê die diepe boskloof met die Knysnarivier onder in die ruigtes; aan die oostekant is dit weer die kloof waarin die Gounarivier en sy sylope 'n pad uitgekalwer het tot gunter onder om die voet van die platrand tot by die Knysnarivier. Noord lê die groot bos, dikbos, reënbos, hoogbos. Gouna se bos. Oubos. Dis nie 'n bang man se plek nie.

Ek was nie lank op die platrand nie, toe kom skel die eerste wagter: "Wie't jou die reg gegee? Dis kroongrond hierdie! Jy moet afbreek en terugtrek Grooteiland toe. Of Spruitbos-se-eiland toe, of Brandrug toe, of Barnard-se-eiland toe."

"Aan wie behoort die eilande?"

"Aan die kroon, natuurlik."

"Met ander woorde, ek mag op die kroon se eilande binne-in die Bos gaat bly, maar nie op die kroon se oopte hier by Gouna nie?"

"Dis reg."

"Hoekom nie?"

"Dis grond wat eenkant gesit is."

"Vir wie en vir wat?"

Dit kon die wagter my nie duidelik sê nie, hy't voorgestel dat ek dit vir die goewermentsman op die dorp, die een wat oor die kroongrond aangestel is, loop vra. Daardie jare was dit 'n ander man, White het later gekom.

Ek het die wagters laat praat. Soms het hulle maande lank vergeet om te kom praat. Trek sou ek nie. Mirjam moes son en oopte en baie blou lug bo haar hê. Die olifante het hulle kleintjies son toe gevat as die Bos te koud en te nat word; ek het Mirjam son toe gevat omdat dit beter was om met haar eenkant te bly vir die dag as sy groot is en haar lot haar inwag. Sy was nie soos ander meisiekinders nie.

Ek was seker al goed 'n drie jaar op die platrand toe White, die nuwe goewermentsman, my eendag van sy klerk op die dorp laat voorkeer en na sy kantoor laat bring.

"Is jy die man wat hulle Silas Miggel noem?" vra hy toe ek met Mirjam voor sy tafel staan.

"Dis ek, ja, Mister. Eintlik is ek Silas van Huyssteen, maar ek staat bekend as Silas Miggel en hierdie is my meisiekind, Mirjam. Mirjam, groet die oom." Sy't hom die hand gegee soos ek haar geleer het en ek het gesien hy haal sy oë swaar van haar af.

"Dis 'n besondere mooi kind, Mister Miggel," het hy half ongemaklik erken.

"Ja, dit is," sê ek hom, "en ek maak haar alleen groot, want haar ma se siel het hierdie aarde verlaat net 'n uur nadat sy gebore is." Dit was nie 'n ding waaroor ek ligtelik gepraat het nie, ek het dit maar sommer genoem in die hoop dat ek hom 'n bietjie saf sou kry. As jy uit die Bos kom, was daar min genade aan jou kant; wat jy het, moes jy gebruik.

"Ek verneem dat jy 'n man is wat homself wederregtelik bo by Gouna op die bosrand loop neerplak het. Op kroongrond. Die boswagters rapporteer aan my dat hulle reeds jare lank met jou sukkel."

"Dis waar, ja." 'n Mens moet nooit die waarheid bestry nie. En as 'n ander man klaar vererg sit, moet jy nie jou ook nog staan en erg nie. "Mister sien, ons bosmense is baie dom," sê ek vir hom. "Almal hier op die dorp glo dit en probeer ons maar kul waar hulle kan – Mirjam, los uit die oom se pampiere!

Omdat ek ook bosmens is en daarom min van verstand, verstaan ek nie hoe dit is lat ek tien tree die Bos *in* mag bly, maar nie tien tree *uit* nie. Ek sê Mister reguit, my arm is te kort om daardie voël te vang."

"Gouna se platrand is kroongrond wat vir immigrante eenkant gehou word. Jy het seker nie veel verstand nodig om dit te verstaan nie, Mister Miggel," kap hy my lekker.

"Nee," sê ek, "seker nie. As Mister my dan net kan sê wat ek moet doen om 'n immigrant te word, sal ek baie bly wees." Ek het goed geweet wat 'n immigrant is, ek wou hom maar net 'n bietjie wys hoe dom ek is.

"'n Immigrant is 'n persoon wat van 'n ander land af hierheen verhuis."

"Van watter land af?"

"Van enige land af. Meesal van Engeland af, of van Holland af. Skotland."

"Dan kom jy tot hier en die kroon gee vir jou 'n stuk grond present."

"Nee. As 'n persoon as landbou-immigrant kom, word grond aan hom toegestaan wat hy jaarliks moet afbetaal."

"Hoeveel grond?" Die man se geduld was min, maar ek wou weet.

"Twintig akker."

"Hoe betaal jy?"

"Jy gaan my nie weggepraat kry van jou onwettige blyery by Gouna nie, Miggel!"

"Ek weet, Mister, maar ek wil baie graag weet van die betalery."

"Een akker kos tien sjielings. Soos ek reeds gesê het, kry so 'n immigrant twintig akker en hy moet dit ná een jaar begin afbetaal teen een sjieling per akker per jaar vir tien jaar lank."

Hy het dit afgejaag, maar my kop het bygehou en die som was maklik om te maak. Ek het die halfsak mielies wat ek by my had, laat sak en op die stoel, wat langs my gestaan het, gaan sit.

"Mister," sê ek, "met ander woorde, vir tien pond kan 'n man twintig akker grond in die hande kry?" Tien pond het ek nou wel nog nie daardie jare bymekaargehad nie, maar daar was darem ook nie niks in my geldblik nie. Ek het altyd gesê 'n man wat sy eie grond besit, sit met sy agterwêreld op sy eie troon. "'n Man kan nie dalk meer as een so 'n stuk grond bekom en afbetaal nie?"

"Nee. Daar word wel aan elke landbou-immigrant 'n verdere honderd-en-tagtig akker meentgrond beskikbaar gestel wat hy as weiding kan benut en ná vyf jaar begin afbetaal teen dieselfde voorwaardes as die eerste twintig akker. En ek sal graag wil weet wie jou toestemming gegee het om sommer te sit."

Ek het opgestaan. "Dit was ingedagte, Mister. Hierdie honderd-en-tagtig akker is ook goeie tyding."

"Dis genoeg, Miggel! Jou onwettige blyery op kroongrond gaan 'n einde kry."

"My oupa is in die Bos gebore, Mister, my pa is in die Bos gebore, ek is in die Bos gebore, maar ek moet Engeland toe swem en weer terug ook, want skipgeld het ek nie om daar te kom nie, en eers dan kan ek 'n lappie kroongrond bekom? Dis vir my 'n bietjie duister."

"Kry nou end, Miggel!"

Hy was dik vir my, maar ek het gemaak of ek dit nie agterkom nie. "Kan Mister nie vir my 'n plan maak nie, my voormense het almal van Holland af gekom – Mirjam, los jou vlegsel!" Die kind had die manier om haar hare te staan en losvroetel as sy verveeld raak. "Mister moet tog maar verskoon lat die kind hier voor jou staan met net een vlegsel op die kop, daar was nie vanmôre tyd om twee te vleg nie, ons moes voordag by die huis weg. Ek belowe Mister, as Mister vir my 'n plan maak om 'n stukkie van die platrand te bekom, al is dit dan net die twintig akker, sal Mister nie een jaar vir my afbetaalgeld hoef te wag nie. Ek sal dit uit die grond uit werk soos 'n slaaf. Ek ken van werk. Vra maar vir Mister Barrington van Poortland, dis 'n man daardie wat maklik twee man se werk vir een man op 'n dag uitdeel en dis waarom sy werksmense dit nie hou nie en hy kort-kort vir my moet laat roep om te kom help. Vra hom."

"Ek glo jou, Miggel." Die man het 'n bietjie safter geklink. "Maar ongelukkig is daar niks wat ek vir jou kan doen nie. Die kroongrond behoort nie aan my nie, ek is bloot aangestel om toe te sien dat die wet wat vir kroongrond neergelê is, in hierdie distrik uitgevoer word. Wat dink jy sal gebeur as almal sommer wederregtelik op kroongrond gaan huis opslaan?"

"Mister hoef nie oor die platrand verknies te sit nie. Solank as wat ek daar is, skiet ek die eerste een wat twee planke opmekaar wil kom spyker. Ek hou my oog elke dag oor die wêreld daar bo. Dis vir die kind se onthalwe wat ek daar woon."

"Jammer, Miggel, ek kan jou nie daar toelaat nie. Al wat ek kan doen, is om redelik te wees en jou drie maande tyd te gee om ander heenkome te soek. Meer kan ek nie doen nie."

"Ek verstaan," het ek vir hom gesê.

En daar was nie onvrede tussen my en hom toe ek daar uit is nie, ons het mekaar ordentlik gegroet. Die dag daarna het Diepwalle se wagter White se woorde agterna kom bring: drie maande, dan moes ek af wees. Ek het vir die wagter gesê om soontoe te staan, hy trap op die patatranke wat ek besig was om in die grond te kry.

Ek het nie getrek nie. White het my gereeld laat waarsku of self gewaarsku wanneer ons mekaar gesien het. En seker goed 'n twee jaar daarna, toe tref 'n gelukkie my een reënerige middag bo in Rooiels-se-sleeppad, wat dinge agterna tussen my en White na vrindskap sou laat lyk. Kom ek die middag af op twee natgereënde, goed verdwaalde Engelsmanne met permissie in die sak om een olifant te skiet. Hulle moeilikheid het die môre begin toe die bruinman, wat gehuur was om vir hulle spoor en teken te soek, gesê het hy loop nie verder nie, hulle skiet nie na sy sin nie. Toe besluit hulle om self reg te kom, en toe kom hulle nie reg nie want hulle het nie geweet die Bos is só groot en só ruig nie. Hulle het gedink dis vir eenkant in en anderkant uit. Hulle vra my na die mooie kind op my rug en ek sê dis my Mirjam. En eers toe ek met hulle op pad is dorp toe, kom dit uit dat die een White se bloedneef uit Engeland is en die ander sy vriend.

Die volgende dag het ek Mirjam weggebring na my suster Hannie op Spruitbos-se-eiland, en twee dae lank met hulle in Kom-se-bos op die ou groot koei se spoor gebly en hulle bygestaan totdat sy plat gelê het en die kop afgekap en gesout was, want dié moes saam Engeland toe om teen 'n muur te kom. Sou seker maar goed gestink het.

Maar van toe af was White en die wagters se klaery ligter. Elke keer wanneer daar gerugte was van vreemdes wat weer op die dorp aangekom het met die skippe saam, het hulle op ander plekke grond gekry. Nie op die platrand nie. Van my kant af het ek gesorg dat White gereeld 'n blik heuning of 'n sak patats en 'n pampoen of twee kry. Nie om hom vas te maak nie, sommer om sy hande te was en omdat hy deur die jare so gek geraak het na Mirjam.

Vroeg in April van die jaar 1881 het ek weer die dag vir hom iets geneem en gevra of daar dan nog nie 'n kans was vir 'n stukkie grond op die platrand nie.

"Hier lê die brief, Miggel," sê hy en wys na die papiere voor hom, "klaar geskryf om gepos te word aan Mister Laing, die Kommissaris van Kroongrond en Agent vir Immigrante in die Kaap – met my versoek dat hulle nie meer immigrante hierheen moet stuur nie. Die kroonlotte hier op die dorp het nou almal besitters en ek sien nie meer kans vir een in die distrik nie."

Beter tyding kon ek nie gekry het nie. Dieselfde middag het ek begin om 'n nuwe stuk aarde onderkant my huis skoon te maak en agter die huis nog 'n blombedding vir Mirjam se tuin ook. Sy was toe sewentien en het alewig met 'n stiggie of 'n plantjie of 'n saadjie oorkant van Poortland af gekom vir haar blommetuin. As daar sterfte in die Bos was, het almal geweet hulle sou by haar iets vir die graf kry.

En White se woorde oor die brief aan die immigranteman in die Kaap was nie drie maande oud nie, toe staan hy met 'n treksel vreemdes op die platrand en ek staan doodgeskrik. Dit was so goed die tak waaraan jy vyftien jaar lank gehang het, begin kraak vir breek en daar's niks onder jou as jy val nie.

Maar ek sien daar is iets groot verkeerd met die treksel vreemdes – dis 'n bedroewende spul. Hulle maak nie 'n plan om die slees af te laai nie, hulle staan soos goed wat lam is, en die vroue bly aan die huil. Veral die een met die pers rok aan. Die groter kinders dra van die kleintjies skeef-skeef op die heupe en bly verskrik rondkyk.

"Wat se mense is dit hierdie?" vra ek vir White.

"Italiane."

"Wat waarvandaan kom?"

"Van Italië af."

"Hoeveel is hulle?"

"Drie-en-dertig. Ek bedoel, twee-en-dertig. Eintlik is dit nog altyd drie-en-dertig."

"Dit lyk my Mister kry hulle nie getel nie."

"Een is klaar weg, een het langs die pad bygekom, en dit is maar 'n druppel van die probleme waarmee ek te doen het. Ek is moeg, Miggel. Mister Christie, die man wat ek aan jou voorgestel het, het saam met hulle gekom. Hy praat hulle taal en sal na hulle omkyk. Maar ek kan hom nie sommer net hier los nie, ek sal twee of drie dae moet bly om hom by te staan. Jy het nie dalk vir my slaapplek vir 'n paar nagte nie?"

"Nee."

"Moenie dinge vir my moeiliker probeer maak nie." White was goed moedeloos. "Ek sit in 'n verknorsing met hierdie mense. As ek nie almal se samewerking kry nie, gaan dinge verkeerd loop. Ek was onder die indruk dat die hele aangeleentheid van hulle koms nog in 'n stadium van bespreking is, en die volgende word ek in kennis gestel dat hulle reeds op pad is. Besef jy dat ek reeds vir die laaste vyf weke met hulle langs die meer op die dorp in tente gesit het?"

"Dis beter as hier," sê ek vir hom. "Vat hulle terug."

"Ek kan nie, die winter is hier, dis te nat langs die water."

"Mister het nog nooit die platrand in die winter gesien as dit ag dae aanmekaar kom reën nie. Dis hoekom my huis hoog staan. Vat hulle terug, sê ek."

Maar skielik kom daar 'n beroering onder die spul vreemdes en toe ek weer sien, drom hulle om my en White en die Christieman saam soos bye wat uit 'n nes gerook is, en almal praat gelyk en beduie met die hande en lywe; party wys bergkant toe, party seekant toe en die ander hemel toe. Christie probeer 'n paar keer op hulle eie taal vir hulle iets sê, maar hulle praat hom plat. White haal later sy hoed af en swaai dit in die lug rond, maar dit was eerder om die vuur aan te blaas as dood te kry. En by dit alles bly een van die mansmense aan mý baadjie pluk.

"Amêrika? Amêrika?" vra hy oor en oor en wys grond toe. Hy lyk vir my skaars twintig.

"Wat sê jy?" vra ek.

"Amêrika? Amêrika?"

Ek sê vir hom ek weet nie wat hy wil hê nie, hy moet met die voorman, met Christie, praat. Maar hy hou net aan, te aardig. Dis erger as doof om 'n mens in die gesig te staan en kyk terwyl hy praat en jy weet nie wat hy sê nie. Hy hou net aan met "Amêrika, Amêrika".

"Wat wil die man hê?" kry ek uiteindelik vir White gevra.

"Hy wil weet of dit Amerika is, hy was onder die indruk dat hulle Amerika toe gaan."

"Sê vir hom dis g'n Amerika nie, dis Gouna."

"Ek het al, dit help nie."

Dit was 'n gekkespul. Die vrou met die pers rok aan het vir haar 'n pad oopgedruk tot voor in die kring en kom staan en huil dat die kwyl en die trane saam by haar nek inloop. En langs my was dit net "Amêrika, Amêrika".

"Kry end, man!" sê ek, "dis Gouna hierdie."

Twee van die ander vrouens het die vrou met die pers rok weggelei en die man wat na die oudste onder hulle gelyk het, het vorentoe gekom en bo die ander uit met Christie gepraat. Nie lank nie, toe wys die Engelsman na my toe en skielik kyk almal vir my.

"Nee wag," sê ek, "moenie na my kyk nie, ek het niks met julle te doen nie." Maar dis eerder of ek hulle aanmoedig en die swerm sak om my toe. Almal praat en beduie gelyk. "Hou julle bekke!" skree ek tussen hulle in en dis soos 'n skoot water op 'n vuur, hier en daar vlam dit nog, maar toe ek die tweede keer praat, toe word dit stil.

"Mister Miggel," sê Christie en ek sien die man is benoud. "First of all, these people want to know where the mulberry forest is."

"Die wat se ding?"

"Die *mulberry forest*, Miggel," sê White en skud sy kop. "Dis waaroor meer as die helfte van die moeilikheid gaan. Daar is in Italië aan hulle gesê dat dit 'n moerbeibos is waarheen hulle kom. 'n *Mulberry forest*."

"Is julle nou snaaks?" vra ek. "Wat se moerbeibos? Dis 'n houtbos hierdie. Stinkhout en geelhout en kershout en kwar en witels en rooi-els en saffraan en witpeer en vlier en kamassie en hardepeer en assegaai, en so kan ek vir julle opnoem tot ek deur die Bos is en dan kan ek met die onderbos begin, maar van 'n moerbeibos het ek nog nooit in my lewe gehoor nie. Wat wil hulle met moerbeie maak? Leef hulle van moerbeie?"

White het net sy kop geskud en vir Christie gesê om vir hulle te sê dat daar nie 'n moerbeibos is nie, dat hulle moet kalm bly. Christie vee eers met sy hand oor sy gesig soos een wat op ingee staan, en toe praat hy met hulle op hulle eie taal en wys bergkant toe. Skielik is dit vir my of hulle bedaar, en net daarna begin hulle een vir een wegdraai en gaan laai die goed af. Ek vra vir White of die voorman nie dalk nou vir hulle gestaan en lieg het nie, hoe anders het hy hulle so vinnig tevrede gekry?

"Ek weet nie, Miggel," sê White, "ek is te moeg om om te gee. Wees liewer dankbaar dat ons hulle vir 'n oomblik stil het."

Maar iets het in my eie binneste begin praat en my laat spesmaas kry. "Vir wat soek hulle 'n moerbeibos?" vra ek hom weer.

"Hulle is syboere, Miggel. Sywurmmense. Hulle is eksperte uit die noorde van hulle land en is spesiaal gewerf om hierheen te kom. Ek het eers gedink hulle is wewers, sywewers, maar hulle is nie, hulle boer met die wurms wat die kokonne spin en dan oes hulle die kokonne. Daar het êrens 'n baie groot misverstand plaasgevind, jy het self gehoor hulle verkeer onder die indruk dat hier 'n moerbeibos is. Die hele saak is verkeerd gehanteer!"

Italiane. Sywurms. Barrington. Dit was soos rieme wat aanmekaarknoop om een riem te maak. Verligting het oor my gekom, soos water oor 'n droë tong.

"Mister White," sê ek, "dit ís 'n misverstand. As ek nie keer nie, gaat ek juig! Dis oorkant op Poortland waar hulle moet wees. Dis Barrington se mense, hy wag vir hulle. Die beste sal wees as jy met hulle terug trek tot op die dorp, dan oor die laagwaterbrug oor die rivier en dan aan die ander kant op. Ek meen, daar oorkant in die verte kan jy Poortland sien lê, maar die kloof tussen hier en daar is te diep, jy sal nie met die slees deurkom nie. Dis Mister Barrington se mense hierdie, ek belowe jou dit."

"Hy wil hulle nie hê nie, Miggel."

Ek het White se woorde gehoor en vir myself gesê ek het dit nie gehoor nie. Dit was Barrington se Italiane en Poortland toe sou hulle trek al moes ek hulle een vir een deur die kloof sleep tot daar. As White te sleg was om vir Barrington te loop sê dat sy Italiane gekom het, sou ek dit loop doen. Voor mý sou hy dit nie kon afstry nie.

"Mister White," het ek gesê, haastig, "moenie lat hulle afpak nie, stop hulle. Gee my 'n kans om op Poortland te kom."

Ek het my huis se deur gaan sluit en die sleutel vir Mirjam onder die klip gesit. Ek kon nie wag tot sy kom nie, daar het 'n uur se stap tussen my en Poortland gelê.

Dit was Barrington se Italiane. Al man in die omgewing wat daardie klas drome in die kop gekry het, was die honourable Barrington van Poortland.

"*Port*land, Silas, *Port*land," het hy my van tyd tot tyd aangespreek oor sy plek se naam.

"Dit was al die jare Poortland, 'n poort is 'n poort, nie 'n port nie."

Barrington was uit hoë mense in Engeland en hy het dinge uitgedink wat geen ander uitgedink het nie. As sy korwe droog gestaan het, was dit die bosbye se skuld wat te lui was om te werk en het hy flukser bye met die skip saam laat kom van Engeland af. Die swerm wat nie in die Kaap weggeduiwel het nie, het dit hier kom doen. Daar het amper nie 'n skip by die kaai op die dorp kom anker waarop daar nie vir Poortland 'n kas goed was nie. As dit nie die watersaagmeul se enjin van Engeland af was nie, dan was dit die enjin se flenterparte op pad terug. Of klere vir hom en sy vrou en sy sewe kinders. Al drie sy seuns het een vir een 'n slag weggeloop van moedeloosheid onder die ou man.

Poortland. Redlands. Karawater. Alles Barrington-grond. Duisende akker en min wat nie 'n misoes was nie, want alles wat in sy kop gekom het, moes in die grond ook kom. As dit nie lemoenpitte was wat hy geplant het nie, was dit olywe of druiwe of katoen of twak of nartjies of rape of kurkebome en komkommers en okkerneute, en so het dit oor die jare heen aangehou. Alles moes in die grond kom vir die mirakel wat Poortland se voorspoed sou bring. Ek het hoeveel keer mooi met die ou man gepraat en vir hom gesê om te staan by sy beeste en sy skape en die hout uit Poortland se deel van die Bos. Maar nee. Dit moes alewig 'n uitheemse mirakel wees. Soos die sywurmbesigheid. Honderde moerbeiboompies het met die skippe saamgekom om op Poortland te kom vrek of in die klowe te kom staan en kwyn. Net die moerbeiheining agter die huis en die paar bome aan die westekant het bly lewe en saam daarmee Barrington se droom van 'n skuur so groot soos 'n mielieland waarin die wurms moes vreet en vet word om geel kokonne te spin.

"Ek sal met tien onse eiers begin, Silas." Die honourable Barrington het graag met my oor sy planne vir die syboerdery gepraat as ons die dag beeste op Redlands moes tel, of onder in die kloof sukkel om die watersaagmeul aan die gang te kry. "Van een enkele ons eiers kan jy honderd pond se gewig aan kokonne wen en van honderd pond kokonne wen jy ongeveer twaalf pond afgerolde sy."

"Om wat mee te maak, Mister Barrington?" het ek hom altyd gevra. "'n Mens kan nie sywurms of kokonne eet nie."

"Dit sal 'n baie winsgewende boerdery wees, Silas. Die eerste paar jaar boer ek met die doel om kokonne uit te voer. Italië toe. Miskien 'n bietjie Frankryk toe ook. Die beste wewers is in Italië, die beste syboere ook. Ek sal Italiane laat kom om vir my die werk te doen."

"Dit lyk vir my Mister Barrington se kalwers het die wurms. Mister Barrington moet Oujan stuur om te gaan bosdruifwortels graaf sodat ek dit op melk kan trek en vir hulle ingee. Die medisyne wat Mister Barrington laas met die skip saam laat kom het, beteken niks. Dis seker meer vir Engeland se klas wurms."

Ek glo nie hy't my eers gehoor nie. As hy die dag oor die sywurms wou praat, moes jy hom los en die kalwers laat oorstaan vir later. Een ding was seker, van sywurms het hy baie geweet, onnooslik was hy nie. Eendag het hy my vertel dat die sydraad wat jy van een ons eiers se kokonne wen, lank genoeg is om vyf keer om die aarde te draai.

"Dit klink effentjies lank, honourable," het ek gesê. "Vat nou maar net hoe ver se stap dit vir my is tot bo in Streepbos by die heuningneste en dan nog weer terug tot by my huis. Soos dit vir my klink, is daardie draadjie dan nog ver van gedaan af."

"Julle bosmense het geen begrip van dinge nie, Silas." Hy het dit gereeld voor my neergesit. "Ek dink nie jy het die vaagste gedagte van hoe groot die omtrek van die aarde werklik is nie. Miskien sal jy beter verstaan as ek vir jou sê dat die sydraad van drie kokonne lank genoeg is om van jou huis af tot op die dorp te strek, en dit is nege myl."

"Dit laat 'n mens respekte kry vir die ou drie wurmpies wat die draadjie getjorts het."

"Moenie growwe taal in my teenwoordigheid gebruik nie, Silas!"

"Moenie maak of ek 'n kind is nie, Mister Barrington." Hy het goed geweet ek is nie 'n man wat vloek nie.

"Dis 'n fyn kuns om met sy te boer, 'n baie fyn kuns. Nie alleen moet jy probeer om net die witmoerbei se blaar te voer nie, die blare moet ook net reg geoes word. Vir elke stadium van die wurms moet die blare in die regte grootte gekerf word, jou skuur moet so skoon soos 'n hospitaal wees en nie 'n hand mag aan die wurms raak nie. Hulle is baie vatbaar vir siektes. As jou wurms siek is, is jou eiers siek en 'n goeie kokonoes begin by die gehalte van jou eiers. Jy moet oplet na wat ek sê, Silas! Die dag wanneer ek op groot skaal met sy begin boer, gaan ek jou voltyds aanstel oor die skuur."

Dit was nog een van sy drome. "Mister Barrington weet mos ons bosmense werk nie vir 'n ander nie," het ek hom herinner. "Ek kom help maar net hier uit as Mister Barrington nie sonder my kan klaarkom nie."

"Jy sal nog anders besluit, Silas. Ek het van die beste eiers uit Italië ingevoer en al twee keer van die kokonne teruggestuur, die eerste keer twaalf, en die verslag wat ek teruggekry het, was uitstekend. Die tweede keer was my oes nie na wense nie en het hulle vir my laat weet dat ek heel moontlik die wurms verkeerd hanteer het. Ek het selfs al van Portland se eiers aan 'n kenner in Italië gestuur, 'n sekere Zappa. Sir James Hudson in Florence, dis 'n plek in Italië, het vir my as tussenganger opgetree en laat weet dat die heer Zappa baie gunstig gereageer het oor die eiers."

Barrington het baie vername mense geken. "Die moerbeiboompie wat Mister Barrington vir Mirjam gegee het, het gevrek. Sy het mooi met hom gewerk, maar hy wou nie vat nie."

"Eintlik het ek dit maar vir haar gegee omdat sy so graag een wou hê. Gouna se grond is nie geskik vir moerbei nie. Mrs Barrington het gesê daar is weer 'n paar rokke van Imar en Gabrielle wat jy vir Mirjam kan oorkoop. Die geld kom soos gewoonlik na my toe, moenie vergeet nie."

"Ek sal eers weer moet heuning verkoop."

"Ek kan dit van jou loon aftrek."

"Dan staat ek netnou by Mister Barrington ingeboek vir skuld soos die houtkappers op die dorp by die houtkopers se winkels."

"Jy's 'n dom man, Silas."

"Ja, Mister Barrington."

Teenspoed vir Barrington se wurms het ook nie agtergebly nie; partykeer was daar meer vrekte as lewe, maar moed het hy nie opgegee nie. Elke jaar het hy gesê: "Silas, volgende jaar sal ek met die skuur begin en drie of vier Italiaanse gesinne laat kom om die boerdery te behartig."

"Ja, Mister Barrington."

Menige dag het dit geklink of dit nog net die sywurm-droom en ek, Silas Miggel, is wat die ou man tot troos gebly het. Dit was die dae wat hy gekla het dat hy moeg is en gesê het hy dink nie hy sal meer lank leef nie. "Veertig jaar lank sukkel ek om 'n betalende bestaan uit my grond te maak, maar alles misluk. My seuns stel nie belang nie, ek weet nie wat hulle wil doen nie."

"Mister Barrington dryf hulle ook maar te hard," het ek vir hom gesê. Soms het hy hom vir my geërg as ek te na aan die waarheid gepraat het, ander tye het dit gelyk of hy te op is van sukkel om nog vir my ook te staan en kwaad word.

"Ek weet nie of dit die moeite werd is om hier voort te gaan nie, Silas. Miskien moet ek maar alles verkoop en teruggaan Engeland toe en my tyd daar in vrede gaan afwag."

"Sê nou Mister Barrington verkoop alles en kom daar oorkant aan en kry die vrede ook maar nie daar nie?" Ek het hom mooi gewaarsku. "Vrede is nie 'n ding wat jy soos 'n paar skoene kan gaat soek nie, honourable."

Die ou man se gemoed was daardie dag baie diep gesink. "Soms wonder ek of julle stomme bosmense nie beter daaraan toe is ten spyte van al julle ellende en armoed en eenvoudigheid van gees nie. Julle leef van dag tot dag, julle enigste strewe is om genoeg te hê om te eet."

"Mister Barrington praat nie nou reg nie," het ek vir hom gesê. "'n Mens leef nie om te kan eet nie, of om ryk te word of arm te bly nie, om min of baie te wees nie. 'n Mens leef maar net om goed te word. Dis al."

Ek moes dit nooit gesê het nie. Ons was die dag besig om klip te lê voor die agterdeur, Barrington het uitgemeet en ek het gepak. Hy't die duimstok gelos en orent gekom om my met 'n half ontevrede soort verbasing aan te kyk. "Wat het jy daar gesê, Silas?"

"Mens leef om goed te word, jy't nie ander take nie."

"Waar kom jy daaraan?"

"Nêrens nie, Mister Barrington, ek het dit maar deur die jare self so uitgekyk."

"En wat noem jy *goed*, Silas?" Dit wou al klink of hy spot.

"Goed is goed. Goed is nie sleg nie en sleg is nie goed nie."

"As ek heeldag in die son sit, beteken dit dan dat ek besig is om goed te word?"

"Nie as Mister Barrington sit omlat Mister Barrington te lui is om te werk nie. Daarvan sal Mister Barrington nie goed word nie, net slegter. Maar ek weet mos Mister Barrington is nie 'n lui man nie."

"Hoe goed is jý van plan om te word, Silas?"

"Mister Barrington spot nou."

"Ek spot nie, Silas, ek stel belang om te hoor hoe jou gedagtes loop."

"Ek word maar so stadigaan goeter en goeter. Ek woon daar oorkant op die platrand, ek en Mirjam, ek hinder geniemand nie. As 'n man by my 'n os kom leen, gee ek hom een. As Mister Barrington my laat roep, kom ek en ek werk vir iedere pennie wat Mister Barrington my aan die einde van die dag betaal. Dis Mister Barrington wat moet besluit of dit goed is om my net drie sjielings op 'n dag te gee. Elkeen moet maar op sy eie werf goed word."

Hy was die res van die dag nors. Die volgende dag was dit weer die sywurms: "Ek word nie jonger nie, Silas, my tyd gaan verby. Al hoop wat vir my oorbly, is die syboerdery. Ek het vir 'n tweede keer skrywe gerig aan die goewerment om die belangrikheid van my eksperimente met die sy onder hulle aandag te bring en te noem dat dit vorentoe vir die hele land van ontsaglike waarde kan wees. Ek het vir 'n tweede keer voorgestel dat uitgesoekte syboere in Italië gewerf word en dat hulle vry passate moet kry tot hier. Ek is bereid om lotte van tien akker elk aan hulle beskikbaar te stel vir 'n tydperk van drie jaar. As alles goed gaan, kan ek die tydperk verleng."

"En as dit nie goed gaan nie?" het ek gevra, maar hy het my nie antwoord gegee nie, net voortgegaan met die dromery.

"Mister Laing, die Agent vir Immigrante in die Kaap, is te vinde vir my voorstel en het reeds aan Mister Burnett in Londen, die Agent van Emigrasie vir die Kaapkolonie, geskryf en dit aan hom voorgelê. Jy sal nog sien, Silas, as die Italiane eers hier is, gaan Portland eindelik tot sy reg kom. My broer skryf vir my uit Engeland dat Italiane ook uitstekende bediendes is."

"Ek dog hulle moet met die wurms kom boer."

"Syboerdery is juis 'n tipe boerdery wat jou nie die volle jaar besig hou nie. Vandat die eiers uitbroei totdat die kokonne geoes is, duur maar 'n kwessie van ses weke. Dan moet die kokonne natuurlik nog verpak en weggestuur word, maar al wat daarna oorbly om te doen, is om die bome te snoei om hulle kort te hou en nuwe lote in die grond kry. Van die vroue kan Mrs Barrington in die huis help, die kinders – Italiane het altyd baie kinders – kan help vee oppas, en vir die mans sal daar oorgenoeg wees om te doen. Ek sal selfs meer hout kan laat kap in my bos."

Nou kom White met die spul Italiane op die platrand aan en hy sê Barrington wil hulle nie hê nie? Van watter kant af wou hy dit afstry? Die Italiane was syne en klaar.

Dit was agternamiddag toe ek op Poortland aankom. Die groot, grys dubbelstorie-kliphuis het soos 'n kerk oor alles getroon en ek het agterdeur toe geloop, want Barrington se reëel was: minderes klop agter. John, die oudste van sy drie seuns, het kom oopmaak.

"Middag, oom Silas."

"Middag. Ek wil jou pa sien."

"Mister Barrington is besig, oom sal maar 'n ander dag moet kom."

"Loop sê vir jou pa ek is hier." Barrington sou mý nie opstry nie.

John het sy windmaker maniere uitgehaal en sy een been oor die onderdeur geswaai. "Sover as wat ek weet, het ons oom nie vir vandag laat roep nie, Mister Barrington is van plan om Hal môre te stuur om oom te roep. Daar moet in die groentetuin gewerk word."

"Ek soek nie werk nie, ek soek jou pa."

"Ek sê dan vir oom Mister Barrington is besig."

"Dan wag ek tot hy klaar besig was." Ek het my rug op hom gedraai en om die hoek van die huis gaan staan. John Barrington was 'n wind wat skaars genoeg gewaai het om 'n blaar te roer – 'n man laat waai jou nie deurmekaar van so 'n wind nie. By sy pa en by sy ma het hy nie sy maniere geleer nie. Mister Barrington was nou wel boekslim en nie altyd kopslim nie, maar hy was 'n jentelman. Manierlik. En Mrs Barrington was 'n lady.

"Ek dink nie oom het my gehoor nie," het John agterna gekom om te kom skoor. "Ek het gesê Mister Barrington is besig."

Ek het hom nie antwoord gegee nie. Mrs Barrington het van die hoenderkamp se kant af gekom, netjies en vriendelik soos altyd. "Middag, Silas," het sy gegroet en gevra waar Mirjam is, waarom hulle haar die laaste tyd so min sien. Mrs Barrington het altyd met my Engels gepraat en ek met haar Hollands en ons het mekaar goed verstaan. Sy't gesê Imar en Gabrielle het die hele Saterdag uitgekyk vir Mirjam in die hoop dat sy sou deurkom Poortland toe.

"Ek het Saterdag heining gepak, Mirjam moes help."

"Het jy al 'n bietjie koffie gehad, Silas?"

"Ek wil nie koffie hê nie, Mrs Barrington, ek het gekom om met Mister Barrington oor 'n ernstige saak te praat."

"Ek sal hom vir jou gaan roep."

'n Goeie vrou. Hulle sê Barrington het op 'n dag op die skip geklim, haar in Engeland gaan uitsoek en van 'n klavier tot 'n stuk of nege wit bediendes saam teruggebring. Die klavier was nog daar op Poortland, maar die bediendes het almal lankal aangeloop.

Die lekkerste wat ek op Poortland gewerk het, was die tye wat die honourable Barrington in die Kaap by die Parlement was. Dan het ek en Mrs Barrington alleen oor Poortland gestaan en saam die werk bedink. Elke keer as Barrington teruggekom het, was die beeste vet, die hout opgesaag en verkoop, velle verkoop, kos in die grond, aartappels of uie geoes en die oorskot verkoop. Elke ding op sy plek. Die beste was die tyd toe John ook weg was. Hy vat mos toe die pad land-op om vir 'n paar maande te gaan diamante grou; sewe jaar het hy weggebly en toe met niks teruggekom nie behalwe 'n vreemde hovaardigheid.

"Oom Silas!" John het by die suurlemoenboom gestaan en van daar af begin skoor toe sy ma die huis in is. "In die vervolg wil ek hê oom moet Mister Barrington, sowel as Mrs Barrington, met groter respek aanspreek as wat oom se gewoonte is."

Ek het die wind laat verbywaai en anderpad gekyk. Gelukkig het Barrington nie lank daarna nie uitgekom.

"Middag, Silas."

"Middag, Mister Barrington. Ek het net kom sê lat Mister Barrington se Italiane aangekom het en lat hulle daar oorkant op die platrand uitgespan staat. Hulle weet skynlik nie dat dit Poortland toe is waarheen hulle moet kom nie." Barrington het sy lyf regop getrek soos dit sy gewoonte was wanneer hy regmaak om vas te staan. "Mister kan sommer die slees wat hulle tot daar gebring het, huur om hulle nou weer tot hier te kry."

"Ignore him, Sir," het John van die suurlemoenboom af voorgestel.

"Dit sal nie nou help om die ding te wil *ignore* nie," het ek gesê, "hulle het gekom en julle moet hulle laat haal."

"Ek het niks met daardie Italiane te doen nie," het Barrington botweg gesê. "Dit is mense wat deur die goewerment op goewermentsvoorwaardes laat kom is, nie op my voorwaardes nie."

Ek dog ek slaan neer. "Waarheen swaai Mister Barrington nou?" vra ek. "Die goewerment mog hulle laat kom het, maar uit 'n vuur wat deur Mister Barrington en niemand anders nie aan die brand gesteek is." Dit was die verkeerde ding om te sê, daar was nog altyd mense wat volgehou het dat dit Barrington se grasbrandery was wat die slag die hele wêreld afgebrand het. Groot stukke van die Bos en Poortland se opstal ook. Baie skade. "Wat weet die goewerment van sywurms af? Hoeveel keer het Mister Barrington nie met Mister Barrington se eie mond aan my gesê Mister Barrington het hiernatoe en soontoe geskryf om Italiane te kry vir die sywurmbesigheid nie? Hoeveel moerbeibome het my hande nie help plant sodat daar kos moes wees vir die wurms wanneer hulle aankom nie? Nou is hulle hier en Mister Barrington wil dit staan en afstry?"

"Just ignore him, Sir."

"John Barrington," het ek gesê en ek was kwaad, "*ignore* nog een keer tussenin en ek *ignore* vandag vir jou waar jy nie ge*ignore* wil wees nie! Ek sal dorp toe loop en voor magistraat Jackson loop sweer wie se Italiane dit is, en dan sal ek hulle een vir een met pakkasie en al deur die kloof kom sleep tot hier."

Barrington het nie geroer nie, toe hy praat het hy nie eers sy stem verhef nie. "Jy weet, Silas, ek het al dikwels vir jou gesê dat julle bosmense se onkunde en astrantheid nog julle ondergang gaan beteken en hier staan jy nou vandag as 'n goeie voorbeeld van my woorde."

"Los die woorde, Mister Barrington, die sywurms staat oorkant op Gouna en hulle moet gehaal word."

"Ek weet van die Italiane wat daar is, Silas, ek dink ek kan jou heelwat meer omtrent hulle vertel as wat jy vermoed ek kan. Miskien moet ek dit doen, miskien moet ek dit as my Christelike plig doen sodat jy tot kalmte kan kom en jou kop kan laat sak omdat jy vandag voor my deur, wat nog altyd vir jou en Mirjam oopgestaan het, kom rusie maak het."

"Ek het nie kom rusie maak nie, ek het net kom sê Mister Barrington se Italiane het aangekom. Dis Mister Barrington wat wil staan en stry."

"Ek is deeglik bewus van hulle aankoms. Hulle het reeds op

7 Mei aan boord van die *Natal* op Knysna aangekom. Ses gesinne uit die noorde van Italië."

"Daar's net so min ses gesinne. As daar ses gesinne is, het elke vrou twee mans," het ek hom reguit gesê.

Barrington het onmiddellik geskerm: "Ek het hulle nie persoonlik getel nie. Ek weet wel dat hulle van Italië af Londen toe is, en van Londen af is hulle per trein na Plymouth. Op 1 April het hulle daarvandaan met die *Anglian* na die Kaap vertrek. Hulle het die aand van 26 April aangekom en ek verneem dat 'n sekere Mister Christie hulle vergesel."

Moenie my vra waar Barrington aan alles gekom het nie, hy het dit soos 'n versie vir my gestaan en opsê. "Die Christie-kêrel is daar oorkant, ja," sê ek vir hom. "Hy kom saam Poortland toe."

"Ek gaan my geduld verloor, Silas."

"Hierdie ding vra nie vir geduld nie, Mister Barrington, hierdie ding vra vir die waarheid."

"Ek kan vir jou 'n kopie van 'n brief van Mister Burnett in Londen aan Mister Laing in die Kaap wys, waarin die *goewerment* meegedeel word dat die syboere deur hom, Burnett, persoonlik gekeur is, dat hulle uit so 'n goeie klas kom dat hy hulle nie eers aan die gebruiklike mediese ondersoek in Londen onderwerp het nie."

"Mister Barrington gaat my nie vandag toegooi met klompe woorde nie, die mense sit daar oorkant en hulle moet hier kom!"

"In dieselfde brief versoek Mister Burnett die *goewerment* om toe te sien dat hulle goed ontvang word by hulle aankoms in die Kaap en dat daar na hulle omgesien moet word indien hulle vir een van die kusskepe moet wag om tot by Knysna te kom. Mý naam word nêrens in die brief genoem nie. Daarby was daar niemand in die Kaap om hulle te ontvang nie; hulle is onmiddellik na hulle aankoms oorgeplaas op die *Natal*, waar hulle meer as 'n week moes wag voordat die skip kon vertrek. Ek het maar eers van hulle aankoms verneem nadat hulle al in die tente op die dorp was. Klink dit vir jou na mý Italiane? Wat ek wel gedoen het, was om John na hulle te stuur met 'n aanbod van grond hier op Poortland vir 'n tydperk van ten minste drie jaar. Ek het selfs vir hulle 'n paar kokonne saamgestuur waaroor hulle baie verheug was. Hulle het John die versekering gegee dat dit van die mooiste kokonne is wat hulle nog gesien het."

"Dis 'n lieg." Ek het dit reguit gesê. "Ek glo niks wat John praat nie. Hoe kon hulle dit alles vir hom gestaat en sê het as hulle net hulle eie taal praat?"

"Oom vergeet van die tolk!" het John hom vinnig opgeruk en gesê.

"As die kokonne so wonderlik is, waarom het hulle dan nie agterna gekom nie?"

Barrington het self die antwoord gegee: "Omdat die goewerment hulle kroongrond aanbied. Mý voorstelle van slegs twee of drie gesinne was in elk geval verontagsaam; daar is hopeloos te veel uitgebring en verder het die Italiane self besluit om my aanbod te verwerp. Daarby is Mister White oor hulle aangestel en nie ek nie. Nou kan jy weer vir jouself vra wie se Italiane dit is."

"Die Bybel sê die een wat die ding begin . . ."

"Oom Silas . . ." John het met 'n gemaakte lag en hande in die sakke kom staan. "Wees nou eerlik en erken oom probeer die Italiane op ons afskuif omdat jou kaia en jou tuine en jou dogter in gevaar is en omdat jy goed weet jou onwettige blyery op kroongrond is nou verby."

As Barrington nie gekeer het nie, het ek sy kop tussen sy bene ingedruk. En toe haal Barrington skielik mooipraatjies uit: "Silas," sê hy, "ek en jy kom oor baie jare heen saam, Mirjam het al amper soos 'n eie kind in my huis geword, waarom sal ons nou onvrede maak?"

"As Mister Barrington wil boek-opmaak, sal ek dit vir Mister Barrington doen. Van almal wat hier op Poortland gewerk het, is ek, Silas Miggel, al een wat nog nooit, nie een dag, die werk laat lê en aangeloop het nie. Ek het Mister Barrington reguit behandel, maar deur Mister Barrington se vervloekste sywurms sien ek vandag vir my en Mirjam in die wapad sit."

"Nee, Silas, ek het vir julle plek op Karawater, julle kan môre trek."

"Om te gaat varke oppas? Dink Mister Barrington ek het my

Mirjam in die oopte grootgemaak om nou met haar Karawater toe te trek en haar te laat verwilder? Dis 'n volle dag se stap van daar af om op die dorp te kom, ons sal in die Bos moet slaap voor ons weer kan terug. En van wanneer af staat 'n bosmens uitgeverhuur aan 'n ander? Die eerste dag toe ek Mister Barrington kom uithelp het, het ek vir Mister Barrington gesê ek steek my hand vir Mister Barrington uit, maar ek staat nie uitverhuur nie. My plek is op die platrand. En Mister Barrington kom staat die sywurms op die goewerment en afskuif." Ek was in my lewe nog nooit só van die ontsteltenis nie. "Maar ek sê vandag vir Mister Barrington daar oorkant gaat al wat Italiaan is, uitvrek as hulle nie weggevat word nie, en dit gaat op Mister Barrington se gewete kom."

"Gaan sê dit vir die goewerment, Silas, nie vir my nie. Dit het in elk geval tyd geword dat jy huis toe gaan en gaan nadink oor my aanbod van Karawater. Kom praat weer as jy kalm geword het." Hy het omgedraai en die huis ingeloop.

John het gestaan en lag. "Oom Silas," sê hy, "ek sien daar is 'n paar mooi vroumense onder die Italiane. As oom so 'n bietjie was en aantrek, kry oom dalk een."

"Loop bars jy, John Barrington!" het ek vir hom gesê, "ek soek nie vroumense nie en ek was my elke Sondag."

Mirjam het my voor die huis ingewag. Na die oostekant toe, so drie keer 'n klip se trek van my plek af, het 'n bondel ronde spitspunt-tente gestaan soos 'n plaag wat uit die aarde uit opgeskiet het. Elf tente. Hier en daar was hulle nog besig om van die penne dieper in die aarde in te slaan en ankertoue vas te trek. Dit loop en dit maal en dit lawaai soos goed wat nes geskrop het maar nie tot sit kan kom nie, en ek staan soos een wat van my voete af geklap is.

"Ek was bekommerd oor Pa. Mister White het gesê Pa is weg Poortland toe. Hy sê dis Italiane en hulle kom hier bly. Ek is jammer, Pa. Ek het hulle vanoggend onder in die kloof by die salieboom gekry en geskuil totdat hulle verby was; hulle moes almal help om die slees die hoogte uit te stoot, maar eers moes hulle help pad kap." Sy het gepraat asof sy alles met een asem gesê moes kry, soos dit haar gewoonte was wanneer sy bang is. "Ek weet nie hoe hulle tot hier gekom het nie, Pa, die pad wat uitgekap is, lyk vreeslik. Ek het geweet Pa gaan skrik. *Sê* iets, Pa! Wat sê Mister Barrington?"

"Hy wil hulle nie hê nie. Hy stoot hulle oor na die goewerment toe." Ek het verby haar in die huis ingeloop en vir my 'n beker drinkwater geskep. Sy het agterna gekom.

"Maar dit ís Mister Barrington se Italiane, Pa! Hy het dan al wanneer vir Kate en Flos en Imar en Gabrielle 'n Italiaanse woordeboek laat kom waaruit hulle elke dag 'n paar woorde moes leer sodat hulle met die mense kon praat as hulle die dag hier aankom."

"Hy wil hulle nie hê nie."

Ek is buite na my houtkamer toe om 'n bietjie reg te pak, maar my hande wou nie vat nie en ek had 'n steekpyn aan die een kant van my kop. As die wêreld die dag vir jou gatoorkop slaan, tref dit jou eers skielik en dan tref dit jou stadig, en dís wanneer die angs jou vat. Mirjam het weer agterna gekom.

"Beteken dit ons moet trek, Pa?"

"Die skrik moet eers uit my uit voor ek behoorlik kan dink. Maar ek wil nie hê jy moet jou kwel oor wat van ons sal word nie. Pa sal daarvoor sorg. Loop maak vir ons kos en sit die borde op die tafel."

"Pa was dit nie meer te wagte nie, vreemdes op die platrand."

"Nee."

"Is Pa bang?"

"'n Bang man was ek nog nooit, maar ek sal lieg as ek sê dat ek voor hierdie ding in gerustheid staan. Dis 'n lelike besigheid. Ons is dalk in groot moeilikheid en ek sal al die kante toe moet dink om ons daar uit te kry."

"Miskien het ons te gerus geraak."

"Loop maak vir ons kos."

Haar dikke vlegsel het tot in die waai van haar rug gehang en in die laaste son geblink toe sy wegstap. Waar moes ek haar verberg van die oë by die tente? Dit was klaar 'n stryd om haar weg te hou voor die oë van elke jong houtkapper in die Bos, wat al meer dikwels op die platrand aangekom het om kastig wegdwaalos te soek, of napad dorp toe te vat, net om na haar te kom staan en leepoog. Daarby het Mirjam 'n vervloekste manier aan haar gehad om hulle sonder 'n woord slap in die knieë te maak; net die manier waarop sy geloop het en haar lyf gehou en na hulle gekyk het. 'n Flerrie was sy nie, dit was iets anders; ook nie 'n aanwensel nie, dit was iets wat in haar ingebore was en wat ek nie uit haar uit gepraat kon kry nie.

Die nag toe my vrou, Magriet, met die kind en met die dood geworstel het, het ek gebid dat dit 'n seun moes wees. Magriet se ma het gesterf toe sý die nag gebore is, Magriet het gesterf toe Mirjam die nag gebore is. Daardie tyd woon ons op Spruitbos-se-eiland. Die dag ná Magriet begrawe is, het ek die kind toegedraai en dorp toe gedra om te laat doop. Ek was bang sy kom ook iets oor. Die predikant het gesê ek moet die volgende Sondag terugkom, dan's dit doopdag; toe sê ek vir hom ek kan nie die volgende Sondag weer met die kind loop nie, hy moet haar doop of laat staan. Toe het hy haar in 'n syvertrek van die kerk gedoop, en in Kom-se-bos het ek haar in 'n spruit oorgedoop, want ek was nie tevrede nie. En op my knieë in die water het ek voor God beloof dat ek met alles wat ek het, sou keer dat die lot van haar ouma en haar ma nie ook hare word nie. Wat ek nie daardie dag geweet het nie, was dat die wesentjie in my hande die mooiste meisiekind sou word. Die fout wat ek gemaak het, was om die waarheid te lank vir haar weg te steek. Deur die jare, as sy na haar ma uitgevra het, het ek allerhande ander dinge vertel, maar nie hoe sy aan haar einde gekom het nie. Ek het geweet ek moet met haar praat voor sy groot is, maar ek het dit aanhou uitstel. Die platrand was soos tyd wat my gegun was om haar eenkant te hou. Dom was ek nie, ek het haar met 'n lang riem vasgemaak en skietgegee as sy wou dorp toe of Poortland toe op 'n Saterdag of 'n Sondag; ek het skietgegee sodat sy my sou vertrou wanneer ek die dag vir haar die waarheid moet vertel en die riem inkort. Toe ek my weer kry, toe is sy groot, toe is sy sewentien, en nog het ek dit bly uitstel omdat daar dinge is waaroor 'n man nie maklik praat nie, waarvoor 'n meisiekind 'n ma moet hê. Al wat ek intussen kon doen, was om te sorg dat daar geld in die blik kom sodat ek haar eendag versorg kon agterlaat. Van die heuning se geld en van die loon wat ek oorkant op Poortland verdien het, het ons geleef. Geld vir die blik het ek verdien uit die opvoustoeletjies wat ek gemaak en verkoop het. Af en toe het ek nog 'n bietjie hout ook gekap en verkoop en dié se geld het ek ook in die blik laat val. Daar was by die tagtig pond in die blik; vir 'n bosmens was ek 'n ryk man. En Smit, die houtkoper op die dorp, het gesê hy sou elke stoeletjie koop wat my hande kon lewer. Wat die mense aan die goed had, weet ek nie, maar hy het troppe met die skippe saam weggestuur.

Om iets te maak wat jy kon verkoop, het droë hout gevra, en om droë hout te hê, het tyd gevra: soms twee jaar, soms drie, soms langer. Aan die begin het dit moeilik gegaan om hout te laat lê vir droog word wat koffie en meel en suiker en 'n stukkie klere kon gekoop het. Eers het ek net die een helfte van wat ek gekap het, laat lê en die ander helfte bewerk en uitgesleep dorp toe in ruil vir winkelskuld, soos almal maar moes maak. Die dag toe ek met die eerste stoeletjie by Smit aankom, wou hy dié ook vir winkelskuld ruil, maar ek sê vir hom dan vat ek die ding terug en loop steek hom in die vuur en soek iets anders om 'n ekstra mee te verdien. Hy het my tot sonsak toe buite laat staan en wag vir 'n antwoord, maar my staan het ek gestaan; hy was verleë oor die stoeletjie en ek oor die geld; hy kon nie stoeletjies maak nie en ek nie geld nie. Op die ou end het ek ingestem tot drie sjielings vir 'n stoeletjie, dieselfde as vir 'n dag se loon op Poortland. Maar toe ek die geld in my sak steek, het ek geweet my meisiekind sou nie eendag uit 'n ander se bord hoef te eet nie.

Die kers het al op die tafel gebrand toe Mirjam my inroep om te kom eet. Ons het nie geëet soos ons altyd geëet het nie; dit het vir my gevoel of al elf die tente vol vreemdes oor my tafel hang en die kos nie smaak het in my mond nie. Ons sit nog en eet, toe klop een aan die deur en ek dink dis seker White, maar toe ek oopmaak, toe staan die vrou met die pers rok daar, haar oë dik gehuil, en toe sy praat, toe weet ek sy soebat en haar hande soebat saam. Al wat ek kan uitmaak, is dat dit iets van 'n *bambina* is.

"Ek weet nie wat jy sê nie," sê ek en probeer haar stilkry. "Loop praat met julle voorman, met Christie, Mister Christie!"

"Moenie so skree nie, Pa, sy's nie doof nie."
"Wat wil sy hê?"
"Ek weet nie, dalk vra sy kos."
"Gee vir haar kos."
Mirjam het omgedraai en van die asbrood en patats op die tafel gevat en vir haar kom gee, maar sy't haar kop weggedraai en dit nie gevat nie. Sy het al ongeduldiger geraak, dit het geklink of sy die vreemde woorde by ons ore wou indruk om ons te laat verstaan.
"Loop na Mister Christie toe, ons weet nie wat jy wil hê nie," sê ek vir haar.
"Dalk soek sy drinkwater," sê Mirjam. "Hulle sal nie weet waar om te gaan skep nie, dis donker."
"Gee vir haar water."
Dit was ook nie water nie. Toe Mirjam die beker na haar uithou, het sy net 'n moedelose gebaar gemaak, omgedraai en weggestap.
"Loop saam met haar tot by die tente, Pa."
"Nee. Sy't alleen gekom tot hier, sy kan alleen terug."
"Sy wou iets van ons gehad het, Pa, sy't gesoebat!"
"Daarvoor is die voorman daar, Mister White ook."
"Dalk is daar siekte."
"Daar's nie siekte nie, sy kerm en ween vandat hulle hier aangekom het."
Ek het die deur toegemaak en gegrendel en weer langs die tafel gaan sit. Ek het gemaak of ek die verwyte in Mirjam se kyke nie sien nie. Dit kan neuk, het ek vir myself gesê, Mirjam is een wat gedurig iets het wat gejammer moet word. As dit nie 'n plantjie is nie, is dit 'n voëlkuiken of 'n ding. Vir al wat mens is, het sy 'n goeie woord. Nie lank tevore nie, het sy die Sondagmiddag oorkant van Poortland af gekom, van Imar en Gabrielle af, en toe sy by die huis kom, sê sy niemand moet ooit weer sê Mister Barrington is suinig of onvriendelik of te hoog nie. Hy's 'n goeie man. Een van sy varke is die middag dood en toe sê hy dis omdat niemand vir die vark lief was nie.
"Pa moes saam met haar geloop het tot by die tente!"
"Mirjam, jammerte op sy tyd is 'n goeie ding, maar jammerte uit sy plek uit swel jou oë gou vir jou toe solat jy nie kan sien

nie. Trek die gordyn aan, dit voel al vir my daar kyk oë deur die venster."

Die son was skaars die volgende môre uit, toe staan White voor my deur en ek sien hy staan swaar. Die man is bedruk.

"Môre, Miggel."

"Môre, Mister White. Kom binne. Het julle toe die moerbeibos gekry?"

"Jy sou nie na spot gevoel het as jy vanmôre in my plek was nie. Ek kom soek 'n handbyl om te leen, die mense moet vuurmaakhout hê, daar is niks om mee te kap nie. Leen asseblief vir my 'n byl."

"Watter dag van die week is dit, Mister White?" vra ek hom.

"Sondag."

"Sien Mister my byl daar anderkant op die kapblok ingebyl staan?"

"Ja, ek sien hom."

"Amper dertig jaar lank kap daardie byl my vuurmaakhout, maar op die Sabbat is hy nog nooit gelig nie en hy sal ook nie vandag gelig word nie."

"Die Woord van God sê: as die kalf in die sloot lê, Miggel."

"Dis reg. Maar daar is 'n verskil tussen 'n kalf wat in die sloot geval het en een wat die sloot ingestamp is. My byl kap nie op 'n Sondag nie. Hulle kan die hout met hulle hande loop breek."

Toe hy hom opruk en aanloop, kom Mirjam uit die kamer uit en kom staan my en verwyt. "Pa is verkeerd, Pa moes die byl gegee het!"

"My byl kap nie op die Sondag nie."

"Gaan Pa nou oorlog maak teen hierdie mense?"

"Nee. Maar ek gaat hulle ook nie met die hand groet nie. Dis nie hulle plek nie en hoe gouer die goewerment vir hulle hier wegvat, hoe beter sal dit wees."

Ek het die Bybel gevat en buite langs die huis gaan sit soos dit elke Sondag my gewoonte is. Al verskil was dat ek nie aan die oostekant van die huis loop sit het nie, maar aan die westekant, sodat my oë nie die tente sou sien nie. Ek is nie 'n man wat die Here heeldag lastig geval het nie; Sondae het ek my praatwerk vir die week wat voorgelê het, gedoen en vergiffenis gevra vir die vrotplekke in die week wat verby is. Ek het by die psalms oopgeslaan en gelees. Halfpad toe weet ek ek lees bo-oor die woorde, niks gaan tot in my kop nie. My gemoed was te beknel van die kommer. Waarheen trek ek as hulle my máák trek? Wat van my groentekampe? Wat van die aartappels wat regstaan om opgeërd te word? Wat van my huis? Die planke was nog goed om weer te gebruik as dit nie anders kon as trek nie. Elke boom waaruit daardie planke gesaag was, het my twee hande self gekap en bewerk. Net met die opslaan het Martiens Botha sy houtkapperspan gebring en kom help en sommer die dag weer vir my kom preek ook.

"Jy kan nie die kind alleen grootmaak nie, Silas. Veral nie hier waar geen sterfling naby is nie. Laat loop jou oë deur die Bos en vat weer vir jou 'n vrou. Jogebed van Frans Gerber is jonk en fluks; as sy jou nie geval nie, is Annie van broer Bart ook nog daar."

Net een keer, toe Mirjam die jaar tien geword het, het ek weer vir een sin gekry. Vir Johanna, weduvrou van oorle Petrus Jonker wat die slag die gelekoors gekry het en nie weer opgestaan het nie. Kry ek sin vir Johanna. Maar toe ek op 'n dag weer die stomme vier wesies aankyk, toe trek al wat begerentheid is, uit my uit, want om een asbrood in twee te breek, was 'n ander ding as om dit in sewe te moet deel. Los dit, het ek vir myself gesê, maak die kind alleen groot.

Ek het 'n ander psalm probeer lees. White het nie die hele waarheid gepraat toe hy gesê het hy was hulle nie regtig te wagte nie. Daardie selfde jaar in Maart het hy my eendag gevra of ek dan nie weet van raad met die kewer wat die dorp se bome so vreet en laat vrek nie. Ek vra vir hom wat se kewer? Hy sê die *Australian bug*. Ek sê vir hom ek het nog nooit van so 'n ding gehoor nie, en toe sê hy al wat moerbeiboom op die dorp is, is al tot niet gevreet en dít terwyl daar sprake is van 'n sybedryf vir die distrik, terwyl daar selfs al syboere op pad is. Ek het nie notisie geneem nie, my kop staan toe nog altyd by die kewer en ek sê vir hom solank die pes net nie Bos toe trek nie. Die week daarna kom ek op Poortland en kry Barrington halflyf in die moerbeiheining op soek na tekens van die einste kewer. Hy praat van die ramp wat hom sal tref as die sywurmmense opdaag en daar's kewers in sy moerbei. Ek vat weer nie notisie nie, ek dog dis maar die ou droom.

Spruitbos-se-eiland toe kon ek nie trek nie. Daar was te veel geil jong houtkappers wat met Mirjam kon lol. Dorp toe? 'n Man kon nie sommer jou huis staat afbreek en op die dorp loop opslaan nie. Voor die eerste spyker in is, het magistraat Jackson jou in die hof en jou osse in die skut, en daar sou Mirjam ook nie veilig wees nie – ek het al gesien hoe loer hulle na haar.

Ek sit nog so, toe staan Josafat Stander by my voete, geweer oor die skouer, want Josafat Stander het nie menswet of Godswet ontsien nie, hy was 'n man van sy eie wette.

"En as oom nou vanmôre aan die koeltekant van die huis sit?"

Ek het die Bybel toegemaak. "Môre, Josafat. Skaam jy jou nie om op die Sondag met 'n geweer te loop nie?"

"Die grootvoete sal nie vra of dit Sondag is as hulle my wil trap nie." Hy het die geweer afgehaal en langs my met sy rug teen die huis kom sit.

"Mirjam!" het ek binnetoe geroep. "Bring vir oom Josafat 'n beker koffie."

"Ek het gedink ek kom maar vanoggend 'n bietjie uit en kom kyk wat oom hier getref het. Ek hoor dis Italiane."

"Waar hoor jy dit?"

"Op die dorp. Oom Joram Barnard sê ek moet vir oom sê daar's plek by hulle op Grooteiland. Hy sal met sy wa in Rooiels-se-sleeppad probeer afkom tot so na as moontlik aan die platrand en oom kom help trek."

"Ek is nog lank nie by trek nie, ek is maar nog besig om oor die skrik te kom. Waar staat jou skerm op die oomblik?"

"Ek het nog nie skerm vir die winter gemaak nie, ek slaap maar waar die son vir my sak."

Ek het lankal opgehou om vir Josafat Stander te preek. Die Bos was sy woning en sy geweer sy vrou. Soms het daar maande omgegaan dat niemand hom sien nie en het die gerugte kom loop dat die olifante hom uiteindelik getrap en vermorsel het. Dan kom hy op 'n dag maar net weer uit. Twee boswagters het hom eendag by Michiel-se-kruis gevang met die olifanttand oor die skouer en sonder permissie in die sak, en hom met tand en al dorp toe aangejaag. Hulle het hom glo amper op die dorp gehad toe hy skielik net weg voor hulle was. Met tand en al. Hulle het geweet hy het die ruigtes ingeswenk en moes arm-ver van hulle af wees, maar gekry het hulle hom nie. Die ander storie wou dit weer hê dat hulle hom self laat wegkom het, omdat daar twee dinge is waarvoor 'n boswagter werklik bang is en dit is vir 'n olifant en vir Josafat Stander. Daar was baie stories oor Josafat Stander. Raaisels. Soos die slag toe hy in die arm geskiet is en lank op Spruitbos-se-eiland by ou Mieta, die medisynevrou, gelê het. Wie hom geskiet het, het hy nooit gesê nie. Dit was maar die mense wat rondgeskinder het dat dit Diepwalle se wagter was wat hom by sy vrou betrap het. Ander het volgehou dit was een van die konstabels op die dorp wat hom in die nag voorgelê en gewond het toe hy besig was om tande uit te dra na 'n skip toe. Ek het altyd gesê Josafat Stander se moeilikheid het begin die dag toe sy pa met die wavrag hout by Ysterhoutrug verongeluk het. Daardie selfde dag het Josafat gesweer hy sou nooit houtkap vir 'n lewe nie. Toe sy ma weer trou en wegtrek, het hy agtergebly en verwilder.

"Hoeveel grootvoete het jy hierdie week geskiet?"

"Net twee, oom."

"Hulle gaat nog vir jou trap dat daar van jou niks oorbly nie."

"Julle sê dit al jare lank."

"Wat maak jy met die tande?"

"Dis mý saak. Eintlik het ek vir oom kom sê van 'n plek bo in Lelievleibos waarheen oom kan trek. Dis een van my skuilplekke in die winter, maar oom kan hom kry. Dis nie 'n groot oopte nie, daar is water en dis nie ver van 'n sleeppad af nie."

"Ek is nog lank nie by trek nie."

Mirjam het met twee bekers koffie uit die huis gekom. Haar hare was los en sy het die mooie rok met die fyne blommetjies, wat ek die laaste vir haar by Mrs Barrington oorgekoop het, aangehad.

"Alles in die huis is reg, Pa. Pa se middagkos ook."

"Waar gaat jy heen?"

"Poortland toe, Pa."

Sy was lank nie Poortland toe nie. As dit my wil was, het ek haar gekeer, want ek was te kwaad vir Barrington. Maar Poortland toe was beter as na die tente se kant toe. "Sit jou kappie op voor jy loop," sê ek vir haar.

"Dis Sondag, Pa, ek gaan nie nou tuin toe nie."

"Sit op jou kappie, Mirjam! Dit mog Junie wees, maar die son het nog genoeg steek in hom om jou gesig te brand."

"Die kappie druk my hare plat, Pa," hou sy aan met stry.

"Luister vir jou pa, Mirjam," sê Josafat kort en klaar en sy ruk haar op en loop in die huis in. Maar toe sy uitkom, was die kappie op haar kop; sy had van kleintyd af respekte vir Josafat.

"Jy sê daar is nie ander mense by die plek in Lelievleibos nie?"

"Nee, oom." Hy het sy pyp uitgehaal en opgesteek.

"Ek sê weer: ek is nog ver van trek af, maar dis goed om te weet van 'n plek waar ek weer eenkant sal kan bly as dinge dalk regtig neuk."

"Mirjam word groot en eiewys soos 'n vroumens, oom sal haar nie vir die res van haar lewe kan eenkant hou nie."

"Dit kan nie anders nie. Ek moet."

"Hoekom?"

By al Josafat se neukery had hy 'n verstandigheid in hom wat gemaak het dat 'n mens oor baie dinge met hom kon praat. Dis net dat 'n mens nie oor alles kan praat nie. "Ek bly jou 'n antwoord skuldig," het ek vir hom gesê. "Maar daar ís 'n antwoord, glo my dit. En sê vir Joram Barnard ek sê dankie lat hy aangebied het."

"Ek hoor dis syboere."

"Ja." 'n Swerm witogies het verbygewoerts Bos toe, twee geelkeelsangertjies agterna. Ek het die swerm goed geken.

"Oom sal moet trek."

"Nee. Die platrand is my plek."

Josafat het nog 'n rukkie gesit, toe opgestaan en die Bos in geloop – waarheen het hy alleen geweet. Ek het weer die Bybel oopgeslaan om heenkome vir my gemoed te soek, maar die Boek wou nie praat nie, die woorde het duister gebly soos die woorde uit die vrou met die pers rok se mond.

Die hele dag bly ek wegkant van die tente. As ek gaan water

skep, kyk ek nie op nie, maar hulle kom by my ore in, want dit roep en dit praat en dit kap tentpenne vas; ek kan hulle nie weg toor of weg dink nie.

En Mirjam het amper donker eers by die huis gekom. Singsing.

"Hier sit ons so goed as omsingel van vreemdes en jy kom watter tyd van Poortland af, al singende!" Ek wou nie met haar rusie maak nie, maar ek kon myself nie keer nie; die hele dag se dink en opkrop het uitkomplek gesoek. "Ek hoop jy het vir Mister Barrington gesê hy moet sy spul sywurms hier kom weghaal!"

"Hy weet van hulle, Pa."

"Wat gaat hy daaromtrent doen?"

"Ek weet nie, Pa."

Maandag, ligdag, was White weer voor my deur.

"Dit gaan sleg, Miggel. Baie sleg."

"Ek is bly om dit te verneem, Mister."

"Pa!" het Mirjam my uit die kamer uit aangepraat.

"Die mense is in opstand, Miggel. Hulle sê hulle is veronreg en verkul en hulle wil alles van mý hê. Christie is saam met hulle in opstand, daarby moet ek nog by hom in die tent ook slaap. Hulle kla oor die tente wat te min en te beknop is, ek moes al klaar op die dorp twee ekstra uitkrap."

"Vir wat het Mister met hulle hiernatoe gekom?"

"Dis goewermentsbesluit, Miggel. Kroongrond is nie oral ewe geskik nie. Die keuse was tussen Quar en Gouna, en ons het gereken Gouna sal meer geskik wees vir moerbei as Quar, want die opdrag is dat hier 'n sybedryf begin moet word."

Ek het die beker wat voor my gestaan het, weggestoot dat die koffie spat. "Mister," sê ek vir hom, "loop sê jy vir die goewerment Silas Miggel sê: die eerste sywurm wat hulle op hierdie platrand grootmaak, vreet ek met vel en al op en spin self die kokon."

"Moenie oorhaastig wees nie, Miggel."

"Nou maar goed." Ek was kwaad. "Kom ons sê daar val môre 'n klomp moerbeilote uit die lug uit en hulle plant dit en nog 'n mirakel val daarmee saam en die goed groei, waarvan reken

Mister en die goewerment gaat hulle en hulle wurms leef tot tyd en wyl die bome oor drie, vier jaar sterk genoeg is om blare van te oes?"

"Dit is alles deel van hulle opstand, Miggel. Volgens Christie is hulle onder die indruk gebring dat hulle by hulle aankoms vir ten minste ses maande van kos voorsien sou word totdat hulle hul eie kos kon begin wen. Verder sou elke gesin en vrygesel 'n os en 'n ploeg kry en byle en grawe en komberse en kookpotte en saad en ek weet nie wat nog alles nie."

"Ek sit verwonder lat die goewerment hulle nie sommer elkeen 'n pêrel binne-in die kroon ook belowe het nie."

"Dis maklik vir jou om te praat, Miggel. Ek sit met die werklikheid. Volgens die immigrasie-papiere wat saam met hulle aangekom het en wat spesiaal vir hulle in hul eie taal opgestel is, het elke gesinshoof en vrygesel ten minste twintig pond in besit. Die dokumente moes in Italië onder toesig ingevul en in Londen nagegaan gewees het. Christie sê dit is gedoen en hulle het die geld gehad, maar hulle weet skielik niks daarvan af nie en besit nie 'n pennie nie. Hulle sê hulle moes in die Kaap kos koop terwyl hulle op die *Natal* gewag het om tot hier te kom."

"Bly by die werklikheid, soos Mister dit noem. Waarvan gaat hulle leef?"

"Hulle eis 'n sjieling per dag per persoon plus al die ander beloftes."

"Wat?"

Mirjam het vir White koffie geskink en drie lepels suiker ingegooi. "Stadig!" het ek haar gemaan, "die goewerment gaat nie vir my en jou suiker toestaan nie."

"Gedra vir Pa." Die kind had altyd 'n manier om my te wil leer.

White het al roerende voortgekerm: "Ek het gehoop die ontevredenheid sou afneem sodra ek hulle hier op die platrand het en hulle die moontlikheid van die plek sien, maar vanmôre kan ons hulle glad nie beheer nie. Ek het 'n vermoede dat Christie hulle aanhits in plaas van hulle te kalmeer. Hy bly vir my seksie tien van die regulasies aanhaal wat bepaal dat die goewerment dit mág oorweeg om klein bedrae geld aan immigrante voor te skiet, wat dan oor 'n tydperk van twee jaar terugbetaal kan word. Hy vergeet van seksie nege, wat dit baie duidelik stel dat alle immigrante hul eie kos moet voorsien vanaf datum van aankoms. Ek het hulle reeds vyf weke lank langs die meer van rantsoene voorsien en dit baie duidelik gestel dat dit net sou wees totdat hulle hier kom. Nou eis hulle net al hoe meer. Saterdag, toe ons hier aangekom het, het hulle gesê hulle weier om enigiets te doen voordat daar aan hulle eise voldoen is – die goed is hulle beloof. Gisteraand en vanmôre is dit weer 'n ander storie."

"Mister, leer nou vandag van my een ding: as 'n ding verknoei is, is hy verknoei; jy kry hom nie met nog meer knoei reg nie. Die platrand is nie 'n plek vir sywurms nie, vat vir hulle terug."

"Hierdie is 'n goewermentsaak, Miggel. Ek is bloot die Agent van Immigrante op Knysna, ek voer opdragte uit. Hierdie mense is totaal verkeerd ingelig en ek sit sonder bewyse van wat hulle alles beloof is."

"Hulle is nie verkeerd ingelig nie, Mister, hulle is plyn belieg. Waar het jy in jou lewe van 'n moerbeibos gehoor?"

"Ek het reeds daaroor skrywe gerig aan Mister Laing in die Kaap en gevra dat daar onmiddellik en dringend op die saak ingegaan word."

"Laat weet my net wanneer daar met die uitdeel van al die beloftes begin word solat ek ook in die ry kan kom staan vir 'n ploeg. Die platrand ken nie so iets nie. Ek moes maar al die jare die aarde sonder ploeg omsukkel."

"Moenie jy ook begin dink ek sit met sakke vol goewermentsgeld om maar net uit te deel nie, Miggel. Ek moet vir alles magtiging kry. Net die trekdiere en die implemente en die ander losgoed alleen sal oor die vyfhonderd pond beloop. 'n Sjieling per kop per dag: 'n verdere twee-en-veertig pond per maand vir ses maande lank, as ek die kinders onder drie jaar oud nie tel nie, en ook nie die een wat weg is nie, ook nie Canovi wat op weg hierheen by hulle aangesluit het nie. Sou ek magtiging kry, en ek betwyfel dit, om al hierdie eise aan hulle toe te staan, moet hulle dit nog altyd binne twee jaar terugbetaal en die vraag is waaruit? Christie sê hulle is onder die indruk gebring dat hier reeds 'n aanvang gemaak is met die sybedryf, hulle moes dit net kom uitbrei."

"Dis van Barrington se jêmpot sywurms wat hulle verneem het, ja."

"Hulle was onder die indruk dat die skure vir die wurms reeds opgerig is."

"Dis van die droom in Barrington se kop wat hulle verneem het, ja."

"Nou wil hulle alles van my hê. Ek is maar net die een wat hulle aan die einde van die proses moes ontvang en ek is besig om 'n ineenstorting te kry."

"Trek met hulle Poortland toe."

"Dit is nie wat hulle wil hê nie, Miggel. Hulle het gisteraand 'n lang vergadering gehou en ek is ingelig dat hulle eenparig besluit het om terug te gaan Italië toe. Nou eis hulle van my 'n skip."

Ek wou op die oomblik opspring en juig, maar die onnooslike White het gesit soos een met 'n juk oor die skof en die uitkoms nie gesien nie. "Juig, Mister," sê ek vir hom, "dis die beste wat hulle kon besluit het en dis ons almal se uitkoms! Ek sal my eie slee en osse vat en jou help om hulle terug te kry by die water. My slee is nou wel nie groot nie, maar ek sal nag en dag aanry. Mirjam, skink daar vir Mister White nog 'n beker koffie." Ek kon nie verstaan waarom die man so slapnek bly nie. "Kry moed," sê ek vir hom, "ons gaat van hulle ontslae raak!"

"Immigrasie, Miggel, is 'n lang en ingewikkelde proses. 'n Wetlike proses. Die wet sê alleen die immigrante wat die goewerment *begeer* om terug te stuur, sal vry oorvaart kry. Lank voor dit kan gebeur, is die wet nog altyd 'n wiel wat in sy eie spoor rol, 'n goewermentswiel. As 'n goewermentswiel eers rol, kan jy hom nie sommer stop nie."

"Luister, Mister, jy't meer as genoeg klippe om voor hierdie wiel in te rol. Waar het jy in jou lewe van sywurms op die platrand gehoor? Dis net so goed die goewerment stuur my om te gaan mielies plant op die maan. Gebruik die klippe, Mister, gebruik hulle!"

"Ons doen wat ons kan. Ek en Mister Christie het voordag

opgestaan en aan verskeie hooggeplaastes skrywe gerig, onder andere weer eens aan die Kommissaris van Kroongrond in die Kaap, Mister Laing, om alles van voor af aan hom te verduidelik. Mister Christie het in opdrag van die Italiane 'n klagskrif opgestel wat elkeen reeds vanmôre vroeg kom onderteken het."

"Nou vir wat sit Mister dan soos een wat van die duister oorval is? As julle julle klippe reg gekies en goed gemik het, stop daardie wiel in sy spoor in. Ek hoop julle het gemeld lat hier nie 'n enkelte moerbeiboom is nie."

"Ek, sowel as Mister Christie, het dit in elke brief genoem."

"Wat van die wildemoerbei in die Bos, Pa?" kom staan en vra Mirjam skielik godweetwaarom. Ek het aspris van die wildemoerbei stilgebly omdat dit net kon moeilikheid maak in die verkeerde ore, en toe kom bring sý dit uit en White kyk my oombliklik met die grootste agterdog aan.

"Wat se wildemoerbei?" vra hy.

"Dis Mirjam wat staat en yl oor 'n ou piepgatboompie in die onderbos wat ons sommer die wildemoerbei noem. G'n wurm sal na hom kyk nie."

"Hoe weet jy?"

"Ek weet. Ek ken sywurms, ek het hulle oorkant op Poortland sien vreet en spin."

"Hoe lyk die boom?" White wou nie los nie.

"Mirjam!" sê ek, "sien jy nou wat jy kom staat en opjaag het? Dis 'n ou slaplyfboompie in die onderbos, Mister White. As Mirjam nie vanmôre 'n uitgegroeide meisiekind was nie, het ek haar 'n pak slae gegee wat haar sou leer om stil te bly as dit nie haar beurt is nie."

"Lyk dit soos die regte moerbeiboom?"

"Daar is 'n trek tussen die blare, ja, maar dis al. Dis hoekom hy die naam het. Ek sê vir Mister g'n wurm sal sy bek aan hom sit nie."

"Is jy baie seker?"

"Ja. Drink Mister se koffie, die dag gaat om en die briewe moet op die dorp en op die poskar kom sodat die klippe voor die wiel kan val."

"Ek het eintlik kom hoor of jy nie vir ons die briewe sal dorp toe vat nie, ek wil Mister Christie nie alleen los nie en daar is niemand anders wat ek kan vra nie."

Kon hy dit nie eerder gesê het nie? "Los die koffie!" sê ek vir hom, "en loop kry die goed reg lat ek kan loop. Mirjam, bring my skoene en staat ver laat ek jou nie bykom nie!" Die kind het my amper in 'n ding gehad.

Kort voor die middag het ek die koevert by die poskantoor afgegee en drie keer vir die man agter die tralies gesê om te kyk dat dit op die poskar kom. Goewermentsake. Van die heel hoogste soort.

Toe ek weer die dorp uitstap, het ek 'n mooi klompie moed gehad. Die goewerment moes sommer 'n vinnige skip stuur; nie een met seile nie, een met 'n skoorsteen wat nie vir die wind en die gety voor die koppe hoef te wag om van die see af in die meer in te kom tot by die kaai nie. Ek het geweet dit sou nie binne 'n week of twee wees nie, maar ek sou uithou. Gelukkig het ek deur die jare sterk heinings om my tuinkampe gepak teen die bosvarke en die bosbokke en die grysbokke en goed. Tot die skip kom, sou die heinings die Italiane en hulle trop swartoogkindertjies ook moes uithou. Om Silas Miggel se huis sou hulle nie kom asem nie.

Dit was net die vervloekste olifante wat jy nie met 'n heining kon keer nie. Wag net tot jou mielies kopmaak en jy in jou nagrus lê, dan kom trap hulle jou heinings suutjies plat en vreet jou vaal en kaal. Ek het seker goed 'n ses, sewe keer in die vyftien jaar moes heinings lap wat húlle kom plattrap het. Wat anders? Help nie jy skiet nie. Hoeveel skiet jy uit 'n trop van veertien of meer en dit in die donker? Nie dat hulle altyd vir die donker gewag het as hulle wou kwaad doen nie; partykeer was jou rug nie eers gedraai nie. Soos die dag toe ek die pampoene op die dak op gedra het. Tien jaar van Silas Miggel se lewe is in daardie een dag verby. Die huis was toe nog net die enkele lang vertrek soos ek hom in die begin gehad het; ek het eers later die ander twee vertrekke aangetimmer vir aparte slaapplek. Sit ek die dag die leer aan die suidekant van die huis, wegkant van die Bos. Mirjam staan onder by die leer en gee aan en ek klim en pak op die dak. Sy was toe nog nie tien nie, maar goed oulik om te help. En dit was háár benoude "Pa!" wat my halfpad teen die leer uit, met 'n pampoen onder elke arm, laat opkyk en die sewe uitgegroeide olifantkoeie met die drie kleintjies by hulle, nie twintig tree ten ooste van die huis nie, sien staan. Ek sê vir myself: word stil, word doodstil. Die luggie was van die westekant af, reguit na hulle toe met onse reuk daarin, en ek moes vinnig dink. As die wind nie teen ons was nie, kon ek die kind gevat en die Bos in gevlug het, boom geklim het of in 'n kloof af met haar gaan skuil het. Ek staan nog en hink, toe begin hulle ewe tydsaam huis se kant toe draai, pluk-pluk met die slurpe aan 'n polletjie hier en 'n polletjie daar, en by die heining trap die voorste een plat en die ander kom agterna.

"Pa!"

"Klim!" Ek het die pampoene net so gelos en haar sommer aan die een arm teen die leer uitgetrek tot op die dak. "Lê plat!" Toe ek langs haar platval, toe skop my hart teen die sinkplate onder my vas. En die voorkoei met die yslike ingekromde tande kom reguit huis toe gestap en begin haar sware plooilyf teen die hoek te skuur asof dit 'n boom is. Maar dit was nie 'n boom wat met dikke wortels in die aarde staan nie, dit was 'n plankehuis wat vlakspit diep in die aarde geanker was, en hoe langer sy gestaan en skuur het, hoe meer het dit daar bo op die dak gevoel jy lê op 'n lendelam katel. Die kind het so bevrees geword dat ek haar nie kon stilpraat nie. Al wat ek kon doen, was om die onderpart van haar rok voor haar mond te bondel en haar kop vas te druk.

Toe ek 'n jong man was, het ek eendag die lyk van 'n man gesien wat deur die olifante vermorsel was. Vir meer as 'n jaar agterna kon ek nie 'n bok afslag of rou vleis aankyk nie.

Die dag op daardie dak het ek 'n snaakse ding geleer: ek het geleer dat die lewe 'n ander ding is as die dood onder jou staan. Dan's die lewe nie asemhaal nie, dan's dit 'n aparte iets en jy's die iets en jý lê aan jou lyf en klou sodat jy binne kan bly, want jy weet as jy los, is jy weg. En saam daarmee klou jy met die kind se lewe aan die kind se lyf. Jy bid ook nie soos jy bid as jy voor jou kooi kniel nie, jy skreeu hemel toe.

Tien jaar – want hulle het die tuin tydsaam verniel en afgevreet. Elkeen wat moeg geword het van die speletjie, het eers kom lyf skuur teen die huis en dan moes ek van voor af die kind bedwing. Dit was November se maand, teen halfdag was die plate só warm gebak dat ek van die pampoene onder ons moes pak. En eers toe die son sak, is hulle terug die Bos in. Al genade wat hulle agtergelaat het, was die leer.

Ek het gewonder of White ooit daaraan gedink het om in sy brief te meld van die olifante. Een bul met 'n slegte gemoed was genoeg om al elf tente in die aarde in te trap. Jy sou net Italiane sien waai.

Toe ek by die huis kom, was die deur gesluit en die sleutel onder die klip. Mirjam was nie daar nie. Sy het ook nie vir my 'n boodskap op die tafel neergesit nie. As een van ons van die huis af was en die ander een moes ook weg, het ons vir mekaar 'n boodskap op die tafel gelos: die blou kommetjie vir Poortland toe, blikbeker vir Bos-in om te gaan dunhout haal, lepel vir dorp toe, 'n mes vir gaan strikke stel of strikke naloop. Daar was niks op die tafel nie. Dit was vreemd. Ek was die een wat soms in my haas vergeet het om 'n boodskap neer te sit, nooit Mirjam nie.

Ek het die vuur opgemaak, koffiewater oorgehang en solank die patats gewas. Voordat ek die môre weg is dorp toe, het ek haar uitdruklik belet om naby die tente te gaan. Dit was nie te sê dat sy sou luister nie. Daar was 'n tyd toe Mirjam skielik baie eiesinnig geword het en ek later met Mrs Barrington daaroor moes praat. Sy sê toe ek moet die kind net mooi behandel en uitlos: meisiekinders word maar so, hulle kom vanself weer reg. Kort daarna het sy gesê ek moet Mirjam vir 'n week saam met haar en die oudste drie meisiekinders Karawater toe laat gaan. Ek wou eers nie. Later het ek maar so gemaak, en toe Mirjam terugkom, was sy baie beter. Ek dink Mrs Barrington het vir haar dinge gesê wat 'n pa nie kan sê nie. Maar snaaks, van toe af het dit my al meer gepla dat ek nie die moed kon kry om met haar oor haar ma en haar ouma te praat nie. Hoe sê jy vir jou mooie meisiekind jou lot is die einde as jy dit die dag sou waag om 'n man te vat? Hoe sê jy vir 'n boom: moenie groei nie? Hoe sê jy vir 'n voël: moenie vlieg nie? Elke keer as sy verjaar, het ek vir myself gesê: jy moet met haar praat, Silas

Miggel. Maar ek het nie. In my onnooslikheid het ek gedink dis veilig solank ek haar eenkant kon hou. En toe? Toe staan daar skielik elf tente op die platrand, ek kom by die huis en Mirjam is nie daar nie en die duiwel kom sê vir my allerhande dinge. Voor die son onder was, sou ek vir White loop sê om vir Christie te sê om vir hulle te sê: ek skiet die eerste losloper-Italiaan wat naby my meisiekind kom, morsdood plat. En die oomblik wat die goewerment laat weet die skip is op pad, beginne ek hulle aanry dorp toe, en die goewerment moet sommer die honourable Barrington aanskryf om vir die skip te betaal sodat dit hom kan leer om sy drome in sy kooi te hou.

Die koffie was klaar en die patats halfpad gaar toe Mirjam sonder 'n woord die deur oopstoot en verbyloop kamer toe. Ek sien sy's nukkerig.

"Mirjam!"

"Ek kom, Pa, ek trek net my skoene uit."

Ek het haar beker uitgespoel en vir haar koffie ingeskink. Toe sy in die middeldeur kom staan, maak ek of ek nie die nukke sien nie en ek vra vir haar waar sy was.

"Die mense sit sonder vuurmaakhout, Pa. Ek het die byl gevat en wou vir hulle gaan wys waar om hout te kap, maar hulle wil nie in die Bos in gaan nie. Hulle is bang vir die Bos. Hulle wou weet of daar wolwe in die Bos is. *Wolwe*, Pa."

"Ek het vir jou gesê om van hulle af weg te bly!"

"Daar is ellende by die tente, Pa. Ek het nog nooit so 'n verskrikte klomp mense gesien nie; dit sal nie help om te maak of hulle nie hier is nie, hulle is."

"Deur ander se onnooslikheid, ja. Ek het gesê ek sal hulle help wegry as die skip kom."

"En intussen?"

"Is dit White en Christie en die goewerment se saak. Nie myne nie en ook nie joune nie. Drink jou koffie."

"Wat weet Mister White of Mister Christie of die goewerment van die Bos en die platrand af? Dan praat ek nie eers van die Italiane nie, en Pa sien kans om rug te draai?"

"Dis genoeg, Mirjam."

"Dis nie genoeg nie, Pa!"

Dit was 'n meisiekind wat vir jou dwars in die pad kon gaan

staan. "Dis genoeg!" het ek haar 'n tweede keer moes aanpraat voor sy stilgebly het. "Hulle het Saterdag hier aangekom, reg? Vandag is Maandag. Twee werksdae is verby sonder dat 'n hand in my huis of op my werf uitgesteek is om iets te doen. Ek het nie 'n enkelte stoeletjie klaar nie, daar is nie brood gebak nie, daar is nie 'n strik gestel nie, daar is nie geskoffel nie. Hoe lank dink jy sal dit wees voor die ellende hier ook kom intrek? Dit help nie jy loop maak 'n ander se gemors reg en beland self daarin nie. As jy gemis het, moet jy dit optel of daarin trap. Die goewerment het gemis, die goewerment moet kom optel."

"Ek sê nie Pa is verkeerd nie, ek wil net weet wat intussen van hulle moet word."

"Nie Mister White of Mister Christie of die goewerment gaat hulle verknies oor wat van ons sal word nie. Die goewerment weet nie eers lat Silas Miggel leef nie. Daar oorkant sit Barrington op sy eie troon, traak dit hóm wat hier by die tente aangaan? Nee. Maar jy wil van my kom weet wat intussen van hulle moet word? Hulle kan vrek sover as wat ek voel."

Sy het die skottel en die meel uitgehaal en reggemaak vir knie. Ek is buite na my hout toe.

Dit gaat neuk, het ek vir myself gesê, dit gaan sleg neuk. As ek vooruit kon weet hoe lank dit sou wees voor die skip hulle kom laai, kon ek 'n plan maak en haar Spruitbos-se-eiland toe neem na my suster Hannie toe. Maar dit kon van die een vuur na die ander toe wees, want Stefaans van Rooyen se oudste seun, Sias, het al twee keer uitgestryk en blinkgewas op die platrand aangekom en kans gesien om met Mirjam te kom gesels. Dan het ek nie eers Martiens van Ou Martiens bygereken nie, en ook nie Jacob Terblans wat kastig by my nig Grieta se dogter Susanna gekuier het nie. Jacob mog by Susanna gekuier het, maar ek het al 'n paar keer gesien hoe val sy oog op Mirjam. Jacob was nou wel nie op Spruitbos-se-eiland nie, maar van Diepwalle se mense, maar nogtans. Was dit nie ten einde beter as ek haar by die huis hou waar ek immers self na haar kon kyk nie? Ek had nie vir myself die regte antwoord nie. En my hande was stram toe ek die stoeletjie begin riem.

Al die jare was ek gewoond aan stilte op die platrand, nou was daar skielik 'n rumoerdery. Die spul Italiane was lawaaierig; as dit nie geklink het of hulle elke kind twee keer roep nie, sou jy sweer hulle loop van tent na tent en skel en praat. Hoe lank sou 'n man dit kon uitstaan?

Skemerdonker het Mirjam kom sê die kos is klaar vir eet, kortweg, soos een wat van onplesierigheid opgestop was, en ons het in stilte geëet. Agterna het sy die skottelgoed gewas en kamer toe gegaan sonder om nag te sê. Dit was oumanier van haar wanneer daar struwel tussen ons was. Ek het by die tafel bly sit en gewag: een van ons sou eerste moes ingee en nagsê, want in Silas Miggel se huis is daar nie in onvrede loop lê nie. Sy't dit geweet. Ná 'n ruk het ek gehoor sy blaas die kers dood, maar ek het vir myself gesê ek sal nie ingee nie, sy het glad te veel haar sin gekry. As 'n mens 'n kind so alleen grootmaak, veral 'n meisiekind, sluip daar maar glad te veel bederf in wat buite moes gebly het. En geslaap het sy nie, sy het bly omrol. En toe hoes sy, nie lank nie toe hoes sy weer en ek skrik. Dit was nie 'n kind wat gehoes het nie, sy had 'n sterke bors. Ek het die kers gevat en opgestaan.

"Mirjam?" Sy het met ope oë gelê. "Mirjam, is jy siek? Is jou keel geswel?"

"Nee, Pa." Haar bui was beter, ek kon dit hoor.

"Hier is struwel in die huis, Mirjam, ons kan nie so gaat lê nie. Sê vir Pa wat jou in jou hart hinder."

"Gaan Pa nou vir die res van Pa se lewe vir Mister Barrington kwaad bly en nooit weer Poortland toe gaan as hy Pa laat roep nie?"

Ou Sarel van Rensburg, wat vier vroue oorleef het, het eendag gesê as 'n vroumens by haar voete beginne, moet jy weet sy's eintlik op pad na haar kop toe. Beginne nooit by die volle waarheid nie. Ek het sommer gedagte gekry dat Mirjam by die voete aangevoor het.

"Die dag as hulle die laaste Italiaan en sy tent en sy bondel op die slee laai, daardie dag sal ek weer my voete op Poortland sit. Nie voor dit nie. Dis Barrington wat hierdie ding begin het."

"Hy kan nie sonder Pa klaarkom nie en Pa weet dit, nou wil Pa hom daarmee straf."

"Trek jy nou aan Barrington se kant of trek jy aan jou pa se kant?" Sy het haar kop weggedraai en haar vingers heen en weer oor die plankmuur langs haar laat gly. "Ek praat met jou, Mirjam."

"Pa het nie 'n hart nie. Nie Pa nie, nie Mister White nie en ook nie Mister Christie nie."

Nes ou Sarel gesê het: beginne by die voete. "Waarvan praat jy nou? Ek dog ek is al een sonder hart hier op die platrand, nou hoor ek daar is darem nog twee ander ook."

"Pa s'n is die hardste!" het sy gesê en orent gekom. "Ek het die eerste aand vir Pa gesê om saam met die vrou te loop tot by die tente en te gaan hoor wat sy wou hê, maar Pa het nie."

"Waar gaat draai jy nou?"

"Weet Pa waarom die vrou so huil?"

"Hoe moet ék weet?"

"Hulle het haar kind gesteel."

"Wat?"

"Ja. In die Kaap."

White het gepraat van een wat weg is, hy't nie gesê dis 'n kind nie. "Wat se kind?"

"'n Dogtertjie. Sy is tien en haar naam is Catarina."

"Hoe weet jy dit?"

"Ek het vir Mister Christie gevra toe ons die hout gaan soek het."

Ek was sommer weer ergerlik. "Wie was almal saam om die hout te soek?"

"Sien Pa nou? Pa is meer gekwel oor wie om mý was as oor die vrou se kind."

"Ek vra wie almal saam was!"

"Mister Christie en drie van die Italiane: Pontiggia, Canovi en Coccia."

"Behoede ons." Die ergste was dat Mirjam die vreemde name gesit en uitryg het asof sy dit geoefen het. "Hoe ver was julle die Bos in?"

"Ons was nie in die Bos in nie, Pa, ek sê dan hulle is te bang. Ons het op die rand langs dunhout gekap waarmee hulle nie een dag se behoorlike vuur sal kan maak nie. Pa moet by Mister White loop hoor van die kind. Ek kan nie mooi verstaan wat Mister Christie sê nie, hy praat anders Engels as die Engelse hier rond en boonop was hy humeurig omdat hy moes gaan help met die hout. Pa moet by Mister White loop hoor van die kind."

"Het die vrou 'n man?"

"Ek dink so. Haar naam is Petroniglia, haar van is Grassi. Sal Pa asseblief môreoggend gaan uithoor?"

"Ek kan nie die vrou se kind loop soek nie, Mirjam, dis werk vir die polisie."

"Ek weet, gaan vind net uit. Sy bly aan die huil."

"Ek sal loop uithoor." Wat anders kon ek doen?

"Belowe?"

"Belowe."

"Nag, Pa. Dankie, Pa."

"Nag, Mirjam."

Sy had reg. Die vrou se kind was weg. White het my die hele ding in radeloosheid vertel, want die vrou het nag en dag bly kerm. Hy, White, en Christie is die heel eerste dag toe hulle by Knysna aangekom het, saam met die vrou en haar man, Ilario Grassi, na die polisie sodat hulle verklarings kon aflê om Kaap toe gestuur te word. Volgens Petroniglia en haar man, het 'n ander Italiaan, ene Nicolo Tomaso, die kind gesteel. Hulle het die man in die Kaap raakgeloop toe hulle die week daar moes oorlê. Omdat dit so beknop was in die skip, het Tomaso en sy vrou 'n klompie van hulle herberg gegee, onder andere drie van die Grassi's se vyf kinders. Die een was Catarina. Toe raak die Tomaso's baie danig oor die kind en ná 'n paar dae vra hulle vir Ilario om die kind vir hulle te gee. Hy en sy vrou wou haar as hulle eie grootmaak. Ilario het dit vir Petroniglia op die skip loop sê en die volgende dag is sy na Tomaso toe om die kinders te haal. Tomaso het mooigepraat en gevra of Catarina nie maar nog kon bly nie, hy sou haar kaai toe bring op die vooraand van die dag wat die skip moes seil. Die Dinsdag van die derde Mei het hulle gehoor dat almal die aand aan boord moes wees, hulle vertrek die volgende oggend. Ilario het vir Tomaso 'n boodskap gestuur dat hy die kind moes bring, maar toe kom hy nie uit nie. Die volgende môre het Ilario verlof gekry om die skip te verlaat en die kind te gaan haal. Toe hy by Tomaso se huis kom, sê Tomaso die kind het weggehardloop, sy is nie meer daar nie. Ilario meen toe sy het seker skip toe gehardloop en gaan terug. Sy was nie daar nie. Gelukkig kon die skip nie anker lig nie, want die mis was te toe, en Petroniglia kry toe verlof om die skip te verlaat en na Tomaso te gaan. Hy het haar dieselfde storie vertel, maar haar belowe om die kind te gaan soek en haar op die volgende skip Knysna toe te sit. Dit sou op die langste 'n week of tien dae later wees. Petroniglia het hom geglo en die kaai net betyds gehaal, want die mis was aan die opklaar.

Toe White klaar was met die storie, het ek reguit vir hom gesê die besigheid klink nie vir my reg nie. "Is dit nie 'n opgemaakte ding nie, Mister?"

"Hoe kan dit 'n opgemaakte ding wees?" het White my verontwaardig gevra. "Die hele tyd wat hulle langs die meer in die tente was, het die vrou elke dag polisiekantoor toe geloop om te gaan verneem of hulle al iets gehoor het van die kind. Konstabel Hall sê hy het later sommer net sy kop geskud as sy by die deur inkom, sodat sy kon omdraai en loop. Sy was baie lastig. En die eintlike gekerm het begin toe hulle moes oppak om hierheen te trek. Nou kan sy nie meer elke dag na die kind gaan verneem nie; sy is te bang om alleen dorp toe te loop en nie een van die ander wil saam met haar gaan nie, hulle is net so bang. Dit help nie ek en Christie verseker haar dat die polisie met een van die boswagters saam sal laat weet as hulle iets hoor nie, sy bedaar nie."

"Hoekom het Mister nie gister gepraat toe ek die pos gaat wegbring het nie? Ek kon mos gaat verneem het by die polisie."

"Sy wil self gaan, Miggel."

"En wie dink Mister gaat saam met haar loop? Nie Silas Miggel nie, my werk sal nie nog 'n dag bly stillê nie."

"Ek het gehoop Mirjam sal saam met haar kan gaan."

"Nee, ek stuur nie Mirjam saam nie, ek sukkel klaar om haar weg te hou van hulle af." In my siel het ek geweet ek het vir Mirjam los, maar myself vas. Vir ander se onnooslikheid en liegte en Mirjam se jammerhartigheid sou ek moes voet oplig om in die mis te trap.

"Help jý ons dan uit, Miggel. Asseblief." White was radeloos. "Hoor daar buite, hulle raak al meer opstandig. As ek net self met hulle kon gepraat en sake aan hulle verduidelik het, was dit beter. Ek sê weer, ek dink Christie moedig hulle tot opstand aan. As jy my vandag in die steek laat, staan ek alleen en ek het gisteraand die vrou belowe dat ek vandag vir haar 'n plan sal maak om op die dorp te kom."

"Hoe lank skat Mister gaat dit wees voorlat die skip kom?"

"Sodra my en Christie se briewe by Mister Laing aankom. Veral die klagskrif behoort baie gewig te dra. Dis 'n ding hierdie wat nooit moes gebeur het nie en daar sal onmiddellik iets aan gedoen moet word. Intussen moet ek hulp hê. Ek vra jou om saam met die vrou vir my te loop, sy kerm my uit my geduld uit!"

"Loop sê vir haar sy moet haar regmaak." Wat anders kon ek doen? "Sê vir haar ek gaat net eers huis toe om my orders af te gee; as ek terugkom, moet sy klaarstaan. En die goewerment sal vir my 'n paar nuwe skoene gee oor ek die oues vir hulle moet staat oploop dorp toe."

"Ek sal dit in my volgende skrywe aanbeveel."

Mirjam was vir my besonder verheug toe sy hoor dat ek ingestem het om saam met die vrou dorp toe te loop; dit was of 'n verligting deur haar trek. "Jy bly weg van die tente af, ek sê jou dit."

"Ek sal, Pa. Maar dan belowe Pa om nie langs die pad met haar snaaks te wees nie, sy's nie gewoond aan loop soos ons nie. Pa moet kyk dat sy met die soontoe gaan eers onder by Gouna se drif rus, en met die terugkom ook. Wees haar genadig, Pa."

"Daar's nie tyd vir genade nie, ek moet terugkom by die hout, sy sal moet draf."

"Sies, Pa."

"En jy moet solank beginne operd aan die aartappels, die stoele is reg."

"Ja, Pa. Belowe my Pa sal haar by die drif laat rus."

"Ek sal haar laat rus as dit dan vir jou rus vir jou siel sal gee!"

"Dit sal."

Die vrou het reggestaan toe ek by die tente kom. Van die ander het gestaan om haar af te sien asof sy op 'n lang reis gaan. Vreemde wesens. Hulle kyk jou aan met 'n wantroue, en dis of hulle jou uitdaag om dit te bestry. Die vroue se rokke was netjies, party met spierwit krae van kant; die kinders was ook goed aangetrek, skoene aan die voete. Die mans het 'n soort swierigheid aan die lyf gehad.

Die voorman, Christie, het ewe gewigtig kom orders aframmel oor hoe goed ek tog na haar moes kyk tydens die *dangerous conditions* wat voorgelê het dorp toe. As ek net meer Engelse woorde gehad het, het ek hom vir goed op sy plek gesit, want van wanneer af leer jy 'n vis van die water of 'n bosmens van die Bos. En as hy gedink het *dangerous conditions* lê suid van die platrand, kon 'n man net wonder wat hy sou gesê het van wat benoorde lê: van die Rooiels se klowe, van Brown-sekloof, van Stinkhoutkloof en van Draaikloof. Dan het hy hom seker bevuil.

Ek was nie 'n halfuur ver met die vrou nie, toe stry ons. Sy op haar taal en ek op myne. Want toe loop sy soos 'n bosbokooi wat vir elke kraak in die ruigtes wil opskrik. Laat loop ek haar vooruit, loop sy soos een wat die hele tyd iets van voor af te wagte is en rem tot ek op haar hakskene trap. Vir elke spinnerak wil sy koes. Laat loop ek haar agter, bly sy aan die omkyk vir 'n ding wat van agter af moet kom. Voor ons die eerste kloof deur is, het ek genoeg gehad.

"Kyk hierso, Petronella," sê ek en stop haar net daar.

"*Petroniglia*!" Sy help my sowaar ewe skerpbek reg met haar naam.

"Petronella-Petroniglia, net wat jy wil," sê ek, "as jy saam met Silas Miggel loop, lóóp jy! As daar uit te kyk is vir gevaar, sal ék dit doen, nie jy nie. Kom!"

Vir elke een woord wat ek sê, het sy tien van haar eie; dit rol nes klippers by haar mond uit en haar hande en haar oë skel saam. Hoe meer ek vir haar beduie om stil te bly, hoe kwaaier word sy. Het die grootloerie my nie kom red nie, weet ek nie waar dit sou geëindig het nie. Sy was nog goed aan die gang, toe kok-kok-kok die loerie reg bo ons in die boom en sy skrik haar mond botstil toe.

"Dis 'n voël," sê ek vir haar. "Voël. Big loerie." Ek sit sommer die Engels ook by, maar dit help nie. Die eerste keer dat ek 'n vreemdeling sien skrik het vir 'n loerie se roep, was dit nie; as 'n mens nie weet dis 'n voël nie, kan jy seker skrik. Toe die tweede sars kok-kok-kokke val, toe lyk dit vir my sy het lus om om te spring en te hardloop. "Dis 'n voël!" keer ek en steek my arms uit en klap hulle soos vlerke. Simpel staan ek daar en vlieg en vlieg totdat sy bedaar, en genoeg was genoeg, ek was klaar met sukkel. Ek het my mes uitgehaal en vir my 'n lekker tak in die onderbos gesny en vir haar beduie om voor in te val, en daar het ek haar met die tak gehou soos jy met 'n jongos maak wat wil lyf rondgooi.

By Gouna se drif het ek haar laat water drink en 'n bietjie laat rus. Sy het 'n fyne sakdoek uitgehaal en haar gesig gewas, en toe sy klaar is, sê ek vir haar sy moet kom, dit word laat. Gelukkig was die Gounarivier laag genoeg dat ons op die klippe kon deur sonder om skoene uit te trek.

En Mirjam was verniet bang dat sy nie sou kon byhou nie, sy't goed bygehou. Al pratende op party plekke en dan weer vir lang rukke stil en dikbek. Toe ek aan die westekant van die dorp met haar uit die ruigtes kom, en sy gewaar waar ons is, moes ek byhou om saam by die polisiekantoor aan te kom.

Hoofkonstabel Ralph was agter die toonbank. "En as oom nou vanmôre met 'n tak staan?" vra hy. "Het oom die vrou aangejaag tot hier?"

"Môre, konstabel. Sy't net kom hoor of julle nog nie iets van die kind gehoor het nie."

"Die tolk is nie dalk by oom-hulle nie?"

"Sien jy die tolk?"

"Ek vra maar net, oom."

Ons moes bo-oor haar praat om mekaar te hoor. "Sy wil weet van die kind," sê ek weer.

"Kan oom haar nie 'n bietjie stilmaak nie?"

"Ek kan haar nie eers dagsê op haar eie taal nie, wat nog te sê van stilmaak. Het julle iets gehoor?"

"Ja, oom. Die polisie in die Kaap het Tomaso gekry. Die kind is by hom en sy vrou, maar hy sê hierdie mense het die kind vir hulle gegee."

"Wat?"

"Ja, oom."

"En dis nou waarvoor ek my werk moes laat los?" Ek was op die oomblik ergerlik. "Petronella!" sê ek.

"*Petroniglia*!"

Toe ek die tak lig, toe keer die konstabel. "Wag nou, oom!" sê hy en leun oor die toonbank totdat sy gesig so hoog soos hare is en probeer self met haar praat: "Signora Grassi, Catarina in Kaap. Cape Town." Hy het met altwee arms in die rigting van die Kaap beduie. "Bambino Cape Town. Tomaso."

"Bambina!" Dit wou lyk of sy bly word.

"Bambina Cape Town. In die Kaap."

"Sì, sì!"

"Bambina Cape Town with Tomaso."

"Sì, sì!"

"In die Kaap."

"Sì, sì."

Dit was net 'n gesukkel. "Los dit," sê ek. "Julle gaat tot vanaand toe hier staat en Cape Town en sie-sie en niks verder kom nie. Ek sal vir Christie loop sê om vir haar te sê."

Toe was dit weer 'n gesukkel om haar daar weg te kry. Maar uiteindelik kry ek dit darem in haar kop dat ons by Christie moes kom, en die eerste uur op pad terug gaan dit nie te sleg nie. En het ek haar miskien eerder laat rus, het dit nie gebeur nie, want toe ek my weer kom kry, toe loop sit sy voor my in die uitgekapte pad, plat op haar agterwêreld en sy beginne huil soos 'n kind wat nie sy sin gekry het nie.

"Nee o swernoot," sê ek toe sy nie wil op nie. "Silas Miggel is net van vlees en been. Julle het die kind vir Tomaso loop staat gee en agterna kom staat spyt kry en nou wil jy hier kom sit en skop en skree? So waar as wat ek leef, ek los jou vandag net hier." Ek praat, maar sy sit. Ek probeer later mooipraat, maar dit help net so min. Gesit het sy gesit. Dalk was haar voete seer. Dalk had sy lewersteek. Hoe moes ek weet? Ek skel, ek praat mooi, maar sy staan nie op nie. En ek dink nog wat ek volgende kan probeer, toe breek die boomtak aan die oostekant en dis naby. Ek skrik.

"Grootvoete!" sê ek vir haar. "Grootvoete!" Toe die tweede tak klap, toe gaan staan ek soos 'n blêrrie fool handeviervoet voor haar, ek tel my een arm op en hou dit voor my soos 'n slurp en al wat sy doen, is om sagter te huil. Toe bly daar net een ding oor en dit is om aan te loop en haar net daar te laat sit. As dit 'n enkele olifant was, was daar nie dadelik gevaar nie, die wind was aan ons kant; maar as dit 'n trop was, kon die helfte nog op pad wees van die westekant af en dan was daar moeilikheid. Ek kon weghardloop en 'n boom soek om te klim, maar wat van haar? Hulle sou haar morsdood plattrap en agterna sou daar van mý 'n moordenaar gemaak word.

Toe loop ek aan en laat sit haar net daar. Ek was skaars om die eerste draai weg, toe werk die plan en hoor ek net: "Signor Miggel! Signor Miggel!"

Signor Miggel. Verbeel jou dit. By Gouna se drif het ek haar weer laat rus en laat water drink. Sy't sleg gelyk. Haar skoene en die onderpart van haar rok was vuil van die stof en haar hare het in lang stukke losgekom uit die kamme waarmee sy hulle vasgesteek het. Dit was 'n anderster soort vrou van anderster soort mense. Nie lelik nie.

By die tente het ek die boodskap vir Christie loop gee en gewag dat hy dit vir haar sê. Toe ek sien sy word kwaad, toe maak ek dat ek wegkom. En Mirjam is in die onderste hoek van die aartappelkamp aan die operd, sonder kappie op haar kop, en toe ek by haar kom, toe sien ek sy het nog nie eers een ry klaar nie. Wat het sy die hele môre gedoen?

"Mirjam?"

"Het die vrou toe iets verneem van haar kind, Pa?" Sy kyk nie op nie.

"Ja," sê ek. "Tomaso sê hulle het die kind vir hom gegee." Haar wange was rooi soos van een wat gehardloop het. "Hoekom is hier nog nie eers een ry klaar nie? Was jy weer by die tente?"

"Nee, Pa." Sy het met 'n drif die grond om die stoel by haar voete begin opwerk asof sy daarmee vir my wou sê: los my uit.

"Mirjam, ek wil weet waarom hier niks gedoen is in 'n hele halwe dag se tyd nie!"

"Hal wag bo by die huis vir Pa."

Hal? Hal was Barrington se tweede seun en my verbeelding het skielik die loop geneem tot waar dit nog nooit was nie. Was daar iets tussen Mirjam en Hal en het ek dit nooit agtergekom nie? My verstand sê vir my ek klim in die verkeerde boom, wanneer kon daar so danig iets tussen Hal en Mirjam gewees het? Waar? Hal het die jaar tevore van die huis af weggeloop soos sy broer John en sy broer Will voor hom, en hy was maar 'n paar weke lank terug by die huis. En weer stry my verbeelding my op en sê dit ís Hal. Hoekom was Mirjam die oggend so besonder bly dat ek saam met die vrou dorp toe sou gaan? Het sy geweet Hal kom? Waar was sy die hele tyd as sy nie by die tente was nie en ook nie in die aartappelkamp nie? Die werk in die huis was klaar toe ek die môre weg is.

Daar was 'n tyd toe ek gedink het Will, Barrington se derde seun, het sin vir Mirjam en ek het hom fyn dopgehou. Al drie Barrington se seuns was aansienlik van gestalte en ek was nooit heeltemal gerus nie. Maar toe begin Mirjam op 'n dag steeks raak vir elke keer saamgaan Poortland toe as ek die dag daar moes loop inval, en raak ek weer gerus. As sy vir een van hulle sin gehad het, sou sy nie gekies het om by die huis te bly nie. Op 'n dag het ek en Barrington oor dieselfde ding woorde gehad. Hy het dit aangevoor:

"Jou dogter word groot, Silas, sy is mooi."

"Dit weet ek, Mister Barrington."

"Ek het drie seuns, ek sou nie wou sien dat sy seerkry nie."

"Die man wat my Mirjam seermaak, hang ek met 'n osriem aan die eerste boom op," het ek hom die versekering gegee.

"Laat ons openlik en ernstig met mekaar praat, Silas, hierdie dinge gebeur. Ek sal onderneem om met my seuns te praat en jy onderneem om met Mirjam te praat."

"Waaroor sal ek met haar praat, Mister Barrington?" Ek het my aspris dom gehou. Barrington was 'n man wat in groot noute geleef het. Hy wou nie eers hê sy bul moes naby die huis wei waar sy vrou of dogters hom kon sien nie. En nie eers van *stink*hout het iemand voor hom waag praat nie. Op Poortland was stinkhout *sting*wood, al het die hout nog altyd gestink as jy hom saag en nie ge-*sting* nie. "Waaroor moet ek met Mirjam praat, Mister Barrington?"

"Oor verskille tussen mense, Silas. My seuns is uit 'n ander stand as Mirjam. My kinders en jou kind se agtergronde verskil."

Ek het my dik geërg. Ek het vir hom gesê ek mog 'n arm en ongesiene man teen hom gereken wees, maar ek is ordentlik en hardwerkend en my Mirjam is dieselfde. Ek sou in elk geval nie toelaat dat John òf Hal òf Will 'n oog na haar draai nie.

Hal het op die trap voor die agterdeur gesit.

"Middag, oom Silas."

Dit was al vir my of hy skuldig klink. "Middag." As ek moes agterkom dat daar 'n ding tussen hom en Mirjam was, sou hy bars.

"Ek wag al ure vir oom."

"Hoekom het jy nie jou loop gekry toe jy gesien het ek is nie hier nie? Vir wat het jy Mirjam uit haar werk uit gehou?"

"Ek het Mirjam nie uit haar werk gehou nie, oom. Sy het dan nou maar eers hier aangekom, sy wou nie eers vir my 'n bietjie koffie maak nie, sy's reguit na die aartappels toe."

Dit was nie Hal nie. Ek wou vir hom vra of sy van die tente se kant af gekom het of uit die Bos, maar my trots het my gekeer omdat ek nie wou hê 'n Barrington moes my in onrus sien nie. "Ek neem aan jou pa het jou gestuur," het ek ander praatjies gemaak en vooruit die huis ingeloop.

"Ja, oom."

Een ding sal ek van Hal sê: van al Barrington se kinders was hy die enigste wat ooit aan Silas Miggel se tafel kom sit het om saam te eet as dit etenstyd was. John en Will sou nie verder as die deur met 'n boodskap gekom het nie en die meisiekinders het nie verder as die oorkant van die kloof saam met Mirjam geloop nie.

"Sit."

"Dankie, oom."

Ek het die vuur begin opmaak, maar 'n kommer oor Mirjam het deur my lyf getrek en in my hande loop sit. "Breek vir jou 'n patat, dis onder die doek."

"Dankie, oom. My pa vra of oom nie asseblief sal kom help met die kaste se maak nie. Die eetkamer se mure moet gepleister word, die huis kom net nie weer klaar nie."

"Hoeveel jaar is dit vanlat hy afgebrand het?" Dit was beter dat ek Hal tussen my en Mirjam hou sodat daar eers kalmte in my gemoed kon kom. Hoekom het sy my nie in die gesig gekyk nie?

"Dis tien jaar, oom."

"Wat sê jou pa van die Italiane?"

"Nie veel nie, oom, maar ek weet hy voel skuldig. Ek ken hom. Hy het gistermiddag lank met die teleskoop gestaan en hier na die platrand toe gekyk. Pa is nie gesond nie, oom. Hy bekommer hom oor die hout en oor die tuin en oor die beeste en oor Will op Karawater. Oom kan nie vir Pa nou sommer net los nie. Daar is omtrent al weer nie 'n werksmens op Portland nie, John het vanoggend die perd opgesaal, maar sonder 'n enkele een teruggekom."

"Hy moet ophou met daardie manier van hom om die werksmense met die perd te wil loop aankeer. Dis nie beeste nie. Hoekom help jy en John nie liewerster julle pa nie?"

"Oom ken my pa, niks wat ons doen, is goed nie."

Dit was nie heeltemal waar nie, maar ek was te vol van die onrus oor my meisiekind om met Hal te stry. En Hal was glad nie onskuldig nie; hy was een wat lief was om sy pa te treiter en het die vervloekste manier gehad om al sagter en sagter te praat as sy pa naby was, dan dink die stomme ou man dis die doofheid wat hom oorval. Die groot fout wat Barrington jare tevore gemaak het, was om vir John en Hal en die oudste dogter, Flos, klein-klein op die skip te laai en hulle in Engeland in die skool te loop sit. Vyf jaar lank moes die kinders daar oorkant alleen leer lees en skryf. Vir wat? My oorle pa het ons self leer lees en skryf. Vyf jaar is lank vir kinders. Toe hulle terugkom, was hulle vreemd. En as dit eers vreemd raak tussen jou en jou kinders, bly dit vreemd. Dit moes nie tussen my en Mirjam vreemd raak nie. Nooit nie.

Vir die vier jonger kinders het Barrington die slag 'n *school teacher* uit Engeland laat kom om hulle oorkant op Poortland te kom leer. 'n Miss Ritchie. Party van die kinders was al groot. Imar was twaalf, Gabrielle ses en Kate seker al veertien. Mirjam was elf. Miss Ritchie was nie lank daar nie, toe begin Imar en Gabrielle en Mrs Barrington neul dat daar vir Mirjam plek gemaak word in die skoolkamer op die dae wat ek daar uitgehelp het. Nie hoër of laer nie. Ek het nie beswaar gehad nie. Barrington was die een met die beswaar. Hy het gesê Miss Ritchie kos hom baie geld. Nie alleen moes hy haar skipgeld van Engeland af betaal het nie, maar boonop moes hy haar sestig pond in die jaar gee plus slaapplek en drie keer se kos op 'n dag. Daar kon vir Mirjam plek gemaak word in die skoolkamer, maar dit sou my 'n sjieling 'n dag kos. Bloedgeld. Maar ek het dit betaal. Ses maande lank. Toe stop Barrington Mirjam se skoolganery omdat Miss Ritchie dit konsuis te moeilik kry met die kind wat eintlik net Hollands ken. Dit was 'n lieg. Die kind het dan van kleins af op Engels moes speel met Imar en Gabrielle. Wat kon ek doen? Dit was nie mý *school teacher* nie. Mirjam het 'n volle week gehuil toe sy hoor sy kan nie meer skoolgaan nie en het toe maar bedags om die opstal rondgespeel tot die kinders uit die skoolkamer uit kon loskom. Miss Ritchie het drie jaar gebly. Lank nadat sy weg is, het Mrs Barrington my eendag gevra of Mister Barrington my ooit gesê het hoe slim Mirjam in die skool was. Barrington het my nie 'n woord daarvan gesê nie.

"Kan ek vir Pa sê oom sal môre kom help?"

"Nee. Die dag as die skip die Italiane kom laai, daardie dag kan jou pa my weer laat roep. Nie voor dit nie. Jou pa is 'n geleerde man en hoog gereken by die goewerment, sê vir hom hy moet 'n brief skryf en vra dat die skip voor die maand uit is, gestuur word. As die winterreëns eers begin val, gaat die spul doodverkluim hier in die tente."

"Ek sal vir my pa sê, oom."

Mirjam het nie naby gekom solank Hal daar was nie. En Hal was skaars weg, toe is White daar. Vyftien jaar lank het ek en Mirjam in vrede gewoon, met net af en toe 'n siel om 'n beker koffie voor te skink, nou was my huis skielik aanloopplek van vroeg tot laat. Waar moes dit eindig? En White het skaars gesit, toe kerm hy:

"Ek weet nie meer watter kant toe nie, Miggel."

"Ek ook nie, Mister."

"Die Grassi's sê hulle het nié die kind vir Tomaso gegee nie."

"Dink Mister nou hulle sal sê as hulle dit gedoen het? Ek mog dom wees, maar ek is nie onnooslik nie. Sou Mister op daardie skip geklim het as jy geweet het jou kind het konsuis weggehardloop? Die skip kon vaar tot anderkant die see, ek sou nie op hom gewees het nie, ek sou my kind loop soek het. Ek sou nie tot hier gekom het en dan kom staat en huil het nie. Ek sê vir Mister hulle het agterna spyt gekry."

"Ek kan nie met jou saamstem nie, Miggel. Hierdie man en vrou is werklik verpletter van hartseer oor hulle kind."

"Mister moenie vir elke snotbel en traan begin siestogfoeitog nie, kou eers voor jy sluk. En wat se klas voorman is Christie wat self nie loop kyk het waar die kind is nie? Ek sê vir Mister, hulle het die kind weggegee en hier kom spyt kry."

"Ek het nie besef hoe hardvogtig jy is nie, Miggel."

"Omdat ek nie wil saamtjank nie, is ek hardvogtig."

"Christie is besig om 'n brief aan die polisie te skryf en te sê dat die Grassi's nié die kind vir Tomaso gegee het nie. Hulle moet haar onmiddellik van hom wegneem en daar moet teen hom opgetree word."

"Ek hoop nou net nie dit gee 'n lang gestryery van briewe af nie, want dan gaat hulle binnekort weer op 'n skip klim sonder die kind. Hoekom sê julle nie liewerster hulle moet die kind daar hou nie, hulle kan haar sommer met die verbygaan optel?"

"Ons sal maar wag en sien wat die reaksie op Christie se brief is."

"Sit Mister dalk en wag vir 'n bietjie koffie?"

"Dit sal lekker wees, dankie, Miggel." Die man het 'n lang sug gegee en eers toe hy die koffie het, toe kom dit uit dat hy eintlik oor Christie kom kla het. "As ek net geweet het wat hy vir hulle sê en wat hulle vir hom sê, Miggel. Hulle word by die dag meer ontevrede en Christie maak soos hy wil. Hy weet baie goed ek kan nie sonder hom klaarkom nie. Die goewerment het hom gehuur om saam met hulle as tolk en hulp tot hier te kom en tot daardie dag toe is hy betaal. En wat gebeur? Toe hulle op die kaai staan, loop hy eenkant toe en laat my net daar staan en ek ken nie een woord Italiaans nie."

"Dit het seker maar geneuk, ja." My kop was by Mirjam. Dinge sou gepraat moes word. Dringend.

"Dit verplig my net daar, sonder magtiging, om sy dienste met 'n verdere ses maande te verleng en ek bied hom ag pond die maand aan, wat hy weier, want sy prys is toe tien pond die maand *plus* sy eie twintig akker kroongrond en al die ander voorwaardes van immigrasie. Ek moes hom dit sonder magtiging toestaan, alhoewel ek onmiddellik aan Mister Laing geskryf het om die omstandighede te verduidelik. Maar op die ou end kan dit dinge wees wat teen my tel."

"Gelukkig sal Mister hom nou darem nie vir die volle ses maande hoef aan te hou nie, ses maande lank sal die goewerment nie met die skip draai nie."

"Nee. Maar ek kan nie langer as oormôre, as Donderdag, hier op die platrand bly nie. Ek moet terugkom by my kantoor en terselfdertyd kan ek nie vir Christie net so hier alleen met hulle los nie."

"Vat hulle saam terug en slaan die tente weer langs die meer op, dan is hulle sommer by die kaai."

"Ek het geen magtiging om dit te doen nie, Miggel. Hulle sal eers hier moet bly en jy sal eenvoudig vir Mister Christie moet bystaan."

"Wat? Mister se verstand is aan die swik as Mister dink ek gaat hóm bystaan. Ek het gesê ek sal help om hulle terug te kry tot by die water, maar verder wil ek met hulle niks te doen hê nie. Tensy . . ." Ek weet nie waar die gedagte vandaan gekom het nie, maar toe ek my kry, toe staan die idee soos 'n oop hek voor my. "Tensy Mister my mý prys ook betaal."

"Wat se prys?" Hy was versigtig.

"Twintig akker kroongrond. Gee my twintig akker kroongrond onder dieselfde kondisie as vir die vreemdes, en ek help Mister Christie nag en dag totlat die skip kom."

White het vinnig gekeer. "Wag nou, Miggel, jy weet baie goed dat dit nie moontlik is nie, ek kan nie sommer kroongrond sit en uitdeel nie."

"Maar daar kan vir Mister Christie uitgedeel word."

"Hy word beskou as 'n immigrant."

"Ek sal die geld nou aftel en neersit."

White het sy kop geskud. "Nie eers teen dubbel die prys nie, Miggel. Hierdie grond is vir immigrante uitgesit. Maar as jy vir my die waak oor Christie en die Italiane hou totdat die goewerment oor hulle lot besluit het, belowe ek jou om my ore en oë toe te maak as daar ooit weer gepraat word oor Silas Miggel wat onwettig op kroongrond bly."

Dit was soos 'n present wat voor my neergesit word, maar wat ek nie kon waag om te vat nie omdat dit 'n strik ook kon wees. Aan die ander kant kon dit die grootste geluk wees wat ooit in my pad kom lê het. "Meen Mister nou lat as ek Mister Christie met hulle help tot die skip kom, ek vir die res van my lewe op die platrand kan woon?" Ek het dit gevra asof dit niks is nie; as dit 'n strik was, moes hy self daarin trap.

"Ja."

"En wat gebeur as Mister môre, oormôre omkap en sonder sê bly lê?"

"Ek sal aan Mister Laing skryf en voorstel dat jy as hulp vir Christie aangestel word in ruil vir die reg om hier te bly."

"Dan kom laai die skip hulle en die goewerment sê: Silas Miggel, jy moet trek, ons is nie meer verleë oor jou nie."

"Ek sal voorstel dat die reg vir die res van jou lewe aan jou toegestaan word."

"Nee, nie vir die res van mý lewe nie, vir die res van Mirjam se lewe. As die kroon dít aan my gee, was ek elke aand al wat Italiaan is se voete en sit hulle nog in die kooi ook. Christie se voete ook."

"Ek sal skryf en voorstel dat jy, sowel as Mirjam, lewensreg kry op die platrand."

"Mister sit nie nou vir my en lieg omlat Mister verleë sit nie?"

"Ek gee jou my woord."

Ek het die present met altwee my hande gevat en vir die eerste keer in my lewe geweet wat dit is om 'n gemoed vol sekerheid oor 'n blyplek te hê. Nooit het ek regtig geweet hoeveel tyd daar op die platrand vir my en Mirjam oor was nie, waar my kooi sou staan as ek die dag moes reglê vir die engels om my siel hemel toe te vat nie, wat van Mirjam moes word nie. Ek het op daardie oomblik gevoel soos een wat jare lank in die wind gestaan het en skielik skuilte kry. Goed, die platrand het nie Poortland se water of geilte gehad nie, maar die platrand was mý plek. Op die platrand het 'n patat geswoeg om te rank en 'n mielie om te kop. Jy leer maar om nooit sonder 'n sak en 'n skepding te loop nie, vir elke bietjie mis langs die pad; maak nie saak of dit os of olifant of bosvark s'n is nie, jy skep en loop werk dit in die aarde in.

"Dan maak ons so," het ek vir White gesê en hom my hand gegee. "Ek sal vir Mister hier instaan en Mister Christie met die Italiane help."

Toe White loop, het ek Mirjam ingeroep en haar oorkant my aan die tafel laat kom sit. "Ons gaat nie rusie maak nie," het ek vir haar gesê. "Waar daar elke dag rusie in 'n huis gemaak word, het die duiwel sy intrek geneem en die duiwel gaat nie hier losies kry nie. Daar het vandag 'n goedheid na ons toe aangekom, maar voor ons daaroor praat, gaat ons eers ander dinge uitpraat. Ek wil weet waar jy vanmôre was."

Sy het my reguit in die gesig gekyk en die verset was dik in haar stem toe sy my antwoord: "Ek was Bos toe. Ek het vier bloubokkiestrikke gestel en vyf bosbokstrikke."

"*Nege* strikke? Vir wat?"

"Die mense sit sonder kos, Pa. En ingeval Pa wil weet of daar enige van die Italiane saam met my Bos toe was, kan Pa maar gerus wees, daar was nie."

Sy het my gesê wat ek wou geweet het, maar iets aan haar het vreemd gebly, 'n opstandigheid wat ek nie in haar geken het nie. Ek weet wanneer sy nukkerig is, dit was nie nukkerigheid nie. "Wat hinder jou, Mirjam?"

"Niks."

"Moenie my 'n dwars antwoord sit en gee nie, Mirjam! En moenie lat hierdie tafel tussen ons 'n klipbank word nie. Ek ken vir jou, sê wat jou hinder."

"Dis nie wat mý hinder wat die moeilikheid maak nie, dis wat Pa hinder. Noudat hier elf tente kom staan het, word ek erger as ooit tevore opgepas omdat Pa met dinge in die kop en in Pa se hart loop oor my, en Pa dink ek weet dit nie. Pa dink ek is nog altyd tien jaar oud. Ek is nie."

Waarvan het sy gepraat? "Wat se dinge?"

"Baie dinge."

"Soos wat?"

"Elke keer wat 'n man net na my kant toe kyk, wil Pa geweer gryp. As Pa om hierdie platrand die hoogste muur kon pak om my binne te hou en die wêreld buite, het Pa nou opgestaan en gaan begin klippe aandra."

Ek was verslae. Die kind was soos 'n pitsweer wat aan die oopbars is. "Sê jy ek maak jou hier op die platrand vas?"

"Ja, Pa." Sy het dit sonder skroom gesê. "Loop ek dorp toe, moet ek elke tree tel, want by die huis meet Pa my wegbly aan die son. Praat ek tien woorde op die dorp met iemand, is ek tien tree agter en sit die onrus soos onheil op Pa se gesig as ek by die huis kom. Hoeveel keer vra ek Pa dat ons soms op 'n Sondag 'n bietjie na Spruitbos-se-eiland toe moet loop om te gaan kuier, of Grooteiland toe, maar Pa hoor my nie eers nie. Kom soek Sias of Martiens 'n os of iets, word ek tuin toe gejaag of gestuur om te gaan water skep, al staan die emmers randvol op die kas. Die laaste keer toe Jacob Terblans by Pa kom kraansaag leen het, wou Pa hom nie eers in die huis in nooi nie omdat ek daar was. Waarom Pa my nog toelaat om Poortland toe te loop, weet ek nie. Of dalk is Pa Poortland se kant toe só blind dat Pa nie dink dat John of Hal of Will my onder in die kloof kan voorlê met die terugkom nie."

Ek het van skone skrik opgespring. "Wat sê jy daar?"

"Sit, Pa. Dit sal nie nou help om geweer te wil laai nie, hulle het lankal opgehou om my voor te lê. Ek het vir myself gekeer."

Die kind was besig om van dinge te praat waarvan sy niks geweet het nie. Dit was dinge waarvoor 'n meisiekind 'n ma moes hê, nie 'n pa wat skielik stomgeslaan was van onrus nie. Voor my aangesig het sy die rieme waarmee ek haar so versigtig gespan het, losgewoel en ek kon haar nie keer nie. "Daar is dinge wat jy nie verstaan nie, Mirjam! Dinge waaroor daar op die regte tyd gepraat sal word. Mister White was hier, hy sê as ek vir hom instaan en Mister Christie help met die Italiane, skryf hy Kaap toe en kry permissie dat ons blyreg op die platrand het tot na my én jou se einde. Al wat ek moet doen, is om Christie te help tot die skip hulle kom laai."

"Wat gaan Pa tot dan toe met my maak?" het sy gevra asof sy my daarmee wou uitdaag. "'n Streepsak oor my kop trek? My in die huis opsluit totdat hulle weg is en ons weer alleen op die platrand is?"

"Mirjam, jy's opstandig! Daar is dinge wat jy nie verstaan nie."

"Ek is lankal opstandig, Pa. Ek is opstandig omdat ek eenkant gehou word soos een wat 'n siekte het. Ek het nie 'n siekte nie, Pa!"

"Mirjam."

"Weet Pa hoeveel keer was ek al skelm Spruit-se-eiland toe as Pa op Poortland is? Weet Pa hoekom? Net om 'n slag met meisiekinders van my eie portuur te praat, net om nie altyd eenkant te moet wees nie."

Dan was ek reg, het ek vir myself gesê, sy had klaar haar oog op een, sy was klaar skelm. Ek het net nie geweet of dit Sias of Martiens was nie. Maar die skrik het skielik die moed in my losgemaak om reguit met haar die waarheid te praat. "Mirjam," het ek vir haar gesê, "die ding wat my laat geweer gryp as een na jou kyk, die ding wat my in die nag 'n benoudheid laat kry as ek oor jou lê en dink, is die ding waaroor ons op hierdie dag aan hierdie tafel gaan praat."

"Ek weet waarom ek nie 'n ma het nie, ek weet waarom my ma nie 'n ma gehad het nie."

Die een oomblik staan jy met die byl oorgehaal om die boom te kap en die volgende oomblik duiwel die boom voor jou oë neer nog voor die blad aan die bas kon raak. Sy het dit sonder erg gesê, net weggekyk soos een wat skaam is. Ek wou opstaan en by die deur uitloop tot onder in die verte waar die platrand oor die kranse val en daar bly staan totdat die jammerte vir my mooie meisiekind bedaar het in my. Ek het skielik gewens ek het iets gehad om haar te gee, 'n rok of kamme vir haar hare soos wat in die Petroniglia-vrou se kop was. Of 'n kat. Enigiets om haar te troos, maar ek had niks.

"Hoe weet jy dit, Mirjam?" het ek haar in verslaentheid gevra.

"Ta' Hannie het my gesê."

Dit het die tweede skrik gebring. Hannie was een wat maklik getrap het voor sy kyk waar sy trap. "Wat het sy vir jou gesê?" Ek moes weet.

"Dat Ma se ma se pa 'n vloek oor ons gebring het. Dat 'n man een nag 'n pakos by hom gevra het om sy vrou op te laai sodat hy haar op die dorp by die dokter kon kry, maar grootoupa wou nie die os gee nie. Toe dra die man die vrou en by Bokbaard-se-draai het hy haar laat val en net daar is sy met kind en al hemel toe."

"Dis 'n vervloekste bosstorie!" het ek geskree. "Dis 'n opgemaakte ding wat al jare rondgeskinder word en nou in jou ook ingeprent staat! Die een klomp sê dit was 'n man wat wou os leen, die ander sê dit was 'n vrou wat in barensnood kom herberg soek het. Ek sê vir jou dis 'n ding wat agterna opgemaak is. Van wanneer af stuur ons bosmense mekaar weg?" As ek Hannie in die hande kry, is daar moeilikheid. Hoe moet ek die storie uit die kind se kop uit kry? "Dis 'n opgemaakte ding, Pa sê dit vir jou."

"Dit maak nie saak nie, Pa. Die waarheid bly staan: my ouma is dood toe my ma gebore is, my ma is dood toe ek gebore is. Ek weet dit lankal." Sy het opgestaan en vuurherd toe geloop. Eers toe sy die stuk hout op die kole smyt dat die vonke in die lug op skiet, het sy die bitterheid in haar verklap. "Dit maak nie saak nie, dit maak net verskil," het sy bygesê. "Johanna van oom Willem, Susanna van tant Grieta, Bettie van tant Bet en al die ander meisiekinders kan sê met wie saam hulle eendag wil dorp toe loop om te gaan trou. Nie ek nie." Sy het die patats begin afwas en aangehou met praat en praat soos dit haar gewoonte was wanneer sy skuldig of bang is. "Bettie sê sy wil saam met Martiens loop. Susanna saam met Jacob Terblans – het Pa geweet dat vier van die Italiane kort nadat hulle aangekom het, voor die magistraat getrou het? Antonia Fardini het met Domenico Tomé getrou en haar suster, Giuditta, met Angelo Mangiagalli."

"Maak jy die name op?" Ek kon nie dink dat dit hulle regte name kon wees nie.

"Ek maak dit nie op nie, Pa. 'n Mens moet net mooi luister; party is moeilik om te sê, jy moet 'n paar keer oefen. Maar dis lekker, dit klink so anders. Mister White sê Giuditta is so oud soos ek. Sewentien. Mister Christie verwag moeilikheid oor Angelo Mangiagalli; sy mense weet nie dat hy saam met die syboere gekom het nie. Hulle is baie vername mense in Italië en hy was veronderstel om met 'n ander meisie te trou, nie met

Giuditta nie. Antonia en Domenico het mekaar op die skip van Engeland af leer ken. Pa sal môreoggend moet saamloop na die strikke toe, as daar meer as een bok is, kry ek die vleis nie alleen by die huis nie. Miskien moet ons die slee vat. Dinge gaan verkeerd draai by die tente, Pa, dis of hulle in die rondte loop soos mense wat nie weet waarheen nie. En Pa hoef nie bang te wees dat ek 'n man sal vat nie, ek sal nie trou nie, ek wil liewer leef."

Die bitterste bitter was dat ek sonder 'n woord van troos vir haar moes sit. Ek kon nie vir haar sê: toe maar, dalk is jy nie soos jou ouma en jou ma nie, dalk kom dit jou nie oor nie. Geen mens het reg om vals te troos nie. En dit was maklik vir haar om te sê sy sal nie trou nie. Het sy geweet wat vir haar voorlê as sy die dag sinnigheid kry vir 'n man? Die regte sinnigheid? As die groot gevoelentheid oor jou kom, raak jy anders. Dit kom staan tussen jou kop en jou lyf, tussen jou voete en die aarde, dit laat jou anderster asemhaal, anderster kyk. Jy vind die hemel op die aarde.

Al troos wat ek had, was vir myself en dat sy mý kind is. 'n Kind van Silas Miggel is oop-oë bang. Hoeveel keer is ek nie in dikbos met haar deur, klipgooi onderkant of bokant 'n trop olifante verby nie? Stokstyfbang was die kleine lyfie voor my in die voetpad, maar nie 'n takkie sou onder haar voete kraak wat 'n grootvoet 'n oor kon laat roer nie. Maar die dag wat ek my eie wil die helderste in haar gesien het, was die dag toe die wolkbreuk ons op die dorp vasgekeer het en ons amper donker voor Gouna se drif staan. Ek sien daar's nog kans dat ons die oorkant sal kan haal as ek haar op my skouers tel en deurdra. Sy was toe maar skaars ag jaar oud en te lig, die water sou haar vat as ek haar self laat deurloop. Ek moes haar by die huis kry, daar was nie meer 'n rafel droog aan ons lywe nie en ons kon nie daar slaap nie.

"Ons gaat deur," sê ek vir haar. Die water raas voor ons verby.

"Ons gaan deur," sê sy agterna.

"Die water gaat ons nie vat nie," sê ek en ek tel haar op.

"Die water gaan ons nie vat nie," sê sy.

Dit was lelike water. Modder. Toe ek in die middel kom, dog ek ons is weg, die stroom gaan my vat met kind en al, maar ons is deur. Net-net. Eers by die huis, toe ek haar droog en voor die vuur had, vra sy: "Was Pa bang?"

"Ja," sê ek, "maar ek het nie gerittel nie."

"Nee," sê sy, "ons het nie gerittel nie."

Ligdag het ek en sy al nege die strikke gaan naloop. Elkeen was fyn en reg gestel soos ek haar geleer het, op die regte plekke, maar nie eers 'n bok se haar was gevang nie. Niks.

Sy was stil. Toe ons by die huis kom, het ek haar gehelp om 'n buitevuur te maak. Dit was tyd dat ons 'n slag patats onder die as kry, 'n mens raak moeg van waterpatats. Ek het by die hout gaan inval. By die tente was dit stiller as gewoonlik; hier en daar het 'n stuk wasgoed aan 'n ankertou gehang en van die mans het eenkant gestaan asof hulle vergader om te praat. Ek het my rug op hulle gedraai en die spansaag sekuur op die merk gesit en 'n nuwe stoeletjie aangevoor. My taak by die tente sou nie begin voor White nie weg is nie; twee base op een werf het nog nooit gedeug nie.

Die lug was oop en helder. 'n Vleiloerie het onder uit die kloof gedoe doe doe-doe-doe, opgehou, weer begin. As die vleiloerie roep, was die reën nie ver nie, en dit was goeie tyding. Ek het klaar gedink: as dit teen die Vrydag nog nie gereën het nie, sou ek die geelsloot moes loop oopsteek om die aartappels en die kool nat te lei. Een van die eerste dinge wat ek sou doen wanneer die spul sywurms weg is, het ek my gestaan en voorneem, sou wees om 'n behoorlike wal bo die sloot te gooi sodat ek meer water kon vang vir Mei en Junie se bergwinddae wat alles kom uitdor. 'n Dam soos Poortland sou die platrand nooit hê nie, die water was nie daar nie. Net die twee vlak afloopspruite het die platrand se water gebring, die een skuins bokant my huis, en die een anderkant die tente waar ek my twee osse laat suip het en waar ek vir White gesê het die Italiane moet skep; ek wou hulle nie naby die geelsloot sien nie, dis my water. Huiswater het ek van die dak af in die vat gevang. As die vat leeg was, het ons water aangedra van die sloot af, maar gelukkig was dit selde want die Bos ken min droogte. Nee, 'n dam soos Poortland s'n sou die platrand nie kon hê nie, maar ek was nie ontevrede nie; as ek blyreg kry, was ek oor niks ontevrede nie. Die beste van die riviere, die Gouna en die Knysna, het onder in die klowe óm die platrand geloop en daaraan kon jy niks doen nie.

Die hout het lekker gewerk, want dit was goed droog. My kop het agtertoe geloop tot by die dag toe ek daardie boom bo in Lelievleibos in dikbos gekap het. Eintlik was ek op pad van die heuningneste af toe my oog die boom sien en ek hom net daar vooruit bereken in opvoustoeletjies: soveel mote, soveel pootjies, soveel draertjies waaraan die riempies vaskom. En ek sê vir Mirjam: "Hom gaat ek sommer net hier kap. As die wagter kom, hardloop ons wes tot onder in die kloof en kruip weg, want Pa se houtliksens het week voor laas al geverval en Pa wil nie vandag vir 'n wagter staat en verskonings lieg nie. Jy weet Pa hou nie van 'n liegtery nie."

Dit was 'n mooi boom, ingeplant waar dit nie te skuins was vir 'n man om hom te moot en uit te sleep nie, as jy hom kap dat hy reg val. Ek sê nog die dag vir Mirjam: teen die tyd wat daardie boom se hout droog is, is sy groot. Sy was toe veertien en ek kon nog die kommer oor haar teëhou, sy was nog kinderlik. Ek byl in en ek kap nog ewe lekker, toe staan die man aan die bokant in die sleeppad en ek sê vir myself: Silas Miggel, dis te laat vir hardloop, vandag is die dag lat jy sonder liksens gevang is, dis 'n nuwe wagter. Maar toe ek die man weer aankyk, sien ek hy lyk nie soos 'n wagter nie, hy lyk nie eers soos 'n gewone mens nie, daar's iets anders aan hom. Ek groet. Hy groet op Engels. Ek lê my byl neer en ek loop nader. Ek sien dis 'n man wat lank aan die loop is, die bondel op sy rug is groot en swaar en sy hare is lank soos 'n vroumens s'n. Bo-op sy bondel is 'n ding met pote wat nes twee horings agter sy kop verbysteek en ek vra hom daarna. Hy sê dis die ding waarop hy sy papier sit as hy teken. Ek vra vir hom wat hy teken; hy sê hy teken die Bos. Ek sê vir hom dan sal hy baie papiere vol moet teken want die Bos is groot. Toe vra hy vir my of ek hom dalk van die lelies kan sê, hy soek al weke. Ek vra vir hom wat se lelies? Hy sê die vlei vol rooi lelies wat hulle sê êrens in die Bos is.

"Mister," vra ek vir hom, "het jy in al die weke wat jy loop een enkelte lelie op jou pad gekry?"

"Nee," sê hy.

"Mister," sê ek, "ás die Bos 'n vlei vol lelies wegsteek en ás die Bos wou gehad het jy moet sy lelies kry, sou jy dit teen hierdie tyd al gekry het. Gaan huis toe." Maar die man praat mooi, hy sê ek moet hom die pad na die lelies toe beduie. "Mister," sê ek, "daar loop nie 'n pad na die lelies toe nie." Toe vra hy of hy die kind kan teken; ek sê vir hom ek laat nie van my meisiekind 'n gesnede beeld teken nie.

Ek was nog nie halfpad met die stoeletjie se uitsaag nie, toe kom White en Christie daar by my aan en ek sê vir hulle as hulle wil sit, sal hulle maar daar buite moet sit, ek los nie die werk nie. Alles is agter. White het gaan sit en Christie het bly staan asof dit nie na sy sin was onder sy voete nie. Toe kom dit uit dat hulle eintlik daar is sodat White in Christie se teenwoordigheid die laaste orders kon afgee en daarom het hy Engels gepraat sodat Christie kon verstaan. Hy het gesê ons moet alles in ons vermoë doen om die Italiane kalm en tevrede te hou, totdat hy van die goewerment verneem het wat daar omtrent hulle gedoen gaan word. Of hulle vry terugvaarte gaan kry of nie, en indien wel, wanneer. Die antwoorde op sy eerste briewe, toe hy nog met hulle op die dorp was, behoort teen dié tyd in sy kantoor te lê en hy sou alle tyding saam met een van die boswagters uitstuur platrand toe. Gebeur dit dat hy intussen magtiging kry om die sjieling per dag per kop aan hulle uit te betaal, sou hy sorg dat die nodige proviand weekliks gekoop word en ook uitgestuur word platrand toe. Daarmee was Christie nie tevrede nie. Hy't gesê dat hy reeds hoeveel geld aan hulle voorgeskiet het en dat hulle belowe het om dit aan hom terug te betaal. White moes die geld weekliks net so uitbetaal. In my hart het ek gewonder wie hulle dink elke week die sak sjielings platrand toe sou dra, maar niks gesê nie. Dit sou nie Silas Miggel wees nie. Toe sê Christie vir White om tog nie te vergeet om nog 'n paar tente te stuur nie, en komberse, en kookpotte, en wateremmers en en en.

Ek het hulle maar so werk-werk gestaan en luister. Neuk sou dit neuk. Die beste was om stil te bly en te wag dat White eers uit die pad uit is.

Toe bring Mirjam vir hulle koffie buitetoe en ek sien Christie se oë bly op haar soos 'n houtkoper s'n op 'n mooi vrag hout. Ek vra vir White, op Hollands, of die man 'n vrou het. White sê hy weet nie, die man het weinig oor homself gepraat.

"En jy sal maar moet mooi werk met hom, Miggel," waarsku White my op Hollands. "Hy verkeer onder baie druk en is taamlik humeurig."

"Mister White, Mister hoef nie met een bekommernis hier weg te stap nie. Ons sal regkom. Kyk Mister maar net lat Mister dadelik aan die goewerment skryf lat ek nou hier vir Mister instaan in ruil vir my blyreg. Dis al."

"Dit sal die eerste wees wat ek doen sodra ek môre in my kantoor kom."

"Hoe gaat Mister op die dorp kom?"

"Ek het gereël dat een van die boswagters my goed vir my kom dra. Ek neem sommer die brief wat Mister Christie oor die Grassi-kind geskryf het, saam vir konstabel Ralph. Probeer tog asseblief om meer simpatiek teenoor die Grassi's te wees, Miggel, hulle het nie die kind vir Tomaso gegee nie."

"Mister glo soos Mister glo, en ek glo soos ek glo."

"Hierdie mense is verward, Miggel, wees hulle genadig en kyk mooi na hulle."

"Mister," het ek hom gerusgestel, "solank ek na hulle kyk, sal hulle niks oorkom nie. Mister kan hulle maar tel. Verbeel ek my of lyk die Grassi-man soos een wat nie heeltemal gesond is nie?"

"Hy was glo baie siek op die skip van Engeland af."

Die aand het ek 'n bietjie aan my Engels geoefen. Oor die tussenin woorde het ek nie veel getraak nie; solank ek die *main words* had om vir Christie te gee, sou ons mekaar ver genoeg verstaan. Kom daar die dag regtig misverstand, moes Mirjam kom help, sy was goed met die Engels.

"Hoe sê 'n mens vir Gouna se platrand op Engels, Mirjam?" Ek het sommer van die tafel af kamer toe gepraat, want sy het al gelê.

"Gouna's plato, Pa."

"Dit klink nie vir my reg nie. Is dit nie flêt rênd nie?"

"Pa vra vir my, ek sê vir Pa en dan stry Pa."

"Hoe sê 'n mens op 'n ordentlike manier en op Engels vir 'n man dis nie sy plek hierdie nie?"

"Pa gaan nie met Mister Christie skoor nie!"

"Ken jy jou pa as 'n skoormaker, Mirjam?"

"Nee, maar as Pa die dag verkeerd is, is Pa harder as 'n stuk ysterhout."

"Jy maak 'n fout, Mirjam, nie die dag wat ek verkeerd is nie, die dag wat ek reg is en wat ek my nie van 'n byl laat kap nie. 'n Man wat nie sy staan kan staan nie, beteken niks."

"Solank Pa net nie vergeet dat dit Mister Christie is wat oor die Italiane aangestel is, en nie Pa nie."

"Van wanneer af staat hy bo die kroon? Hy's gehuur om hulle taal te praat. White is die goewerment se man en ek staat in vir White. Jy kan maar sê tot die dag wat die skip kom, is Silas Miggel die kroon oor hulle. Die ergste wat ek vir my sien voorlê, is om die spul goed by die name te leer ken."

Toe ek weer sien, toe staan sy by die tafel. "Dis nie *goed* nie, Pa, dis *mense*!"

"Nou dan het ek nog nooit van *mense* met sulke name gehoor nie, en dit sal bars om die spul uitmekaar te ken. 'n Man se tong kan agteroorslaan. Dis alles net erre, dit rol en dit hardloop."

"Daar is die mooiste ou seuntjie met 'n pikswart krulkoppie onder hulle, Pa. Sy naam is Felitze."

"Hoekom kan hulle nie plyn Fielies sê nie?"

"Moenie vir hulle begin byname gee nie, Pa!"

As daar net iewers was waarheen ek haar kon stuur tot hulle weg was, maar waarheen? Die kers het skeef gebrand en die was het 'n bolling in die blaker gemaak. Deur die venster het ek gesien die weerlig slaan agter op die see. As dit agter op die see weerlig, kon jy maar tel: oor drie dae val die water. Dit kon neuk.

Ek het voordag opgestaan en weer die strikke gaan naloop. In die derde een was 'n bloubokkie, skaars genoeg om twee mense van kos te gee. In die ander was niks. Toe ek by die huis kom, sê Mirjam Mister White was daar om te kom groet, hy is klaar weg. En ek staan nog langs die huis om die bokkie af te slag, toe kom Christie uitgevat daar aan en sê vir my daar moet vuurmaakhout by die tente kom. Nie *good morning* of *good day* nie, net die order vir die hout. Ek sê vir myself: Silas Miggel, jy sal nie jou siel tot niet vererg vir hierdie man nie, jy sal waardig staan op die platrand. Ek roep Mirjam om te kom oorneem by die vleis en ek sê vir Christie ek was net my hande, hy kan maar solank vir my 'n paar manne gaan bymekaarmaak, ek bring die byle en die rieme.

"Die Italiane, Mister Miggel," sê hy vir my met 'n vieserige trek van die mond, "sal nie in hierdie bos ingaan om hout te kap nie."

"Dan sal hulle sonder hout moet klaarkom, Mister Christie: wie nie kap nie, het nie hout nie. *Whet of de forest*."

Toe staan Mirjam en lag. "Nie *whet of de forest* nie, Pa, *law of the forest*!"

"Nou *law of the forest* dan! En lag jy weer vir my, stel ek jou aan om vir hom te sê wat ek sê sodat hy vir hulle kan sê wat jy sê wat ek sê en dan kyk ons wat se gemors dit is."

Christie was aan die rondtrap. "Die mense moet hout hê, Mister Miggel!"

"Dit glo ek. 'n Mens kan nie sonder hout leef nie. Loop kry vir my drie sterkes onder hulle en sê vir hulle ek is nou daar met die byle en die rieme." Ek wou nog byvoeg dat hy vir hulle moet sê om ou klere aan te trek, maar toe ek weer sien, is hy al op pad terug tente toe met lang treë nes 'n konstabel.

Ek het die drie oorkap-byle, die handbyl en die rieme gevat, my skoene aangetrek en tente toe geloop. Party het rondgestaan, party het rondgesit en van Christie was daar nie 'n teken nie."

"Buon giorno, signor Miggel." Dit was Petroniglia. Sy't verlep geklink. Van die ander het agter haar aangesê en een vir een het nader gekom en na my kom staan en kyk asof ek hoop is wat opgedaag het. Sonkant van 'n tent het een op sy hurke bly sit en nie opgekyk nie.

Ek het sommer in die bondel in op Hollands gepraat: "Julle sal vir julle moet regskud, julle lyk kompleet soos goed sonder asem. Ek sê vir julle, hier kom groot reën aan en voor dit val, sal hier baie gedoen moet word. Eerste is die vuurmaakhout."

Christie het my gehoor, want hy't skielik uit 'n tent gevlieg en sy vinger amper in my gesig kom druk. "Mister Miggel," sê hy, "ek is besig om aan Mister White te skryf en te eis dat daar onmiddellik 'n ander persoon gestuur word om my by te staan."

"Jy sal die skrywery maar eers moet los, hier kom reën aan. Die hout moet gekap kom, daar moet skerm gemaak word om onder vuur te maak, en honderd ander dinge."

"Ek sien geen wolke nie."

"Ek sê vir jou, voor jou ink behoorlik droog is, draai die wind wes en reën jy uit jou tent uit. Maar eintlik wil ek van jou weet hoekom hierdie mense so sleg lyk. As die goewerment dit sien, is daar moeilikheid en jy's kastig die voorman. Wat makeer die man wat daar anderkant sit, is hy lam?"

"Hy was onder die indruk dat hierdie Amerika is. Twee van sy neefs het Amerika toe geëmigreer."

Die lyf hét vir my 'n bietjie bekend gelyk. Kort en maer, asof hy nog nie behoorlik uitgegroei was nie. "Wat is sy naam?" vra ek vir Christie.

"Antonio Mazera."

Toe hy sy naam hoor, kyk hy op en toe hy my sien, toe is dit oombliklik weer: "Amêrika, Amêrika." Maar dit was nie meer om te vra nie, dit was 'n geween. Ek loop tot by hom en ek sê: "Genade, mens, kerm jy nog altyd oor Amêrika? Kry end en kom op jou voete!" Hy't sleg gelyk. "Jy kan nie hier kom sit en afsterwe nie. Die goewerment het julle getel. As een makeer, gaat hulle hom van my kom vra. Staat op!"

Hy't opgestaan. Maar toe was dit weer Christie wat ontevrede is. "Mister Miggel," sê hy, "ék is die tolk. Ek wil weet wat jy vir die man gesê het."

"Moenie jou verknies nie, Mister Christie, die man het nie verstaan wat ek gesê het nie, hy weet maar net wat ek bedoel het. As Mister Christie nou net sal help praat lat die hout gekap kan kom, sal ek bly wees. En voordat ek met hulle in hierdie bos kan ingaan, is daar dinge wat hulle moet weet as hulle weer daar wil uitkom, daarom moet Mister nie 'n woord uitlaat van wat ek vir hulle wil sê nie."

"Jy sal hulle nie in die Bos kry nie."

"Mister, moenie lat ons van die begin af sukkel nie. Sê vir hulle ek soek drie man, want ons gaat behoorlik loop houtkap, nie dunhout breek op die bosrand om mee rook te maak nie. Sê vir hulle hulle hoef nie bang te wees om in die Bos in te gaan as Silas Miggel by hulle is nie; ek sal kyk lat hulle nie wegraak nie en lat die grootvoete hulle nie trap nie. Ongelukkig kan ek nie vir Mister sê wat die grootvoete se regte naam is nie, nie eers op Engels nie, want hulle is baie slim, slimmer as mense, hulle verstaan alles. As jy hulle op die regte naam noem, hoor hullé jou en hulle dink jy roep hulle en kom trap jou plek uitmekaar." Ek het op die man se gelaat gesien hy weet nie waarvan ek praat nie. *"Law of de forest*, Mister! Ek praat van die groot diere met die groot ore en die . . ." Dit was tydmors. Ek het nie geweet wat slurp in Engels is nie en Mirjam was nie by nie. "Los dit," sê ek, "roep die mense bymekaar en sê vir hulle die hout moet gekap kom, die son klim."

Wat hy vir hulle gesê het, weet ek nie, maar dit was net woerts-woerts, toe is hy klaar en toe trek hulle los en praat en beduie asof daar 'n slang tussen hulle gegooi is. En Christie staan soos een van wie tot die skaduwee vernaam is.

"Ek het jou gewaarsku, Miggel." Ek was ook nie meer *Mister* nie. "Hulle sê waar húlle vandaan kom, hou rowers en wegkruipers in bosse, nie ordentlike mense nie."

Ek dog ek kom iets oor. "Wat? Sê jy vir hulle, ek sê, in hierdie bos woon net houtkappers en hulle huismense en nie een is 'n wegkruiper of 'n rower nie. Die rowers bly op die dorp, ons noem hulle die houtkopers. Sê dit vir hulle." Ek het stilgebly van Josafat Stander.

En weer is dit net woerts-woerts, toe sê hy: "Hulle sê hulle is nie houtkappers nie, hulle is geëerde syboere in die land waar hulle vandaan kom."

"Vra vir hulle, ek vra, as hulle dan so geëerd was, vir wat het hulle hiernatoe gekom?"

"Omdat hulle met mooi beloftes en advertensies gelok is en nou in die wildernis afgelaai sit!" het hy self geantwoord. "Hierdie mense is in opstand. Daar is gekke van hulle gemaak, hulle is beledig! Waar ek en hulle vandaan kom, woon barbare in tente of in huise van hout!"

"Luister, Mister, wil jy vir my kom staat en sê Silas Miggel is 'n barbaar?"

"Húlle sê dit, Miggel, nie ek nie. Wat ek wel kan byvoeg, is dat jy nie 'n idee van beskawing het nie en dat ek en die Italiane uit beskaafde lande kom."

"Val vuurmaakhout daar uit die lug uit?"

"Nee. Hulle stel voor dat jy die hout gaan kap."

"Hulle sê ék moet die hout gaat kap?"

"Ja."

Ek het nie geweet of ek moes omdraai en loop of stilstaan en baklei nie. Waar daar siekte is, tel jy jou byl vir jou allernaaste op in die Bos en loop kap sy hout en sleep dit vir hom uit en ry dit tot op die dorp, en jy vat nie vir jou 'n korrel van sy koffie of sy suiker nie. Maar jy tel nie byl op vir 'n gesonde man nie, nog minder vir 'n treksel vreemdes.

Die luggie wat oor die platrand gesny het, was koud. Die vroue se rokke het om hulle bene vasgewaai en die meeste had tjalies om die skouers. Die kantkrae was nog net so wit, maar ek kon nie agterkom of dit ander rokke was wat hulle aangehad het nie. Ek dink dit was. Die meeste was jong vroue, net een was ouer. Die windjie het van die seekant af gewaai en die tente soos loslyfgoed laat wapper. Teen die Saterdag sou dit reën.

"Signor Miggel?"

'n Vrou met 'n kopdoek onder die ken geknoop en 'n krom neus, het my by die naam geroep. "Ja?" Ek kon hoor sy wil iets van my weet.

"Mariarosa vra hoe groot die Bos is," tolk Christie.

"Sê vir haar veertien dae se stap na die oostekant toe; noord tot waar die berge lê, suid tot waar die see hom keer en weswaarts weet ek nie."

"Sy vra wat jou plan is, wanneer jy vir hulle die hout gaan kap. Hulle moet vuur hê, die kinders is honger."

Ek het vir myself gesê: Silas Miggel, staan kalm; jy's vasgekeer en as jy vas is, is jy vas. Trap bo-oor jou trots en loop kap vir hulle die hout, die dag gaan om. Loop kap die hout, sleep dit vir hulle uit, dra dit uit, laat hulle staan waar hulle staan. Verniet sal jy jou blyreg nie kry nie. Troos jou dat hulle môre vort sal wees en jy die hele platrand vir jou en Mirjam sal hê.

"Goed," sê ek vir Christie, "ek sal die hout loop kap. Sê vir hulle dit sal die beste wees, want die Bos het 'n manier om 'n bang man se broek van sy lyf af te beef en dan is hulle nog groter gekke as wat hulle nou is en jy's die grootste een." Of hy alles verstaan het, weet ek nie, ek moes maar baie Hollandse woorde tussenin hou.

Ek het die orige byle by die huis gaan sit, die os loop aanhaal en langs die houtkamer voor die slee gespan. Mirjam het vir my asbrood en patats in die bladsak gepak.

"Kan ek nie saamgaan en Pa gaan help nie?"

"Nee."

"Is Pa nou vir my ook kwaad?"

"Nee."

"Kan Pa nie solank van ons hout vir hulle gee nie?"

"Dan wil hulle môre wéér van my hout hê."

Ek is met Rooiels-se-sleeppad die Bos in en ek het my kop vooruit gestuur om die plek te loop kry waar die storm die jaar tevore 'n ou kershout uit die bosvloer gewoel en neergelê het. Daar sou nie gerapport kon word dat Silas Miggel vir hulle groenhout gekap het nie. En 'n beter vuur as van kershout sou hulle nie kry nie. Maar hulle sou betaal. Die goewerment sou betaal. Silas Miggel laat nie aan sy gesig vat nie.

Die Bos was klam en koel en stil. Bo in die bosdak het die wind geroer en spetseltjies son op die os se rug laat spring. Die platrand se oopte was my woning, maar die Bos was my lyf se tweede baadjie. Daar was geen beter plek waarheen 'n man hom kon wend as hy die dag alleente moes hê nie; waar jy vir die boswagter kon gaan wegkruip as daar nie geld was vir houtliksens nie; waar jy die bitterheid uit jou uit kon loop kap as die houtkoper jou verneuk het, as vreemdes jou plek ingeneem het nie.

Gert Oog het darem eendag die geluk gekry om 'n slag 'n houtkoper ook terug te betaal. Gert het weke lank aan 'n vrag stinkhout gekap en gesaag en reggemaak en dit bo uit die Bos uit gesleep, deur die klowe, deur die driwwe, en toe hy op die dorp kom, toe sê die houtkoper hy kan hom nie meer as vyf sjielings se winkelgoed vir die hout gee nie, die kleur is te lig. Gert het nie afgelaai nie, hy't honger omgedraai. En nie lank nie, toe's Gert terug by dieselfde houtkoper, weer met 'n vrag stinkhout, en hierdie keer sê die houtkoper, sodat almal op die houtwerf kon hoor en 'n voorbeeld sien, dat dit die mooiste vrag stinkhout is wat in maande by hom aangekom het. Hy het nie geweet dis dieselfde vrag hout nie, dat Gert dit net loop donkerder kleur het met 'n bietjie muishondbos-treksel nie.

Maar terugbetaal is nie uitbetaal nie, jy moet maar jou byl vat en loop kap en vorentoe bly kyk tot waar jou blyreg lê. En die kershout was omtrent 'n halfuur die Bos in met die os en die slee en gelukkig nie te ver van die sleeppad af nie; die entjie skuinste waar ek die hout sou moes uitdra tot bo by die slee, ook nie te erg nie. Een ding sou ek daardie Italiane wys, ek sou vir hulle wys wat een man met 'n byl kon uitrig. Houtkap was nie sywurms oppas nie.

Elke drag wat ek onder klaar gekloof het, het ek met die rieme vasgemaak en uitgesleep totdat daar 'n oopgekloofde, slykerige pad deur die onderbos boontoe gelê het. Ek het seker so 'n stuk of ses dragte uitgehad, toe klap die skoot noord van my, na Draaikloof se kant toe. Swaargeweer. Ten minste tienopdieponder. Kort op die eerste een nog twee en toe 'n vierde: doodskoot. Iemand het 'n olifant platgetrek. Josafat Stander was dit nie; hy het nooit meer as twee skote geskiet om 'n olifant te laat val nie, en hulle sê 'n koei het hy nooit geskiet nie.

Ek had nooit sin om 'n olifant te skiet nie. Om 'n geelhoutboom van by die honderd-en-vyftig voet hoog te kap en te sien oorkom vir die val, was 'n aardige ding maar 'n plesier; om 'n uitgegroeide olifantbul te sien neerslaan met 'n stuk lood in die harsings, was nie 'n plesier nie. Om vir 'n spul sywurms te staan en vuurmaakhout kap, ook nie. Maar ek het gekap en uitgesleep totdat ek genoeg had om die slee mee hoog te laai en nog 'n bondel vir my eie rug ook. Voor donker wou ek uit die Bos wees. Op pad terug wou ek nog 'n draai by die naaste twee bosbokstrikke ook maak, daar sou nie tyd wees vir strikke in die dag wat voorlê nie. Dan sou die sywurmwagters uitvind dat Silas nie alles vir hulle gaan doen nie. Hulle sou bars.

In altwee die strikke was 'n bok. Mooi groot bokke. Een het nog geleef en ek moes spook om sy gorrel afgesny te kry, met die gevolg dat ek taamlik van die bloed bespat was. Skemer, toe ek die vrag hout met die bokke bo-op tussen die tente insleep, toe sien jy net vroue en kinders spat.

"Het julle nog nooit 'n moeë man gesien nie?" skree ek vir hulle. "Kom laai af die goed!" Twee van die mans het nader gekom. Nog twee. Die vrou met die krom neus ook. "Steek uit jou hande, Roosmeraai!" sê ek vir haar.

"Mariarosa!" gee sy antwoord.

"Ek hoop jou hande is net so fluks soos jou tong. Maak los die rieme." Een van die mans het na die bokke gewys en iets gevra. Toe ek beduie dat dit vir hulle is, was dit soos 'n klomp aasvoëls wat toesak. "Julle beter vir julle dik eet en vroeg loop lê, daar sal nie môre tyd wees vir rus nie. Ligdag is ek hier en dan gaat dinge regkom. Laai af, ek sal die os en die slee netnou kom haal."

Langs die houtkamer het 'n afgeslagte bok gehang en Christie was by Mirjam in die huis. Daar was nie tyd vir woorde soek nie, ek het sommer Hollands en Engels deurmekaar geskel. "Wat soek jy by my meisiekind? Ek moet loop houtkap solat jy in my huis kan kom sit, nè?"

"Pa!"

"Sit jou pote by my dogter en ek druk jou strot vir jou inmekaar!"

"Bly asseblief kalm, Mister Miggel."

"Kalm? Ek sal nie kalm word voor jy en hierdie spul sywurms nie van die platrand af is nie. Wat kom soek jy in my plek as ek nie hier is nie?"

"Ek het gewag om u oor 'n saak te spreek, maar aangesien u nie in 'n toestand is om my te woord te staan nie, sal ek dit moet laat oorstaan." Hy's neus in die lug daar uit.

"Ek skaam my vir Pa," het Mirjam gesê.

"Wat se bok hang langs die huis?" Sy moes haar maar skaam en klaarkry.

"Jacob Terblans het die bok gebring. Hulle het verneem van die Italiane en gereken dit sal moeilik gaan met vleis."

"Toe dra hy die hele pad van Diepwalle af die bok. Ek is nie onnooslik nie, Mirjam, ek dink dis tyd dat Jacob besluit waar hy kuier, by jou of by Susanna."

"Hy kuier by Susanna, Pa. En hy het nie die bok van Diepwalle af gedra nie, hulle kap in Spruit-se-bos. Ek neem aan die grootvoete het Pa gejaag, daarom is Pa so vol knorre!"

"Maandagoggend vat jy die geweer en jy loop dorp toe en gaan vra vir White, ek vra, of hy al iets gehoor het van die goewerment af. As hy niks gehoor het nie, moet hy weer skryf. Sê vir hom hierdie was die eerste en die laaste vuurmaakhout wat ek vir sy blêssitse Italiane loop kap het. As dit op is, kan hulle met die tentpenne vuurmaak vir wat ek omgee. En jy kan die bok maar inbring, ek het klaar vir hulle twee afgegee."

Ligdag was ek terug by die tente. Dit was koud en die platrand het bedou gelê. Die vroue was by die vuur, die onderparte van hulle rokke nat, en van die kinders het twee-twee in dik grootmenstjalies toegedraai gestaan. Die meeste se hare was nog nie gekam of vasgemaak nie.

"Buon giorno, signor Miggel."

"Buon giorno, signor Miggel."

"Buon giorno, signor Miggel."

"Môre."

Ek is verby tot by Christie se tent en het by die flap gaan roep: "Jy moet opstaan, Engelsman!" Nie 'n roering nie. "Ek sê, jy moet opstaan!" Die man het dalk doodverkluim gelê. "Leef jy? Jy moet opstaan, die tente moet na die skuinste toe verskuif word en jy moet vir my kom tolk." Iets het geroer. "Die tente moet geskuif kom, voor donker gaat die wind draai en die reën kom val!" Toe hy uiteindelik sy kop uitsteek, toe peper dit van wie nou eintlik baas is en wie die orders gee en hoeveel briewe daar geskryf sal word, party tot in Londen, om my te rapport. En hoe gewigtiger hy raak, hoe hoogklinkender die woorde wat hy gebruik, tot ek later nie meer die helfte kon verstaan nie.

Ek het my nie geërg nie, ek het hom laat praat. Ek het nagedink in die nag wat verby was: dit sou my nie baat om blyreg te wen, maar my siel tot niet te laat vertoorn van 'n klomp sywurms en hulle voorman nie. Wat daar gedoen moes word, sou ek doen, maar slaaf en hond sou ek nie vir hulle wees nie en my staan sou ek staan.

"Dit sal nou nie help om te staat en steek nes 'n doring nie," sê ek vir Christie. "Die tente moet nog altyd geskuif word, want die reën gaat nog altyd kom val."

"Ek sien geen teken van reën nie, en ek sien geen rede waarom die tente verskuif moet word nie."

"Die goed staat in 'n holte, man! Die man wat in die eerste plek gesê het hulle moet kom waar hulle is, is nie reg in die kop nie."

"*Ek* het die opdrag gegee."

"Ek het gedink jy's nie reg in die kop nie." Ek het my nie geërg nie, ek het dit in vrede vir hom gesê en bygevoeg dat hy maar weer kan gaan lê, ek sal self regkom. Sy tent kan vir laaste bly, ek sal die ding sommer met hom en al laat skuif.

Toe ek omdraai, staan Petroniglia agter my en in haar hand is 'n fyne koppie van porselein. Sy het nie meer die pers rok aan nie, maar 'n bruine wat ouer lyk en sonder kantkraag is. "Caffè, signor Miggel?" vra sy.

Ek sien haar oë is dik gehuil en ek vat die koffie. Maar toe ek die eerste mondvol het, toe kos dit vinnig sluk, want sowat van gitswartsterk het ek in my lewe nog nooit geproe nie, 'n man kon op die oomblik galsteek kry. Het sy nie daar bly staan nie, het ek die res uitgeskiet, maar toe staan sy en sy kyk asof sy wou seker maak sy kry my vergiftig. Gelukkig was die koppie klein en die koffie min. En agter my het weer een kom groet:

"Buon giorno, signor Miggel." Dit was Amêrika Mazera.

"Môre, Amêrika. Julle moet nader kom, ek moet sonder Christie met julle praat. Loop roep die manne bymekaar." Ek het tente toe beduie en gewink en dit was nie baie sukkel nie, toe's hulle daar. "Dit gaat reën, dit gaat *baie* reën," het ek gesê en die reën uit die lug uit met my hande gegraai en met my vingers laat val. Twee keer, toe sê hulle: "Sì, sì, signor." Onnooslik was hulle nie. Toe het ek die graaf gevat en gewys dat die nuwe plek eers skoongemaak moes word, en weer was dit: "Sì, sì, signor."

Teen die tyd wat Christie aangetrek was en uit die tent gekom het, was vier man al bo aan die fynbossies en graspolle uitsteek en die ander het tente leeggemaak.

"En wat, as ek mag vra, gaan hier aan?" het Christie gevra, styf gebelg.

"Die tente word geskuif."

"Ek het gesê die tente bly waar hulle is!" Hy het hom na die naaste Italiane gewend en vir hulle iets gesê. Van die ander het nader gekom. Nie lank nie, toe weet ek dis 'n stryery en ek sien Christie gaan verloor, hulle wil die tente geskuif hê. Dit was ook so. Christie het hom opgeruk en weer in sy tent loop sit.

Ons het al die tente verskuif. Toe dit klaar was, toe staan dit twee netjiese rye en aan die bokant was 'n ordentlike keerwal gegooi. In elke tent was 'n vloer van kooigoedbos vasgetrap wat ek en Amêrika en twee van die ander loslopers, Angelo Borolini en Paolo Coccia, op die bosrand langs loop kap het. Borolini het vir my stil van geaardheid gelyk, sy oë was ook nie heeltemal so lewendig soos die ander s'n nie. Skraal van gesig, met 'n haakneus soos 'n valk. Coccia het ek nie vertrou nie, hy het sy hemp se moue tot in die skouernate opgerol asof hy wou wys hoeveel spiere hy het. Mooi man. Toe Mirjam later die handbyltjie bring en self ook kom help, was dit of sy oë skielik die kooigoedbos wou los en op haar bly, met die gevolg dat ek haar aangesê het om 'n ent agtertoe te loop kap. Nie lank nie, toe kap hy ook agtertoe.

"Los hom, Pa."

"Kap hom sommer met die byl!"

"Pa is besig om 'n regte ou hoenderhen te word."

"Omdat al wat haan is skielik om mý kuiken wil draai, ja."

"Ek kan na myself kyk, Pa."

"Solank jy net nie na een van hierdie vabonde kyk nie. Hulle sal foeter met 'n vrou, ek waarsku jou."

"Hoeveel koppies koffie het Petroniglia al vandag vir Pa aangedra?"

Ek het niks van die vraag gehou nie; daar's dinge waarmee 'n mens kan spot en dinge waarmee jy nie spot nie. "Ek stuur vir jou kooi toe voor die son sak," het ek vir Mirjam gesê. "Die vrou dink sy kan my kom staat en vergeeftig in die hoop lat ek vir haar 'n plan sal maak om op die dorp te kom. Jy moet onthou lat ek vanaand van die treksel drink voor ek gaat lê. En as een van ons weer dorp se kant toe loop, moet daar melkhoutbas afgemaak word om te trek. Ek wil hulle almal 'n dop injaag, dit help vir swaarte van gemoed. Vir Amêrika wil ek sommer 'n dubbeldop ingee."

"Sy naam is Antonio, Pa."

"Hy kom vinnig as ek Amêrika roep."

"Petroniglia se man lyk nie gesond nie."

"Ek sien, ja."

"Borolini ook nie."

Teen die tyd wat ons die kooigoedbos vasgetrap het, was Christie ligter van gemoed en moes hy erken dat dit beter was teen die skuinste. Ek het hom laat neerskryf dat die sinkplate en die ysterhoutpale waarvan die houtskerm agter die tente gemaak is, uit Silas Miggel se houtkamer kom. Die sinkbad en die emmer en die plate vir die vuurskerm ook. Dit sou nie saam met hulle op die skip gelaai word nie. Toe sê Christie die volgende probleem gaan die vis wees. Wat se vis? Ek sê vir hom die vleis kan mos nog nooit op wees nie. Toe sal ek hoor dat hulle 'n geloof het wat hulle nie toelaat om op Vrydae vleis te eet nie. Net vis. Ek het hom reguit gesê dan sal dit die beste wees as hulle 'n ander geloof kry, want waar moes ek vis kry? Die naaste aan vis in die Bos is palings en die palings is in die watergate onder in sekere bosklowe, maar oor hulle bang is vir die Bos, sal hulle sonder palings moet bly. Ek was nie van plan om te loop paddas vang vir paling-aas nie. Toe sê hy hulle meel en vet is ook amper op, hulle moet knoffel en tamaties en olyfolie ook kry. En seep. Seep? Wit-hout se blare is net so goed soos seep, sê ek vir hom, maar oor hulle bang is vir die Bos, sal hulle maar moet vuil bly, ek gaan nie vir hulle blare aandra nie.

Halfdag, toe ek hulle laat uitval om die kinders kos te gee en self ook iets te eet, sê ek vir Christie daar is 'n ding wat ek wil hê hy baie duidelik vir hulle moet sê. Daar moenie misverstand wees nie:

"Jy sê vir hulle elke woord wat ek gaat sê, jy sê vir hulle ek, Silas Miggel, staat nie aan hulle verhuur nie; wat ek doen, doen ek om my blyreg op hierdie platrand te verdien, en vir niks anders nie." Hy het dit gesê.

En heel laaste het ek gehelp om 'n beter wal te gooi in die afloopspruit aan die oostekant van die tente, en vir hom gesê dís waar hy en die Italiane skep, nié by die geelsloot nie. Ek skep nie saam met vreemdes nie.

Maar die aardigste van die dag was die laaste tent wat ons na die skuinste toe moes skuif. Ek het vroegoggend agtergekom hulle werk suutjies om die tent en los hom vir laaste. Eers dog ek daar slaap seker nog 'n kind of iemand. Later kom ek agter dis vier van die loslopers se tent: Borolini en Amêrika en Taiani en die lang skrale met die blou oë, Cuicatti, s'n. Toe hulle uiteindelik die goed begin uitdra, sal ek sien reg in die middel is klippe gepak, op die klippe is die plank en op die plank is die ding onder die nat sak. Toe Borolini die sak oplig, staan daar 'n vierkantige glasbesigheid met 'n vaste deksel en binne-in lê 'n menigte neteldoeksakkies, almal by die nekke geknoop.

"En dít?" vra ek vir Christie.

"Dis die sywurmeiers," sê hy.

Tot op daardie oomblik het ek gedink 'n eier is 'n eier en Barrington weet alles, maar ek was verkeerd. By Christie sal ek hoor dat elke mannetjie- en wyfiemot wat klaar is met hulle besigheid, in so 'n sakkie gesit word sodat die wyfie haar trop eiers kan lê en saam met die mannetjie vrek. Dan word die dooie motte uitgehaal en fyngestamp soos poeier en die poeier word onder 'n ding bekyk wat alles vergroot om te sien of hulle nie siektes het nie. As hulle 'n siekte het, word hulle met sakkie en eiers en al verbrand. Elke sakkie eiers in daardie glasding was sonder skeet of kwaal. Dure eiers. Die probleem was om hulle koud te hou sodat hulle nie begin uitbroei voor daar genoeg blare aan die moerbeibome was om hulle daagliks te voer nie.

"Moerbeibome wat waar is?" vra ek vir Christie.

"In hierdie geval," sê hy, "is dit 'n kwessie om hulle koud te hou sodat hulle hulle saam kan terugneem en immers iets het om weer mee te begin. Dis duur eiers."

Borolini en Taiani het die glasding met die eiers na die skuinste toe gedra, Cuicatti het met 'n kooideken skaduwee oor hulle gemaak, en Amêrika het bly water spat om alles koud te hou.

Skemeraand, toe ek en Mirjam by die huis kom, was daar gerustheid in my: die reën kon maar val, hulle sou nie wegspoel nie; die vuurmaakhout sou droog bly, die vuur sou brand, die kinders sou beter lê op die kooigoedbos, en bo alles het ek geweet 'n groot stuk van my blyreg was afbetaal.

"Dis anderster mense, Mirjam."

"Ja, Pa, dit is."

"Wat se kraletjies met kruise onderaan het die vroumense om hulle nekke, tot party van die mansmense ook?"

"Dit het iets met hulle geloof te doen, Pa."

"Snaakse geloof."

"Ek dink hulle bid daarmee."

"Wie's die man wat agtermiddag al agter jou wou aan?"

"Giovanni Pontiggia. Hy praat nie so baie met sy hande soos die ander nie, hy kyk ook anders na 'n mens. En moet nou asseblief nie dat Pa se verbeelding begin hardloop nie, ek sal nie 'n man vat nie."

Sy het kos gemaak en ons het geëet. Ons was net mooi klaar toe ons dit hoor: die musiek. Van die tente af. Die Italiane het musiek gemaak, hulle het gesing. 'n Mooie lied. Een het 'n viool gespeel en een 'n mandolien. Toe ons buite kom, toe is dit vir my of die klanke oor die hele donker platrand rol en in die Bos in wegraak en oral gaan lê.

Twee

Voordag het die reën begin val. Eers hier en daar 'n druppel, toe volsloot soos die platrand wintertyd ken. Dit was die Saterdag. Teen die Sondag was dinge treurig by die tente. Die kinders het bly skree, en die vroue het bly praat of skel, dit was nie altyd maklik om uit te ken watter een van die twee nie. Elkeen wat moes buitetoe, het meer bedremmeld gelyk as die een voor hom. Mirjam het 'n groot pot sop gekook, asbrood gebak, en ek moes dit loop uitdeel. Laat die middag het ek en 'n paar van die mans die keerwal aan die een kant verstewig en nog twee sinkplate by die vuurskerm staangemaak. Die vroue het gesukkel, hulle voete was nat, hulle gesigte stroef.

Teen die aand was Mirjam rasend. "As die reën net wil ophou, Pa!"

"Dis die reën se tyd en die reën se plek," het ek haar betig. "Hoe slegter dit by daardie tente gaan, hoe beter, want hoe gouer vat hulle hulle weg."

"Kan ons nie net van die kinders hiernatoe bring nie, Pa?"

"Nee."

"Pa het nie 'n hart nie!"

"Hoeveel gaat haal jy en hoeveel los jy? Jy is die een wat altyd kla dat die huis te klein is, nou wil jy nog loop aanhaal?"

"Petroniglia se man is nie gesond nie, Pa!"

"Hy't so hier aangekom. Ek hou hom dop."

Sy was rusteloos. "Wat dink Pa, wanneer sal die skip hulle kom haal?"

"Week op anderweek. Teen hierdie tyd sal die goewerment konsensie gekry het, want hulle sal weet wat hulle aangevang het."

Maandag het die reën begin opklaar. Dinsdag was al wat nat is in die son: klere, beddegoed, kinders. Christie was soos 'n ding wat wou uitbreek maar nie weet watter kant toe nie. Die Italiane was nie net in opstand nie, twee was siek en drie wou Christie die môre geslaan het. Waarom wou hy my nie sê nie.

"Ek moet dringend op die dorp kom, Miggel."

"Gaat sit in jou tent. Dis pappery tot op die dorp, jy sal nie deur Gouna se drif kom nie, nie eers met 'n skuit nie."

Hy wou nie loop nie, hy't bly sit en my na heeltemal 'n ander ding gevra: of ek iets weet van Fox en Dunn. Ek sê vir hom ek het nog nooit van hulle gehoor nie, seker nuwe boswagters. Toe vra hy of ek iets weet van 'n dwarslêerkontrak wat deur die goewerment aangegaan is. Daarvan het ek wel geweet. Barrington het 'n klompie maande tevore self ook getender vir die honderdduisend dwarslêers 'n jaar vir vyf jaar lank wat die goewerment vir die treinpaaie nodig had, en hoë drome gedroom oor wat die winste vir Poortland sou uitrig. Wie hy gereken het die hout vir hom sou kap en uitsleep uit sy bos, het ek hom nie gevra nie. Gelukkig het hy nie die kontrak gekry nie; sy prys vir 'n lêer was te hoog, het hy my gesê.

En Fox en Dunn was nie boswagters nie, het Christie gesê, hulle was kompanjons in 'n stoomsaagmeul en dit was húlle wat die kontrak gekry het plus 'n hap van die platrand waar hulle die meul kon oprig.

"Hoe nou?" Dit was of my ore toeslaan. Toe bring Christie dit uit: die dag toe ek die vuurmaakhout loop kap het, het daar 'n man by hom aangekom, 'n sekere Robinson. Robinson was die ander kompanjon van Fox en Dunn en die man was woedend oor die Italiane wat ook grond beloof is op die platrand. Die goewerment sou onmiddellik gevra word om hulle te verwyder. Daaroor kon ek gejuig het as dit nie was dat hy bygevoeg het dat die masjinerie vir die meul klaar op pad was van Engeland af nie, en saam daarmee vyf-en-twintig man vir die werk en om die hout te kom kap. Vyf-en-twintig vreemde kappers? Die eerste olifantdrol in hulle pad en hulle hardloop dorp toe om te gaan rittel.

Ek het vir myself gesê: Silas Miggel, hou teë die skrik. Hoeveel saagmeulens was nie al in die Bos staangemaak om weer net so toegemaak te word nie? Elkeen na hoeveel skade? Toe hulle die slag een bo in Grysbos staangemaak het, het die voorman my later reguit gesê hy dink die Bos toor die meul, want die masjinerie bly flenters, nie een dag was betalend nie. En niemand het vooraf vir hom gesê wat dit is om die hout van daar af uitgery te kry tot op die dorp nie. Die goewerment het hom 'n papierkaart van die Bos gegee, 'n kruis getrek waar die meul kon kom en dis al. Hy het my die kaart gewys. Op die kaart was die Bos plat: getrekte strepe vir die riviere en die spruite en die sleeppaaie en hier en daar kastig 'n voetpad ook; niks van die helse klowe waar alles moes deur nie, niks van hoe die sleeppaaie lyk nie. As jy nie beter geweet het nie, kon jy dink dis wapaaie wat op die kaart ingeteken is. Van die Bos self was daar nie 'n teken nie, niks, net die platte papier. Vyf saagmeulens het ek in my tyd getel wat gekom en gegaan het. 'n Man kon begin wonder of die Bos nie dalk regtig die goed getoor het nie. Oorkant op Poortland in die kloof het Barrington jaar in en uit gesukkel om die watersaagmeul aan die saag te kry en aan die gang te hou. Voor my siel het ek geweet geen saagmeul kon op die platrand deug nie, maar Christie het nogtans met die gerug by my aangekom en dit op my tafel kom neersit.

"Luister, Mister Christie," het ek gesê, "hierdie ding klink vir my na 'n tweede moerbeibos. Dit mog nou nat wees van die reën, maar sien jy water vir 'n stoomsaagmeul hier op die platrand?"

"Nee. Ek het dit ook so onder Mister Robinson se aandag gebring."

"Wat sê hy?"

"Hy sê dít is waar die goewerment die grond vir 'n meul aan hulle toegestaan het. Vir vyf jaar."

"As dit die waarheid is, is die goewerment bedwelm."

"Die goewerment sal die saak moet heroorweeg. Ek is nie alleen 'n kenner van 'n hele paar tale nie – buiten Italiaans praat ek ook Duits en Frans en Spaans – maar ek is ook 'n landmeter en dra kennis van die aanplant van bome om groter reënval te verseker."

"Ons het genoeg bome."

"Ek is ook 'n kenner op die gebied van water en ek is juis besig om aan Laing, die Kommissaris van Kroongrond, in die Kaap te skryf en dit onder sy aandag te bring."

"Los alles en skryf vir hom dat hier nie water vir 'n stoomsaagmeul is nie. Sê hulle moet dringend iemand stuur om te kom kyk en gee die brief lat ek hom op die poskar loop kry."

Die volgende môre, toe ek regstaan om dorp toe te loop, toe kom Jacobus Gerber weer met sy slee uit die boskloof, en nie ver agter hom nie, is dit Stefaans van Rooyen se slee. En op die voorste een is dit komberse en kookpotte en wateremmers en sae en byle, 'n kas medisyne en winkelkos. Wat nie op die eerste een kon op nie, is op die tweede een. Drie ekstra tente ook. Nog komberse, twee ploeë en 'n tafel en 'n stoel.

"Smous julle nou?" vra ek in ontsteltenis.

"Dis die Italiane se goed. Bart van Martiens se slee is nog agter, hy bring die moerbeiboompies en die ander twee ploeë."

Ek kon bekwaald my asem ingetrek kry, dit was of my lyf wou gaan sit en net daar bly sit. Die een oomblik staan almal op die uitkyk vir tyding van die skip en die volgende oomblik kom daar tyding van 'n vrag moerbeiboompies. Hoe moes 'n man se verstand dit hou? En Christie kom loop soos 'n inspekter om die goed en staan ontevrede omdat daar net drie tente saamgekom het. Toe hy vir die Italiane sê dat die goed vir hulle is, het jy net sien hande uitgaan om die rieme los te kry.

Ek het nie 'n verdere woord gesê nie, ek het net omgedraai en die pad gevat na White toe. Ek was amper in die kloof, toe ek eers agterkom Petroniglia is op my hakke.

Dit was van die begin af 'n verkeerde dag. Met watter duiwel in die kop Mirjam die môre opgestaan het, het net sy geweet, want met alles was sy ongeduldig: met die koffiewater wat nie wou kook nie, met haar hare wat nie gevleg wou wees soos sy wou nie, met my omdat ek nie gou genoeg uit die huis wou uit sodat sy kon vee nie. Toe ek haar vra wat dit met haar is, toe sê sy sy is haastig om by die strikke te kom, daar kon al dae lank iets in hulle wees. Dit het nie vir my na die waarheid gevoel nie, maar ek had niks om haar mee op te stry nie.

Halfdag, toe staan ek voor White se tafel. Petroniglia het ek buite voor die deur staangemaak en haar uitdruklik beduie om net daar te wag; as ek uitkom en sy's weg, loop ek sonder haar huis toe.

En White sit oorvriendelik soos 'n skuldige. "Hoe gaan dit daar bo op die platrand met almal, my goeie vriend?" vra hy.

"Behalwe lat al wat Italiaan is, versuip sou gewees het as

Silas Miggel nie gekyk het nie, en lat die helfte uitgesterf sou gewees het van die honger as Silas Miggel nie gekyk het nie, kan ek net byvoeg lat dit sleg gaan. Elke môre loop kyk ek of hulle Christie klaar uitgemoor het en of dit nog voorlê. Verder staat ek hier om te kom hoor of die son opkom of ondergaan, want ek weet nou glad nie meer na watter kant toe die wêreld aan die kantel is nie. Die kos en die komberse en die leefgoed kan ek verstaan, die gereedskap en die ploeë is duister, maar pikswartduister is die vrag verlepte moerbeiboompies in die kissies wat ek teen Gouna se steilte verby is. Ek kom vra of julle aan die mors is met Silas Miggel om hom van die platrand af gestoot te kry, en of julle maar net van julle koppe af is?"

"Sit, Miggel, jy's ontsteld."

"Ek sit nie waar ek eenmaal opgejaag is nie. Ek staat op my voete tot ek die waarheid het."

"Die waarheid is eenvoudig en niks om jou oor te ontstel nie. Op grond van my eerste skrywe aan die goewerment, ses, sewe weke gelede, net nadat die Italiane hier aangekom het, asook die skrywe wat Mister Christie daardie tyd oor hulle griewe gerig het, het ek magtiging gekry om voorrade ter waarde van vyfhonderd pond vir hulle aan te koop. Net vanmôre het ek ook per telegraaf magtiging gekry om hulle vir ses maande lank 'n toelaag van een sjieling per kop per dag te gee. Al hierdie voorskotte moet natuurlik deur hulle terugbetaal word. Sonder rente."

"Vir *ses* maande?" Ek het nie geweet waar om eerste te gryp nie.

"Miggel, dit alles is in antwoord op my *eerste* skrywe."

"En die moerbeibome?"

"Dié het die goewerment al verlede week saam met die *Paquita* gestuur."

"Om wat mee te maak?"

"Die opdrag is dat dit op die platrand geplant moet kom."

"Maar moerbei groei nie op die platrand nie! Spit kniediep en jy's in die potklei!"

"Moenie so hard praat nie, Miggel, die mense hoor jou tot in die straat."

"Hulle kan my tot anderkant die see hoor! Laasweek is daar vir my gesê as ek Christie help totdat die skip kom . . ."

Hy het sy hand opgesteek en my in my rede gestop. "Ek het gesê totdat die goewerment *oor hulle lot besluit het*, Miggel."
"Wil Mister nou woorde draai?"
"Nee, ek herhaal net vir jou my presiese woorde."
"Mister het gesê jy sal skryf om te sê die Italiane eis 'n skip om hulle huis toe te vat."
"Dis reg. En ek het. Dit was my *tweede* skrywe."
"Ek neem aan Mister het ook geskryf lat jy intussen Silas Miggel as gek aangestel het om vir hulle te loop vuurmaakhout kap en strikke stel."
"Miggel! Miggel! Miggel!" Hy't gemaak asof hy my pamperlang, ek is nie onnooslik nie. "Ek het reeds aan Mister Laing geskryf en gesê dat ek jou as hulp vir Mister Christie aangestel het. Dat ek in ruil vir jou ontsaglik belangrike taak blyreg wil hê vir jou en Mirjam. Die goed op die slees is in antwoord op my eerste skrywe. Die antwoord op my tweede skrywe – dat hulle 'n skip eis om hulle terug te neem – moet nog kom."
"Wanneer?"
"Binne die volgende paar weke. 'n Skip, Miggel, is nie so eenvoudig soos tente en byle en komberse nie."
"Wat gebeur as die goewerment nie 'n skip stuur nie?" Ek moes weet.
"Ek sien geen ander oplossing nie."
"Hulle kan nie nog ses maande daar bo bly nie."
"Ek weet. Daarom doen ek op jou 'n beroep om geduldig te wees en Mister Christie by te staan soos ek jou gevra het om te doen. Ek het jou gewaarsku dat goewermentsake 'n wiel is wat stadig draai."
"Daardie wiel beter brieke kry as hy nie alles wil kom staat en verongeluk nie, ek sê dit vir Mister."
"Wees net 'n bietjie geduldig, Miggel."
"Geduldig? Wat se storie kom daar bo op die platrand aan van 'n stoomsaagmeul?"
Sy hande het skielik ergerlik begin papiere rondskuif. "Dit is 'n saak tussen Fox en Dunn en die goewerment. Ek het vroeg in April aan Mister Laing geskryf en gesê dat ek van mening is dat Gouna die beste plek vir die Italiane sal wees *mits* Fox en Dunn geen aanspraak op die grond het nie. Kort daarna het ek magti-

ging gekry om die Italiane by Gouna te plaas. Dit beteken dat Fox en Dunn geen aanspraak op die platrand het nie. Mister Robinson is gister weg Kaap toe om met die goewerment te onderhandel vir ander grond."

"Dit begin vir my klink of hier uit meer as een mond gepraat word. Die beste sal wees as Mister vir die goewerment skryf om 'n behoorlike man met verstand te stuur om self te kom kyk wat daar bo aangevang is."

Hy't hom geërg. "Ek is heeltemal bevoeg om sake te hanteer, Miggel, moenie inmeng in dinge wat jy nie verstaan nie. Voer die taak uit wat ek aan jou opgedra het, en laat die res in my hande. Ek is net so oortuig soos jy dat die Italiane nie daar bo kan bly nie."

"Kan ek vir my een van die ploeë vat?"

"Watter ploeë?"

"Van dié wat daar bo op die platrand aangekom het."

"Daardie ploeë behoort aan die goewerment." White het gekeer asof dit sy broek was wat ek wou hê. "Totdat daar oor die lot van die Italiane besluit is, het ek geen magtiging om aan jou 'n ploeg te verkoop nie."

"Ek praat nie van koop nie. Ek praat van ruil vir die vuurmaakhout wat ek hand-alleen vir die goewerment se malligheid loop kap het. En vir die vleis. En vir die sak patats wat ek gister loop uitdeel het."

"Ek het geweet ek kon nie 'n beter man as hulp vir Mister Christie aangestel het nie, Miggel. Moenie jou bekommer nie, ek sal kyk dat jy beloon word. Sê asseblief vir Mister Christie dat hy my dringend moet kom sien. Môre nog, indien dit moontlik is."

Petroniglia was waar ek vir haar gesê het sy moet wees. En hoofkonstabel Ralph weer agter die toonbank by die polisiekantoor.

"Sy't kom hoor van die kind."

"Oom Silas klink vanmôre moeilik."

"Het julle iets gehoor?"

"Hoe het oom haar so stil gekry?"

"Ek vra of julle iets gehoor het?"

"Ja, oom. Tomaso het belowe om die kind so gou as moontlik op 'n skip te sit hiernatoe."

"Wanneer?"

"Ek weet nie, oom. Sodra ons hoor, sal ek 'n boodskap stuur."

"Wanneer?"

"Ek sê oom dan, sodra ons hoor."

"Ek sal lat Christie dit so vir haar sê."

Petroniglia wás besonder stil. Sy het gestaan asof sy elke woord tussen my en Ralph aankyk en self probeer om te verstaan. En toe ons loop, het sy voor my ingeval en voorgebly tot by Gouna se drif sonder om een keer om te kyk en aanmekaar vir die spinnedrade te koes. Ek het later vir haar 'n takkie gepluk en gewys hoe sy moet loop en die drade voor haar weghark as dit te erg is. Sy het weer die pers rok aangehad. Toe ons die môre gekom het, het sy soos 'n steeks geskrikte os voor die bruin modderstroom vasgesteek en het dit my kwaaipraat gekos om haar haar skoene te laat uittrek en haar rok te laat opbondel en tree vir tree agter my te laat bly vir die deurloop.

Toe ons terugkom, het sy gaan sit en sonder 'n woord haar skoene begin uittrek. Sy het na die water beduie en gewys dat sy dors is. "Nee," sê ek, "jy kan nie drink nie, dis te modderig. Sit 'n bietjie en rus eers. Gouna se steilte lê voor en jy't self gesien hoe 'n pappery die wêreld is toe ons afgekom het." Ek het al nes 'n Italiaan beduie as ek praat. Die klamte en die koue van die stuk ruigte wat ons pas deur is, was tot op my lyf ingetrek en ek het geweet sy kry ook koud. Die beste sou wees om haar eers 'n bietjie in die son te laat sit. Ek wou nog voor die winter by Barrington vir my 'n baadjie gekoop het, maar dit sou moes bly. Poortland se loon was af, daar was nie inkomste nie en as dit so aanhou, was die dag nie ver dat ek my hand in die blik sou moes steek om van die toekomsgeld te gebruik nie. As daardie dag aanbreek, was dit benedewaarts met Silas Miggel. Ek sou moes kophou. Daar sou meer stoeletjies moes klaarkom.

"Signor Miggel?"

"Ja, Petroniglia?" Snaaks om so saam met 'n mens te sit en sy kan nie met jou praat nie, dis of sy agter glas is.

'n Swerm grootloeries het bo ons van die boomtoppe aan die

een kant van die drif na die boomtoppe aan die oorkant gevlieg. Ek het vir haar die voëls gewys, maar sy't haar min gesteur. Altyd as ek 'n swerm loeries oor 'n oopte sien vlieg het, het dit vir my gelyk die rooiveervlerke kry nie die groene lywe tot daar geroei nie. As hulle eers tussen die takke was, het dit beter gegaan, want dan kon hulle klouter waar hulle wou kom. Toe Mirjam klein was, het sy lank met 'n bondel loerievere in 'n doek geknoop geloop. Soms het sy hulle op die tafel uitgepak in die fatsoen van 'n voël, ander dae het sy hulle in haar hare gesteek en gesê ek moet eendag vir haar 'n rok met 'n groene lyf en rooie moue koop. 'n Nuwe rok.

"Signor Miggel?"

"Ja, Petroniglia?" Sy wou vir my iets sê, maar sy het dit gelos en net haar kop geskud en krom bly sit soos een sonder moed. Haar rok het tussen haar bene gehang en haar hande slap oor haar knieë. Die tjalie wat sy om haar kop en skouers gehad het, het afgeskuif en die son het op haar hare geskyn. Sy had 'n fyne gesig. Toe die greintjie jammerte vir haar deur my lyf skiet, toe roep ek waak. Sy't geweet wat sy doen toe sy die kind staan en afgee het, het ek vir myself gesê. Laat haar sit, laat haar konsensie met haar werk en laat die son 'n bietjie op haar skyn om haar warm te maak.

"Signor Miggel?"

"Dit sal nie help om te sit en signor Miggel nie, vat liewerster jou kraletjies en bid lat die goewerment 'n skip stuur om julle hier weg te kry. Ek sit in onrus oor die platrand. Ek sit in onrus oor die praatjies van die saagmeul, want ek weet nie of Fox en Dunn ander grond gaan kry nie. Die goewerment sal nie vir mý 'n slee vol kos en klere of 'n pennie op 'n dag stuur nie, ek moet self sorg. Wat oorkant op Poortland aangaan sonder my weet ek nie en dit traak my ook nie, ek moes julle die eerste dag deur die kloof gesleep het en voor sy deur loop neersit het." Ek het geweet sy verstaan nie 'n woord van wat ek sê nie, maar die uitpraat het my ligter gemaak. Ek was nooit 'n man wat maklik gepraat het oor die dinge van my binneste nie; miskien was dit juis omdat sy nie verstaan het nie dat ek kon praat. Ek het haar van Mirjam gesê: "Daar is iets verkeerd met my meisiekind. Sy is besig om onder my hande uit te woel en ek kry haar nie gekeer nie. Dis al vir my of haar kop 'n ander pad ingeslaan het as haar lyf."

"Signor Miggel?"

"Staan op, ons moet loop."

Daar was drie nuwe tente by die ander opgeslaan en moeilikheid tussen Christie en die Italiane toe ons op die platrand kom.

"Hulle is besig om onmoontlik te raak, Miggel! Ek kan nie langer my taak as tolk en opsiener en administrateur van voorrade in die beknoptheid van een tent uitvoer nie. Ek is geregtig op 'n tweede tent as kantoor."

"Hierdie mense gaat vir jou nog seermaak," sê ek vir hom. "Van wanneer af het een man twee tente terwyl in die meeste ander tente vier siele met goed en al moet sukkel?" Petroniglia het aan my baadjie bly pluk. "Doen jou werk en sê vir hierdie vrou daar's tyding lat Tomaso die kind op 'n skip sal sit tot hier, hulle sal laat weet wanneer, en Mister White wil jou dringend sien. Môre."

Mirjam was nog nie by die huis nie.

Ek het voor die deur op die trap loop sit en die modder van my skoene af begin krap. Só lank kon dit haar nie geneem het om die strikke na te loop nie, nie eers as sy by elkeen twee draaie gemaak het nie. Waar was sy? Ek wou keer, maar daar was skielik baie vrae in my kop. Het Mirjam iewers heen geloop, na iemand toe? Het sy dalk al langer Bos toe geloop as waarvan ek geweet het? Het ek dit nie maar nou eers agtergekom omdat ek nie meer Poortland toe gaan nie? Was sy dalk vasgekeer noudat ek nie meer loop inval het as Barrington my laat roep het nie? Ek het my voet voor my verbeelding gesit en vir myself gesê daar kan baie redes wees waarom sy nog nie by die huis is nie. Sy kon gaan soek het vir 'n bietjie laatryp bosdruiwe om konfyt te kook. Sy kon selfs besig wees om ompad te loop om verby 'n trop olifante te kom. Baie redes. Maar hoe meer ek vir haar opgekom het, hoe minder het ek myself geglo. Dit help nie jy't 'n pyn en jy bestry dit in die hoop dat dit vanself sal weggaan nie; dit help partykeer, maar nie altyd nie. Ek kon opstaan en haar loop soek, maar waar loop soek jy iemand in die Bos? Veral as sy dalk nie gekry wou wees nie. Sê nou ek loop soek en kry haar wel, by Sias of Martiens of by Jacob Terblans? Sou sy dat ek haar aan die hand vat en huis toe bring? Nie Mirjam nie. Sy't gesê ek hoef my nie te kwel nie, sy sou nie 'n man vat nie. Sy't nie gesê sy sou nie vir een sinnigheid kry nie. Sê nou ek kry een van die Italiane by haar?

Drie jaar lank het ek en Magriet 'n plek in Spruit-se-bos gehad waar ons mekaar Sondae gekry het sodat ons alleen kon wees. Maak nie saak hoe klaar my lyf was van heelweek se bylswaai nie, Sondag was die lewe terug in my. Geld vir trou was daar nie, skaars genoeg vir kos en klere, maar toe sê Magriet die Sondag ons moet trou voor daar skande kom, en drie maande later is ons getroud.

As Mirjam vir een sin gekry het, sou haar uitkoms nie trou wees nie. Sy sou moes opgee. Magriet het nie geweet sy moes my laat vaar nie. Hoe lank kon Mirjam uitstel? Ek het vir myself gesê: jou meisiekind is nie onnooslik nie, sy sal haar treë tel as dit so is. Al genade wat ek kon vra, was om gespaar te bly sodat ek daar kon wees wanneer sy tot opgee moet kom. Daardie dag sou ek vir haar 'n groene rok met rooie moue koop; ek sou haar tuintjie vir haar spit en haar blomme vir haar plant; die viooltjies, wat al amper tot in die Bos aangegroei het, bietjie teëwerk; ek sou die huis vir haar groter timmer. Ek sou vir haar 'n porseleinwaskom en -beker koop en 'n tafeltjie van stinkhout maak met mooie pote waarop sy dit in haar kamer kon sit. Barrington het my eendag laat roep en toe ek daar kom, moes ek hoed afhaal, die huis in en die trap op tot in die kamer waar hy op die grote kooi met 'n dak oor gelê het. Hy was nie wel nie. Daardie dag het ek nie geweet waar ek moes trap of kyk nie. Vir myself het ek nie begeer nie, net vir Mirjam. En in die kamer was 'n mooie kom en beker op 'n mooie tafeltjie.

Maar 'n waskom en beker sou nie uit die bloue lug val nie, geld ook nie. Ek het opgestaan en by die halfklaar stoeletjie gaan inval met 'n drif wat my gejaag het. Eet kon wag tot die aand toe. Dinge was deurmekaar, maar totaal sonder hoop op die blyreg wat my beloof is, was ek ook nie. White het gesê my naam is op pad goewerment toe vir blyreg. Té veel ergernis met die Italiane kon daar nie vir my voorlê nie: die tente was teen die skuinste, die vuurmaakhout was gekap en droog, die goewerment het kos en komberse en medisyne gestuur, en Tomaso het belowe om die kind op 'n skip te sit. Al wat vir my oorgebly het, was om 'n oog oor hulle te hou en om een van die ploeë in die hande te kry. Gesteel het ek in my lewe nooit 'n splinter nie, maar 'n plan sou ek maak vir 'n ploeg, want wat kon hulle in elk geval met vier ploeë sonder osse maak? Net so goed jy stuur 'n man 'n wa sonder wiele.

Die onrus oor Mirjam het my weer besluip. Dalk het sy tot by my suster Hannie op Spruitbos-se-eiland geloop. Dalk was daar iets tussen haar en Sias van Rooyen. As dit Sias was, was daar nie veel gevaar nie. Hy was maar lig, 'n meisie sou nie lank oor hom huil nie.

Mrs Barrington het my eendag aangespreek en gesê ek moenie Mirjam so grof laat grootword nie, dis 'n fyne kind en dis nie betaamlik nie. Ek het nie vir Mirjam grof grootgemaak nie; dis net dat elke kind in die Bos, seunskind of meisiekind, die Bos se wette moet ken. As die mis laatsomer uit die see uit kom en oor die Bos kom lê totdat die wêreld vaalblind is, moes die kind weet wat is vorentoe en agtertoe anders haal sy nie die huis nie. Dis nie grof grootmaak as jy jou meisiekind elke voetpad en sleeppad leer ken nie. As die olifante die dag storm, en sy moet hardloop as daar nie 'n klimboom is nie, moet sy weet watter pad om te vat om weer die huis te kry. Elke oog moet weet waar om te kyk vir die boomslang wat in die voetpad in die son lê. 'n Lady soos Mrs Barrington het dié dinge nie verstaan nie.

"Middag, Pa."

Ek het haar nie sien kom nie. "Naand, Mirjam."

"Dis darem nog lank nie aand nie, Pa." Sy het skuldig gestaan, dit was oor haar hele gelaat.

"Mirjam," sê ek, "ek gaat nie vir jou vra waar jy was nie, ons het laasweek gepraat en vandag het ek nagedink. Praat elke dag oor dieselfde ding en jy praat elke dag met dieselfde woorde; dit word soos spykers wat omklink in plaas van intrek. Daarom gaat ek nie vir jou vra waar jy vandaan kom nie, want ek wil nie hê jy moet vir my lieg nie." Ek het duidelik gesien hoe gee haar lyf mee van die verligting. Ek sê vir myself: Silas Miggel, staan stil, maar maklik was dit nie. My mond het agter my verstand aangepraat terwyl my hart wou weet waar sy was. By wie? Onskuldig was sy nie, dan sou sy gestry het. Na suster Hannie toe was sy ook nie, dan sou sy gesê het. "Loop maak vir ons iets om te eet," sê ek, "ek het vanoggend laas iets geëet en jy seker ook."

Ek het die stoeletjie klaargemaak en 'n nuwe een aangevoor. Die luggie wat oor die platrand gewaai het, het 'n koue kol tussen my blaaie gemaak.

Vroeg die volgende môre het Christie geklop. "Jy moet my help om op die dorp te kom, Miggel."

"Ek was gister daar, ek loop nie weer vandag nie."

"Stuur dan jou dogter saam."

"Nee."

"Ek is nie alleen nie. Daar is van die Italiane en hulle vroue wat ook op die dorp wil uitkom, hulle wil nie alleen loop nie."

"As jy by is, is hulle mos nie alleen nie."

Christie het kwaad geword. "Ek sal rapporteer dat jy geweier het om my by te staan in my plig om op die dorp te kom soos beveel is deur Mister White!"

"Dis nie lat ek weier nie, dis net lat ek nie verstaan lat hulle bang is om noord die Bos in te loop om vir hulle vuurmaakhout te kap nie, maar vir die stuk bos en die klowe na die suidekant toe sien hulle kans."

"Dorp toe is daar immers 'n soort pad oopgekap."

"Noord is oral voetpaaie en sleeppaaie."

"Mister White het my verseker dat die Bos na die suidekant toe baie uitgekap is, dat dit niks is in vergelyking met die gevare wat noord die Bos in lê nie. Ek versoek jou om my en die Italiane te vergesel tot op die dorp en weer terug ook."

"Het julle toe klaar gestry oor die tent? Of is dít waarom jy bang is om alleen saam met hulle te loop?"

"Die tent is myne. Gaan jy ons vergesel, of gaan jy ons nie vergesel nie?"

"Nee." Ek was dik vir hom. Maar toe kom Mirjam uit die kamer uit en kom staan vir die man en keer.

"Kan Pa nie sien hy staan verleë nie?" vra sy vir my op Hollands. "Besef Pa nie dat hy net so in die strik beland het as die

Italiane nie? Wees hulle genadig, Pa. Laat my toe om saam met hulle te loop, asseblief. Daar is vier grootvoetkoeie en 'n kalf vlak hier in die Bos, ek moes gister sukkel om onder die wind te bly en verby te kom."

"Watter kant toe was hulle op pad?"

"Ek dink hulle wou son toe kom op die platrand, die Bos is nog baie nat, en ek sê Pa reguit: as die grootvoete vandag uitkom en ek is alleen hier met die ander by die tente, is daar moeilikheid. Ek het nog nooit met die swaargeweer geskiet nie."

Eintlik was ek die olifante lankal te wagte. Hulle het nou maar eenmaal 'n nuuskierige streep in hulle, veral as daar vreemdes in die Bos is wat uitgeruik kan word. Mirjam was reg: alleen op die platrand kon sy nie wees as daar olifante op pad was nie.

"Waar het jy die grootvoete gekry?"

"In Gouna-se-kop se sleeppad, Pa."

Wat het sy daar gesoek? Nie een van die strikke was in daardie rigting gestel nie. "Ek kan nie die grootvoete keer nie. As hulle wil kom, sal hulle kom en kom trap waar hulle wil." Christie het ongeduldig geraak en gesê ons moet Engels praat sodat hy kon verstaan wat ons sê. "Ons praat nie oor jou nie," het ek vir hom gesê.

"Laat ek saam met hulle loop, Pa."

"As ek vandag my toestemming gee, is dit teen my sin en teen dít wat my verstand vir my sê. Dis anderster mense hierdie, Mirjam, ek wil nie hê jy moet met hulle vriendelik raak nie. Ek het hulle deurgekyk, hulle oë is lewendiger as die Engelse s'n, hulle tonge ook." Christie het weer begin dreig om my te loop rapport as ek nie ophou om te praat wat hy nie verstaan nie. "Mirjam," sê ek, want ek erg my, "wat is *hou jou bek* op Engels?"

"Pa!" Maar sy het my nie regtig aangespreek nie, sy't haar ou laggie bygegee en die stroefheid wat van die vorige aand af tussen ons gelê het, was skielik weg. Ek was bly. Nie dat dit die onrus oor haar uit my uit gekry het nie: ek het begin agterkom dat daar 'n gelukkigheid uit haar skyn as sy die huis uitvee, of die kos maak en nie weet ek hou haar dop nie. Dit was nie 'n goeie teken nie.

Ek het vir Christie gesê ek gee my toestemming dat sy saamstap, maar dis die laaste keer. As hulle weer wou dorp toe, kon hulle alleen loop.

Ek het my werkbank na die oostekant van die huis gesleep sodat ek my oë op die bosrand en oor die tente kon hou terwyl ek werk. Een ding het ek my voorgeneem: Christie moes so gou as moontlik die spul bymekaarroep sodat daar oor die olifante gepraat kon word. Ek kon nie op die platrand sit met 'n spul vreemdes wat in al die rigtings hardloop as die gevaar kom nie. Waar loop vang ek hulle weer? En daar moes 'n asgat gegraaf word: die bosrand is nie 'n vuilishoop nie, en netnou loop smyt hulle die skille en goed in die hurkgemak waarvoor ek eenkant skerm gemaak het, en moet ek 'n tweede een laat graaf voor hulle vortgaan. Ek kon nie my oë orals hou nie.

Dit was stillerig by die tente. 'n Stuk of tien van die Italiane was saam met Mirjam en Christie weg dorp toe. Petroniglia natuurlik weer agterna om van die kind te gaan verneem. Dié wat agtergebly het, was by die tente rond: een het half traagweg met 'n bossiebesem gevee, twee het wasgoed opgehang. Die kinders het 'n speletjie gespeel waarin almal in 'n kring staan. Die kleintjie met die swart krulkop, van wie Mirjam altyd so notisie geneem het, wou nie in die kring bly nie en het 'n paar keer uitgebreek en gemik om na my kant toe oor te loop, maar ek het vir hom beduie om om te draai.

Ek staan nog so en werk en dinge en dophou en bedink, toe kom Oberholtzer, die boswagter, deur die hek en ek sien sommer hy is op soek na moeilikheid.

"Môre, oom."

"Môre, wagtertjie." Hy was 'n bietjie klein van gestalte en het hom sommer geërg as 'n man vir hom wagtertjie sê.

"Ek sien oom is maar nog altyd onwettig hier op die platrand."

"Dis reg, ja. En voorlat jy nou plesierig raak daaroor, sal ek jou aanraai om by Mister White, die goewermentsman op die dorp, te gaan uitvind van my nuwe posisie. My blyery hier op die platrand het nou 'n goewermentsaak geword."

"Hoe meen oom?"

"Loop hoor maar self. Gee 'n bietjie vir my die blik met die beenlym daar anderkant aan."

Hy het die blik met 'n stywe arm aangegee en omgeloop na die houtkamer toe om my hout te beloer. Toe hy terugkom, sê hy hy wil my houtliksens sien. Ek het die papier in die kombuis gaan haal sodat hy dit kon bekyk soos een wat seker is hy sal 'n fout kry as hy net aanhou kyk. 'n Boswagter bly nou maar eenmaal nes 'n boswagter.

"Die liksens verval oor 'n maand."

"Dit staan so in my kop geskryf, ja."

"En ek sien oom kap maar nog altyd meesal net stinkhout. Ek hoop oom weet dat oom net Junie en Julie mag stinkhout kap."

"Ek weet. Dis net die houtkopers op die dorp wat dit nie weet nie."

"Ons het opdrag van kaptein Harison, die hoofbewaarder van die Bos, om oom-hulle vas te trek oor die buitenstydse kappery."

"Die houtkopers vra nie of dit hout se tyd is of nie is nie; as hulle wil hout hê om die skepe vol te laai, wil hulle dit hê. En Smit vat nie die stoeletjies as hulle nie van stinkhout is nie."

"Ons gaan optree, ek waarsku oom."

"Ja."

"Maar eintlik is ek hier oor ander moeilikheid op die platrand. Groot moeilikheid."

"Al die moeilikheid wat hier kan wees, is klaar hier. Jy kan maar loop," sê ek hom. Die man het net in my pad gestaan.

"Dit sal tot oom se eie heil wees om oom se samewerking te gee. Dis hierdie Italiane. Hulle het pokke."

"Wat?" Ek het die werk laat sak. "Yl jy nou?"

"Nee, oom. Die hele wêreld is vol pokke. In Londen gaan dit treurig soos die mense sterf en hulle verwag enige dag dat dit in die Kaap sal uitbreek. Die skepe sal nie kom anker nie, hulle sal verbyhou. Magistraat Jackson het ons bymekaargeroep en ons ingelig; hy sê dis die immigrante wat die pokke inbring."

"Staan jy nie nou hier met 'n halfgeluisterde storie nie?"

"Nee, oom."

"Ek sê vir jou hierdie mense het nie pokke nie. Hulle is lawaaierig en beduiweld en bang vir die Bos en twee had verkoue maar is nou weer reg, verder is hulle gesond. Die enigste een wat 'n bietjie knieserig bly, is die Grassi-man. Ilario. Maar hy't so hier aangekom. Mister Christie, die voorman, sê hy het anderkant so opgeklim."

"Dis pokke."

Pokke wou hy hê. "As ek jy is, loop luister ek liewerster eers weer voor ek seker is. En tot dan toe sal ek jou aanraai om nie die storie te loop staat en uitskinder nie. Die goewerment stuur binnekort 'n skip om hulle te haal en terug te vat na hulle land toe, hulle kan nie hier bly nie. Maar as daar siekte onder hulle is, gaat hulle hulle nie laai nie." Ek het hom sommer van die sywurms en alles vertel en aangehou totdat hy hangmond gestaan en luister het en die pokke 'n bietjie agtertoe in sy kop geskuif het. Toe vat hy die volgende ding.

"Oom weet nie in watter rigting Josafat Stander skiet nie?"

"Skiet hy dan?"

"Hy smokkel met ivoor, oom. Vreeslik. Hy het nog nooit permissie gehad om grootvoete te skiet nie en hy sal ook nie permissie kry nie. Al wat hy gaan kry, is moeilikheid, want ons het opdrag om hom nou vir eens en altyd te vang en dorp toe te vat."

"Jy's nog nie lank in die Bos nie, nè?"

"Langer as wat oom dink."

"Het jy al vir Josafat Stander gesien, weet jy hoe hy lyk?"

"Nee, oom. Hulle sê hy is 'n lang man, jy sal hom sommer uitken. Somertyd het hy nie blyplek nie, hy maak net wintertyd skerm en dis waar ek hom gaan vastrek."

"Hoe gaat jy dit regkry? Of dink jy jy is die eerste een wat dit wil doen?"

"Moenie oom daaroor bekommer nie; ek het 'n goeie plan uitgedink, oom sal hoor as ons hom het. Al wat ek vra, is julle bosmense se samewerking om uit te vind waar hy sy skerm hierdie winter maak."

"Ek sal uitkyk, ja."

"Ek sal bly wees, oom. Dan groet ek maar, ek wil nog tot in Brown-se-kloof loop. Ek verstaan daar word heelwat gekap op die oomblik. Oom weet nie of daar grootvoete hier bo in die Bos rond is nie?"

"Nie wat my twee oë gesien het nie, maar hou jy joune maar oop."

Ek het gewag tot hy goed weg is en toe 'n draai by die tente gaan maak. Hulle het rondgestaan en rondgesit soos goed wat van niksdoen traag was. Toe hulle my sien, het dit darem gelyk of hulle wou lewe kry.

"Buon giorno, signor Miggel."

"Buon giorno, signor Miggel."

Almal op 'n ry. Die kinders ook. Amêrika het met 'n breë glimlag op Hollands probeer: "Môre, signor Miggel!"

"Dis nie meer môre nie, dis al *middag*." Ek het son toe gewys, baan getrek van die ooste tot waar die middagson vir *môre* sit, baan getrek tot waar die son vir *middag* sit, dit weer gedoen en toe sê hy:

"Middag, signor Miggel!" Van die ander het agterna gesê.

"Dis nou genoeg van speletjies," sê ek en ek vra waar Ilario Grassi is. Hulle wys vir my hy is in die tent.

Ek kry hom op die smal seilkateltjie met 'n lyf wat skaars 'n bult maak onder die komberse. Toe hy sy oë oopmaak en my sien, steek hy sy hand uit asof ek hoop is wat voor hom kom staan het. Dis beknop in die tent; alles is sindelik neergesit, maar opmekaar.

"Jy lyk oes," sê ek vir hom. "Ons sal 'n plan moet maak om jou gedokter te kry, ek glo nie veel aan die klas medisyne wat die goewerment hier saam met die slee gestuur het nie. Ek sal 'n ander plan maak. Jy kan nie hier lê en iets oorkom nie, julle is getel." Pokke had hy nie, daarvan was ek seker. Pokke maak sere. Ek sou Spruitbos-se-eiland toe moes loop om ou Mieta te haal sodat sy na hom kon kom kyk. Maar pokke had hy nie, hulle sou hom vat op die skip.

Mirjam was sleepvoetmoeg toe sy laatmiddag met die ander oor die oopte kom. "Ek kon hulle nie bymekaarhou nie, Pa. Elkeen het 'n ander koers getrek en Petroniglia het Mister Christie rasend gehad by die polisiekantoor, sy wou dit uit die konstabel uit haal wanneer die kind op skip gesit gaan word en op watter skip."

"Dit beteken nou seker dat sy elke dag sal wil kaai toe loop. Vir wat wou White Christie so dringend gesien het?"

"Ek weet nie. Maar hulle was lank besig en Mister Christie het met 'n klomp goed teruggekom, opgerolde papiere en goed. Ek moet sê, sy bui was beter toe hy daar uitkom as wat dit was toe hy daar in is."

"Mieta sal vir Ilario Grassi moet kom dokter."

"Pa sal moet Eiland toe om haar te haal, ek moet môre knie en bak."

Snaaks, ek het gedink sy sou spring om Spruitbos-se-eiland toe te kon gaan.

Op Spruitbos-se-eiland het ek self nie daardie dag gekom nie, want toe dit lig word, toe breek die duiwel by die tente los en dit skree of daar gemoor word. Mirjam was op, maar nog in haar nagrok.

"En nou, Pa? Wat gaan nou aan?"

"Grootvoete. Gee aan die laaigoed en die swaargeweer."

"Hoe weet Pa?"

"Wat anders?"

"Gaan Pa skiet?"

"Net as dit nie anders kan nie. Trek iets aan jou lyf en blaas dood die kers."

Ek had die kruit nog nie behoorlik vasgestamp nie, toe hamer dit aan my deur. "Signor Miggel! Aiuta! Elefante! Elefante!"

Toe ek die deur oopmaak, toe's dit net gesigte. Wie nog nie in die bondel was nie, was op pad oor die oopte met die kinders aan die arms of op die heupe. "Hou julle bekke!" skree ek, "netnou verstaan hulle julle taal en kom trap my huis uitmekaar!" Die meeste was in naggewaad of met tjalies en komberse om die lyf, party had bondels in die hand asof hulle in hulle nood die naaste gegryp het om te red. Van die vroue en kinders het gestaan en huil en rittel asof die koue en die skrik saam deur hulle was. Petroniglia, Mariarosa, Borolini, Coccia. Almal het gelyk gepraat en beduie en die voorstes het kans gesien om my weg te druk en in my huis in te kom. Ek vra waar Christie is. Die helfte wys in die rigting van die tente en die ander na die voet van die platrand.

"Mirjam!" roep ek oor my skouer, "stoot toe die deur agter my as ek uit is en grendel hom!"

"Laat die kinders inkom, Pa, hulle staan verkluim!"

"Nee!"

"Asseblief, Pa, laat die kinders inkom!"

Ek kon hulle nie teëhou nie, die agterstes het die voorstes gedruk en Mirjam wou my nie help nie. Hulle het weerskante van my verbygekom en al wat ek kon doen, was om buitetoe te beur. Toe ek verby hulle was, toe sien ek die vier koeie en die kalf rustig aan die wei 'n stuk of vyfhonderd tree onderkant die tente, kompleet of hulle niks weet van wat hulle aangevang het nie.

Die wind was uit die suide. Ek kon veilig verby tot by die tente. Hulle moes teen die voordag aan die bokant uit die Bos gekom het en tydsaam inspeksie gedoen het van alles, suutjies, soos net 'n grootvoet kan doen as hy wil. En daarby sou jy kon sweer dat hulle aspris die slegste plekke tussen die tente gekies het om te mis, oral was daar in die bolle getrap.

Christie was in sy tent. 'n Bespotting vir homself: uitgegroeide man hurkend bo-op 'n keporrige seilkateltjie met 'n nagjurk tussen die bene nes 'n vroumensrok, nagmus nog op die kop en 'n stuk plank vir 'n wapen. Ek sê vir hom om op te staan en homself behoorlik te maak sodat hy die spul Italiane uit my huis kan kom haal.

Al ander asem in die tente was Ilario. Hom het ek sommer met komberse en al oor die skouer gevat en tot in my houtkamer gedra en hom agter in die hoek gesit. Christie het met 'n hewige spoed op sy eie voete tot daar gekom.

Dit was 'n lang dag. Die koeie was nie haastig nie. Met rukke het hulle sommer net in die son gestaan en wiegel soos goed wat hulleself aan die slaap sus, dan het hulle weer 'n slag tot onder by my twee osse gewei of met die kalf gespeel.

Die Italiane wat nie skuilplek in my huis gekry het nie, het soos bobbejane op die hout in die houtkamer gesit. In die huis het die vroue met angs in die hande gesit en kraletjies tel. Selfs van die mans in die houtkamer het met die krale-kruise gesit en kort-kort het een 'n kruis oor die bors ook gemaak. Die kinders was heeltemal verskrik en die meeste het met groot oë onder die tafel gesit. Fielies wou die een oomblik by die mans in die houtkamer wees, en dan weer by die vroue in die huis. Elke keer moes ek Mirjam roep om hom te kom haal.

"Sy naam is nie Fielies nie, Pa! Sy naam is Felitze."

Solank ek naby gebly het met die geweer, was hulle rustig, maar as ek my net draai, het hulle begin kriewel. Veral Christie. Mirjam het binne en buite vuur gemaak om genoeg asbrood en patats vir almal gaar te kry.

"Die goewerment sal my vir 'n sak meel en 'n sak patats moet uitbetaal," het ek vir Christie in die houtkamer loop sê. "Ek kan nie in die dertig monde staat en kosgee nie."

"Ek sal dit aanteken, Mister Miggel." Die een dag was ek Mister, die ander dag niks. "Hou net asseblief jou oë sowel as jou geweer op daardie *wild beasts*!"

"Dis nie *wild beasts* nie," het ek vir hom gesê, "dis grootvoete. Jy praat met respekte van hulle, want in hierdie bos loop hulle eerste en jy tweede. Die dag as hulle besluit om son toe te kom op die platrand, bly jy eenkant. En voor hier verder moles kom, gaat ek vir jou en hierdie klomp sywurms die wet van die Bos opsê waar dit by die grootvoete kom."

"Wat se wet?"

"Nie goewermentswet nie, dit kan ek jou die versekering gee. Al wet wat die goewerment oor die grootvoete het, is om permissie uit te skryf vir die skiet. Sê vir hierdie Italiane: as 'n grootvoet jou ruik en hy hou nie van die reuk nie, trap hy vir jou flenters. Hulle hou nie van vreemdes se reuk nie," voeg ek sommer aspris by. "Die beste is om onderkant die wind te bly sodat hulle jou nie ruik nie, maar as dit die dag te laat is om onderkant die wind te kom, moet jou verstand in jou kop bly as jy nie 'n grootvoettand van agter af deur jou rug wil hê nie."

"Pa, moenie die man so staan en bang praat nie!" het Mirjam van die huis af geroep.

Ek het gemaak of ek haar nie hoor nie. "As jy moet boomklim, moet jy weet watter boom om te klim, en die regte boom gaat nie voor jou opskiet nie. 'n Witels en 'n stinkhout staat nie elke vyf tree in hierdie bos geplant nie. As jy tyd nodig het om boom te soek, gooi solank jou baadjie of jou hemp neer en hardloop; die grootvoet sal eerste jou klere vermorsel voor hy jou verder jaag en teen daardie tyd moet jy bo in die boom sit."

"Wat sal gebeur as daardie diere daar onder omdraai en hierdie huis bestorm?" het Christie gevra.

"Dan kan ek die goewerment laat weet hulle hoef nie meer die skip te stuur nie. Julle is klaar weg."

"Pa!"

"Jy is 'n wrede man, Miggel. Waarom skiet jy nie liewer 'n paar skote in hulle rigting en dryf hulle terug die Bos in nie?"

"Ek skiet liewerster vandag vir jou as wat ek 'n grootvoet op hierdie platrand kwes."

Toe ruk hy hom op. "Mister White het my teen jou gewaarsku," sê hy. "John Barrington het my teen jou gewaarsku, die boswagters het my teen jou gewaarsku. Ek sal sorg dat jou gedrag onder die hoogste aandag kom."

"Ek wonder vir wie die Italiane sal getuig as hulle moet, vir my of vir jou."

"Beslis vir jou, Miggel," het hy half spottend gesê, "hulle hou van 'n *good entertainer* wat hulle van hulle sorge kan laat vergeet."

Ek het nie geweet wat die woord beteken nie en ek het hom nie gevra nie.

Sonsak is die koeie terug die Bos in. Nagdonker het ek nog gesukkel om die laaste Italiaan by die tente terug te kry. Amêrika het kans gesien om vir goed onder my tafel in te trek.

Die volgende oggend, die Saterdag, het Mirjam aangebied om Mieta te gaan haal. Ek het 'n blik en 'n skepding gevat en vir my die mis loop optel. Teen die tyd wat Mirjam en Mieta gekom het, had ek twee stoeletjies geriem en klaar. Toe was dit weer 'n gesukkel om Mieta by Ilario in die tent te kry, want toe sit die vervloekste kinders keel op en die vroue keer soos verskrikte goed.

"Hulle is bang vir die vrou omdat haar vel so swart is," sê Christie.

"Wat? Sê vir hulle Mieta mog 'n swarte vel hê, maar sy's 'n reine mens en beter om te dokter, sal hulle ver loop soek."

Dit het baie praat gekos voordat hulle eenkant toe gestaan het. En baie praat by Ilario se kooi omdat daar uit vier monde gevra en getolk moes word: Mieta vir my, ek vir Christie, Christie vir Ilario en terug op die ry af.

"Hy't die groot stilstand," het Mieta ten einde verklaar. "Alles in hom staat stil: sy maag, lewer, hart, derms. Alles. Ek gaat vir hom drie treksels meng wat jy en Mirjam hom iedere dag met sonop en sononder moet ingee. Vir 'n week lank. Sê vir hulle dit sal vyf sjielings kos en as hulle nie vyf sjielings het nie, sal ek die tjalie vat wat die man se vrou om haar het."

"Jou prys het gestyg," sê ek vir haar.

"Dis nie gewone medisyne wat hierdie man nodig het nie, dit is ver se loop om te soek en te pluk."

In my jong dae het ek baiekeer gesien as ou Mieta op 'n windstil nag met haar kers nes 'n spook die Bos in loop om haar medisyne te pluk. Wat jy in die nag pluk, is kragtiger as wat jy in die dag pluk, het sy altyd gesê. As die houtkappers nie geld had om te betaal nie, het sy koffie en suiker en meel in ruil gevat, maar sy het nie geloop voor sy nie betaal is nie en Christie moes die vyf sjielings uithaal en voorskiet.

Toe ons daar wegstap, sê sy ek moet my treë kort maak, sy wil met my praat voor ons by die huis kom.

"Wat praat?" vra ek haar. Ek was nie ongesteld nie.

"Ek wil praat oor jou Mirjam, Silas Miggel."

"Wat van my Mirjam?"

"Die jong manne kyk vuur toe as hulle van haar praat, hulle soek moed om platrand toe te loop. Wat gaat jy maak? Onthou, ek was by toe my ma die nag haar ouma se oë toegedruk het, ek het haar ma s'n toegedruk. Moenie lat ek háár oë moet kom toedruk nie."

'n Rilling het deur my getrek. "Jy praat nie so op my werf nie!" sê ek vir haar. "Mirjam ken haar lot, sy sal nie man vat nie."

Sy't 'n snorklag gegee. "Daar lê nie net een vloek oor haar nie, Silas Miggel, maar ook die vloek van 'n gesig soos 'n engel en 'n lyf daarby. Die manne gaat deur vuur, sê ek jou. Sy's mooi, sy's ryp. Het jy gesien hoe kyk die oë by die tente tot op haar lyf?"

"Kry end!" Ek wou haar toesmoor. "Mirjam is nie onnooslik nie, sy weet wat sy doen! Sy weet waar sy nie mag trap nie!"

"Daar's 'n ding, Silas Miggel, wat 'n mens se verstand alles uit jou lyf uit wegstoot. As Mirjam iets oorkom, moet jy haar vir my bring solat ek haar medisyne kan gee. Maar dan moet dit gou wees."

"Ek weet nie waarvan jy praat nie, ou heks!"

"Jy weet."

Ek het by my hout loop inval terwyl sy na Mirjam toe is in die huis en ek het haar woorde gejaag totdat hulle agter die berge gelê het en uit was uit my kop.

Die Maandag, toe die son oor die bosdak uitklim en sy warmte oor die platrand gooi, toe sit Ilario langbeen langs die tent in beterskap.

Drie

Dieselfde dag het Christie die platrand begin opmeet.

Toue, penne, planke, allerhande vreemde gereedskap en vier van die Italiane vir handlangers: Coccia, Amêrika, Borolini en Lucinetti, die een met die ligter hare en die snymerk oor die een wang. 'n Yslike oopgerolde kaart was eenkant op die grond met klippe vasgepak.

"Wat die swernoot vang jy nou aan?" Ek het my besweet geskrik.

"Ek voer die wet uit."

"Wat se wet?"

"Immigrasiewet."

"Jy praat nie nou met 'n kind nie!" sê ek vir hom. "Jy praat met Silas Miggel en hy's nie 'n blaar wat gister hier aangewaai gekom het nie. Ek wil weet wat hier aangaan en ek wil dit in plyn woorde weet."

Hy't aangegaan om die bolling tou vir Coccia te voer en my geantwoord asof ek 'n steurnis is. "Die wet vereis dat ons besit neem van die grond wat aan ons toegesê is."

"Ek dog julle wag vir 'n skip."

"Kyk asseblief dat die moerbeiboompies natgegooi kom. Vra Cruci om jou te help."

"Ek sê, ek dog julle wag vir 'n skip?" Die moerbeibome kon vrek waar hulle staan.

"Dis reg, ons wag vir 'n skip. Die Italiane het my gisteraand weer versoek om skrywe te rig in verband met die saak. Intussen word die lotte uitgemeet en toegestaan sodat Fox en Dunn nie sal kan aanvoor dat ons nie besit geneem het van die grond nie."

"Met ander woorde," sê ek vir hom, "dis nou soos 'n man wat sy skoene aantrek om te loop, maar dan gaan sit hy om sy stoel warm te hou. Vir wat? As jy die stoel nie wil hê nie, wat maak dit saak wie hom vat of laat staan?"

"Oppas, Miggel, jou keuse lê dalk tussen die Italiane of die saagmeul."

"Die platrand is nie vir een van die twee 'n plek nie!" sê ek vir hom, maar ek weet hy het my tussen twee vure ingestamp. En hy buk oor die kaart op die grond en meet en skryf daarop asof hy dit klaar oor die platrand doen. Die kaart was vol strepe en blokke en letters en ek het nie 'n lyn daarvan verstaan nie. "Wat staat op die ding?" vra ek en gee hom sommer 'n stoot tussen die blaaie.

"Hoe durf jy aan my stamp?" sê hy en ek sien sy nek slaan vlamme uit.

"Ek vra wat op daardie kaart staan."

"'Plan of Italians' allotments at Gouna Forest'," lees hy asof hy my daarmee wou skel.

"Wat nog?"

"Kan jy nie self lees nie?"

"Ek lees net Hollands. Léés. Wat se strepe loop daar bo nes slange?"

"'Slip path from Red Els River'."

"Wragtig." Ewe Rooiels se sleeppad ook ingeteken. "Die ander een daar bo is dan seker Gouna-se-kop se sleeppad," maak ek vir myself uit.

"Dis reg."

"En ek neem aan die getrekte blokke is julle kastige lotte."

"Ja."

Ek het die besigheid al beter verstaan en al meer bekneld gevoel. "Ek sien die twee sleeppaaie loop sommer lekker dwarsdeur die boonste lotte, dit sal maar neuk."

"Gouna-se-kop se sleeppad sal verlê word na die oostekant toe, hier waar *deviation* geskryf staan."

"Skeur maar op en smyt weg. Dis nog 'n moerbeibos. Die man wat hierdie kaart geteken het, het nog nooit 'n vrag sware hout uitgesleep as hy dink die sleeppad kan dáárlangs verlê word nie. Skeur maar op."

"Die opmetings is deur die goewermentslandmeter, Mister Twaites, gedoen."

"Wanneer was hy miskien hier? Ek het hom nie gesien nie."

"Hy was beslis hier."

Hy kon daar gewees het op 'n dag wat ek oorkant op Poortland was, maar waar was Mirjam dan? "Wat se streep loop hier van onder af op?"

"'New road to Knysna'."

'n Nuwe pad Knysna toe? As dit nag was kon ek gedink het ek droom, maar dit was heldere dag. "En wat staat op daardie twee blokke daar bo in die middel geskryf?"

"Die boonste een is die *yard for logs* en die onderste een die *yard for sleepers and timber*."

Yard for logs. *Yard for sleepers and timber*. Fox en Dunn. Die een wat die kaart geteken het, het van die Italiane én van die saagmeul geweet. White het gesê hy het vir die goewerment geskryf en gesê as die saagmeul nie aanspraak het nie, stel hy voor die Italiane kry die platrand. Iewers was iets duister.

"Hoe kan jy 'n saagmeul tussen sywurmlotte kom neersit?" vra ek vir Christie.

"Mister White het reeds aan Mister Laing, die Kommissaris van Kroongrond, daaroor geskryf."

Die eintlike vraag wat ek moes vra, het nog voorgelê. "Wys vir my waar my huis staan," vra ek hom, "wys dit vir my duidelik uit." Hy het sy vinger in die smal strook tussen die *yard for logs* en die *yard for sleepers and timber* gedruk en daar het 'n naarte oor my kop gestoot: die een wat die kaart geteken het, het van die Italiane en die saagmeul en van Silas Miggel geweet. Ek was netjies tussen die twee saagmeulwerwe vasgedruk soos 'n luis tussen lyf en kooi. Bliksems, het ek in my binneste gesê, nou soek julle vir Silas Miggel.

Dit was die Maandag. Die Dinsdag, die hele dag, het Christie kruis en dwars oor die platrand gemeet en penne ingeslaan. Laat die middag moes ek hom loop help om die vier boonste lotte uit te meet wat in die Bos ingeskiet het, want om die dood of een van die Italiane die ruigte wou in. En die hele tyd wat ek hom gehelp het, het ek gevoel soos een wat sy eie galgtou help vleg.

"Aan wie gaat jy hierdie boonste lotte gee as hulle te bang is om 'n voet in die Bos te sit?"

"Gelukkig is net drie van die lotte immigrante-lotte, die vierde een is vir die *yard for logs*. En die lotte word nie uitgedeel nie, Miggel, daar sal lootjies getrek word. Alleenlik diegene wat kontant het om te betaal, mag uitsoek, en nie een van hulle het die kontant nie."

"Verkoop aan my twee, ek sal nou vir jou die geld gaat uittel."

"Jy is nie 'n immigrant nie."

"Wanneer word die lootjies getrek?"

"Vrydag."

"Wat van my blyreg?"

"Mister White het reeds aan Mister Laing daaroor geskryf. Ek glo nie daar sal beswaar wees as jy bly waar jy is nie." Asof hý baas was oor waar ek kon bly of nie bly nie.

"Skuif die *yard for logs* en die *yard for sleepers and timber* onder na die voet van die platrand toe vir ingeval," sê ek vir hom. "Skuif hulle."

"Hier sal volgens wet en kaart gewerk word, Miggel. As jy nie tevrede is nie, kan jy vertoë rig tot die owerheid. Die vuurmaakhout is baie laag, ek neem aan jy het dit reeds opgemerk en dat jy sal toesien dat daar gekap word voordat dit heeltemal op is."

Ek moes my vinnig bedwing; die man had 'n nuwe houding oor hom vandat hy begin het om die platrand op te meet. Dit was of sy skoene al hoër onder sy voete groei, veral as ek naby hom kom. Die Italiane het hulle aan hom afgevee, dit kon 'n man duidelik sien.

Maar die Woensdagmôre, voordag, het ek opgestaan en die hout loop kap. Daar sou nie gesê kon word dat Silas Miggel nie sý deel nagekom het nie. Blyreg was aan my beloof en blyreg wou ek hê, maar dit sou nie tussen twee saagmeulwerwe wees nie. In die nag wat verby was, het ek my dink gedink, en my verstand het vir my gesê hulle kan maar die platrand opkerf tussen sywurms en saagmeul, nie een van die twee sou dit oorleef nie. Net Silas Miggel.

En ek het meer as net die hout daardie dag vir hulle geneem. Die middag het ek nog dertien palings ook vir hulle loop vang. Grotes. Toe ek met die bos goed by die tente aankom, dog ek my hande word gesoen. Angelo Mangiagalli, een van die vier wat kort na hul aankoms getrou het, het my om die skouers gevat en na sy tent gestoot en 'n grasgroene bottel uit 'n trommel gehaal. Giuditta, sy vrou, het 'n mooie kelkie van glas aangegee en toe hy die wyn skink, toe lyk dit of hy elke druppel groet. Hoe meer ek vir hom sê dat ek nie een is vir wyn nie, hoe meer het hy skynlik gedink ek bedank hom. Gelukkig het hy die glas net half gegooi en toe verder met water vol gemaak. Lekker was dit nie, maar dit was immers beter as die gal-ekstrak waarmee Petroniglia reggestaan het toe ek buite kom.

Donderdag is Mirjam en vyf van die vroue met my slee en my een os weg dorp toe om vir almal winkelgoed te koop. Die geld vir die Italiane s'n moes hulle by White loop haal uit die toelaag-sjielings uit; vir my eie winkelgoed het ek genadiglik ses stoeletjies kon saamstuur vir Smit, en dit was my gespaar om van die geld uit die blik te haal. Ek het al hoe meer agtergekom dat Poortland se loon nie meer daar is nie.

En asof Barrington dit geweet het, kom John die môre te perd daar aan. Hy klim nie af nie, hy bly in die saal sit, anderkant die heining waar ek besig is om te skoffel.

"Oom Silas," roep hy, "hoe lank gaan oom nog opgeruk bly?"

"Tot die dag lat die ding waarvan jou pa die oorsaak is, van die platrand af is." Ek het aangegaan met werk.

"Ons hoor hulle eis nou 'n skip om hulle terug te neem Italië toe."

"Ja."

Die perd het bly rondtrap onder hom. "Dit lyk dan vir my of Christie opmetings doen."

"Ja."

"Die water loop sterk onder in Genakloof. Mister Barrington het my gestuur om vir oom te kom sê die meul saag goed. Oom moet kom help by die hout. Mister Barrington sê hy sal oom se loon opstoot na vyf sjielings 'n dag."

Vyf sjielings 'n dag was goeie geld. En die eerste keer dat Barrington 'n man sou moes koop om hom terug te kry, was dit ook nie. "Sê vir jou pa dis goed, sê vir hom hoe gouer hy vir die goewerment skryf en hulle aanjaag met die skip, hoe gouer is ek daar."

"Oom is dom. Tot dan toe kan oom al 'n klomp verdien het. Waar is Mirjam?"

"Dit het niks met jou te doen waar sy is nie."

"Wie sê vir oom?" Hy het daar bo op die perd gesit en wyebek gelag asof hy van dinge geweet het waarvan ander nie weet nie.

"John Barrington," sê ek vir hom, "kom naby my meisiekind en ek skiet vir jou met perd en al vrek! Kry jou ry."

"Vyf sjielings 'n dag van môre af."

"Kry jou ry!"

Laat-agternamiddag, toe ek op pad was tente toe met Ilario se medisyne, kom Mirjam met die slee en die os en die vroue oor die platrand. Hulle het geloop en lag soos 'n spul lawwe vroumense en ek was op die oomblik kwaad. Net Petroniglia het eenkant geloop en nie gelag nie. Bo-op die sakke, op die slee, was 'n lange leer vasgemaak en ek het onthou dat ou Sarel van Rensburg altyd gesê het: as jy goed tot niet wil gaan, moet jy 'n vroumens met jou geld winkel toe stuur. Toe hulle stilhou, toe skel ek.

"Wat vir 'n leer is dit dié?"

"Dis Mister White se kantoor se solderleer, Pa. Hulle het hom rasend gehad oor die ding en op die end het hy dit aan hulle verkoop vir sewe sjielings. Hy sê dit is die goewerment se leer, hy het geen magtiging om dit te verkoop nie, maar hulle wou nie los nie."

"Wat wil hulle met die leer maak?"

"Ek weet nie, Pa."

"En wat se gelag is dit?"

"Hulle lag nog van die skrik. Net voordat ons die kloof deur is, het ons 'n trop bobbejane gekry en toe skree en gaan hulle so te kere dat die bobbejane vlug. Mariarosa en Antonia het bo-op die slee gespring."

"Laai af die goed en loop gee Ilario se medisyne." Ek was nie lus vir verspottigheid nie.

"Kan Pa nie asseblief net vir Petroniglia na Mister Christie toe vat nie sodat hy vir haar kan sê, konstabel Ralph sê, Tomaso sou die kind verlede week op die *Natal* gesit het, maar toe was daar nie meer plek nie."

Ek het sommer vir Christie bygesê dat dit tyd is dat hy Kaap toe skryf en sê hulle moet die kind op die poskar sit sodat die ding 'n einde kon kry en die kind by haar ma kom.

En Mirjam se kop was weer glad nie by haar lyf toe sy van die tente af kom nie. Sy het die vuur opgemaak, maar vergeet om die koffiewater oor te hang; sy het die water vir die patats oorgehang, maar die patats in die skottel laat lê. Sy het buite by die vat gaan water skep en weggebly totdat ek haar agter die huis met die leë emmer kry staan het. Toe ek haar vra wat haar hinder, toe bly sy net stil. Daar was dus iets. Toe ons aan tafel sit om te eet, wou sy weet of daar iemand deur die dag by my was.

"Het jy iemand verwag?" het ek haar gevra.

"Hier kon 'n boswagter of een gewees het, mag ek nie vra nie?" het sy haar opgeruk.

Waarom weet ek nie, maar ek het stilgebly van John Barrington. En Mirjam het rusteloos gebly. Eers toe ons amper moes gaan lê, het sy losgetrek: "Dis nou van Dinsdag af wat Pa net sit en voor Pa uitstaar asof Pa niks sien nie!"

"Ek sien baie dinge."

"Pa praat skaars met my!"

"Ek het niks om te sê nie."

"Pa jok! Pa sit opgevreet oor die platrand wat uitgemeet is en wat môre uitgeloot gaan word. Ek wil weet wat in Pa se kop is. Ek wil weet waarom Mister Christie sê hy dink Pa maak gereed om te trek en waarom ek daar niks van weet nie."

"Christie raai. Hy soek sommer rede om met jou praatjies te maak."

"Ek wil weet wat in Pa broei. Ek wil weet omdat ek die reg het om te weet wat van ons gaan word!"

"Gebruik jou verstand," het ek vir haar gesê. "Hier is nie kos vir sywurms nie, hier's nie water vir 'n stoomsaagmeul nie. Wat van ons gaat word, hang af van die geduld wat ons het, want ons wag vir die goewerment om verstand te kry. Die skraalste hoop waarmee ek sit, is dat daar môre een van die lotte aan my toegesê mag word waarop ek blyreg kry. Of ek een kry of nie kry nie, ek trek nie. Ek het in elk geval klaar blyreg verdien en gevat."

"Hoeveel van die lotte is daar?"

"Buiten die twee vir die saagmeul, tel ek twaalf."

"Hoeveel van die Italiane moet lotte kry?"

"Volgens ek self bereken het, moet tien van hulle grond kry. Kastig grond kry, as 'n man Christie kan glo dat dit net 'n bluf is. Ek glo nie al die loslopers sal lotte kry nie. Canovi het langs die pad by hulle ingeval en eers hier op die dorp kom pampiere invul. Luigi Lucinetti en Borolini en Taiani en Amêrika was handlangers waar hulle vandaan kom, blaarkerwers en hokskoonmakers. Hulle het as handlangers saamgekom, verneem ek by Christie."

"Pa begin nou hulle name ken."

"Die beste is om by die agtername te bly, want dit klink vir my die helfte het dieselfde voorname. As dit nie Pietro is nie, is dit Domenico of Josoppie."

"Nie Josoppie nie, *Giuseppe*!"

"Dan's daar nog party wat 'n haarbreedte van mekaar af klink: Robolini en Borolini. Of is ek nou deurmekaar?"

"Nee. Robolini is Giuseppe Robolini en sy vrou is Vittoria. Robolini is langer en ouer as Borolini. Borolini is nie getroud nie."

"Soos wat ek verstaan, is die eintlike syboere onder hulle Fardini, die oudste een van wie die hare al grys word, dan Robolini en Ilario Grassi, Pietro Cruci, man van Mariarosa, en dan die een met die blou oë, wat is sy naam nou weer?"

"Cuicatti."

"Cuicatti. Dan reken ek dat Tomé en Mangiagalli en Coccia ook lotte mag kry. Miskien Giovanni Pontiggia ook. Tel dit bymekaar, dan's dit tien en bly daar twee oor wat my die skrale hoop gee. Christie kry natuurlik ook een."

Mirjam het opgestaan en weer vir ons koffiewater oor die vuur gehang. "Het Pa agtergekom dat Cuicatti saam met die Fardini-meisiekind loop? Saam met die mooi, wilde enetjie, Luigia."

"Sy's dan nog 'n skone kind!" het ek gesê. Ek het dit nie geweet nie.

"Sy's dertien."

"Hoekom verwilder haar pa hom nie? Ek sal moet praat."

"Pa is laf. Haar pa se naam is nie Silas Miggel nie."

"Dis reg. En hoeveel keer het ek jou nie belet om so vriendelik te wees met die loslopers nie!"

"Wil Pa dan hê ek moet heeldag met 'n lang gesig loop? Dis goeie mense hierdie, Pa, ek sal hulle mis as hulle weggaan."

"Dan kan ek net bid lat die dag vinnig moet aanbreek dat hulle oppak."

"Weet Pa hoe koud is dit in daardie tente? Kry Pa hulle dan nie net 'n klein bietjie jammer nie?"

"Nee. Dis die goewerment wat hulle moet jammer kry. En die eintlike koue lê nog voor."

"Pa moet hoor hoe baie Hollandse woorde hulle al ken. Veral die vroue. Die dag toe die grootvoete hulle hier vasgekeer het, het ek hulle sommer van die gewone woorde geleer om die tyd om te kry. Die kinders is net so oulik. Op pad dorp toe vanoggend wou Giuditta en Mariarosa en Anna Fardini die bome se name leer."

"Los dit. Hulle het nie nodig om Hollands te leer nie."

"Het Pa geweet dis die Fardini-gesin wat so mooi musiek maak?"

"Hoeveel duisend Fardini's ís daar?"

"Die ma en die pa en die ses kinders. Drie seuns en drie dogters. Antonia en Giuditta is die twee wat kort nadat hulle hier aangekom het, getroud is. Pietro Fardini, die pa, speel die viool en Antonia speel die mandolien. Die ander sing. Mister Christie sê Petroniglia Grassi sing die mooiste van almal, maar sy het nog nie weer gesing vandat hulle haar kind gesteel het nie."

"Ek is nog lank nie so seker dat die kind gesteel is nie."

"Ai, Pa."

Ons het nie gaan lê nie. Mirjam het die naaldegoed gaan haal en met die stopwerk begin. "Steek nog 'n kers op, jou oë gaat skeel trek," het ek vir haar gesê en naderhand opgestaan en dit self gedoen.

"Het Pa geweet dat daar 'n wegsteekkind onder hulle is?"

My gedagtes was 'n oomblik anderpad en ek was nie seker of ek haar reg gehoor het nie. "Waarvan praat jy nou?"

"'n Wegsteekkind. Mister Christie sê hy is nêrens op hulle papiere nie, dis 'n los enetjie wat hulle saamgebring en weggesteek het tot hier. Hy en Mister White het dit eers op Knysna agtergekom."

"Waarvan praat jy? Wat se kind?"

"Felitze, Pa. Sy eie van is Radulfini en Robolini sê hy is die kind se oom. Hulle het hom solank saamgebring, sy eie ouers is van die familie wat in Italië regsit om ook hierheen te kom.

Robolini sou vir hulle die geld gestuur het sodra die eerste kokon-oes in is. Ek het vir Mister Christie gesê ek gaan die kind vir my hou as hulle weggaan."

"Jy los hom uit."

Elke dag het 'n nuwe geneuk gebring. Waar moes dit eindig? Ek het opgestaan en buitetoe geloop. Die skerpioen se sterre het blink en wyd in die lug gelê; die groot een by die kop was geel soos 'n lantern se pit. In die verte het Poortland se hond geblaf; as jy Poortland se hond tot op die platrand kon hoor, was daar onweer aan die kom. Ek het vir myself gesê om nie te dink aan die dag van môre nie. Laat hulle die platrand uitdeel, Silas Miggel is nie onnooslik nie. Reg, ek het al die jare geweet dit is kroongrond. 'n Man stry nie teen die waarheid nie. Ek het selfs gedink as White een of twee Engelse gesinne onder op die voet van die platrand kom plek gee, hoef dit my nie noodwendig te hard te slaan nie, ek sou nog altyd Mirjam aan die bokant kon eenkant hou. Toe bring hy die trop Italiane. Sê nou die goewerment stuur nie die skip nie? 'n Boom het eendag op my geval in Lelievleibos.

Mirjam het agter my uit die huis gekom.

"Dis koud, Pa."

"Ja." Net in een tent het daar nog 'n kers gebrand, in die Grassi's se tent. "Het jy Ilario se medisyne gegee?"

"Ja, Pa. Pa?"

"Ja, Mirjam?"

"Hoe oud is Pa?"

"Ek is in my vyf-en-veertigste jaar. Hoekom?"

"Ek vra sommer."

"Hoe oud is Mister Barrington?"

"Seker amper sewentig."

"Hoe oud dink Pa is Mister Christie?"

"Hoe moet ek weet?" Vir wat wou sy weet hoe oud hy is? Had sy sin vir hom?

"Hoe oud dink Pa is Giovanni Pontiggia?"

"Mirjam, waarheen is jy op pad? Hoe moet ek weet hoe oud hy is? Dit traak my nie, en dit traak jou ook nie. Al wat ek weet, is dat ek hom nie vertrou nie, hy't 'n slap kyk in sy oë."

"Hoe oud is ta' Hannie?"

"Drie jaar ouer as ek."

"Hoe oud is Josafat Stander?"

"Seker diep in die dertig."

"En Jacob Terblans?"

"Gaat jy nou die Bos deurloop en ouderdomme soek? Wat is dit wat jy wil weet, meisiekind?"

"Is Pa bang vir môre?"

"Nee."

Vier

Die lotery het in 'n halfmaan voor Christie se kantoortent plaasgevind. Die kaart was weer op die grond oopgerol en met klippe vasgepak, maar die wind het aan die kante bly pluk en die papier op twee plekke geskeur. Eers het Christie vir hulle op hul eie taal 'n lang storie voorgelees waaraan nie een veel erg had nie. Mirjam het by die vroue gestaan en ek by die kaart. Toe Christie klaar was met die voorlesing, het hy stywe strokies papier soos vlerkpenne in sy hand oopgesprei en Fardini het eerste nader gekom om te trek.

"Numero due!" het Christie uitgeroep.

"Wat beteken dit?" het ek gevra. Ek moes weet.

"Lot nommer twee." Hy het my botaf antwoord gegee, gebuk en 'n streep deur een van die blokke op die oostekant van die kaart getrek. Die *new road to Knysna* het dwarsdeur lot nommer twee gesny.

Ilario Grassi, nog steeds beter van gestel, het die volgende vlerkpen loop trek en lot nommer veertien gekry, 'n mooi stuk grond op die dwarste van die platrand. Robolini het lot nommer tien getrek, op die punt aan die westekant. Cuicatti het nommer drie getrek en onmiddellik was daar moeilikheid: toe hy sien dat die lot vollyf binne-in die Bos lê, toe smyt hy die lootjie net daar neer en stap weg. Net daarna trek Coccia nommer ag wat ook in die Bos lê en doen dieselfde ding. Tomé trek nommer twaalf, Mangiagalli nommer een en Pontiggia dié langs Cuicatti in die Bos, nommer vier, en hy trek net sy skouers op. Cruci het die een net onderkant Fardini getrek en die *new road to Knysna* het deur syne ook geloop.

Daar was drie lotte oor. Drie mooi lotte. Veral nommer dertien. Die syboere was weggehelp en net die vier handlangers het nog rondgestaan. Christie se skryfding het twee keer uit sy hand geval en elke keer as hy buk om dit op te tel, het hy 'n bietjie rooier in die gesig orent gekom. Die man was op van die senuwees. Elke keer as hy 'n lot moes afmerk op die kaart, was dit of hy vinnig wegskram van my af. En voor hy die laastes laat trek, haal hy eers 'n doek uit sy sak en blaas sy neus en vee en vee en uiteindelik wink hy Borolini en Taiani nader: die een trek nommer nege, die ander trek nommer elf, en nommer dertien, die mooiste lot, steek Christie in sy eie sak.

Ek sê vir myself: Silas Miggel, byt vas jou tong, moenie dat daar 'n geluid uit jou kom nie. Byt. Ek het bo-oor die kaart geloop en aangehou met loop tot by die huis, verby die huis, tot in die Bos. By Rooiels-se-sleeppad het ek noord gedraai in die rigting van Brown-se-kloof. Ek wou loop tot die stryd in my bedaar, al moes ek loop tot waar die berge my keer. Om te staan en kyk hoe die wêreld onder jou voete uitgedeel word aan vreemdes vir ander se sotlikheid, is nie speletjies nie. Jy kry begeerte om te moor. Jy kry begeerte om om te draai, jou huis te gaan afbreek en godweetwaarheen in jou maai in te trek.

Ek het eendag 'n vreemde ding met 'n tier in Kom-se-bos oorgekom. Agterna het ek dit nie vir 'n siel vertel nie, ek het nie gedink iemand sou my glo nie. Dit was kort ná my trou. Kom ek die dag met die sleeppad van Diepwalle af deur waar ek my houtliksens loop betaal het, en skielik staan die uitgegroeide tier platlyf voor my in die pad. Elke dag loop jy in die Bos met jou oë en jou ore reg vir waar die grootvoete is; aan tier steur jy jou nie, hy's in die bome of as jy hom in die ruigte sien, is dit net 'n blerts en hy's weg. Dan skrik 'n man as daar skielik een voor jou in die sleeppad staan en jou hande is leeg, jy's sonder skietding. En die tier staan. En ek staan. Ek kyk hom tussen die gele oë, ek roer nie. Ek stuur vir hom 'n boodskap tot in sy kop, ek sê vir hom: tier, jy betakel my nie. Hy stuur vir my 'n boodskap terug: ek dink nog. Ek stuur weer een: as jy spring, steek ek my vuis in jou keelgat af en ek ruk jou derms uit. Nie jy nie, sê hy vir my terug, ek het die kloue, ek het tande.

Dit kon 'n uur gewees het, dit kon langer gewees het. My oë brand soos vuur, maar ek knip hulle nie, ek staan my staan. Die tier ook. En skielik kom 'n langsterttinktinkie en kom sit tussen ons op 'n bos langs die pad en skel en skel soos langsterttinktinkies van gewoonte is, en wat hy vir die tier gesê het, weet ek nie, maar die tier het omgedraai en weggestap.

Altyd daarna, as ek 'n langsterttinktinkie sien, het ek my hoed gelig.

Nee, ek sou nie trek nie. My staan sou ek staan. Die lotte was uitgedeel, maar dit sou nie die winterreëns keer as dit ag dae aanmekaar wou kom val nie. Op die langste sou hulle dit nog 'n bietjie meer as 'n maand in die tente kon uithou.

En die saagmeul? het ek myself gevra. Met water wat waar is? het ek myself geantwoord en omgedraai by die plek waar die weerlig die slag die kalander oopgekloof het. Voor Julie se maand uit was, sou ek 'n plan moes maak om 'n bietjie stinkhout gekap te kry. Miskien kon ek 'n bietjie ekstra kap en groen verkoop vir die geldblik. As dit nie was dat Smit net stoeletjies van stinkhout wou hê nie, sou ek seker selde 'n byl aan 'n stinkhout gelê het. Waarom kan ek nie met sekerheid sê nie, dit was maar al die jare 'n gevoel in my. Bewerk hom en hy stink soos 'n kakelaar stink. Maar die hele tyd is dit of daar 'n hartseer aan die hout is, of elke stoeletjie wat jy klaar het en neersit, wil terugloop Bos toe om weer te gaan spruit soos die ou bome maak as hulle afsterf. Dit was maar my verbeelding. Die oumense het gesê elke tweede boom in die Bos is 'n geelhout en elke elfde 'n stinkhout. Daar was groot stukke bos waar dit nie meer so was nie. Stinkhout was besig om uit te dun, sy prys was beter as dié van ander hout. Bokant mý in die Bos, in Gouna se bos, was daar nog volop stinkhout, want daar is nog weinig gekap.

Ek loop nog so en dink oor die hout, toe kom Mirjam my van voor af ingehardloop en sy skree: "Pa, maak gou! Hulle vermoor Mister Christie!"

"Kry jou asem," maan ek haar, "wat gaat jy so te kere?"

"Hulle vermoor Mister Christie, Pa!"

"Laat hulle hom vermoor en klaarkry," sê ek. Maar sy kry my aan die arm beet en begin trek.

"Pa, asseblief, daar het iets gebeur, ek kan nie uitmaak wat nie. Hulle gaan hom doodmaak!"

Ek het geskrik en begin drawwe. Mirjam is nie een wat vir niks sou te kere gaan nie.

Hulle het al wat 'n pen is rondom Christie se woontent uitgetrek gehad en die ding bo-op hom en sy goed inmekaar laat sak. Waar die paal gelê het, kon ek nie sien nie. Elke keer as hy kant toe gewurm het om uit te kruip, was daar 'n Italiaan met die voet by om die tentsoom in sy gesig vas te trap. Wie nie help voorkeer het nie, het help skel.

"Signor Miggel! Signor Miggel!" het Anna Fardini, die oudste van die vroue, geroep toe sy my gewaar. "Aiuta! Aiuta!" Help, help.

"Wat die swernoot gaat hier aan?" het ek gevra. Cuicatti was voortrapper en Tomé en Taiani saam met hom. "Is júlle mal?"

Christie het my gehoor, want hy begin roep:

"Mister Miggel! Mister Miggel! Help my, ek versmoor!"

"Staat soontoe!" het ek vir Tomé geskree en voor sy voete ingespring en Christie halflyf uitgetrek. Sy hemp en sy hare was deursweet, sy gesig spierwit. "Wat gaat hier aan?" vra ek hom en laat hom lê. "Is julle dan nie grootmense nie?" skree ek sommer onder die naaste bondel Italiane in.

"Water, gee my water."

"Ek gee jou nie water nie en laat jou nie orent kom voor ek nie weet wat hier aangaan nie. Toe ek hier weg is, was hier niks verkeerd nie. Praat!" Agter my het die Italiane weggestaan asof hulle geweet het ek moes 'n kans kry om die waarheid uit Christie te haal. "Antwoord my, Engelsman!"

"Neem my net eers na jou huis toe en beskerm my."

"Ek staat net hier tot jy gesê het wat hier gebeur het."

Van die sywurmeiers het uitgebroei. Pontiggia het dit kort na die lotery agtergekom en die nuus soos 'n vlam deur die tente gestuur. Die wurms moes kos hê en die Italiane het die kos van Christie geëis. Dit was die eerste helfte van die waarheid. Om die ander helfte uit hom uit te kry, het my gekos die tent 'n paar keer lig en dreig om hom self verder te versmoor, en elke keer het die vervloekste Italiane vir my gestaan en hande klap. Toe kom die ander helfte uit: die moerbeibos was nooit begrawe nie. Die dag toe hulle op die platrand aangekom het en in opstand gestaan het oor die bos wat daar nie is nie, het Christie vir hulle gesê die moerbeibos is agter die berge. Nou wou hulle oppak en met die wurms moerbeibos toe trek.

Ek het daar gestaan en al begeerte wat ek gehad het, was om my voet op te lig en Christie se nek vir hom inmekaar te trap. "Staat op!" het ek vir hom geskree en hom op sy voete gehelp.

"Sê vir hulle hulle moet hulle goed bymekaarkry en die tente afbreek en opvou. Ek sal gaat waens en slees kry om julle tot agter die berg te neem, want ek is nou tot moer toe dik vir jou en vir hulle en vir alles." Ek wou nie gevloek het nie, ek is nie 'n man wat my met 'n vloekery ophou nie, maar 'n man het later nie keer nie. Dit was mos nie kinders nie.

"Asseblief, Miggel, ek het jou al hoeveel keer gesê om nie so baie Hollandse woorde tussenin te gebruik nie, dan verstaan ek nie wat jy sê nie. Jy begryp nie die probleme waarmee ek te doen het nie. Ek moes hulle daardie dag ten alle koste kalmeer. Dit was my intensie om hulle later beter in te lig; dis net dat die eiers nie veronderstel was om nou al uit te broei nie. Ek het gehoop die goewerment sou oor hulle lot besluit voordat dit gebeur. Nou moet jy my bystaan, ons moet vir hulle sê die moerbeibos is uitgekap. Of afgebrand."

"As jy dink ek gaat vir jou help lieg, ken jy nog nie vir Silas Miggel nie."

"Maar jy móét my help!" Hy het skielik sonder eer gestaan en pleit. "Italiane is gevaarlike mense, die voorste een sal jou in die gesig kyk terwyl sy maat jou in die rug steek. Hulle het messe, jy moet jou geweer loop haal!"

"Jy praat soos 'n man wat klaar in sy broek gemaak het," sê ek vir hom. "Kry liewerster jou moed bymekaar, want vandag is die dag wat hulle die laaste van die moerbeibos gaat hoor en jy gaat dit vir hulle sê. Jy gaat sê jy't gelieg."

"Ek kan dit nie doen nie. Dit was nie ek wat met die moerbeibos begin het nie, dit is in Italië aan hulle gesê. Jy moet met hulle praat, ek sal vir jou tolk. Sê vir hulle ek was net so bedrieg soos hulle. Asseblief, Miggel."

Die Italiane het gestaan soos 'n smeulvuur wat wag om te vlam. Ek het geweet dit sou niks baat om Christie verder te treiter nie. "Roep hulle bymekaar," het ek vir hom gesê. Toe ek omdraai, toe staan Mirjam met die saamsleepseltjie, Felitze, op die heup asof dit hare is. "Sit neer daardie maaksel," sê ek vir haar, "en gaat huis toe!"

Om daardie moerbeibos uit hulle koppe te kry, was soos om 'n berg agterstevoor op 'n ander se rug uit te kom, want hoe praat jy nou met 'n mond wat nie joune is nie? Hoe keer jy die vuur dat hy nie vlam as jy nie self tot by hom kan kom nie? Ek het geweet Christie sit stringe woorde by omdat hy vir homself moes keer. Toe hy uiteindelik dit uitgewurg kry dat daar nie 'n moerbeibos is nie, nie voor die berg nie, nie agter die berg nie, nêrens nie, toe trek die Italiane kruise voor hulle bors en Cruci se vrou, Mariarosa, kry boste hare op haar kop beet en weeklaag soos een wat tyding van sterfte gekry het. Van die loslopers het met twee vingers van die hand 'n gebaar na Christie gemaak wat net sowel 'n uitvloekery kon gewees het. Van die ander het rondgetrap asof hulle gate in die aarde wou trap en Anna Fardini het wydsbeen, hande in die sye voor Christie kom skel asof sy gif na hom spoeg. Net Petroniglia het gestaan soos een wat nie kon omgee of die wurms vreet of vrek nie.

"Robolini sê as hulle net 'n klompie van die wurms kan red, Mister Miggel, dis baie duur eiers. Sal Mister Barrington nie vir hulle blare hê nie?"

"Dis winter, die bome bot nog nie eers nie. Hy het in elk geval te min en dis te ver om te haal. Sê dit vir hulle."

En weer kom ek agter hy sê baie meer woorde as wat ek vir hom aangegee het, en skielik is dit of daar 'n bedaring onder die Italiane kom, of hulle half versigtig ophelder en na my bly kyk. "Mister Christie," sê ek, want ek kry sommer gedagte, "wat het jy nou weer vir hulle gesê?"

"Dat daar nie blare op Poortland is nie, maar dat Mister White my van 'n wildemoerbei in die Bos vertel het. Jy het dit glo vir hom gesê."

Die een vuur was nog nie behoorlik dood nie, toe sien hy kans om die volgende een te begin. "Engelsman!" sê ek, "staat eenkant toe, ek skop jou vandag terug onder daardie tent in. Jy praat nou 'n ding wat moet bly!"

"Die wurms moet kos hê, Miggel." Die een oomblik was hy inmekaar van bevreesdheid en die volgende oomblik toe is hy die ou vernaamheid self en terug op sy plek. "Nie alleen kan dit die Italiane kalmeer nie, maar terselfdertyd kan dit vir hulle uitkoms beteken. Hoe ver is die bome?"

"G'n wurm sal daardie blare vreet nie, onnooslik!"

"Dit, Miggel, is vir die syboere om vas te stel. Nie vir jou nie."

"Mister Christie is reg, Pa." Mirjam was skielik weer voor in die ry tussen die Italiane, die kleintjie nog altyd op die heup. "Hulle moet self vasstel en self besluit."

Ek dog ek kom iets oor. "Moenie nog kom staat en interfeer nie!" sê ek vir haar. "Hierdie hele ding is jou skuld en het ek nie gesê jy moet daardie kind neersit nie!"

"Moenie so skree nie, Pa."

Dit was 'n magtelose gemors en ek, Silas Miggel, was tot oor my kop toe daar ingestamp. Die wildemoerbei sou nie te voet uit die Bos geloop kom en die blare op die wurms kom afskud nie, ék sou moes loop pluk en aanbring. Christie het met hulle gestaan en praat, angstig soos 'n kruiper, maar ek sien hulle vertrou nie die tyding nie, hulle oë bly soos klippe. Lank het hulle onder mekaar geredeneer, toe weer met Christie, toe weer met mekaar en toe het Christie na my gedraai.

"Hulle vra dat jy hulle na die bome toe moet neem."

"Wragtig."

"Pa, moenie so vloek nie!"

"Mirjam, bly stil, ek is op!" Vir Christie het ek op Engels voortgegaan: "Hulle kan nie in die Bos in om te gaat vuurmaakhout kap nie, maar sien kans om te gaat wurmkos soek?"

"Asseblief, Mister Miggel, moenie weer begin moeilikheid maak nie, ek het hulle nou net mooi tot bedaring."

Toe ek my arm lig, toe skree Mirjam; as sy nie geskree het nie, het ek hom seker doodgeklap, want toe is ék die een wat die moeilikheid maak.

Vier het reggestaan om saam te gaan: Fardini, Robolini, Cuicatti, en Mangiagalli. Robolini het met 'n halfemmer water gestaan, Cuicatti en Mangiagalli met die leer.

"En die leer?"

"Dis om in die bome mee te kom as die grootvoete storm," het Christie getolk. "Hulle sê hulle gaan nie in die Bos in sonder die leer nie."

Dit was 'n lang leer. Sleeppad langs sou 'n man hom nog kon regeer, maar voetpad langs sou dit sukkel dat dit bars. Ek het niks gesê nie, en die voetpad gevat. Waarvoor die emmer met die water was, het ek nie gevra nie. Seker om die grootvoete mee nat te gooi, het ek vir myself gesê.

En gesukkel het dit van die eerste tree af. Nie net met die leer wat wou reguit aanhou as die voetpad swenk nie, maar met alles. Die eerste keer dat ek bang mense in die Bos gesien het, was dit ook nie, maar só verskrik en beangs het ek nie geweet kon leef nie. As ek nie aangehou het met praat en aanjaag nie, het hulle meer stilgestaan om die ruigtes in te loer en te luister as wat hulle geloop het. Robolini het dit skynbaar op hom geneem om op die uitkyk te bly vir die gevaar wat van bo uit die bosdak moes neerdaal, want sy oë was heeltyd in die bome op en sy voete aan die struikel oor die wortels. Voor ek halfpad met hulle was, was die twee met die leer gedaan: as hulle die ding nie op die kop gehad het nie, het hulle hom op die sy gehad en was dit 'n gevorentoe-en-agtertoe om die draaie asof hulle saag trek.

"Julle gaat julle vandag so vashaak lat julle nooit weer loskom nie."

"Sì, sì, signor." Alles was *sì sì signor*.

Dit het my amper 'n uur gevat om met hulle tot onder in Stinkhoutkloof te kom, waar ek geweet het die wildemoerbei taamlik volop in die onderbos staan. Toe ek die eerste tak voor hulle afbuig, toe is dit vier ander wesens wat by my is: kenners. Manne wat geweet het wat hulle moes weet. Hulle oë was anders, hulle lywe, hulle hande. Dit was nie meer die radelose tentsitters nie. Vergete was die leer wat teen die naaste boom staangemaak is vir die klim, vergete was al die gevaar wat hulle heeltyd te wagte was. Eers het hulle net gekyk, na die bokant van die blaar, na die onderkant. Iets was na hulle sin. Toe het Fardini 'n blaar gevat, hom versigtig losgeskeur, die sap wat uit die steeltjie gebloei het, bekyk en tussen sy vingers gevoel. Die ander het dieselfde gedoen en nou was iets nie na hulle sin nie.

"Non latte," sê Cuicatti vir my en skud sy kop. "Non latte," sê hy weer.

"Ek weet nie wat jy sê nie."

Toe gaan sit Mangiagalli op sy hurke en maak gebare soos een wat 'n koei melk. "Latte, latte," sê hy.

Daar was nie melk in die blare nie.

"Ek het julle gesê dis nie 'n moerbei soos julle hom ken nie. Hy's wild."

Toe het elkeen 'n blaar gepluk, dit opgefrommel, in die mond gesit en gekou – met oë wat stip op die bosvloer kyk. Dit was moeilik om te sê of die smaak na hulle sin was of nie. Hulle het die koutjies uitgespoeg, hulle hande in die emmer gewas, die water uitgegooi, die emmer halfvol blare gepluk en met Mangiagalli se baadjie toegegooi.

Die terugtog was 'n bietjie gouer, want hulle was haastig en handiger met die leer. By die tente het die ander die emmer ontvang asof daar goud in is. Fardini het sy skouers opgetrek en sy kop geskud asof hy vir hulle daarmee wou sê dat die tyding wat hulle bring nie goed is nie. Nogtans het Amêrika sy hande gewas, sy mes gewas, 'n doek oor sy neus en mond gebind en in die koelte gaan sit om die blare in dun repies te kerf.

Ek het agter Fardini aangeloop na die tent toe waar 'n neteldoek tussen vier stokke gespan was en Cruci, doek om die neus en die mond, besig was om die klein swart-grys wurmpies versigtig met 'n kwassie uit 'n sakkie te lig en op die doek uit te pak. As ek na skatting moet sê, was dit 'n stuk of honderd.

Fardini en Robolini, doeke om die neus en mond, het saam by Cruci oor die wurmwieg gebuk en hulle het saggies gepraat. Toe Amêrika die kerfsels bring en dit oor die wurms sit, kon jy die wielewaal binne-in die Bos hoor fluit, so stil het dit om die tente geword. Ek het voor my siel geweet die wurms sal die blare nie vat nie, maar op daardie oomblik het 'n benoudheid oor my gekom. Sê nou die wurms vreet en word vet en spin kokonne? Wat dan?

Amêrika het by die wieg gekniel soos een wat bid. Robolini en Fardini en Cruci het roerloos gestaan. Dit was Fardini wat eerste die doek van sy gesig afgehaal het en sy kop geskud het. Die wurms wou nie vreet nie.

In my binneste het ek net gesê: dank die Here.

Toe ek by die huis kom, toe lê die mes op die tafel, Mirjam was weg om die strikke te stel. Ek was bly. Al begeerte wat ek had, was 'n stukkie kos vir my lyf en stilte vir my gemoed. Die huis was koud. Ek het die vuur opgemaak sodat die patats tot kook kon kom en die hitte na die kamers toe kon trek. Hoe die Italiane hulle lywe in die tente warm gekry het, het ek nie geweet nie. Sonder 'n dak oor jou kop is 'n kombers 'n dun ding. White het gesê hulle moet kalm gehou word. Hoe hou jy mense kalm as hulle verkluim lê, het ek gevra. As die goewerment net solank 'n plan wou maak om hulle op die dorp in huise te sit, sóu dit soveel beter wees. As ek net self met hulle kon praat, met die Italiane, en uitvind wat in hulle koppe aangaan. 'n Tolk is 'n simpel besigheid. Ek was bly dat die wurms nie wou vreet nie, maar agterna was dit aardig om 'n man soos Fardini te sien staan en lug toe kyk asof dit al plek was van waar uitkoms nog kon kom. Dit was aardig om die eenvoudige Amêrika 'n gat te sien graaf om die wurms te begrawe, en toe trek hy nog ewe 'n kruis met sy vinger in die stof oor hulle.

Die dag toe ek vir White gesê het ek sal Christie bystaan in ruil vir my blyreg, het ek nie heeltemal geweet wat ek doen nie. Om aanspreeklikheid vir twee-en-dertig vreemde siele op jou te neem, is nie speletjies nie. Ek was bang hulle kom iets oor en White en die goewerment kom blameer mý daarvoor en sê ek is my blyreg kwyt. Christie sou nie vir my opstaan nie, hy sou net vir homself keer. Sê nou van die kinders word siek in die tente? Mieta kon nie alles kom regdokter nie, sy kon nie toor nie, al was daar mense in die Bos wat geglo het sy kon. Petroniglia was aan die uitteer. Weggegee of gesteel, haar kind wou sy hê. As die Kaap nie so ver was nie, het ek te voet geloop en die maakseltjie loop haal sodat die ding 'n einde kon kry. Party dae het ek die gevoel gekry dat daar van die loslopers rondstaan soos goed wat ruik van watter kant af die wind kom, want dít was die kant waarheen hulle gaan wegdros. Sê nou hulle het dit in die kop gekry om aan te loop en White tel hulle die dag as die skip kom en vra vir mý waar's die ander? Hy kan maklik omdraai en sê hulle laai nie voor die volle getal nie bymekaar is nie. Die beste sou wees, het ek vir myself gesê, om hulle saans te loop tel: tien loslopers, dis nou saam met Fardini se twee groot seuns, Alberto en Giuseppe; ses vroumense; ses getroude mans; twee jong meisiekinders – ek moes nog met Fardini praat oor Luigia; sewe kinders plus Felitze, nog 'n sonde en ergernis. Christie kon maar aandros, ek sou hom nie keer nie.

Mirjam het amper skemer uit die Bos gekom en met allerhande mooipratery en rondpratery om my kom draai omdat sy goed geweet het sy is in die moeilikheid.

"Pa lyk moeg. Het Pa al 'n bietjie koffie gehad?"

"Ek wil nie koffie hê nie, dis amper etenstyd."

"Dit gaan ryp vannag, Pa."

"Ja."

"Ek het drie strikke gestel en oom Joram Barnard met sy span bo in Gouna-se-sleeppad gekry. Hy sê niemand kan dit op die oomblik waag om bo in Spruitbos te kap nie, daar's 'n gekweste grootvoetbul wat die wêreld uitmekaar breek. Dis glo 'n man uit die Kaap wat geskiet het. Oom Joram sê die bul het oom Anneries 'n volle dag en 'n nag bo in 'n boom vasgekeer gehad. Oom Anneries sê die bul lyk sleg, die lood is voor by die ribbes in en skuins deur en agter op die een boud uit."

"Hulle beter Josafat Stander loop soek sodat hy die dier kan gaat skiet."

"Dalk oorleef hy dit."

"Ja."

"Wat maak ons as hy hierdie kant toe breek?"

"Hy sal nie deur die klowe kom met soveel pyn in die lyf nie."

Sy het haar voorskoot oor die wateremmer gegooi in plaas van dit aan te sit, sy het eers die borde op die tafel gesit en toe die tafel afgevee. Alles agterstevoor.

"Mirjam, jou kop is nie op jou lyf nie! Wat gaat met jou aan?"

"Niks, Pa. Ek het Pontiggia bo by die geelsloot gekry."

"Wat soek hy by die geelsloot? Hulle het hulle eie plek om by water te skep."

Sy het ongeduldig geraak. "Pa, luister asseblief na wat ek wil sê! Hy het met 'n stuk van die geel klei gesit en dit gebrei en nie agtergekom ek is daar voordat ek nie by sy voete gestaan het nie."

"Wat het jy by sy voete gesoek? Hoekom het jy nie verbygehou huis toe nie?"

"Pa, asseblief! Pontiggia het verskriklik ongelukkig gelyk. Toe hy my sien, het hy die klei neergesmyt, opgestaan en weggestap. Wat gaan van hulle word, Pa?"

"Mister White sê self daar's net een uitkoms en dis 'n skip."

"Onthou Pa die grootvoet wat Pa die slag vir my uit klei van die geelsloot gemaak het?" Toe praat sy weer in 'n ander rigting.

"Ek onthou, ja." Dit was toe sy die waterpokke had en ek later nie meer raad geweet het om haar in die huis te hou nie. Toe ek die grootvoet klaar had, toe neul sy omdat die ding nie tande het nie, en dit kos my 'n wildevark loop skiet vir tande en sommer vir vleis ook.

"Pa?"

"Wat is dit?" Daar was 'n ding op haar gemoed, ek kon dit hoor.

"Pa het toe nie een van die lotte gekry nie."

"Nee. Ek het gesê die hoop is skraal."

"En nou?"

"Nou niks. Nou wag ek. Die koue en die reën wat voorlê, sal hulle in elk geval hier wegjaag. Wat hinder jou nog?"

Sy het langs die tafel kom sit en lank voor haar vasgestaar. "Ek wens ek kon met Pa praat."

"Praat waaroor? Van wanneer af kan jy nie met my praat nie?"

"Daar's dinge wat 'n mens nie met Pa kan praat nie."

"Soos wat?"

Sy het weer voor haar afgekyk en toe vra sy vir my 'n eienaardige ding: "Pa, het Pa ooit vir Pa 'n vrou gemaak nadat Ma nie meer daar was nie?"

"Hoe nou?"

"Het Pa ooit na Ma se dood vir Pa 'n vrou opgemaak?"

Ek het stomversteen gesit. Waar het die kind aan sulke dinge gekom? "Waarvan praat jy, Mirjam?"

"'n Vrou, Pa. Iemand wat jy opmaak. Met 'n lyf, met wie jy praat, wat met jóú praat, een wat saam met jou loop, wat vir jou goed is, vir wie jy goed is. Jy maak die een op soos wat jy graag sou wou hê 'n regte mens moes wees. 'n Maak-iemand."

"Dis die vervloekste koerante wat Christie hier laat aanbring van die dorp af en dan vir jou ook kom staat en gee om te lees, wat allerhande goed in jou kop in kom prent!"

Sy't aangehou: "Eintlik wou ek maar net vir Pa gesê het: op 'n dag dan sien jy iemand en skielik weet jy dít is soos jou maakmens is, dít is hoe jy wou gehad het sy gesig moet lyk, en dan het jy nie meer 'n maakmens nie, maar 'n regte mens en is jy baie gelukkig."

Ek het meteens geweet wat sy vir my sê. Ek wou opspring en die geweer vat en Pontiggia loop skiet, want wie anders? "Mirjam, as jy met een van hierdie Italiane deurmekaar raak, is daar moord!"

"Dis nie Pontiggia nie, Pa."

Hoe't sy geweet ek dink dis Pontiggia? Met ander woorde daar was een, sy het dit self erken. Al my voornemens van kalmte was uit my uit, ek wou die tafel met borde en al omkeer, want behalwe Pontiggia was daar hoeveel ander loslopers by die tente. Waar moes ek begin keer?

"Mirjam, hier's genoeg moeilikheid op die platrand, jy kan nie nog kom staan en aansleep nie. Met wie's jy deurmekaar?"

"Pa, asseblief."

"Jy weet wat vir jou voorlê as jy jou nie oppas nie!"

"Pa, luister na my!" het sy vir my geskree en begin huil. "Pa het die ander dag gesê Pa gaan nie vir my vra waar ek was nie omdat Pa nie wil hê ek moet vir Pa lieg nie. Weet Pa hoe bly was ek dat Pa nie gevra het nie, want ek wou nie vir Pa lieg nie. Intussen het ek begin hoop dat as ek mooi met Pa kom praat, Pa sal verstaan en ophou om my gedurig met die grootste onrus dop te hou asof ek 'n skelm is. Ek is nie, Pa. En ek is nie dom nie. Vertrou my, Pa. Asseblief."

"Met wie's jy deurmekaar?"

"Pa het gesê as een my ooit sou vra waar die plek van die lelies is, moet ek omdraai en wegloop. Dis die Bos se geheim. As iemand daar loop trap, trap hy binne-in die Bos se hart."

Ek het daardie aand in 'n onrus loop lê soos ek nog nooit geken het nie. Middernag, toe die een klop, het ek nog nooit 'n oog toegehad nie. As dit siekte by die tente is, het ek vir myself gesê, sal ek moet dorp toe om hulp te soek. Noord, na Spruitbos-se-eiland toe om Mieta te haal, sou g'n mens dit in die nag kon waag met 'n gekweste olifant daar bo nie. As dit Christie was wat kom skuilplek soek, kon hy in die houtkamer loop lê.

Daar was nie siekte by die tente nie. Dit was Josafat Stander. Met lange hare en lange baard en 'n gewaad van duikervel teen die koue, wat tot amper op sy voete hang en met 'n riem in die middel opgebind is. Geweer agter die rug, bladsak oor die skouer en gedaan tot die dood toe. Net die skynsel van die kers in sy twee oë het nog die duiwel in sy lyf verraai.

"Ja," sê ek, "as dit nou dag was, het die Italiane gesê hulle is reg, net rowers en gevaartes hou in die Bos. Kom in. Kom sit. Waar kom jy hierdie tyd van die nag vandaan?"

"Naand, oom Silas."

Mirjam het witgeskrik in die middeldeur gestaan. "Loop trek jou skoene aan en gooi 'n warm ding om jou lyf," sê ek vir haar en skep vir Josafat water om te drink.

"Dankie, oom, oom ken 'n moeë man."

"Wat bring jou hierdie tyd van die nag by my huis?"

"Kos, oom. Ek moet nog tot bo in Lelievlei loop, maar julle sal my eers iets moet gee om te eet. Ek skiet vorentoe vir oom 'n paar bokke vir hierdie klomp tente."

"Gooi hout op die vuur, Mirjam, en kyk lat oom Josafat eet." Toe hy eers by die tafel sit, sien ek hoe sleg hy lyk. "Is jy in die moeilikheid, Josafat?" vra ek.

"Van 'n sekere kant af is ek mos maar altyd in die moeilikheid, oom. Kom daar drie dae gelede by my 'n man aan wat ek nie ken nie, hy sleep sy een been met moeite saam, broekspyp afgeskeur en die been in doeke gewoel en vol bloed. Hy sê 'n tier het hom verskeur en vra dat ek hom moet help om op die dorp te kom, hy's swak, hy't baie bloed verloor. Ek buk oor hom en ek ruik bokbloed, nie mensbloed nie. Ek maak hom gerus en sê ek sal hom op die dorp kry. Toe ek hom bekruip om die spanriem om hom te kry, toe makeer die been niks, toe spook hy soos 'n os en toe weet ek dis 'n boswagter wat hom kom slim hou. Ek het hom goed vasgebind, maar sy bene losgehou en met hom in die pad geval: ek is Meulbos met hom deur tot bo in Skuinsbos, daar het ek weggedraai en is al onder Dwarsberg af met hom tot in Kees-se-bos en daarvandaan op tot oor Buffelsnek en Yzernek, en teen daardie tyd was twee dae verby en kon hy skaars praat. Donkeraand, vanaand, het ek hom in die Main Street op die dorp sitgemaak teen 'n heining."

"G'n wonder jy's op nie, jy kon julle altwee geverongeluk het."

"Hy sal nie gou weer in die Bos kom nie."

"Ja, hy het eendag hier ook na jou kom verneem."

"Hy't oral verneem."

Mirjam het brood en patats en mielies op 'n bord gesit en vir hom gegee. Dit het vir my gelyk hy is te moeg om te kou.

"Ek weet jy sit gedaan," sê ek vir hom, "maar ek sit in groot moeilikheid hier op die platrand. Alle soorte moeilikheid," voeg ek by sodat Mirjam moet hoor.

"Hulle moet die mense hier wegvat, oom, daar kom groot koue aan."

"Dis reg. My vraag is, *wanneer* gaat hulle hulle hier kom wegvat. Die onnooslike Engelsman wat as voorman oor hulle aangestel is, skryf potte ink op Kaap toe, en van die dorp af skryf White, maar van antwoorde hoor jy selde. Intussen lê alles op my en staat hier nog ander moeilikheid ook op waaroor ek nie eers met jou kan praat nie." Ek het reguit na Mirjam gekyk toe ek dit sê, sodat sy kon weet ek sê dit eintlik vir haar.

"Miskien moet oom maar liewer trek."

"Nee. Ek trek nie. Dis my plek hierdie. Jy's 'n man wat by die skippe kom, kan jy nie vir hulle uitkyk vir 'n geleentheid Kaap toe nie?"

"Pa!"

"Bly uit hierdie geselskap uit, Mirjam. Maak die koffie, die water kook."

"Pa het geen reg om dit te doen nie."

"Mirjam!"

"Niemand sal hulle verniet oplaai nie, oom."

"Dit weet ek. Maar as ek jou die lood gee en jy skiet vir my 'n paar grootvoete vir die tande, sal 'n skip hulle seker vir my vat tot in die Kaap?"

"Pa is van Pa se verstand af as Pa dink dat Pa dit kan doen!"

"Ek sal om elkeen se nek 'n ticket hang met die goewerment se adres op," het ek vir haar gesê. Ek het gesweer ek sou dit doen. Josafat het my belowe om uit te vind of 'n skip hulle sal vat in ruil vir 'n bietjie ivoor. Slaapplek wou hy nie vat tot ligdag toe nie; as 'n man eers wild geword het, het hy wild gebly. En dit was net Josafat Stander wat dit nagdonker die ruigtes in sou waag. Ek het die kers gevat en saamgeloop tot op die bosrand waar die voetpad begin, sodat ek immers gerus kon wees dat hy dié gekry het. Toe het ek 'n deurloop by die tente gaan maak. Alles was stil.

As ek net vir hulle geleentheid tot in die Kaap kon kry.

Die Maandagoggend het Christie die order gegee dat die moerbeiboompies in die grond moet kom. Ek sê vir hom ek is daarvan seker dat sy verstand op 'n ander plek as die gewone plek sit. Toe sê hy dis goewermentsorders en dat dit uitgevoer sal word.

"Dan sit die goewerment se verstand ook op 'n ander plek," sê ek vir hom. "Hoekom besluit hulle nie oor hierdie mense se lot nie? Hoekom stuur hulle nie een van die Kaap af om te kom kyk wat hier aangaan nie? Ek sal vir hom wys hoe vlak die potklei lê en hom vra of hy dink 'n moerbeiboom sal wortelvat. Wat is die goewerment se plan?"

"Besluite van hierdie aard is nie maklik nie, Miggel. Ek sal ook nie met enige besluit tevrede wees nie."

Die man kon 'n vernaamheid oor hom kry wat jou wou laat spoeg. "Hierdie mense wil 'n skip hê om hulle huis toe te vat, hulle wil nie jou tevredenheid hê nie," sê ek vir hom. "Hulle kan net so min hier bly as wat 'n moerbeiboom hier sal groei."

Maar die moerbeibome wou hy in die grond hê. Onder op die voet van die platrand, waar hulle meentgrond volgens hom gelê het, dáár moes dit geplant kom. Ek het nie vir hom gevra hoe hy reken hulle die water tot daar onder gaan kry om die goed nat te lei nie, ingeval een bly leef. Hý was die ekspert. Ek het twee bokke loop afslag en by my hout gaan inval.

Dinsdag, laatmiddag, toe plant die Italiane die laaste ry met traagheid in die hande en moedelose gesigte, maar elke ry is reguit en netjies. Een ding het ek van hulle agtergekom: waar hulle iets gedoen het, was dit ordentlik gedoen. Tot donker toe het hulle water gedra en die bome natgemaak.

"Nie uit my geelsloot nie!" het ek hoeveel keer moes praat.

Die Donderdag, so waar as wat die son skyn, toe laat jaag White twaalf vrekmaer osse platrand toe vir die ploeë en die eerste nag vreet hulle al wat moerbei is tot teen die aarde af. Vrydag, toe is twee van die osse weg. En Christie laat hulle met die ploeëry begin. Die aand is die eerste ploeg gebreek. Die Saterdag breek die tweede ploeg en nog twee osse is weg.

"Hoekom sukkel hulle so, Pa?"

"Omlat Christie nie na my wil luister nie. Laat hulle sukkel."

Die Maandag breek die derde ploeg en nog 'n os is weg. En dis koud.

"Jy moet die osse loop soek," kom sê Christie vir my.

"Waar stel Mister voor sal ek begin?" vra ek hom. Teen dié tyd was dinge tussen my en Christie sleg.

"Ek gee nie om waar jy gaan soek nie. Die osse is in hierdie stadium nog goewermentseiendom en hulle moet gekry word."

"Daar's genoeg osse oor om die laaste ploeg mee te breek. Daarna stel ek voor Mister slag vir hulle een solat hulle 'n slag behoorlik kan eet, ek bly nie voor met die vleis nie."

Ek was nes 'n blêssitse voël wat dag in en dag uit gesit het met twee-en-dertig bekke in die nes plus nog Christie s'n ook wat gevoer moes kom. Hoe strawwer die koue geword het, hoe hongerder het hulle gebly. Die weeklikse goewermentsgeld het skaars die winkelgoed gedek: uie sewe sjielings 'n sak, meel twee pond die sak, eiers twee sjielings en twee oulap die dosyn ás jy kon kry; botter en vet, aartappels teen tien sjielings 'n sak, melk by die kan uit Stewart se stal duskant die dorp, want die kinders moes melk hê. Rookgoed, warm kouse, ekstra komberse, 'n beter katel vir Ilario, skoene vir Amêrika en Coccia, klere vir die kinders, suiker, koffie. Met die koffie was hulle nooit tevrede nie, want dit wou nie sterk genoeg na hulle sin trek nie. Knoffel, tamaties was daar nie meer te kry nie, olyfolie by die blik. Ek weet nie of hulle dit gedrink het nie. Fardini het self van die geld boekgehou, Christie moes eenkant staan. Donderdae moes daar vis of palings gevang word vir Vrydae se kos. Die palings het ek self loop vang, want om hulle onder in die klowe by die watergate te kry, was net 'n gesukkel; sonder die leer wou hulle nie loop nie. Teen die einde van Junie het ek twee vislyne gemaak en Lucinetti en Taiani tot duskant die dorp by die meer geneem, hulle geleer om bloedwurms te graaf en vis te vang. Vir Amêrika het ek 'n stewige wip gemaak en hom geleer om saans te luister waar die fisante fluit voor hulle gaan slaap en soggens vroeg die wip op die bosrand te loop stel en op te pas. Partykeer het hy iets gevang, partykeer niks, maar elke veer het gehelp. Elke patat wat die houtkappers gestuur het, elke bok wat Josafat Stander geskiet het.

Nie 'n week nadat Josafat die nag daar by my aangekom het nie, het hy kom sê daar is 'n kaptein wat hulle vir vier grootvoettande tot in die Kaap sal neem. Ek dog Mirjam kom iets oor. En toe ek vir Christie loop sê dat ek vir hulle 'n geleentheid het, dog ek hy vreet my met klere en al op, en hy haas hom dorp toe om my by White te gaan verkla en White stuur *twee* boswagters en 'n konstabel om vir my te kom sê as ek in die grootste moeilikheid op hierdie aarde wil beland, moet ek die wet in eie hand probeer neem. Die *goewerment* sal oor die lot van die Italiane besluit, nie ek nie.

"Wanneer?"

"Dis 'n kwessie van geduld."

Hulle bind my vas dat ek nie kan roer nie. Elke keer as Christie van die dorp af kom, vra ek vir hom of daar tyding is, en elke keer is die antwoord dieselfde: "Nog nie."

Dit word Juliemaand. Soms het ek vir hulle 'n bosvark in die strik gevang en dan was die vroue bly, want dan kon hulle worse maak en die vet uitbraai. Anna Fardini het altyd vir my en Mirjam ook 'n wors gestuur. Lekker wors. Christie sê hulle is ou worsmakers. Die deegkoekies met die gedoentes in die middel wat hulle omtrent elke dag gemaak het, kon geen mens eet nie. Net hulle. En met 'n stuk deeg kon hulle werk soos ek in my lewe nie gesien het nie. Dit was 'n getrek en gerek en gedraaiery totdat dit later nes 'n handvol dun riempies was, en dan is dit net so in die water gekook. 'n Sak meel het nie lank by daardie tente gehou nie.

Kos, kos, kos. Vuurmaakhout by die vragte. Net na die tweede groot reën, toe sê ek vir Christie: tot hiertoe, ek wil drie man hê om te help kap en uitsleep, so nie kan hulle sonder hout bly. Christie het gedink ek praat maar sommer. Hy kom waarsku my twee keer dat die hout so te sê op is, hy vra wat my plan is. Ek gee hom nie antwoord nie. Die Donderdag toe's die hout op en maak hulle met die krummels vuur en kry skaars koffiewater warm. Ek kook die dag beenlym. Ek steur my nie. Christie kom praat, Robolini kom praat en beduie, Mariarosa kom skel, Fardini kom praat. Ek steur my nie, ek sê vir Mirjam: vannag slaap ek in my houtkamer, nie 'n stomp van my sal weggedra word nie. Sy's later in trane, sy sê sý sal my gaan help met die hout. Ek sê vir haar: sit stil.

Halfdag toe kom Christie met Amêrika en Taiani en Coccia en die leer daar aan. Hulle sal gaan help om die hout te kap. En Christie verseker my dat as een van hulle iets oorkom, ek die einde nie sal sien van alles wat my sal tref nie. Ek gee hom nie antwoord nie, ek loop haal die os en span hom voor die slee en sê vir die drie hulle moet kom, dit word laat.

En ek vat die dag Gouna-se-kop se sleeppad na 'n windvalkwar toe wat ek geweet het droog genoeg sou wees vir vuurmaak. Nie ver nie, toe staan die paddastoele langs die pad in die klamte van die bosvloer soos dit maar altyd daardie tyd van die jaar daar staan, en skielik helder die drie Italiane op asof dit 'n wonderwerk is wat daar opgeskiet het. Voor ek kon keer, toe pluk hulle. Hoe meer ek vir hulle skree om hulle pote van die goed af te hou, hoe meer pluk hulle. Dit trek later baadjies uit om die gifgoed in te sit. Oorle ou Karel Swart het drie dae lank op Barnard-se-eiland gelê en sterf van paddastoele eet. Die derde dag moes twee man hom vasdruk sodat hy nie van die kooi af worstel nie. Hulle sê dis 'n vreeslike dood. En die vervloekste Italiane pluk.

Laat-agternamiddag, toe ons die hout uitbring, toe loop sê ek vir Christie van oorle ou Karel, maar Christie is dikbek en aan die briewe skryf, hy kyk skaars op. Ek sê vir hom hulle het duiwelskos gepluk, hy moet loop praat! Maar nee, hy sê hulle het grootgeword met paddastoele, ek moet hulle los. Ek draai om en loop huis toe en sê vir myself: dan moet hulle maar vrek.

Ek sê niks vir Mirjam nie. Ons eet en ons gaan lê, maar toe ek lê, toe worstel ek met my gewete soos oorle ou Karel met die dood. Ek kon die goed by hulle afgeneem het. Kort-kort daardie nag staan ek op en loop luister by die tente of hulle nog slaap en of hulle al begin kerm het. Elke keer as 'n kers in 'n tent brand, of 'n kind huil, bly ek eers staan tot dit weer stil is. Daar was oomblikke wat ek hulle onder op die platrand begrawe sien lê het en die vrede oor die platrand voel terugkom het.

Dis sonde, maar ek kon dit nie help nie. Al wat ek kon hoop, was dat hulle vir Christie ook gegee het om te eet.

Die volgende môre was almal op hulle voete. Nie een het iets oorgekom nie.

En dis koud.

En daar's nie teken of tyding van 'n skip nie. Ek sê vir myself: Silas Miggel, jy moet uithou, êrens moet dit na 'n kant toe. Elke derde, vierde dag laat kap ek kooigoedbos om dit onder die kinders droog te hou. Dae lank bly die strikke leeg, maar ek bekommer my nie, want ek weet hulle het 'n os geslag, ek het die vel gekry. En Willem van Elias van Rooyen kom leen by my 'n slypsteen en hy sê hy het gesien John Barrington koop 'n os van twee vreemdelinge net buite die dorp, dit het baie soos twee van die Italiane gelyk.

Wat oorkant op Poortland aangegaan het, het ek nie geweet nie. Baie dae wou ek my trots opsy skop en 'n dag of twee in die week daar oorkant loop inval vir die loon wat ek bitter nodig had, maar ek kon nie. Daar was nie genoeg dae in die week nie, en daar was Mirjam om op te pas.

Kort voor Julie se einde kom Hal weer een oggend daar aan. Dit was 'n Maandag. Hy sê sy ma het hom gestuur. Nie sy pa nie. Sy vra of ek nie asseblief sal kom help nie, Mister Barrington is ongesteld en alles is tot stilstand.

"Waar's John?" vra ek hom.

"Hy's weg George toe met 'n vrag hout, oom. Die prys is glo beter daar."

"Sê vir jou ma, ek sê, die skip het nou nog nie gekom om die Italiane te laai nie, ek kan nie hier op die platrand los nie."

"My pa is siek, oom. Baie siek. Ons moes laasweek twee keer laat dokter kom van die dorp af."

En op die oomblik is dit vir my vreemd dat Mirjam niks gesê het van Barrington se siekte toe sy die aand tevore by die huis gekom het van Poortland af nie. Amper elke Sondag het sy haar netjies aangetrek en na Imar en Gabrielle toe geloop. Net daar vra ek vir Hal of Mirjam die Sondag op Poortland was. Ek moes weet. Hy sê vir my sy was nie daar nie, sy was maande laas daar.

Jare gelede het ek eendag 'n lelike ding in Lelievleibos oorgekom. Mirjam was klein. Nog nie vyf nie. En altyd as ek gekap het, het ek haar aan 'n lang riem vasgemaak sodat sy wyd kon speel sonder om in die pad van die boom se val te kom. Maar daardie dag laat praat ek my dom van 'n kind se willetjie en ek maak haar nie vas nie. Toe die boom begin skeur vir die val, toe sien ek haar aan die ander kant deur die onderbos kom en al wat ek agterna kon onthou, was dat ek begin skree en hardloop het. Of die boom my platgegooi het en of ek gestruikel het, weet ek nie: toe ek weer tot my sinne kom, toe lê ek met my gesig in die aarde tussen die seweweeksvarings en die boom lê oor my bene. Dit was nie 'n dik boom nie, maar dit was 'n ysterhout en soos 'n berg so swaar, want ysterhout is ysterhout. Toe Jan Helgaard die slag onder die upright beland het, het ons hom uitgegraaf gehad voor hy behoorlik kon skrik, maar ons was ses man om te graaf. Toe ek lê, toe lê ek alleen met 'n kleine kind wat staan en skree vir stuipe kry. Roep kon ek nie, daar was nie 'n sterfling vir myle wat my sou hoor nie. Die kind was te klein om na die naaste eiland te stuur om hulp te haal; al wat sy kon doen, was om vir my die byl nader te sleep en water te gaan skep by die spruit om oor my kop te kom gooi as die wêreld wou swart raak. Ek het myself met die byl se blad uitgegraaf. Ure. Agterna was ek so verrinneweer dat ek op my knieë huis toe moes kruip, die kind op my rug. Gelukkig was niks gebreek nie, nie eers 'n murgpyp af nie.

Toe Hal vir my sê dat Mirjam in maande nie op Poortland was nie, toe voel dit vir my soos die dag wat die ysterhout op my geval het. Jy's platgegooi, jy kan nie op nie. En Mirjam is nie by die huis toe Hal dit vir my sê nie, sy's dorp toe saam met Petroniglia om van die kind te hoor, en miskien was dit die beste sodat ek eers kon opkom en kalmte kry. Hulp moes ek daardie dag van Bo af gekry het, want toe sy by die huis kom, toe sê ek niks. Ek bly stil.

Die Sondag daarna het ek haar laat aantrek en loop. Spaaiery was 'n boswagter se werk en 'n boswagter het nie werk nie, hy's 'n spaai, maar daardie dag het ek afgebuk en 'n spaai geword, want ek moes weet. Ek moes myself uitgraaf onder die kommer en die twyfel oor my meisiekind. Dit kon nie so aangaan nie.

Sy is reguit met Poortland se voetpad in die kloof af. Onder by die rivier het haar spore noord gedraai en kort daarna, net voor die natruigte begin, dog ek ek beswyk, want netjies oor 'n bos hang haar rok en staan haar skoene. Ek moes hurk sodat die naarte wat oor my gekom het eers kon sak. Is my meisiekind dan 'n Jesebel? Ek wou nie verder agter haar aan nie; op daardie oomblik het ek begeer dat die duister oor haar bly omdat ek die lig gevrees het. Was dit dan nie beter om my mooie, opgeruimde, flukse Mirjam heel te hou en weg te draai van die Mirjam af wat ek nie geken of verstaan het nie?

Ek het nie omgedraai nie. Ek het geloop tot waar ek haar gekry het. By Pontiggia. Sy het een van haar ou rokke aangehad en op 'n klip langs die water gesit terwyl hy haar beeld uit 'n stuk van die slootklei met sy hande gemaak het. Sy het nie na hom gekyk nie, maar lug toe asof sy iets aanskou het waarvan haar hele wese gloei. Dit was 'n ander Mirjam.

Toe sy die keer vir my gesê het dit is nie Pontiggia nie, het ek haar geglo. Ek het haar geglo omdat ek haar grootgemaak het om nie te lieg nie. En omdat sy vir my gesê het dit is nie Pontiggia nie, het ek my nie te veel gesteur as hy soms om haar bly draai het nie. Ek het meer teen Taiani begin waak. Die dag toe Mirjam saam met Fardini se twee meisiekinders loop sit en kyk het hoe Pontiggia die vlier bokant die geelsloot snoei dat hy nou nog soos 'n voël daar staan, het ek ook nie gepraat nie. Ek het haar laat sit. Net die week daarna kom ek die middag by die sloot en staan daar die gesnede beeld van 'n vrou, twee voet hoog, uit die klei uit op en nog nat, so vars is sy gevorm. Kaal. Nakend. Tot die nawel in die ronde maag. Die tepels. Die bene onder die heupe se vlees. Alles. Nie eers ek, Silas Miggel, wat twee jaar lank 'n getroude man was, het in my lewe 'n vrou só nakend aanskou nie. Sy het met haar hande agter haar rug gestaan en haar kop geboë asof sy diep in die water kyk. En ek het gestaan asof my eie lyf klei word. Ek wou nader loop om haar om te stamp, maar ek kon nie. Al wat ek gedoen het, was om van die notsungtakke af te breek en die safte blare oor haar skaamte te sit sodat sy immers bedek daar kon staan. Ek het geweet dis Pontiggia se werk. Die nag het 'n bui reën uitgesak en haar genadiglik kom afsmelt, en ek het vir Mirjam gesê ek wou hê sy moet wegbly van Pontiggia af.

As ek haar daardie dag by Sias van Rooyen gekry het, of by Martiens of by John of Hal, kon ek hulle verwilder en gejaag het tot waar hulle hoort, maar tot waar het ek Pontiggia gejaag? Ek kon hom nie eers uitskel op sy eie taal nie. Ek het daar in die onderbos gestaan, nie twintig tree van hulle af nie, en die ysterhout het dwarsoor my hart gelê. Daar was nie uitgraaf nie. Ek kon huis toe loop en die geweer gaan haal en skiet en skiet, maar iets het my gekeer want ek het geweet dit sou Mirjam wees wat ek kwes, nie hom nie.

Ek het omgedraai sonder dat 'n takkie onder my voete kraak en huis toe geloop. Ek was platgegooi, maar my verstand was helder. Ek het geweet wat ek moes doen; ek moes dit die eerste dag, toe hulle daar aangekom het, gedoen het. Ek het die slee agter die houtkamer gaan haal en voor die deur gesleep. En gewag.

Kort na die middag het Pontiggia verbygekom tente toe. Ek het hom nie gegroet nie. Mirjam het eers ure later gekom: beste rok bo-oor die oue en skoene weer netjies aan die voete. Eers toe sy die slee sien, het sy vasgesteek.

"En as die slee nou voor die deur staan?" vra sy.

"Ek wag lat dit middernag word en die Sabbat verbykom."

"Pa?"

"Dan begin jy pak. Ligdag haal ek die os aan en ek vat jou Spruitbos-se-eiland na jou ta' Hannie toe tot tyd en wyl die skip kom."

Dit was of haar hele lyf verstram. "Het hier iets gebeur, Pa?"

"Moenie my vra of hier iets gebeur het nie, middernag pak jy jou goed en ligdag vat ek jou weg."

"Ek bly hier." Dit was soos 'n boom wat sê: ek val nie, al kap jy my.

"Nee, Mirjam, jy bly nie hier nie, jy gaat Spruitbos-se-eiland toe." Ek was die byl en sy die boom; ek sou kap tot sy val, want soos haar ma sou sy nie sterf nie. Tussen haar en Pontiggia sou ek sorg dat daar die diepste klowe kom.

"Ek bly hier, Pa. Ek trek nêrens heen nie."

"Dan beleef ek vandag die dag dat jy teen my wil opstaan?"

"Ja, Pa. Ek bly op die platrand. Ek bly hier by Pa. Pa is my Pa."

Sy wou my saf maak. "Jy kan terugkom as die Italiane weg is."

"Wat het hier gebeur, Pa? Toe ek vanmôre hier weg is, het Pa niks makeer nie, nou is Pa soos een wat sy verstand kwyt is."

"Miskien moet jy my liewerster sê waar jy die hele dag was." Ek het dit gevra asof dit niks is nie. Maar sy moes die wind voel draai het, want haar oë was skielik onrustig. "Was jy Poortland toe, Mirjam?"

Sy het eers stilgebly en my stip aangekyk. Toe antwoord sy: "Nee, Pa."

"Was jy laasweek Poortland toe?"

"Nee, Pa."

Die ergste was dat sy nie gestaan het soos een wat skuldig of in berou is nie. Dit was of sy agter die waarheid ingespring het omdat dit die enigste klimboom is. "Wanneer laas wás jy Poortland toe?"

"Ek kan nie onthou nie."

"Is daar 'n ding tussen jou en Pontiggia?" Ek kon myself nie meer bedwing nie.

"Nie soos Pa dink nie."

"Hoe dink ek?"

"Ek weet nie. Ek weet net dit is nie soos Pa dink nie."

"Loop pak jou goed."

"Pa kan my nie van die platrand af wegjaag nie." Sy het haar staan gestaan. Die boom wou nie val nie. Sy't verby my die huis ingeloop en op haar kooi gaan lê en dit was net so goed soos een wat haar rug op jou draai.

Vyf

Op die nege-en-twintigste van Augustus, die Maandag, het die boswagter die boodskap gebring dat die kind die dag tevore in die Kaap op die skip gesit is. Sy was op pad. Die skip se naam was die *Natal* en hy sou eers by Mosselbaai anker en die Woensdagoggend op Knysna wees.

"Die hoeveelste is dit vandag?" het ek vir die wagter gevra. Ek het goed geweet waar die maand staan, ek wou net hê dat hy dit ook moes weet.

"Dis die nege-en-twintigste Augustus, oom."

"Reg. Kan jy onthou wanneer die Italiane hier aangekom het?"

"Nee, oom."

"Op die elfde dag van Junie. Ek het gister die dae getel: nege-en-sewentig. Die tagtigste vandag."

"Ek kan daar niks aan doen nie, oom. Oom moet maar net nie ophou uitkyk vir tekens van pokke onder hulle nie. Magistraat Jackson is baie onrustig oor die pokke."

Ek het sommer die stuk hout wat ek in my hand gehad het, na die vloeksteen geslinger en as dit raak was, was hy dood. Tagtig dae se ophou was in my lyf. En toe is die man nog ontevrede ook omdat ek hom gegooi het.

"Oom kon my geraak het!"

"Gee pad voor my."

"Oom soek moeilikheid. Ek gaan oom rapport."

"Gee pad, sê ek." Ek moes buk en 'n tweede stuk hout optel voor hy verstand gekry het.

Catarina Grassi was op pad. Tagtig dae se tyding en beloftes was op 'n end. Die een dag het hulle laat weet die kind is van Tomaso af weggeneem en by twee *English ladies* onder die sorg geplaas tot na die volgende skip toe. Dan was die kind weer terug by Tomaso omdat die *English ladies* nie haar taal verstaan het nie. Dan was daar weer nie skipgeld vir die kind nie en moes White eers goewerment toe skryf om te vra dat sy sonder koste gestuur word omdat die ouers en die ander sonder koste tot op Knysna gebring is. Dan kom die tyding dat die kind weer van Tomaso af weggeneem is en *under the care of two immigrant ladies on their way to the Knysna* is, en so was dit week na week totdat ek begin wonder het of die kind ooit bestaan. Intussen het Petroniglia haarself tot niet geloop dorp toe en spookmaer geword. En Catarina was nie haar enigste smart nie; Monica, die oudste van haar kinders, net veertien jaar oud en wat vir haar na die ander drie moes help omkyk het, het agter een van die loslopers, Canovi, aan begin loop. Bogkind. En Canovi was 'n vreemdeling wat langs die pad by hulle ingeval het, soos 'n weglopler. Ek het vir Christie gesê daar gaan 'n ding uitbroei, hy moet praat, maar hy het nie. En vir Ilario moes ek elke veertien dae Mieta gaan haal, of laat roep, om hom weer op die been te kry.

Toe kom sê die wagter Catarina is op pad. En ek, Silas Miggel, het alleen gestaan om die tyding te ontvang, want Christie was in die Kaap. Maar uiteindelik was daar hoop dat iets aan die roer geraak het. Die dag toe hy weg is, het ek vir hom gesê die eerste wat hy doen as hy in die Kaap kom, is om te loop kyk dat die kind op 'n skip kom. Die eintlike rede waarom hy Kaap toe is, was om die goewerment van aangesig tot aangesig te loop sien en te vra wat van die skip geword het waarvoor elke asem in ellende in die tente gesit en wag het. As dit nie vir die son was wat bedags 'n bietjie warmte in hulle kom inskyn het nie, het hulle seker saam met die tente gemuf. Soggens het die vroue al krommer by die tente uitgekom om die vuur opgemaak te kry sodat die kinders kon warm kom wanneer hulle opstaan. Daar was tye wat die reën hulle tot vyf, ses dae in die tente vasgekeer het. Hoe hulle deur daardie winter bly leef het, weet ek nie. Maar só kon dit nie aanhou nie. Brief op brief, en niks. Ek het begin wonder of die goewerment ooit bestaan.

Ek het nie die boodskap van Catarina se koms tente toe geneem nie. Ek het gaan sit en die laaste van die ses stoeletjies waarmee ek besig was, begin riem. Voor donker moes die geld in my hand lê. Van die tagtig pond wat in die blik was die dag toe die Italiane op die platrand aangekom het, was twintig oor. Silas Miggel was op pad na sy maai toe. Keer op keer moes ek hand insteek en uithaal vir winkelkos, vir houtliksens, skoene vir Mirjam, voorskiet aan Christie, want nie 'n pennie van die tien pond 'n maand waarteen hy gehuur was, is al aan hom uitbetaal nie. Brief op brief, maar niks. Nes die skip. Elke keer as hy by White loop kla het, hoor hy daar word op die saak ingegaan, dis 'n kwessie van tyd en geduld. Nes die skip.

Wat van my blyreg geword het, het ek lankal nie meer gevra nie. Blyreg het ek vir myself gevat, want blyreg het ek duwwel verdien. Wat van my en Mirjam moes word as die laaste pennie die dag uit die blik val, het ek liewerster nie oor nagedink nie.

Tagtig dae. En Christie was in die Kaap. Die tien pond waarmee hy weg is, het ek hom óók voorgeskiet. Maar toe die tyding van Catarina kom, toe sê ek vir myself: as dít is wat hy in een week se tyd verrig het, vee ek gewilliglik die tien pond uit, want dan sou hy die res ook uitrig.

"Dinge kan nie so voortgaan nie, Miggel," het hy in die middel van Augustus een Vrydag vir my kom sê toe hy van die dorp af kom. Daar was weer nie pos nie. Weer nie 'n woord se tyding oor die kind nie, nie 'n teken van sy geld nie, nie 'n woord oor die skip nie. White was weg Kruisrivier toe, na die Britse immigrante toe, hy het hom glad nie gesien nie. Op Gouna se platrand by die Italiane het White nie sy voete gesit nie. Hoeveel keer het ek hom nie loop vra om te kom kyk nie, hom gesoebat nie. Hoeveel keer het ek nie gevra hy moet Kaap toe skryf en vra dat hulle iemand stuur om te kom kyk nie. Maar nee. "Daar bly vir my net een ding oor om te doen, Miggel," het Christie die middag kom sê, "en dit is om persoonlik Kaap toe te gaan om my saak te gaan stel."

"Nie jóú saak nie, almal in die tente s'n," het ek hom reggehelp. Ek moes hom gedurig reghelp.

"Dit is wat ek bedoel."

"Dan begin jy nou vir die eerste keer tekens van behoorlike verstand openbaar. As ek jy was, was ek lankal in die Kaap." Mirjam het van die koolbeddings af ingekom en haar kappie agter die deur opgehang. "Maak vir Mister Christie 'n bietjie koffie," sê ek vir haar.

"Is julle nou weer 'n slag vriende?" vra sy my op Hollands en trek die koffiewater oor die vuur.

"Nee, maar dit lyk vir my sy kop het nou uiteindelik begin aankom. Maak vir hom lekker sterke koffie."

"Die Italiane het Pa sinnigheid vir sterke koffie geleer, nè?"

Ek het haar nie antwoord gegee nie. En Christie het gesit soos een wat nie meer die moed had om 'n hand op te lig nie, sy klere was nie meer skoon en glad gestryk soos hy op die platrand aangekom het nie, 'n mens kan maar sê sy angel was geknak.

"Ek kan hulle nie meer hanteer nie, Miggel, hulle bly opstandig."

"Hulle het darem weer gisteraand musiek gemaak," het ek hom herinner.

"Ja. En toe hulle klaar was, het hulle my tent omsingel en van mý die dag en datum geëis wanneer die skip kom om hulle huis toe te neem. Hulle het mý kom beledig en gesê ek het geen vriende in hoë kringe nie, daarom sit ek saam met hulle soos barbare in die wildernis en in 'n tent. Aan die ander kant verwag White van my om toe te sien dat die kontrakte waaronder hulle gewerf is, uitgevoer word tot tyd en wyl daar oor hulle 'n besluit geneem word. Die goewerment verwag dat hier ten minste 'n poging aangewend moet word om 'n sybedryf te vestig."

"Hoekom sluk jy alles? Hoekom bly jy nog hier?" Ek het hom 'n ding gevra waaroor ek lankal gewonder het.

"Ek is nie 'n man wat 'n taak halfpad los nie, Miggel, ek het my eer en verantwoordelikheid. Daarby skuld die goewerment my geld en is grond aan my toegesê. As daar vry passate aan hulle gegee word en ek moet hulle terug huis toe vergesel, sal ek dit beslis oorweeg om terug te kom en my grond te kom benut."

"Los dit, jy sal nie hier aard nie. Het jy geskryf en gesê die laaste eiers het ook uitgebroei, lat hulle dié ook begraaf het?"

"Ja. Maar wat help alles? My gesondheid is besig om agteruit te gaan, Miggel, dis onmenslik dat daar van my verwag kan word om deur al hierdie reën en koue in 'n tent te moet bly."

Mirjam het haar vinnig omgeruk van waar sy gestaan het. "Die Italiane is met kinders en al in die tente!" het sy vir hom gesê.

"Dis reg. Maar Italiane is geharde mense. As julle die tonnels sien wat in hulle land onder die berge deur gegraaf is, sal julle weet wat ek bedoel. Lande soos Amerika het duisende Italiane ingevoer om vir hulle spoorweë te kom bou, juis omdat hulle so taai is van tonnels graaf."

"Hierdie spul lyk nie vir my na tonnelgrawers nie," het ek vir hom gesê.

"Reg, hulle is syboere, maar hulle is nog altyd afkomstig uit geharde mense."

"Tent is 'n tent, maak nie saak oor wie se kop hy is nie. Jy moet kyk lat jy in die Kaap kom, solat húlle hier kan wegkom. Klim op die poskoets, hulle sê dis net ses-en-dertig uur, dan staat jy in die Kaap."

"Ek het nog geen salaris ontvang nie, ek het nie 'n pennie op my naam nie."

"Jy krap darem elke keer 'n pennie vir 'n koerant uit as jy op die dorp kom. Ek het al hoeveel keer vir jou gesê om nie die oues vir Mirjam te kom gee nie, sy lees net haar kop vol verkeerde dinge."

"Pa is laf."

"Ek is nie laf nie, jy kan skaars vandag nog glo wat 'n man met sy mond praat, wat nog te sê van wat hy op pampier skryf?" Ek was sommer van voor af vies oor die koerante en het Christie net daar weer aangespreek. "Jy steek die goed in die vuur, jy bring dit nie vir Mirjam nie!"

"Wees redelik, Miggel. Op die oomblik is dit my enigste verbinding met die beskawing. Julle besef nie hoe agterlik julle in hierdie Kolonie is nie. En dan praat ek nie eers van hierdie wildernis van 'n bos nie."

"Los jy nou maar onse Bos en kyk lat jy in die Kaap kom. Loop vind uit watter dae die poskoets ry."

"Ek verkies om per skip te reis."

"Nou loop klim dan op 'n skip en kry klaar. Sorg net dat jy by die goewerment uitkom en vir hulle loop sê dat hier nie 'n moerbeiboom sal groei nie, dat die Italiane huis toe wil gaan, dat Catarina by haar ma moet kom. Sê vir hulle Silas Miggel sê hy het nou genoeg gehad van ander se onnooslikheid. Jy loop sê alles, jy laat nie 'n woord uit nie."

"Ek is gewoond aan onderhandelings." Hy was skielik weer

vol van sy ou vernaamheid. "Ek sal nie omdraai voordat ek nie my saak ten volle gestel én satisfaksie gekry het nie."

"Nie jóú saak nie, die hele saak. Van begin tot waar hy staan."

"Dit is wat ek bedoel het."

"Mirjam, skink Mister Christie se beker vol en gooi vir hom baie suiker in, hy gaat krag nodig hê."

"*En* geld om mee in die Kaap te kom," het sy onderlangs geterg.

Dinge tussen my en Mirjam het goed gegaan solank ek nie getorring het aan wat in haar hart omgaan nie. Die een dag het die onrus oor haar 'n bietjie laat skiet, die ander dag het dit my beetgekry en soos 'n gifsweer in my kom sit. Die eerste Sondag nadat ek haar en Pontiggia onder in die kloof gekry het, het sy haar ewe luiters aangetrek en my kom groet waar ek agter die huis gesit het met die Bybel.

"Pa se middagkos is reg, Pa kan net Pa se koffie maak."

"Waar gaat jy heen?"

"Pa kan saamloop as Pa wil, ek gaan Poortland toe. Ek lieg nie vir Pa nie, ek het nooit regtig vir Pa gelieg nie, Pa het elke Sondag maar net aangeneem ek gaan Poortland toe."

"Waar wás jy elke Sondag?"

"Na die lelies toe."

"Moenie met my raaisels praat nie, Mirjam."

"Ek loop nou, Pa."

Daardie dag wás sy Poortland toe. Die aand toe sy by die huis kom, had sy 'n emmertjie melk by haar wat Mrs Barrington vir die Italiane gestuur het, en 'n boodskap van Mister Barrington om te sê ek hoef nie weer daar oorkant te kom uithelp nie. Poortland het goed sonder my klaargekom. Ek het geweet dis 'n lieg.

Waarheen Mirjam ander kere weggeraak het, het ek nie geweet nie. Soms was Pontiggia by die tente as ek loop kyk het, soms was hy nie by die tente nie.

Die dag toe Christie met sy trommel in die hand wegstap om op die dorp en op die skip te kom, het ek hom nie sonder onrus nie agterna gekyk. Christie was Christie, maar sonder tolk kon dit neuk as daar regtig moeilikheid kom. Solank dit by die gewone dinge bly, het ek nie probleme verwag nie. Van die kinders het al klompe Hollandse woorde geken wat Mirjam hulle in die kastige skool onder die kalanderboom agter die huis geleer het. Ek het haar hoeveel keer aangepraat oor die gespelery, maar verniet. Die kinders was klaar bederf. Ten einde het ek my voet neergesit by drie maal 'n week, en nie naby my huis of my heinings nie. En ook nie in die Bos in nie, want netnou het hulle mak geraak vir die ruigtes en moes ek loop kleingoed soek. Aan die een kant het die skoolspelery gehelp om die kinders besig en onder die voete uit te hou. Vir die vroue was daar genoeg om te doen: elke tweede dag het hulle die tente uitgepak en reggepak. Verder het hulle gedurig kosgemaak, en daar was baie wasgoed.

Christie is die Vrydag weg. Die Maandag toe kom foeter die eerste moeilikheid. Ek, Robolini en vier ander was besig om takke te kap vir 'n heining op Fardini se lot. Daar moes kos in die grond kom. Hulle kon nie so aanhou werkeloos sit nie. Op Robolini se lot had ons klaar 'n kampie reg en sy mielies het al vingerhoog gestaan. Té veel kampe kon ons nie aanvoor nie, want op die platrand moes elke mieliepit of pampoenpit of patatrank 'n heining om hom kry as jy nie wou hê die wildegoed moes jou uit alles uit vreet nie. Verder moes daar volgens die water gespit en geplant word: bly die reën vorentoe weg, moes die water wat daar is, gedeel word en mý goed sou ek nie laat verdroog nie, dit het ek hulle mooi laat verstaan. Ek het nie 'n sjieling op 'n dag gekry om op terug te val nie. En elke sooi wat omgekeer is, het nog mis ook gevra. Gelukkig het hulle gou geleer om nie dorp toe te loop sonder sak en skepding nie; die Main Street was lank en elke os of perd wat op of af, het mis beteken. Cuicatti en Taiani het lotte geruil sodat Cuicatti een in die oopte kon hê om iets op te plant. Taiani het reguit gesê hy traak nie waar sy kastige lot lê nie; as die skip nie voor Krismis kom nie, loop hy in elk geval aan. Ek het vir Christie gesê om vir hom te sê solank Silas Miggel op die platrand is, sal daar nie een vooruit aanloop nie, die volle getal sou op die skip kom. Ek het van die begin af gesien Taiani het nie erg nie. Sy hande bly in die sakke en sy oë dorpskant toe; ek was verbaas dat hy by die vuurmaakhout se kap ingeval het.

Ons was die middag amper klaar met die takke vir Fardini se heining toe Anna Fardini daar aankom en ek sommer aan haar praat en aan haar hande sien daar is iewers fout. Fardini se jongste seun, die een van ag jaar wat Mirjam gesê het so slim is in die "skool", het kom tolk met die woorde wat hy had, en toe kom dit uit dat Petroniglia vroegoggend weg is dorp toe om te gaan verneem na die kind en dat sy nog nie teruggekom het nie. Sy het nooit so laat gekom nie. Ek het die hele dag gemerk sy is nie daar nie; ek dog Ilario is seker weer op die rug en dat sy by hom in die tent is. Hoeveel keer het ek nie bygestaan dat Christie haar moes belet om alleen dorp toe te loop nie, maar ore had sy nie: as sy wou loop, het sy geloop. As daar tyding was, het een van die konstabels dit op 'n papier geskryf en het sy dit vir Christie kom gee.

"Signor Miggel sal haar soek?" het Pietro gevra. Hy was nogal 'n mooi kind. Goeie gesig. Die ander het saam met hom vir die antwoord gestaan en wag.

"Ja," sê ek, "signor Miggel sal haar gaat soek en haar aan haar nek huis toe sleep. Wat van julle sal word as signor Miggel die dag nie hier is nie, weet ek nie."

Ek was sommer vies. Die son was laag en my lyf gedaan van daglank se takke kap en aansleep en heining pak, en nou moes ek nog dorp toe ook. Nie een van die Italiane het vorentoe gestaan en aangebied om self te gaan nie, daarvoor het die son te laag gesit. Elke einde van die dag, as die bosrand begin swart raak van die skaduwees, het nie een dit 'n voet verder as 'n tentpen gewaag nie. Aan die Bos sou jy hulle nooit gewoond kry nie. Behalwe Amêrika en Coccia en Taiani, wat my met moeite gehelp het om die vuurmaakhout te kap, het nie een van hulle dit in die Bos gewaag nie.

Ek het my baadjie aangetrek en in die pad geval. Christie het my op 'n dag vertel dat die Italiane honderde jare gelede klaar hulle bosse uitgekap het. Hulle was nie mense vir bosse nie, hulle was mense vir klip. Alles in hulle land is van klip. Kerke, alles. En nie klein soos die Engelse kerkie op die dorp wat ook van klip is nie, hulle kerke is so groot soos paleise, het Christie gesê. En vol gesnede beelde van klip daarby. Honderde kerke, duisende beelde. Alles van edelklip. Blinke klip. Huise, alles.

Strate ook. Dalk het Christie gelieg, dalk is dit waar. Daar was dae wat ek gewens het ek kon Fardini self invra; hy was nie net die oudste onder hulle nie, maar 'n mens kon sien hy is 'n man van verstand.

Ek het Christie eendag na Pontiggia uitgevra. Toe kom dit uit dat Pontiggia nie 'n syboer is nie, maar 'n wewer. 'n *Journeyman weaver*, het Christie my ewe vernaam ingelig. 'n Trekwewer. Seker 'n trekvoël, het ek vir myself gesê. Volgens Christie het hy van plek tot plek geloop en ingeval waar 'n weefstoel oop was. Dan weef hy vir 'n paar weke of 'n paar maande, en loop weer aan. Hy was glo nogal 'n gekende wewer in die omgewing van 'n plek met die naam Firenze. Hy het saam met die syboere gekom omdat hy gedink het hy sou mettertyd 'n klein weefmeul begin. Sy broer het 'n weefstoel besit en sou agterna kom sodra die syboerdery begin voorspoed toon. Petroniglia sou ook vir Pontiggia gewerk het. Sy was weer die een wat hulle 'n *throwster* genoem het: die een wat ses of ag kokonne in die water week tot die drade loskom en dan van die drade een draad spin waarmee daar geweef kan word.

Ek het haar teen Gouna se steilte, duskant die drif gekry: ek teen die steilte af, sy teen die steilte uit. Voet vir voet met haar lyf vorentoe gegooi vir die klim, ingedagte, sonder opkyk. Ek het op my hurke gaan sit en haar ingewag.

"Petroniglia," sê ek toe sy 'n paar tree van my af is en sy skrik in haar spore tot stilstand. Haar hare was soos toutjies wat 'n week laas gekam is, haar skoene verslons en haar tjalie sommer om die lyf geknoop. "Dis laaste keer lat ek die pad vat om jou te kom soek." Of ek self te gedaan was om te skel, kan ek nie sê nie, maar daar was skielik nie krag in my woorde nie. Sy het haar kop laat sak en daar gestaan soos een wat in elk geval nie omgee of sy geskel word nie. Hoe lawaai jy met so 'n mens? "Hierdie ding moet 'n einde kry," sê ek vir haar en ek praat mooi. "As Christie nie iets uitgevoer kry in die Kaap nie, moet jy aanvaar dat Tomaso haar nie gaat afgee nie. Jy sal dan maar moet wag tot julle self weer in die Kaap kom om die groot skip huis toe te kry en haar self by hom loop uithaal. Maar tot dan toe moet jy na jou man en jou ander vier kinders omkyk. En na jouself. Dit help nie ek sorg dat jy die lewer en die longe kry elke keer as ek vir julle bok afslag, en jy tel nie op aan jou lyf nie. Kyk hoe maer is jy."

"Signor Miggel?" Sy het die papier waarop die konstabel soos gewoonlik geskryf het, uit haar sak gehaal en vir my gegee.

"Ek kan nie Engels lees nie, Petroniglia. Mirjam sal moet lees en Pietro sal moet tolk." Daar was nogal baie geskryf op die papier, meer as gewoonlik. En Mirjam moes kers opsteek om te lees, want toe ons op die platrand kom, was dit donker. Die konstabel het laat weet dat Mister Alfred Brown van Knysna in die Kaap is en dat hy ingewillig het om die kind tot op Knysna te *escort*. Die nodige reëlings is reeds getref. Sodra Mister Brown se sake afgehandel is, word die kind saam met hom op die skip Knysna toe gesit.

Pietro het getolk en die ander het gejuig. Toe Petroniglia begin huil, toe val Mirjam ook weg. Ek sê vir haar sy moet maar stadig met die trane, die volgende tyding sal seker weer wees dat die kind weggehardloop het. Maar die Maandag daarna toe kom sê die wagter die kind is die vorige dag gelaai. Ek het net so met my werk aangegaan. Mirjam het onder van die mieliekamp af opgekom huis toe.

"Wat wou die wagter gehad het, Pa?"

"Catarina is gister gelaai. Die skip anker eers by Mosselbaai en sal Woensdag hier wees."

Sy het haar vingers stokstyf voor haar uitgesteek en my bevlieg. "Pa sit met die tyding en Pa maak of dit niks is nie! Pa maak nie eers 'n plan om dit vir Petroniglia te loop sê nie?"

"Nee. Want ek sal dit glo as die kind voor my twee oë staan."

"Ons moet dit vir haar sê, Pa! Ek sal Pietro gaan haal om te tolk."

"Jy bly net waar jy is, niemand gaat haar sê nie."

"Maar ons móét. Dis haar reg om dit te weet!"

"Mirjam, jou kop werk al nes Christie en White se koppe. As ek dit vir Petroniglia loop sê, val sy in die pad dorp toe vir ingeval die skip tot hier gespring het. Môre loop sy weer en elke keer moet ek my werk los om agterna te loop. Sodra ek hier klaar is, vat ek die stoeletjies dorp toe, en sal ek self by White loop hoor of dit die regte tyding is wat hier aangekom het. As dit is, sal ek die kind Woensdag loop haal en haar bring tot by haar ma. Ek ken Mister Brown aan die gesig. Die swart pot wat daar agter onder die bos lê en waarin die janfrederik nesgemaak het, het ek die slag by sý winkel gekoop. Nie 'n jaar gevat om deur te brand nie." Toe ek opkyk, staan Fardini se jongste meisiekind, Luigia, by die heininghek.

"Môre, signor Miggel!"

"Wat wil jy hê?"

"Moenie so kortaf wees met die kind nie, Pa!"

"Nou's sy skielik 'n kind. Ander dae sê jy ek moet my uithou as ek praat oor haar gelopery agter Cuicatti aan."

"Signor Miggel!" Sy't weer geroep. "Niks meel."

"Het Mirjam jou nie geleer om asseblief te sê nie?"

"Signor Miggel, asseblief, niks meel."

"Ja. Ek sal bring."

As hulle die dag gewaar het ek trek die slee voor die huis vir dorp toe gaan, is die kinders op 'n ry gestuur om te kom sê wat alles op is. Dan had nie een voete om dorp toe te loop om die winkelgoed te gaan koop en uit te dra platrand toe nie. 'n Sak meel op die skouer teen Platbos se kop uit het 'n sterk man se knieë laat swik; teen Gouna se steilte het rugbreek vir jou gewag.

Die volgende een wat hulle gestuur het, was Roberto, Robolini se oudste kind. "Signor Miggel, niks meel, niks suiker, niks vet, niks asseblief dankie signor Miggel."

"Het jy kom versie opsê?"

"Hy kan nie hoor wat Pa sê nie, sy ore is vol notsungblaarpluisies, Pa het gesê dit mag nie uitkom voor môre nie."

"Hou dit in tot oormôre." Hy het die oorpyn kwaai gehad.

Een ding sal ek van hulle sê, en dit is dat hulle hulle kinders skoon gehou het. Net reëndae het die tenttoue nie vol wasgoed gehang nie. Anderster mense. Jy ken hulle aan die bas soos jy 'n witpeer of kwar of kalander ken, maar tot in die hart ken jy hulle nie. Alles moes in rye staan, binne die tente, buite die tente; elke mieliepit het presies in die grond gekom, elke bedding was haaks tot op 'n aks. Christie het eendag gesê hulle is bang vir die Bos juis omdat alles so deurmekaar verstrengel is.

Ek het sommer vir hom gevra of hulle miskien dink die Here had tyd om myle der myle se bome in rye te staan en plant, of die onderbos te knip dat dit 'n heining is. Lawaaierige mense. Dit was gedurig 'n geroep of 'n gesing of 'n gefluit, maar raas moes dit altyd.

Die volgende een wat heining toe gekom het met sy order, was Amêrika: "Goeiemôre, signor Miggel!" Dit was tyd dat sy hare gesny kom, sy klere was ook aan die klaar raak.

"Môre, Amêrika. Hoe gaan dit?"

"Goed, signor Miggel. Niks geslaap, baie koud. Uie en meel alles op, signor Miggel."

"Ek sal bring. Loop sê solank vir Fardini om die geld reg te kry." Amêrika was weer die môre onnooslik. "Soldi! Soldi!" het ek vir hom gesê, en toe hy omdraai, staan Mirjam vir my en lag.

"As die goewerment nie opskud nie, praat Pa nog een van die dae Italiaans ook," sê sy.

"Ek is meer bekommerd lat hulle almal sal Hollands praat teen die tyd lat die skip kom."

"Kan ons nie maar vir Petroniglia sê van Catarina nie, Pa?"

"Nee. Loop haal die geld by Fardini en kry die ander se orders, of hulle kom aanmekaar hier oor my heining lê. Ek gaan nou die os aanhaal."

Ek het die stoeletjies by Smit se stoor loop aflaai en 'n uur gewag voor ek my geld gekry het. By White se kantoor was dit amper nog 'n uur voor hy sy werk kon neersit om met my te praat. En die eerste wat hy vra, sommer botweg, is waar Christie is.

"Mister weet mos hy's in die Kaap, vir wat vra Mister nou vir my?"

"Ek het hom nie verlof gegee om sy pos te verlaat nie."

"Hy't vir my gesê Mister weet hy gaan Kaap toe."

"Dis nie te sê dat ek hom daartoe verlof gegee het nie. Die Grassi-kind is gister aan boord van die *Natal* geneem en sal Woensdagmôre vroeg hier wees."

"Dis hoekom ek hier is, om te kom hoor of dit nou uiteindelik die waarheid is, of weer 'n gerug."

"Sy is Woensdagmôre hier en moet in ontvangs geneem

word. Ek sal kaai toe gaan om haar by Mister Brown te kry, maar ek sien nie kans vir die tog uit Gouna toe nie."

"Ek het lankal agtergekom Mister sien nie meer kans vir Gouna nie, dis hoekom Mister nie weet wat daar aangaan nie. Dit help ook nie ek sê julle moet skryf lat die goewerment 'n man stuur om te kom kyk nie."

Hy het hom geërg. "Al wat van die platrand af kom, is eise en klagtes, klagtes en eise. My geduld is op, Miggel!"

"Myne ook, Mister. Maar immers kan ons in verligting staan noulat Mister Christie darem al die kind op 'n skip gekry het. Dit laat 'n mens vir die res ook hoop kry."

"Dit is mý vertoë wat die kind op die skip gekry het, nie Mister Christie s'n nie."

"Dan beter Mister net aanhou vertoog, want dinge gaat nie beter raak daar bo nie, dit gaat slegter raak. Julle moet hulle wegvat."

"Miggel, ek dink jy moet eendag saam met my na Kruis River toe gaan, na die Britse immigrante toe wat dáár grond gekry het, sodat jy kan sien wat mense doen as hulle net wil. Hulle kry dit ook swaar, hierdie is vir hulle ook 'n vreemde land, hulle het nie osse en ploeë gekry nie, aan hulle word nie weekliks 'n toelaag uitbetaal nie. Hulle het uitgespring en begin houtkap om te verkoop; 'n hele paar het selfs werk op die dorp gekry."

"Mister," het ek vir hom gesê, "vir die Italiane wil ek nie staat en opkom nie, maar miskien het Mister vergeet lat die Engelse nie van hulle land af hierheen gelok is om met sywurms te kom boer, en belieg is met 'n moerbeibos nie; en soos dit vir my klink, is húlle nie vir die Bos bang soos die Italiane nie. Hoe dink Mister moet die Italiane gaan werk soek as hulle nie eers kan yes of no nie? Dis maklik vir Mister om te praat, dis ék wat daar bo met die gemors sit terwyl die res wag lat die goewermentswiel moet brieke kry. Dit voel vir my party dae daardie wiel gaat nie stop voor die wa nie van die kranse afgeduiwel het nie."

"Ek het jou al hoeveel keer gesê om jou nie in te meng met dinge waarvan jy geen begrip het nie, Miggel! Reg aan die begin het ek jou gewaarsku dat immigrasie 'n ingewikkelde proses van wette is wat nie sommer herroep kan word nie. Ek erken dat die poging om 'n sybedryf op Gouna te vestig, misluk het, maar dit verklaar nog nie die immigrasiewette nietig nie. Daar moet nog altyd volgens die regte prosedure gehandel word en dit neem tyd."

"Dit kan Mister weer sê. Dit het tagtig dae geneem om Catarina Grassi op 'n skip te kry van die Kaap af. Maar as ek op hierdie oomblik vir kaptein Harison hier langsaan in sy kantoor loop sê dat Martiens Botha besig is om hout uit te sleep waarop die boswagter se merk nie is nie, is die wet voor vanaand in die Bos."

"Waar sleep Martiens die hout uit?"

"Hy sleep nie hout uit nie, ek het hom maar net vir 'n eksampel gebruik om Mister te wys lat daar vinnige wette en stadige wette is en lat ek swaar kou aan party. Terwyl julle prosedeer, gaat dit afdraand met my; deur julle is ek my loon oorkant op Poortland kwyt, en het daar nog nie 'n druppel heuning in 'n blik geval nie, en het ek soveel soos twee stinkhoutbome vir myself gekap en uitgesleep. My geldblik staat blinkboom, want elke pennie wat ek vir die stoeletjies kry, moet verbyhou winkel toe. Hoe ver het Mister met my blyreg gekom? Staat dit al op pampier? Ek vra maar net, ek het in elk geval lankal my blyreg verdien en gevat."

"Miggel, ek waarsku jou, moenie Mister Christie se manier begin uithaal nie."

"Wat se manier?"

"Hy wil vir ons hier in die Kolonie kom voorskryf hoe dinge gedoen behoort te word en terselfdertyd eien hy vir homself die een reg na die ander toe. Dit sal nie geduld word nie."

"Ek sien Mister skram van my blyreg af weg. Los dit maar. Hoe laat is julle die skip môre te wagte?"

"Vroeg."

"Wat vir julle dorpnaars vroeg is, is vir ons in die Bos al kwartdag."

"Sorg jy maar net dat jy op die kaai is om die kind te ontvang."

"Ek sal daar wees, Mister."

En ek was lank voor hóm daar. 'n Yl mis het nog oor die meer gelê en die wêreld was vaal en stil. Teen die kante van die klipkaai het die kabbeltjies halsoorkop bly breek en spat en 'n seemeeu het eenkant gesit nes 'n ding wat te verkluim is om op te vlieg.

Daar was nog nie 'n teken van 'n skip nie. Seker die mis wat gekeer het dat hy sy pad van die see af deur die koppe kry om tot in die meer te kom. Die gety was reg. Wind was daar nie, maar die *Natal* het nie wind nodig gehad nie: hy had nie seile nie, net 'n skoorsteen. Hoeveel keer moes ek nie vir Barrington kom goed haal wat met 'n skip saam op pad was nie, en dan daglank wag tot die water en die wind reg was vir die deurkom as dit 'n skip met seile was. Hulle sê John Benn, die loods onder by die koppe, sou 'n vis voorkeer as hy kon wanneer die water nie na sy sin was nie. Kwaaie ou man. Die gevaar is die twee riwwe waar alles moet oor om in die meer te kom.

Dit het later begin woel op die kaai; al meer mense het van die dorp se kant af aangekom en in die mis kom staan en tuur om te kyk of hulle al iets gewaar. Tussen die koppe en die kaai het 'n hele paar myl gelê. Barrington het eendag iets gepraat van 'n nuwe kaai wat gemaak gaan word, een van hout. Dit sou goed wees, die oue kon nie meer alles dra nie. Stapels hout het die plek vol gelê en wag vir die skippe om te kom laai. Baie hout. Mooie hout. Stinkhout, geelhout, assegaai, witpeer, rooiels, witels. Bloedsweet uit die Bos. Netjies bewerk, want anders gee die houtkoper jou min meer as niks. Vloerplanke. Balke. Dwarslêers. Telegraafpale. Hier en daar 'n stinkhoutstomp nog net so in die bas. Hout. Hout. Hout.

Die mis het begin yler raak en die son stadigaan laat deurkom.

"Môre, Miggel, ek is bly om te sien jy is hier." Dit was White.

"Ja, ek is hier. Môre, Mister White."

"Konstabel Hall het nou net te perd van die koppe af gekom; hy sê die loodsboot is reeds deur om Mister Benn te gaan aflaai by die skip vir die deurkom, hulle behoort nou enige oomblik hier te wees."

"My oë is op die water."

"Ek sal aan boord gaan en die kind by Mister Brown kry en haar dan hier na jou toe bring."

"Ek sal wag."

Voor ek by die huis weg is, het ek vir Mirjam gesê om die pietersieliebos-treksel reg te hou om vir Ilario in te jaag vir die skrik as ek met die kind daar aankom. Vir Petroniglia ook. Dis nou ás die kind op die skip is. Mirjam het tot op die laaste bly neul dat ek vir Petroniglia moes sê, of dat ek vir Fardini moes saamneem om met die kind haar taal te praat. Maar ek wou Catarina Grassi met my eie oë van die skip af sien klim voor ek dit glo. *As* sy op die skip is, het ek vir myself gesê, is daar hoop dat die dag wat ek met hulle almal op die kaai sal staan, nie meer ver weg is nie. Ek sou vir hulle 'n lekker sak patats en 'n goeie klompie winddroog vleis saamgee. Die meeste het gelukkig klaar matrasse gehad waarmee hulle hier aangekom het; in die onderklas, waar hulle gery het, moes elkeen vir sy eie lyf sorg, of op die kale plank lê, het Christie gesê. Ek sou kyk dat die matrasse vroegtydig vars gestop word van kooigoedbos, en as ek hulle die dag laai, sou ek self 'n mondvol van die pietersieliebos-treksel moes vat sodat die verligting my nie plattrek nie.

Nie dat ek gedink het al my bekommernisse sou saam met hulle op die skip klim nie. Die pad wat vir my en Mirjam voorgelê het, sou nie 'n safte een wees nie. Maar immers was dit 'n pad wat ek al die jare geweet het vir my voorlê met haar. By die geldblik sou ek ook nie in 'n maand of twee se tyd ingehaal kry nie, dit sou twee man se werk op 'n dag van my vra om in te haal, maar liewerster dit as twee-en-dertig siele vir wie daar aangesleep en aangedra moes word. Drie-en-dertig as die kind op die skip is. Vier-en-dertig as ek Christie ook byreken. Vyf-en-dertig, ses-en-dertig as ek my en Mirjam ook tel. Dit was nie speletjies vir een man nie.

Daar het 'n roering tussen die mense gekom, stemme het opgegaan en hande het begin waai. Uit die wasem uit, swart en tydsaam, het die skip gekom. Diep in sy lyf het die enjins egalig gestamp, die rook uit die skoorsteen was vaalwit en dik soos 'n nathoutvuur se rook. Al nader, nes 'n ding wat self sy pad gevat het, al helderder uit die laaste mistigheid, al stadiger totdat die enjins skielik ophou en hy die laaste entjie vanself tot by sy lêplek dryf. Toue het deur die lug getrek en is handig op die kaai gevang en om die bolders gegooi. Op die skip self was dit stil, amper nie 'n mens op die dek nie. Gewoonlik het hulle soos vinke oor die relings gehang om te waai. Dit was snaaks, waar was al die mense vir wie almal gekom het om te wag? Langs my het 'n Engelse vrou haar hande om haar mond gebak en dek toe begin roep: "George? George?" George wou nie antwoord nie. 'n Seeman het oor die reling kom leun en afgekyk. "Have you got Cape Town passengers on board?" het die vrou geroep. Die man het sy skouers opgetrek. Ek het maar so saamsaam met die bondel beweeg tot waar die loopplank moes sak. White was voor in die ry en langs hom het ek Brown se vrou herken en moed gekry: sy sou nie daar gewees het as haar man nie op die skip was nie. Nie dat dit wou sê die kind is op die skip nie. Hoofkonstabel Ralph was ook in die voorste ry en toe die plank sak, was dit net hy en White en nog twee man wat permissie gekry het om op die skip te gaan. Die ander moes onder wag.

En White en Ralph was nie lank op die skip nie, toe is hulle al weer af. Die mense drom om hulle en vra: "Where are the passengers? Where are the passengers?" Ralph praat met die voorstes en White kom deur na my toe en ek sien sommer op sy gesig nog 'n dag van Silas Miggel is in sy maai, en ek voel die ergernis in my kop in stoot.

"Jammer, Miggel," sê White, ewe haastig, "al die Knysnapassasiers is gisteroggend op die *Teuton* gelaai en nie eergister op die *Natal* soos eers berig is nie."

"Kom, stront, Mister!" Om te dink dat ek die woord vir hom gesê het, maar ek het nie gekeer nie. "Donkervoordag is ek by die huis weg om vroegoggend hier te wees en nou kom staat jy al weer met nuwe tyding. Jy't dan vir my gesê die telegraaf het laat weet die kind is op hierdie skip. Lieg die telegraaf nou al nes julle?"

Ek het gesien hy word kwaad. "Luister, Miggel, ek is nie in beheer van skeepvaart nie!"

"Waar's die kind?"

"Sy sou op hierdie skip gewees het. Die kaptein sê hulle het tot Sondagoggend toe gewag dat die *Teuton* moes aankom van

Engeland af omdat daar nog passasiers aan boord was wat moes Knysna toe kom. Toe die skip nie uitkom nie, is daar besluit om al die Knysna-passasiers te laat oorstaan vir die *Teuton* wat in elk geval verbykom Port Elizabeth toe. Die skip het Sondagaand in die Kaap aangekom en is Maandagoggend weer uit."

"Waar's Catarina?"

"Op die *Teuton*."

"Waar's Mister Brown?"

"Ook op die *Teuton*, sy is onder sy sorg."

"Hoe lank moet ek nou hier bly staan voor die *Teuton* aankom?"

"Die *Teuton* kan nie hier by ons aandoen nie, Miggel, hy is te groot om deur die koppe te kom. Hy seil verby Port Elizabeth toe en sal die Knysna-passasiers daar aan wal sit. Die *Natal* is ook op pad Port Elizabeth toe, hy laai hulle dan weer daar op en kom laai hulle met die terugkom af."

Ek moes goed luister om by te hou. "Met ander woorde, dis nou net so goed ek laai 'n vrag hout vir die dorp, maar ek hou eers verby tot by Diepwalle en daar laai ek die hout op 'n ander wa en ry dan in dieselfde spoor terug dorp toe daarmee."

"Ek het jou al hoeveel keer gewaarsku om nie oor sake te probeer redeneer waarvan jy nie kennis het nie! Skeepvaart is nie houtkap nie. Die *Natal* is vandag oor 'n week terug en jy sal sorg dat jy hier is om die kind te ontvang as Christie nog nie terug is nie."

Kort na halfdag was ek by die huis. "Sien jy nou waarom ek nie vir Petroniglia wou sê nie?" het ek vir Mirjam gevra.

"Ja, Pa."

"Sien jy nou lat ek nie altyd verkeerd is soos wat jy wil staat en voorgee nie?"

"Ja, Pa."

Sy was lank nie Bos toe nie. "Skink vir my 'n bietjie koffie, ek moet loop kyk hoe ver hulle met die heining is, daar moet nog takke ook gekap kom. As ek nie op die bosrand by hulle staan nie, doen hulle niks."

"Pa weet mos hulle wil nie alleen so naby die Bos kom nie. Hal was hier."

"Dis nou die derde keer wat hy hier was as ek nie by die huis is nie. Lê hy op die loer daar van oorkant af met sy pa se kykbuis om te sien wanneer ek my rug draai?"

"Hy sê Mister Barrington wil Pa dringend sien. Dis nie oor werk nie, Pa, Hal sê dit gaan glad nie goed met Mister Barrington nie."

Snaaks, die begeerte om Poortland toe te gaan, het al hoe meer in my begin praat. Elke keer het ek dit bestry en my kop weggedraai, maar as ek my weer kom kry, dan praat die begeerte weer. Is dit dalk 'n voorteken? het ek vir myself gevra. Is die engels dalk op pad om Barrington vir die hiernamaals te haal? Is die engels dalk op pad om mý te haal? Die gedagte het 'n skrik en 'n beknelling oor my gebring. Wat word van Mirjam as ek iets moet oorkom? Waarvan moet sy leef?

"Ek sal môre 'n plan maak om op Poortland te kom."

"Sal Pa dit regtig doen?"

"Ja."

"Ek is bly, Pa. Ek weet dit hinder Mister Barrington dat Pa vir hom kwaad is. Dit hinder Mrs Barrington net so."

"Wat sal dit Barrington traak lat ek vir hom kwaad is?"

"Dit hinder Pa ook."

"Dit hinder my nie, ek het nie sywurms aangehou nie."

En tog, daar kom 'n dag en 'n tyd wat 'n man moet regmaak wat skeef staan, al is dit ook vir jou bitter om dit te doen. Die mens is sterflik. Ek het my voorgeneem om Poortland toe te loop en Barrington die hand te loop gee, al het dit in my hart gebrand om al wat Italiaan is saam te sleep en voor sy deur te loop staanmaak.

"Coccia en Pietro Cruci het struwel gehad terwyl Pa weg was. Hulle het amper geslaan."

"Waaroor?"

"Ek kon nie uitmaak nie. Mariarosa het hulle uitmekaar gekry."

Ek het lankal agtergekom dat die wagtery op allerhande plekke en maniere begin foeter. Ek moes hulle eerder laat kampe maak en laat spit het. Anna Fardini en Petroniglia was al 'n slag aanmekaar oor kindermoeilikheid, Canovi en Borolini was aanmekaar oor 'n sak meel wat Borolini duskant die dorp laat val het. Taiani het 'n slag sy goed uit die tent gevat en vir hom 'n takskerm onder op die platrand loop maak; die eerste nag toe ryp die wêreld stokstyfwit en moes hy maar weer terug tent toe en by die ander drie in. Dit was te opgeprop in die tente, het ek gesê, 'n mens kan nie heeldag en aldag die een in die ander se asems sit sonder dat daar geblaas en gebyt gaan word nie.

Ons het tot skemer toe takke gekap en aangesleep. Uitvaltyd toe sê en beduie ek vir hulle dat ek die volgende môre eers Poortland toe gaan en dat hulle solank moes inval en aangaan met die heining se pak, daar was genoeg takke.

Mirjam het 'n fisant in die pot gehad wat sy by Amêrika afgerokkel het en patats onder die as. Die huis was uitgeskrop en alles op die plek. Nie 'n teken van 'n nuk of 'n gril was in haar nie en tog was daar in my die eienaardigste gevoel van onheil. Het iets my Poortland toe gejaag om Barrington te gaan groet? Of was dit sodat hy mý kon groet? Ek het my verbeelding aangesê om teë te hou; vyftien jaar lank het my voete padgetrap Poortland toe, dit was nie te sê dis onheil wat my terugjaag nie. Tussen my en die honourable Barrington was daar op ons manier vrindskap, al was hy hoog en ek laag.

En Mirjam moes iets agtergekom het, want vroegaand wou sy weet wat my kwel.

"Sommer al die dinge," sê ek vir haar.

"Die kind sal Woensdag op die skip wees, Pa sal sien."

"Dis nie oor die kind wat ek my sit en verkommer nie, dis oor wat van jou moet word as ek iets oorkom."

Sy was oombliklik onrustig. "Hoekom sê Pa so?"

"Ek weet nie, dis net 'n gevoel wat oor my gekom het."

"Wat se gevoel?"

"Wat van jou moet word as ek iets oorkom."

"Pa moenie so praat nie. Pa is die een wat altyd sê: wat jy praat, is wat jy kry."

"Waarvan gaat jy leef?"

"Ek kan spit en plant, ek kan 'n strik stel, ek kan my eie vuurmaakhout kap, ek kan skiet."

"Jy kan nie sonder geld leef nie, daar's winkelgoed wat gekoop moet kom. Klere. Ander dinge. Wat moet van jou word as ek nie daar is om op die uitkyk te staan vir die gate waarin jy kan beland nie? Jy sien in niks kwaad nie. Hoekom lê Pontiggia se spoor voor my deur?"

"Pa kyk fyn."

"Jy kan nie met 'n slagyster speel en dink sy tande gaat jou nie bykom nie."

"Ek is nie dom nie, Pa. Ek weet hoe lank en hoe ver ek kan speel."

"Mirjam!" Die kind het onbehoorlik gepraat.

"Waarheid is waarheid, Pa. Ek mag 'n vuur aanpak, maar ek mag nie te naby sy warmte kom nie al kry ek hoe koud." Sy het nie eers probeer om die bitterheid in haar weg te steek nie en het dit skaamteloos gesê. Ek het opgestaan en 'n nuwe kers in die blaker gesit.

"Belowe my dat jy nie Pontiggia sal vat as ek iets oorkom nie."

"Ek sal niemand vat nie, Pa. Pa hoef nie bang te wees nie."

"Is dit Pontiggia?"

"Gaan Pa nou weer begin?"

Of is dit dalk tóg Hal? het ek vir myself gevra.

Ligdag, die volgende môre, het Fardini my kom roep. Wat hy gesê het, het ek nie heeltemal verstaan nie, maar ek het geweet daar is iets verkeerd by die tente en hy wou my dringend daar hê. Suutjies, sodat die ander nie agterkom nie.

Dit was olifantspore. Oral om die tente. Voordag se spore, voordag se mis. Dit was een olifant se spoor: Oupoot s'n. Die grootbul van die Bos, die baasolifant. Geen mens het sý spoor gekry sonder dat elke haar op jou lyf regop gaan staan nie.

Die spoor het reg agter die tente uit die Bos gekom en is op dieselfde plek weer terug die Bos in. Asof hy net deeglik inspeksie kom doen het.

"Gaan haal die swaargeweer, Mirjam," het ek gesê. Sy het agterna gekom en tussen die verskrikte Italiane, wat klaar uit die tente was, gestaan.

"Dis Oupoot se spoor, Pa. Pa bly weg van hom af! Wat soek hy hier?"

"Loop haal die geweer, ek moet gaat kyk watter kant toe hy is." Ek sou nie van die platrand af kon weg voor ek nie geweet het nie.

Ek het seker 'n uur op sy spoor gebly en die hele tyd was ek reg vir vlug of klim, want skiet sou ek alleenlik as dit nie anders kon nie. Josafat Stander het eendag met sy eie mond aan my erken dat daar net een bul in die hele Bos was waarteen hy nooit sy geweer sou lig nie, en dit was Oupoot. Jy skiet nie 'n koning nie, het hy gesê, en Josafat Stander is 'n man wat vir min respekte het. Die naaste wat ek ooit Oupoot se spoor aan die platrand gekry het, was bo in Lelievleibos. Nog nooit nader nie. Wat het hy nou skielik op die platrand kom soek? 'n Olifantbul wat alleen loop, het ander dinge in die kop as een in 'n trop. Oupoot het al jare alleen geloop.

Ek het bo by Gouna-se-kop omgedraai, maar ek was nog altyd nie gerus nie. Poortland sou moes wag vir 'n ander dag. Ek kon Mirjam nie alleen op die platrand los met daardie olifant in die omtrek nie. Nooit.

En die volgende dag het ek ook nie op Poortland gekom nie, want toe reën dit en Petroniglia sien kans om in die nat weer dorp toe te peuter agter tyding van die kind aan. Dit kos my toe die heeldag my oë op haar hou om te keer dat sy nie wegkom nie.

"Sê vir haar die kind kom Woensdag, Pa. Sê vir haar dis nog net vyf dae," het Mirjam weer begin neul.

"Nee."

Ons het die dag kooigoedbos gekook vir hoesgoed, want die helfte van die kinders het geloop en hoes, en ek kon nie elke keer vir Mieta loop medisyne vra nie, elke druppel het geld gekos.

Die volgende môre, die Saterdag, is ek ligdag weg om die strikke na te loop en ek kry twee mooi bokke om vir hulle af te slag. Josafat Stander het meer as twee weke laas vir my iets geskiet en gebring. Elke kooksel wat ek van 'n ander kant af gekry het, het gehelp.

Toe ek by die huis kom met die bokke, toe sit Oberholtzer, die boswagter, lekker aan my tafel met 'n beker koffie en 'n koue patat en ek erg my op my nugter maag.

"Nou kan Silas Miggel sê 'n spaai het aan sy tafel gesit en uit sy beker gedrink," trek ek sommer los.

"Môre, oom."

"Het jy laasnag in die Bos geslaap lat jy hierdie tyd al in my huis sit?"

"Nee, oom. Ek is vroeg uit die dorp uit weg, Mister White het my gestuur om oom te kom roep."

"Te kom roep vir wat?"

"Hy sê oom moet dringend dorp toe kom."

"Loop sê jy vir hom ek is op pad om twee bokke af te slag en dan gaat ek Poortland toe."

Dit was kompleet of die mannetjie skielik benoud word. "Oom kan nie vandag Poortland toe gaan nie, Mister White het gesê ek moet kyk dat oom onmiddellik in die pad val."

"Vir wat?"

"Ek het geen magtiging om oom in te lig nie. My opdrag is om die boodskap hier te kry en toe te sien dat oom op die dorp kom. Dis baie dringend."

"Ek dink Pa moet loop hoor wat dit is."

My mond was al oop om te sê ek gaan nêrens heen behalwe Poortland toe nie, toe die gedagte skielik in my opskiet: sê nou dis tyding van die Italiane se skip? Oor wat anders kon hy my so dringend laat roep? Catarina was op die *Teuton* en die *Teuton* was nog op pad Port Elizabeth toe. Waaroor anders? Stadig, het ek vir myself gesê, jy wens nou in die wind, maar ek was skielik haastig om op die dorp te kom.

"Drink leeg jou beker lat ons kan loop," het ek vir die wagter gesê. "En hou op om my dogter so skaamteloos te sit en bestaar!"

"Pa!"

"Gee aan my skoene, Mirjam. As White my vanmôre vir niks laat roep, is daar moeilikheid. En jy hou die swaargeweer by jou en jou oog oor die tente." Ek was nog lank nie gerus oor Oupoot nie. "Kyk lat die takke gekap kom; staat by hulle met die geweer, want dis al hoe jy hulle gerus sal hou."

Teen die tyd wat ek Gouna se drif deur was, was die wagter só ver agter dat ek hom nie eers meer gesien het nie. Wag sou ek nie vir hom nie, want ek loop nie soos 'n bandiet saam met 'n wagter die dorp in nie. Ek is saam met hom by die huis weg om hom van Mirjam af te kry.

Dit was Septembermaand, maar die lug was nog winterkoud.

Barrington het my eendag vertel dat die bome van die bosse in Engeland, waar hy vandaan kom, elke winter al hulle blare afgooi, nie soos hier waar die Bos heeljaar groen staan nie. Tog voel dit elke jaar vir my of die Bos met voëls en al staan en insluimer hier van Meimaand af tot September toe. Eers as die piet-my-vrou begin wyfie roep en die lawaaimakertjies begin tooi-tooi-tooi, kan 'n man spit en plant, want dan is die Bos en die wêreld weer wakker. As White my *dalk* laat roep het omdat die skip op pad is, moes die Italiane die heinings en die plantery los, dan was dit net 'n mors van goeie mis. Die oomblik wat hulle vort is, sou ek ten minste drie dae in die week oorkant op Poortland loop inval en die ander dae vir die stoeletjies uithou, en vir die heuning. Een ding was seker: ek sou baie kos wen, want die Italiane se groentekampe sou vir mý agterbly.

Toe ek op die dorp kom, toe staan daar orals groepies mense in die Main Street rond: voor die poskantoor, voor magistraat Jackson se kantoor, voor White se kantoor. Almal met stroewe gesigte en die meeste met koerante, party al lesende oor die ander se skouers. Ek hou verby, want ek weet daar is weer die een of ander ding in die koerant om 'n pennie uit elkeen se sak te kry. As Christie daar was, sou ek moes koerant koop en uitdra platrand toe en boonop hoor ek bring die ding verkreukel daar aan. Ek het eendag reguit vir hom gesê ek het hom nog nooit met die Bybel sien sit nie, maar gereeld met 'n koerant wat hy van voor tot agter deurlees en dan vir Mirjam kom gee sodat sy ook konsuis kon weet wat in die wêreld aangaan. Vir wat? Ek het vir hom gesê 'n mens het niks te doen met wat in die wêreld aangaan nie, jou taak is om te weet wat op jou eie werf aangaan. Het die wêreld miskien geweet wat op die platrand aangaan? Nie eers die goewerment het geweet nie, want hoe moes hulle geweet het as hulle nie een gestuur het om te kom kyk nie?

Daar was sekerlik die een of ander ding in die koerant, want tot op White se tafel het een oopgeslaan gelê toe ek inkom.

"Mister het my laat roep. Ek was op pad Poortland toe."

"Môre, Miggel." Hy was stroef soos die mense in die straat. "Kom nader, my vriend, die dorp is in skok en rou gedompel."

Ek het half geskrik. Dalk het magistraat Jackson beswyk, gaan dit deur my kop. Maar dan sou die dorp nie in rou gestaan het nie. "Het daar iets gebeur?" vra ek.

"Het jy nog nie die nuus gehoor nie?"

"Wat moes ek gehoor het? Ek het reguit tot hier gekom en voor die deur vir konstabel Hall gesê ek is geroep."

"Die *Teuton*, Miggel, die skip waarop Catarina Grassi is, het vergaan."

"Vergaan?" Die skip het vergaan. Gesink. Ek het dit gehoor, maar my kop het dit nie gevat nie.

"Ja. Die skip het nie Maandag vertrek, soos ons eers verneem het nie, maar Dinsdag, die dertigste Augustus, om tienuur die môre. Uit die Kaap. Volgens die eerste berigte het hy dieselfde aand omstreeks halfag by Quin Point, sestig myl van die Kaap af, teen 'n rots geloop. Meer as tweehonderd mense het omgekom, onder wie vier-en-veertig immigrante wat van Engeland af op pad was hier na Knysna toe. Plus die vier Knysna-passasiers wat in die Kaap aan boord gegaan het, en onder wie ons geliefde en geëerde Mister Alfred Brown was."

"Waar's die kind?" Ek het agtergekom ek staan my kop en skud. "Waar's Catarina?"

"Ek is bevrees sy is ook nie onder die handjievol oorlewendes nie. Die eerste wat die wêreld van die ramp verneem het, was Woensdagmiddag toe 'n reddingsboot met veertien drenkelinge aan boord teen halftwee die middag Simonsbaai gehaal het. Kort daarna het nog 'n boot met dertien mense aan boord uitgekom. Twee skepe is onmiddellik uitgestuur om na oorlewendes te soek, maar het net wrakstukke gekry. Donderdagoggend, eergister, het 'n derde boot die Kaap gehaal. Op hom was nege drenkelinge. Dis al."

"Waar's die kind?"

"Sit, Miggel, jy's bleek."

"Waar's die kind, vra ek." Ek het nie gaan sit nie.

"Ek dink nie jy begryp wat ek sê nie. Net een Knysna-passasier het die ramp oorleef, 'n sekere William Barrett, een van die immigrante wat hierheen op pad was."

"Was die kind ooit op die skip?" Die tyding wou nie tot in my kop nie.

"Sy was. Dit is vanoggend per telegraaf bevestig en haar naam is hier in die koerant ook. Alfred Brown was in die fleur van sy lewe, Miggel, 'n man wat vroeg sonder vader agtergelaat is en vir sy moeder en broers moes sorg. Daar was nie 'n dag wat hy nie sy plek in hierdie dorp vol gestaan het nie. Hy het met soveel ywer sy besigheid opgebou. 'n Diep Christen wat sy kerk getrou gedien het. Skielik is hy nie meer in ons midde nie, en bly sy vrou met drie jong kinders agter. Die hele gemeenskap betreur sy tragiese heengaan."

Net daar vat ek duiwel. "Maar nie een van julle sal Silas Miggel betreur wat siel-alleen moet terug platrand toe om die tyding te loop gee lat die kind in die hemel aangekom het in plaas van by die kaai nie! Julle sit en kerm oor Mister Brown asof hy al een is wat getel is. Wie sê die kind is nie op een van die skuite wat uitgekom het nie?"

"Die name van die oorlewendes is reeds bekend. Daar is net een vrouepersoon wat die ramp oorleef het en haar naam is Lizzie Ross."

"Mister, ek staat verlam van lyf en verstand, maar nogtans sê my kop vir my: Dinsdag, Woensdag, Donderdag, Vrydag, en vandag is Saterdag en die tyding is nou eers platrand toe gestuur? Hoe verstaan ek dit?"

"Daar was probleme met die telegraaflyne en verwarring oor die Knysna-passasiers omdat hulle oorspronklik op die *Natal* oorgeplaas sou gewees het. Ons moes eers vir alles bevestiging kry."

"Wie sê die kind is nie nog by Tomaso nie?"

"Haar naam is op die lys van oorledenes. Sy wás op die skip."

"Hoe dink Mister moet ek dit vir Petroniglia loop sê?"

"Daaroor spreek ek vandag my berou uit. Die feit dat Mister Christie nie vandag hier is om as tolk die taak op hom te neem nie, sal onmiddellik aan Mister Laing in die Kaap gerapporteer word."

"Wat sal dit help? Kan dit die kind laat uitspoel en lewendig word? Wie sê daar is nie nog skuite op die water waarop die kind kan wees nie?"

"Daar is nie, Miggel. Die skepe wat uit was om te gaan soek, het reeds met sekerheid omgedraai."

Ek wou dit nog nie glo nie. "Gee vir my daardie koerant lat ek Mirjam self laat lees," sê ek vir hom, maar dis of hy onwillig is om die ding af te gee. "Dis maklik vir Mister om hier agter die tafel te sit en die tyding uit te deel, dis ék wat dit vir Petroniglia moet loop wegbring."

En die tyding het my eers buite die dorp, op pad platrand toe getref: die skip het gesink en Catarina Grassi het iewers onder die see geverdrink gelê. Weggegee of gesteel, dit het nie meer saak gemaak nie, die kind was daarmee heen. Weg. Geverdrink. En ek was die een wat dit moes loop sê, en toe kry ek nog die simpele boswagter ook onder Platbos se kop.

"Ek sien oom is al weer op pad terug."

"Ja."

"Ek verstaan daar was een van die Italiane op die skip wat vergaan het."

"Ja."

"Oom moet tog maar gedurig oom se oë oophou vir tekens van pokke onder hulle. Die gevaar is aan die toeneem."

"Loop skyt."

Bo teen die rand het ek sommer 'n pietersieliebos met wortels en al uit die aarde getrek en saamgedra. Mirjam sou moes kook dat ons genoeg het om hulle in te gee vir die skrik. Kon die skip nie gekyk het waar hy ry nie? Hoe die duiwel moes ek dit vir hulle gaan sê? By 'n blêssitse jêmpot wurms het dit begin, waar moes dit eindig?

In my domheid en nood het ek eendag vir Christie gevra wat 'n skipkaartjie Italië toe kos, omdat ek gedink het 'n man kon dalk self 'n plan maak as die goewerment dan nie wou nie. Toe sê hy tot in Londen kos dit twaalf pond as jy derdeklas koop. Maák dit vyftien pond tot in Italië, het ek gesê en die som rofweg bereken: vierhonderd pond as hulle die kinders vir halfprys laai. Sewe pond tien minder noudat Catarina af was, want ek het haar ook bygereken gehad. Nie dat dit verskil sou maak nie, daardie soort geld was nie op die platrand nie. Al hoop was dat Christie met tyding van 'n skip sou terugkom.

Mirjam het die bokke klaar afgeslag gehad en was besig om die vleis te deel. Ek het eers niks gesê nie, net gesê sy moet haar hande was en die koerant vir my kom deurkyk totdat sy iets sien van 'n skip wat vergaan het.

"Hoekom, Pa?" Sy was oombliklik agterdogtig.

"Kom lees vir my, jy sal sien."

Ons het by die tafel gaan sit en met die eerste omblaai toe kry sy dit: "Hier staan: *An Awful Shipwreck. Total Loss of the Teuton*." Ek sien haar skrik. "Is dit dan nie die skip waarop Catarina is nie, Pa?"

"Nou weet jy waarom ek dorp toe geroep was. Sy's saam onder." Toe Mirjam begin huil, toe keer ek. "Jou oë moet droog bly solat jy vir my kan lees wat daar van die kind geskryf staan voor ek die tyding kan loop wegbring!"

"Pa, dit kan nie waar wees nie."

"Dit is. Lees lat ons kan weet wat van die kind geword het."

"Hoe gaan Pa dit vir Petroniglia sê?"

"Ek weet nog nie. Lees."

Sy't swaar gelees. Die langdradige beskrywing wat hulle daar gegee het, was vol vreemde woorde wat nie een van ons verstaan het nie. Eers was dit van hoe groot die skip was, dat dit eenduisend aghonderd perde sou kos om hom te trek en dat hy vroeër 'n ander naam gehad het. Toe sê hulle die skip het teen 'n sandbank vasgery. White het gesê dit was teen 'n rots. Net daarna toe sê hulle een van die oorlewendes het gesê die skip se dokter het gesê dit was 'n klip wat in die propeller gekom het. Hoe kon 'n klip in 'n propeller kom? Toe sê hulle net sewe-en-twintig het die ramp oorleef en die wal gehaal. White het gesê: eers veertien, toe dertien, toe nog nege. Dis sesen-dertig. Toe sê Mirjam miskien is die koerant geskryf voor die laaste nege uitgekom het. Dit kon wees.

"Lees vir my wat hulle van die kind sê. Waar was sy? Wat het van haar geword?" Dit was van die kind wat ek wou weet.

"Ek kry nog niks van haar nie, Pa. Dalk was sy nie op die skip nie."

"White sê sy was. Lees verder."

Toe was dit lang lyste name van almal wat in Engeland opgeklim het, en eers heel aan die einde van die lys het hulle die vier wat in die Kaap opgeklim het Knysna toe, genoem: Miss C. Grassi, Mr Krom, Mr Brown, Mr Rindeman.

"Wat nog?"

Die res was van alles wat die mense wat met die skuite uitgekom het, gesê het. Van die jonge Lizzie Ross wat haar pa en haar ma en haar sustertjie verloor het en hoe sy in die see gespartel het en bly roep het: "Save me! Save me!" Toe begin Mirjam weer huil. Ek sê vir haar sy moet ophou, ek moet weet van die kind. Maar daar was niks verder nie, net haar naam by die opklimslag.

"En nou, Pa?"

"Waar's Petroniglia?" Daar was nie meer uitstel nie.

"Ek het haar sien verbystap geelsloot toe met haar wasgoed. Ek sal Pietro gaan roep sodat ons Pa kan kom help om dit vir haar te sê."

"Nee. Ek sal haar alleen loop sê. Jy moet vir Fardini loop sê, en hy moet dit vir Ilario sê. Vat die pietersieliebos-treksel wat daar nog is, en kom kook nog as jy klaar is. Hulle gaat baie nodig hê."

Petroniglia het kaalvoet op haar hurke by die sloot gesit, haar rok se moue was hoog opgestoot, 'n stuk wasgoed het tussen haar hande geskuim. Ek het hulle hoeveel keer die geelsloot belet, maar as ek my rug draai, is hulle daar.

"Petroniglia?"

"Signor Miggel!" Daar het 'n blyheid oor haar gekom toe sy opkyk en my sien. Ek het tot by haar geloop en die woorde het skielik taai geword in my mond. Hoe moes ek dit vir haar sê?

"Petroniglia," sê ek, "ek staat met slegte tyding voor jou." Sy moes iets in my stem of aan my gesig agtergekom het, want die stuk wasgoed het uit haar hande gegly en in die sloot geval.

"Ilario?" Sy het stadig opgestaan. "Ilario, signor Miggel?"

"Nee. Nie Ilario nie. Catarina. Sy is afgesterwe. Geverdrink." Dis nie 'n ligte ding om die dood te moet staan en koggel nie; al manier waaraan ek kon dink, was om my kop te knak en my tong te laat uitval. Sy het geweet wat ek sê. Ek kon dit aan haar sien. En sy het doodstil bly staan, regop, met haar voete in die natte klei nes die beeld wat Pontiggia die slag gemaak het. Al verskil was dat sy 'n rok oor haar naaktheid aanhad. Toe ek gewaar dat sy wil kantel, vat ek haar aan die arm en probeer haar uit die nattigheid trek. "Jy moet op jou voete bly, Petroniglia," sê ek vir haar, "jy moet by Ilario kom." Die beste sou wees om haar op te tel en tent toe te dra, maar ek kon nie. As 'n man sewentien jaar lank 'n vrou nie aangeraak het nie, word iets in hom sku. "Staat regop, Petroniglia!" As sy val, was dit in die klei en haar rok bemors. Al wat ek kon doen, was om haar aan haar arm staande te hou. "Bring jou voete, Petroniglia, ons moet by die tente kom." Sy het nie geroer nie, haar oë het stokstyf oop gestaar, kompleet of sy sonder 'n traan staan en huil.

"Signor Miggel?"

"Die kind was op 'n skip en die skip het gesink, maar Fardini sal dit vir jou sê, ek weet nie hoe nie. Ek weet net lat ek op hierdie oomblik in jammerte voor jou staan omlat ek van my verstand af sal gaan as my Mirjam iets moet oorkom. Bring jou voete, Petroniglia." 'n Loerie het vlak in die Bos begin kok-kok-kok; omtrent saam daarmee het die verskriklikste geskree by die tente opgegaan asof 'n vroumens ineens van dolte oorval is. Ek het geskrik. Petroniglia ook. Ek het die rukking duidelik deur haar lyf voel gaan. "Kom!" het ek vir haar gesê en toe sy nog nie wou roer nie, het ek haar van agter af aan die skouers gevat en haar voor my uit gestoot, vinniger en vinniger want die geskree het nie bedaar nie. Halfpad het Anna Fardini en haar dogter, die een wat met Mangiagalli getroud was, ons van voor af ingehaal, en hulle het Petroniglia aan weerskante gevat en vir my gewys ek moes by die tente kom.

Die tyding het oor almal se gesigte gelê. Die geskree het uit Cruci se tent gekom. Mariarosa, het ek vir myself gesê en verbygehou na die vuurmaakskerm toe waar die emmers met die skepwater gestaan het en die volste een gevat. Ek het lankal agtergekom dat Mariarosa aan die opgee is; ek het met Christie daaroor gepraat en hy het gesê dis van huis toe se verlangste.

Sy het in die middel van die tent gesit, vorentoe en agtertoe gewieg en met elke vorentoe het sy asem geskep en met die agtertoe dit uitgeskree soos een wat vergeet het wat sy doen. Om haar het haar man en Mangiagalli en Tomé en sy vrou, Antonia, gestaan en niks wat hulle gedoen het, wou haar laat ophou nie. Eers toe ek die water oor haar uitskiet, het sy haarself tot stilte gehyg.

Lucinetti en Borolini was by Ilario in die tent. Elke keer as hulle die komberse van sy gesig aftrek, het hy sy kop weer toegetrek en soos 'n lyk gelê. Toe die twee vroue met Petroniglia kom, het hy op sy sy gedraai en met sy kop in die kussing begin huil.

Mirjam het ek agter die laaste tent gekry. Haar vlegsel was los en haar oë rooi van die huil. Fardini en sy seun, Pietro, en Cuicatti en Pontiggia was by haar.

"Hulle verstaan van Catarina, Pa, maar hulle verstaan nie wat ek sê wat gebeur het nie." Sy was moedeloos.

Ek het 'n stok opgetel en voor hulle voete op die grond 'n merk gemaak en gesê: "Cape Town. Kaap."

"Sì, sì, signor."

Van die merk af, voor hulle voete verby, het ek 'n lyn met hobbels vir branders getrek en toe weer 'n merk gemaak: "Knysna."

"Sì, sì, signor."

Toe het ek op my manier 'n skip onder die branders en op sy kop geteken en mense wat uitval en party wat klaar onder lê en gesê: "Catarina."

Hulle het hemel toe geroep en kruise voor hulle bors getrek. Hulle het verstaan.

Dit was die Saterdag. En die Sondag was dit swart van die rou by die tente. Die Maandag het Christie teruggekom. Sonder tyding of belofte van 'n skip. Die goewerment het hy maar skraps te sien gekry, want om by hoë gesag uit te kom, het hy gesê, het beplanning en tyd gekos. Tyd het hy nie genoeg gehad nie: toe hy van die *Teuton* verneem en dat Catarina op die skip was, het hy hom teruggehaas om die nuus aan die ouers te kom oordra en hulle by te staan.

"Wat is stront op Engels, Mirjam?" Ek was witkwaad.

"Pa!"

"Jy't jou met ou nuus teruggehaas, onnooslike Engelsman!"

"Pa skel op Hollands, hy verstaan nie."

"Ek is te kwaad om op Engels te dink. Vra vir hom of hy 'n Ier is, dalk is hy 'n Ier. Barrington sê altyd 'n treurige Engelsman is net een vinger beter as 'n treurige Ier."

"Ek gaan dit nie vra nie, Pa."

Ek het vir hom gevra wat al die moeite en onkoste help as hy nie met die waarheid by die goewerment uitgekom het nie. "Hoe kan jy met kale hande hier aankom?"

"Ek het my beste gedoen, Miggel."

"Het jy jou geld uit hulle gekry sodat jy myne kan teruggee?"

"Daar word op die saak ingegaan."

"Kêk, man, kêk! Ek glo nie meer daardie inganery nie. Wat het jy van die kind uitgevind? Haar ma wil weet of sy geslaap het toe die skip gesink het, of sy afgespring het, of daar iemand was wat na haar omgekyk het."

"Julle is almal ewe onredelik. Jý verwag van my om wonderwerke te verrig. Die Grassi's verwag van my om te weet wat met hulle kind agter op die see op 'n skip gebeur het. Ek is net 'n mens, Miggel! Ek kan jou die versekering gee dat ek die konsul van Italië, Mister W.C. Wright, gesien het en dat hy belowe het om hierdie hele saak tot in die Parlement te voer."

"Ek tel nie meer beloftes op nie, Mister Christie," het ek hom reguit gesê. "Nie van jou nie, nie van White nie, nie van die goewerment nie. Toe ek die slag vir hulle 'n geleentheid tot in die Kaap gekry het, het julle vir my gesê ek wil die wet in my eie hande neem; as ek dit gedoen het, het die kind nie nou onder die water gelê nie. Al wat ek vandag verder van jou wil weet, is of dit teen die wet is as ek vir hulle die volle skipgeld neersit tot by die huis."

"Waar gaan jy die geld kry?"

"Ek sal dit kry. Ek vra of dít ook teen die wet sal wees."

"Nee."

Ek het geweet my voete sou nie draai voor hulle nie op Poortland trap nie.

Die honde het eers vir my geblaf toe ek oor die werf kom en toe platlyf kom skuur van skaamkry. En Mrs Barrington was bly om my te sien, die meisiekinders ook. Hal was by die stalle, Will op Karawater, John weg dorp toe. En ek moes hoed afhaal en voete skoonvee en die huis binne, want Barrington was nie wel nie. Hy het in die voorhuis in 'n groot safte stoel gesit met 'n deken oor die bene.

"Honourable."

"Silas."

Ons het mekaar versigtig gegroet. Dit het gelyk of daar minder tande in sy mond was en sy vel was geel en deurskynend. Snaaks, het ek gedink, amper nes 'n sywurm voor hy moet spin.

"Mister Barrington lyk nie wel nie," het ek gesê en net binne die deur staanplek gekry. "Ek sal Mieta gaat haal solat sy Mister Barrington kan kom dokter."

"Dankie, Silas, maar dit sal nie nodig wees nie, dokter Gorman sien na my om."

"Soos dit Mister Barrington se wil is." Ons het 'n rukkie lank niks vir mekaar gesê nie. Hy het die deken oor sy bene plat gestryk en ek het my hoed gestaan en druk totdat dit weer tyd was vir praat. "Een van die Italiane se kinders het geverdrink," sê ek.

"Ja, ek verstaan sy was op die *Teuton*. Die wrakstukke en vrag wat reeds uitgespoel het, word Saterdag tydens 'n openbare veiling verkoop. Dis jammer dat ek nie John op die oomblik Kaap toe kan stuur nie, daar is glo heelwat roeispane en reddingsbote en lanterns en maste en so aan. Ek sou belang gestel het in 'n kompas."

Hy het aspris van die kind af weggepraat. Ek weet. "Mister Barrington sal Mister Barrington se belangstel vandag by my moet hou, want ek het met 'n groot saak tot hier gekom."

"Ek is bly dat jy gekom het, Silas. Tussen Portland en Gouna se platrand lê nie net die kloof van die Knysnarivier nie, maar 'n ewe diep kloof van verskille en ontwikkeling; daarom voel ek myself teenoor jou en Mirjam barmhartig en is dit my plig om jou in te lig oor verwikkelinge wat gaan plaasvind en wat julle direk sal raak."

Wat hy eintlik gesê het, was dat hy my gemis het en dat hy nog altyd gehoop het ek sou Karawater toe trek. Of hy het weer met 'n droom in die kop gesit. "Ek het juis met die deurkom 'n tierspoor onder in die kloof by die water gekry, ek dog ek sê Mister Barrington maar net. En ek is bly om te hoor Mister Barrington is barmhartig, want die Italiane moet huis toe gestuur word van waar hulle onder die verkeerde voorwendsels gelok is, en daar is vir hulle net een pad terug."

"Silas!" Dit was 'n vermaning. "Die tyd het aangebreek dat jy na jouself moet omkyk. Die Italiane is die goewerment se verantwoordelikheid. Jy moet aan Mirjam dink, aan haar toekoms, want julle tyd op die platrand is verby. Ek het jou keer op keer laat roep sodat ek met jou kon praat, jou kon waarsku, maar jy het nie gekom nie."

"As Mister Barrington dalk vandag wil probeer om my te laat skrik, sal Mister Barrington ten minste 'n spook moet laat verskyn. Ek skrik nie meer nie. Ek het sponsibility gevat om die voorman, Christie, by te staan om 'n oog oor hulle te hou en in ruil kry ek blyreg op die platrand tot aan die einde van Mirjam se dae. Dinge het egter so gedraai dat dit veel meer as 'n oog vra om hulle aan die gang en aan die lewe te hou. Die voorman skryf net briewe, alles het op mý rug kom klim. Dit gaat sleg by die tente. Die kind se pa wil nie eet nie, hulle dwing hom met 'n lepel iets in; die ma praat met niemand nie, sy sit net langs die tent met haar kraletjies en bid. Mirjam moes inspring en met die ander kinders help. Die oudste meisiekind het ek nou al hoeveel keer by Canovi uit die tent moes loop haal."

"Jy moet so gou as moontlik daar wegtrek, Silas. Kom Portland toe, of Karawater toe. Die hele Bos gaan opgedeel en aan privaat persone verkoop word. Almal se tyd in die Bos is verby, Silas, joune sowel as die houtkappers s'n."

As daar op daardie oomblik 'n spook agter Barrington deur die muur gekom het, kon ek my nie simpelder geskrik het nie. Vat die Bos van 'n bosmens en 'n houtkapper af weg, en dis net so goed jy kerf 'n skilpad se dop af en sit hom in die skerpe son. As Barrington nie so 'n jentelman was, en gesteld op eerbied nie, het ek net daar op een van sy stoele gaan sit.

"Wat se storie vertel Mister Barrington my nou?" vra ek hom. "Dis dan die kroon se bos, kroon is kroon."

"Die goewerment, Silas, het totaal misluk in wat ons die Bewaring van die Kroonwoude noem."

"Mister Barrington," het ek gekeer, "ons moenie vandag met een byl twee bome tegelyk probeer aankap nie. Laat ons my boom eerste kap, dan kan ons agterna aan die een kap wat Mister Barrington nou hier wil insleep."

Maar hy het bo-oor my gepraat. "Jy moet baie mooi luister na wat ek vandag vir jou gaan sê, Silas. Die huidige bewaringstelsel wat toegepas word, is belaglik. Julle koop 'n liksens vir dertig sjielings en kap soveel as wat julle wil totdat die liksens verval. Dan kap julle vir 'n ruk lank skelm óf koop 'n nuwe een as julle die geld het."

"Gewoonlik skiet die houtkopers maar voor op die boek vir 'n liksens."

"Dit ook. Die eintlike sogenaamde bewaring wat toegepas word, is dat sekere hout net sekere maande gekap mag word. Julle mag egter *uitsleep* wanneer julle wil. Nou ken ek geen wagter wat die verskil sal agterkom nadat 'n blok 'n paar myl deur die modder gesleep is nie; hy moet in goeder trou sy merk op die hout aanbring om aan te toon dat die hout in die regte maand gekap is, sodat julle dit aan die kopers kan lewer. Dit, Silas, is die belaglike stelsel van bewaring waarvan ek praat."

"Mister Barrington," het ek ingespring en 'n kap probeer inkry, "wat Mister Barrington nou hier gesê het, is alles min of meer soos dit is, maar as Mister Barrington wil sien wat belaglikheid is, moet Mister Barrington opstaan en kom kyk hoe dit daar oorkant gaan waar meer as dertig siele deur hierdie natte winter in tente sit. Skryf help nie, praat help nie, niemand kom kyk nie. Christie was Kaap toe, maar hy kon net sowel gebly het waar hy is. Niks help nie. Daarom staat ek vandag hier voor Mister Barrington met my hoed in my hand."

Hy't net voortgegaan. "Die huidige stelsel dra eerder by tot die vernietiging van die kroonwoude, en die kroonwoude het niks meer as 'n las op hierdie land geword nie. Besef jy hoeveel hierdie bos die land jaarliks kos? Hoeveel skat jy beloop die hoofbosbewaarder, kaptein Harison, se salaris jaarliks? *Plus* die Superintendent van Woude, De Regné, se salaris, *plus* die boswagters se salarisse, *plus* wonings, *plus* kantoorhuur, *plus* bydraes aan die Afdelingsraad vir die instandhouding van die paaie wat deur júlle waens en slees uitgery word. . ."

"Ekskuus lat ek Mister Barrington in die rede val, maar aan die paaie word daar niks gedoen nie. Waar daar nie grootvoetpaaie is om te gebruik nie, kap ons self sleeppaaie uit. Die voetpaaie is voorjare uitgetrap en napaaie loop ons net as dit moet. Die wapad by Diepwalle is 'n skande."

"Dit maak nie saak hoeveel en wat daar aan die paaie gedoen word nie, die bydraes word nog altyd gemaak. Ek het jou gevra wat jy dink hierdie bos die land jaarliks kos."

"Dit sal ek Mister Barrington nie kan sê nie, maar ek weet wat dit sal kos om die Italiane terug te kry in hulle land."

"Dit kos die land vyfduisend negehonderd pond per jaar as jy die rente byreken op beleggings wat gemaak kón gewees het."

"Vyfduisend negehonderd pond," het ek agterna gesê. Dit was 'n kleretrommel vol geld, my kop wou dit nie in een slag getel kry nie.

"Ja," sê Barrington, "en dan het ek dit baie konserwatief bereken, die werklike bedrag sal baie hoër wees."

"Dit sal net so iets oor die vierhonderd pond vir die Italiane se skipgeld wees."

"Die inkomste uit die houtliksense beloop jaarliks ongeveer eenduisend driehonderd pond. Trek dit van die uitgawes af en die verlies kom te staan op vierduisend seshonderd pond."

"Vierhonderd pond, honourable."

"Sê vir my, Silas, watter verskil sal daar wees as kaptein Harison en die superintendent, De Regné, sowel as al die boswagters môre verdwyn?"

"Dit sal 'n heuglike dag wees. Die nuutste gekerm van die boswagters is die pokke wat die Italiane konsuis hier sou aangedra het."

"Jy antwoord nie my vraag nie."

"Ons kap aan twee verskillende bome, honourable!" sê ek, maar hy luister nie.

"Veronderstel hulle verdwyn en julle word toegelaat om sonder liksens te kap, sal julle minder hout of meer hout kap en uitsleep?"

" 'n Man kap soveel as wat sy wa kan dra, nie minder nie, nie meer nie, en ek weet Mister wil my trêp."

"Presies. Of daar wagters is of nie, die Bos word onoordeelkundig uitgekap en die hele land betaal vir die skade. Ons kan nie eers as dividend aanvoer dat ons immers die bewaring van ons beste kroonwoud in ruil ontvang nie."

Daar het net een ding oorgebly om te doen en dit was om 'n wyle by sy vervloekste boom te loop inbyl sodat dit kon klaarkom. "Mister Barrington," sê ek vir hom en ek sit my hoed op die vloer, "hierdie ding van bewaring is lankal die Bos ingesleep en in onse kele kom afdruk, maar die hele besigheid het vir my geen betekenis nie, want as ek 'n brood wil bewaar, dan draai ek hom in 'n doek en sit hom weg. Ek eet nie van hom nie, ek knyp nie vandag 'n krummel hier en môre 'n korsie daar af nie. Ek kom sê nie ek moet hout hê vir treinpaaie en telegraafpale en alles nie, dan's dit nie die brood bewaar nie, dan's dit kyk hoe lank die brood kan hou. Nou kom sê Mister Barrington vir my die brood gaat opgebreek en in stukke verkoop word. Gaat die kopers kap of nie kap nie, gaat hulle bewaar?" Hy het kriewelrig geraak onder die deken. "Ek vra weer: is dit om te kap of te bewaar?"

"Albei. Onder die huidige stelsel word in elk geval gekap. Die Bos sal die een of ander tyd uitgekap raak, want die wêreld moet hout hê en ons sit met 'n bos vol edelhout, van die mooiste ter wêreld. Ek sê nie die Bos sal in my en jou leeftyd, of in dié van ons kinders, uitgekap word nie, maar êrens moet sy einde lê. Intussen kan die land by die verkoop van die Bos baat. Veronderstel, en dit is die voorstel wat reeds aan die goewerment voorgelê is, die Bos word opgedeel in lotte van, sê, vyfhonderd tot 'n duisend morg elk en word verkoop, dan beteken dit ten minste honderdduisend pond vir die landskas."

"Dit sal vierhonderd pond kos om hulle terug te kry in hulle land."

"Bereken dit teen ses persent rente per jaar en die land het 'n tydlose inkomste van sesduisend pond per jaar."

"Net vierhonderd pond. Nie alleen sal dit hulle by die huis kry nie, maar dit sal vir Mister Barrington 'n skoon konsensie koop en 'n skoon konsensie is nie aldag te koop nie."

Hy het kwaad geword. "Vergeet van die Italiane en dink aan jouself, Silas! Laat die implikasies van wat ek gesê het tot jou deurdring!"

"Ek moet eers die Italiane wegkry voor ek kan begin dink wat van ons bosmense en houtkappers sal word as die Bos onder ons gatte uit verkoop word."

"Ek laat nie toe dat sulke taal in my huis gebruik word nie! Die houtkappers se ellende kan nie groter word as wat dit reeds is nie, julle skuld by die winkels op die dorp ook nie meer nie. Maar die vernietblyery in die Bos sal op 'n einde wees. Vir dié wat bereid is om verantwoordelikheid te aanvaar, sal daar vaste werk by die nuwe eienaars wees."

Ek het my staan gestaan. "Wat Mister Barrington eintlik daar sê, is dat die bosmense dan maar net nog 'n bietjie meer niksmens sal wees. In al die jare wat ek Mister Barrington ken, het Mister Barrington 'n ontevredenheid in die hart teenoor die houtkappers omdat Mister Barrington nie kan verstaan waarom hulle nie vir Mister Barrington wil kom kap in Poortland se bos nie. Ons kap vir onsself, vir niemand anders nie. Boonop het Mister Barrington die slag die stomme ou Gert Zeelie in die tronk laat sit oor die boompie wat hy in Poortland se bos gekap het. Die mense is bang vir Mister Barrington."

"Die een wat in Portland se bos hout steel, verdien die straf wat hy kry."

"Tronk is vir ons bosmense 'n val waaruit jy nooit weer opkom nie."

"Julle tyd in die Bos, Silas, is verby."

"Die Bos is groot, Mister Barrington, baie groot. Julle kan hom laat opsny en verkoop, maar kom vra my net nie hoe julle die mense daar gaat uitkry nie."

"Honger sal julle vir ons uitbring, Silas. Die kopers sal verplig word deur wetgewing om net van die waens van die wettige eienaars te koop. Geen hout sal langer vir winkelskuld geruil word nie."

'n Koerduif het buite voor die venster in die boom begin roep. Een van die vroumense van die huis het die trap na die boonste deel geklim en Barrington het moeg gelyk. "Hoe lank tyd is daar voorlat die boslotte opgeveil word?" het ek vir hom gevra.

"Dit sal volgens aanvraag geskied. Namate die aanvraag toeneem, sal die goewerment die wagters verminder en ten einde sal die land van die las ontslae wees."

"Hoe lank is dit in jare getel?"

"Dit is moeilik om in hierdie stadium te sê. Op die oomblik

word daar van elke moontlike kant af in die distrik vertoë tot die goewerment gerig om van die Bos ontslae te raak."

"Dan's ons nie in onmiddellike gevaar nie," sê ek. "Die goewerment luister nie na vertoë nie. Die goewerment se wiel het nie brieke nie." Iets het vir my gesê ek moet vinnig praat en min asem skep, dit was mý beurt by die byl. "Ek het nie gekom om Mister Barrington te kom verwyt oor die sywurms nie, verwyt maak niks reg nie, ek kom vra Mister Barrington om hulle skipgeld terug huis toe te betaal. Dis al. Betaal dit en Mister Barrington kan Mister Barrington se kop met 'n skoon konsensie neerlê." Hy het stokstyfstil in die stoel gesit. "Die skip wat veronderstel is om hulle te kom haal, daag nie op nie. Hulle het al hoeveel keer lat Christie vertoë rig, maar niks gebeur nie. Intussen moet ek na alles kyk, my geldblik is besig om leeg te loop. As Mister Barrington vir hulle die skipgeld gee, sorg ek lat hulle by die water kom en kom val ek drie dae in die week vir Mister Barrington hier op Poortland in. Christie kan sy eie kaartjie koop of huis toe swem sover as wat ek omgee."

Die ou man het nog steeds stokstyf gesit. Oorle ou Koos Muller het die dag net so gesit, met sy rug teen die boom, toe ons die kalander in Kom-se-bos gekap het. Dit was halfdag en rustyd en ons dog nog ou Koos sit vir saamgesels, toe sit hy morsdood beswyk. Die engels het hom stilletjies kom vat.

"Mister Barrington?" roep ek versigtig uit, "is Mister Barrington nog hier?"

"Die Italiane, Silas, het die goewerment se voorstelle bo myne verkies. Ek is besig met onderhandelings om my eie Italiane te laat kom om Portland se sybedryf te kom vestig."

"Vat die Italiane wat daar oorkant in die tente sit!" het ek gesê en uitkoms gesien. "Bring hulle hiernatoe, beter sal Mister Barrington nie kry om met die wurms te werk nie, ek sweer dit!"

"Ek wil hulle nie hê nie."

Hy wou hulle nie hê nie.

Ses

September se dae het verbygegaan en die somer het begin sukkel om by die winter verby te kom: een dag son, een dag reën, anderdag 'n bietjie van alles. Rooi-els, vlier en kanferbos, alles wat wintertyd moes blom, was afgeblom. Teen Oktober het die Bos geil gestaan van nuwe groei en saam met die reuk wat uit die klam bosvloer opgeslaan het, het die reuk van nuwe blaar en blom in die lug gehang. Witolie en wildekastaiing het begin blom, die bosdruiwe het begin bot en alles in sy pad berank; in die onderbos het bosbraam en kruisbessie en bokdrol en noem-noem pers en pienk en wit geblom. By die geelsloot het die wildestokroos en die wildegranaat mekaar verstrengel en die kransswaels het bekke vol klei kom weghaal.

Op die vyfde dag van Oktober het Mirjam agtien geword. Toe sy klein was, het ek altyd op haar verjaarsdag met haar dorp toe geloop en vir haar 'n pennie se soetgoed en baie plesier gekoop. Later het ek vroegtydig vir haar 'n rok van een van Poortland se meisiekinders oorgekoop, maar dié jaar het ek vir haar niks gehad nie.

"As die Here my spaar, sal ek volgende jaar met jou regmaak," het ek vir haar gesê.

"Ek verstaan, Pa, moenie sleg voel nie."

Sy het vroeg die môre opgestaan, die vuur aangepak, die huis uitgevee en die kooie opgemaak. Ek was buite by die patatranke toe sy my roep om te kom koffie drink, en toe ek in die huis kom, het ek geweet sy is op pad: sy had haar beste rok aan, haar hare was gekam en op haar kop gevleg.

"Pa." Sy het oorkant my gaan staan en geklink soos een wat vooruit gedink het wat sy wou sê. "Pa sê altyd daar is net een dag in die jaar wat 'n mens se eie is, en dit is die dag wat jy verjaar. Vandag is my dag, ek gaan Bos toe en ek gaan nie vroeg terug wees nie."

Dit was weke vandat sy laas Bos toe was. In my hart het dit tot hoop begin kom dat wat daar ook al gewees het, verby was.

Maar dit was nie. Haar hand het gebewe toe sy die koffie skink; haar hele lyf, haar hele gelaat het gesê: moenie my keer nie, ek móét gaan.

Ek het nogtans probeer. "Mirjam," het ek vir haar gesê, "ek het gister vir Mister Christie gesê dis vandag jou verjaar, die eerste Italiaan of sy maaksel wat naby my huis kom, jaag ek terug tot by die tente. Vir hom ook. Ek het gedink ons kan 'n bietjie Spruitbos-se-eiland toe loop, na ta' Hannie toe."

"Pa het gesê die patatranke moet vandag in die grond kom."

"Hulle kan wag tot môre toe, ek lê hulle by die sloot in die koelte. Ons kan dorp toe loop. Of Poortland toe, dan kuier jy by Imar en Gabrielle. Ek gaan net nie saam tot by die huis nie."

"Ek wil alleen loop, Pa, ek sal die geweer vat."

"Hoekom?" Elke keer as sy wou Bos toe, was dit of sy 'n kombers oor haar trek. "Hoekom, Mirjam?"

"Moenie weer begin nie, Pa, dis my dag, ek wil alleen loop."

"Sê dan net vir my na wie toe jy loop! Hoekom bly dit 'n toegemaakte ding? Is dit een wat van die tente af saamloop?" As Pontiggia nie om haar bly peuter het nie, was dit Taiani of Lucinetti. Party dae het dit vir my gelyk of Christie 'n lamte deur hom kry as sy naby hom kom. "Hoekom mag ek nie weet nie, Mirjam?"

"Hoekom steek die Bos sy lelies weg?"

"Moenie weer kom raaisels praat nie, Mirjam!"

"Moet my dan nie vra nie, Pa. Nie vandag nie." Sy het ongeduldig geword. "En Pa sit my ook nie weer agterna nie, ek sal weet as Pa dit doen."

Ek was magteloos. "Hoe is dit moontlik dat ek jou sommer net kan laat loop? Daar hoor jy self gister oom Gert Oog sê Josafat Stander is deur die grootvoete getrap."

"Dis die derde keer waarvan ek weet dat daar gesê is Josafat Stander is getrap. Elke keer het hy weer heel uitgekom."

"Die grootvoete het iémand bo in Kom-se-bos gemolesteer. Gert sê die een se baadjie en bladsak met kos is fyngetrap en die wêreld is uitmekaar geruk."

"Ek sal die geweer vat."

"Jy kan net sowel die karwats vat as daar 'n beduiwelde grootvoet rond is."

"Dit word laat, Pa."

Die bitterste was dat daar nie in my gesag was om haar te keer as sy eers haar staan gaan staan het nie. Ek kon dit nie verstaan nie. Ek het alleen goewerment gestaan oor twee-en-dertig onmoontlike Italiane, maar oor my eie meisiekind kon ek nie regeer nie. Van wanneer af laat 'n ouer sy kind oor sy wil trap? Die ding wat haar Bos toe geroep het, was sterker as my wil en my woord, en ek sweer, as ek haar met 'n spanriem vasgemaak het, sou sy voor my oë loskom om aan te loop. Na wie toe sy geloop het, het sy weggesteek soos 'n perske sy pit. Hoekom? Twee keer het ek haar probeer volg en elke keer het sy dit geweet, want ek het haar nie verniet self geleer om in die Bos die waak te hou nie. Sy was te fyn vir my.

Ek het gewag tot sy goed weg is voordat ek by die tente 'n deurloop gaan maak het. Lucinetti en Taiani was daar, Pontiggia nie. Christie het gesê hy is saam met Borolini en Tomé dorp toe. En Christie was nors, soos hy al meer dikwels was.

Ek het by die patatranke gaan inval en my oë op die kinders gehou wat besig was om wegkruipertjie te speel. As ek nie gekeer het nie, was hulle by die heinings of bo by die sloot en tot in my houtkamer ook. Ek was 'n hele paar rye ver geplant, toe ek die twee man onder oor die platrand sien aankom. Ek het geweet dit is nie van die Italiane nie; dit wou lyk of die een 'n gewaad aanhet en ek dog dis dalk weer die priester. Die dag ná Christie van die Kaap af gekom het, het hy kom sê die Italiane kerm oor 'n priester, ek moet 'n plan maak om 'n priester vir hulle te haal. Ek sê vir hom daar is twee priesters op die dorp: die een wat Hollands preek in die Hollandse kerk en die Engelse kerk s'n. Maar Christie sê dis nie die regte priester nie, dit moet een van die Roomse kerk wees. Wat waar is? Op George, sê Christie, hy het uitgevind. En hy sien kans dat ek met my voete moet loop en die man gaan haal. Ek het hom reguit gesê dan kan hulle sonder 'n priester bly, ek loop nie George toe nie. Dis twee dae se harde stap, sandhoogtes en moerasse en die een swart rivier op die ander.

Maar die aand was Christie weer daar: 'n priester wou hulle hê. Ek sê vir hom hy moet 'n brief skryf. Die poskar loop drie keer in die week; hulle moes 'n priester op die poskar sit, ek sal hom op die dorp loop haal. Hy skryf toe, en vir die eerste keer het 'n brief wat van die platrand af geskryf is, 'n spoedige antwoord gekry. Skaars 'n week, toe laat weet die priester hy sal die Dinsdag met die poskar kom, drie-uur die middag. Ek is dorp toe om hom te haal. En toe hy afklim, het hy 'n lang swart rok nes 'n vroumens aan en 'n swarte hoed op die kop. Jonk. Fyn van gesig met rooie wange. Hy sê hy verstaan Hollands baie goed, hy praat dit net nie so goed nie; hy praat Engels en Italiaans en sy van is Taramasso. Ek vra of hy familie is van Tomaso wat die kind gesteel het, maar hy kyk my aan soos een wat van niks weet nie. En van niks hét hy geweet nie. Nie van die sywurms nie, nie van die moerbeibos nie, net van die kind wat geverdrink het. Ek het hom van die ander dinge vertel totdat sy mond oopgehang het.

"Priester," sê ek toe ons Gouna se steilte uit was, "ek hoop jy het 'n skoon rok in daardie trommeltjie." Die klim had hom klaar en sy rok se soom was bruin van die stof.

En sowat van blydskap oor 'n priester het ek nog nooit gesien nie. Hulle het hom in hulle beste klere ingewag en op hulle knieë neergeval en een vir een sy hand gesoen. Amêrika het skaamteloos saam met die vroue gehuil. Net Petroniglia het voor hom gekniel sonder teken van 'n traan. Nes 'n beeld. Ilario het met die jongste van hulle kinders, Antonio, wat maar 'n jaar en 'n paar maande oud was, kom kniel en die trane het openlik oor sy gesig geloop. Pontiggia het sonder erg eenkant gesit en kerf aan 'n stuk hout, hy't skaars opgekyk na die priester.

"Heiden!" het ek vir hom gaan sê, "jy wat voor in die ry moes gestaan het, sit agter, nè?"

Ek het gehoop ons sou nog later die middag 'n paar takke kon gaan kap, maar die diens was 'n lang gedoente. Ek het min daarvan verstaan. Cuicatti en Borolini het 'n soort tafel staangemaak waaroor die priester 'n kleed gegooi het en waarop hy Nagmaalgoed neergesit het, 'n boek en 'n kruis. Toe het hy 'n ander swart rok aangetrek. En toe ek dink die diens gaan begin, dra hulle vir hom 'n sitding eenkant toe en daar het hy vir meer as 'n uur gesit terwyl hulle een vir een by hom gaan staan en prewel het.

"Preek hy nou vir elkeen afsonderlik?" het ek vir Christie gevra. Ek was haastig om by die takke te kom. Hy sê nee, hulle bely nou eers hulle sondes voor hulle Nagmaal kan kry en hy 'n dodediens hou vir Catarina. Ek het vir Pontiggia gesê om hom op te lig en sy sondes te loop bely voor ek dit vir hom loop doen, maar hy't hom nie gesteur nie.

Die twee wat oor die oopte gekom het, het na mý kant toe gemik, nie tente toe nie. Dit was nie weer die priester nie. Die een was Paulus, Mieta se oudste dogter se seun, die ander 'n vreemdeling.

"Middag, baas Silas."

"Middag, Paulus. Middag," groet ek die vreemdeling. Hy lig sy hoed en staan en rondkyk soos vreemdes die gewoonte het. "Elke keer as 'n vreemde hier kom staan en rondkyk, beteken dit moeilikheid," sê ek vir hom.

"Hy praat nie Hollands nie," sê Paulus, "ons loop die heelpad stil. Hy het gister met die skip saam gekom van die Kaap af en laasnag by Horn se hotel geslaap. Die mense by die hotel het gevra ek moet hom bring tot hier. Dis waar hy wil wees."

"Sê vir hom hier's nie plek nie."

"Ek praat nie sy taal nie."

"En wat het jý by die hotel gesoek?"

"Werk, baas Silas, dit gaat swaar."

"Kap jy dan nie in Klaas Os se span nie?"

"Die hande het te veel geword, daar moes tussen te veel monde gedeel word. Ek en Johannes Meyer en Piet Barnard moes uit. Ek het nie kinders nie en hulle het nie vroue nie. Daar's nie werk op die dorp nie, baas Silas, almal soek. Ek en Johannes en Piet het gepraat, ons sal maar vir onsself moet begin kap. Dis net lat ons gaat sukkel, want ons het net die een byl. Die houtkapper sê hy sal vir ons byle op die boek gee, maar dan moet ons eers hout uitbring solat hy kan sien hoe ons werk."

"Ek sal vir jou 'n byl leen. Moenie van die begin af loop skuld maak nie."

"Nou hoor ons 'n berig lat die Bos verkoop gaat word. Het baas Silas iets gehoor?"

"Ja, ek het gehoor."

"Wat gaat ons maak?"

"Dis goewermentsaak, ons moet maar glo dat daar niks van sal kom nie. Wat soek hierdie man?" Die vreemdeling het die hele tyd doodstil gestaan.

"Ek weet nie. Hy soek die vrou van wie die kind geverdrink het toe die skip gesink het, sê die man by die hotel. Hy was glo ook op die skip, maar hy't nie geverdrink nie."

Dit was of 'n mirakel voor my staan. "Mister," sê ek vir hom op sy eie taal, "hierdie man sê jy was op die skip?"

"Ja. My naam is William Barrett, ek soek die ouers van Catarina Grassi." Daar was 'n verlatenheid aan die man, sy klere was te groot vir sy lyf, sy oë of hulle kyk maar niks raaksien nie.

"Hulle is by die tente, ek sal Mister soontoe vat."

"Is daar 'n tolk?"

"Ja." Ek het vir Paulus gesê om 'n byl in die houtkamer te gaan vat en hom op te pas. Ek was haastig om met die man by die tente te kom. Nie 'n dag het verbygegaan sonder dat Petroniglia aan Christie getorring het om te skryf en uit te vind wat met Catarina gebeur het nie. Sy was nie tevrede dat daar net gesê is die kind het geverdrink nie. Christie het by my kom kla, hy't by White loop kla, maar Petroniglia het aangehou, sy wou weet.

En in plaas daarvan dat die onnooslike Christie in blydskap staan oor die man met wie ek daar aankom, begin hy uitwei oor hoe onmoontlik sy taak as tolk en verantwoordelike geword het; dat hy nog geen salaris ontvang het nie; dat die Grassi's van hóm verwag om te weet wat met die kind tydens die ramp gebeur het; hoe hy hom van die Kaap af gehaas het om hulle by te staan; hoe hy in die Kaap advies gegee het oor die aanplant van bome om meer reën te verseker sodat die plek kan skoonkom van die vuiligheid wat die pokke help aanbring het, maar niemand wou na hom luister nie, die verkeerde persone is verkies tot die Parlement.

Ek dog ek kom iets oor. "Kan jy nie sien die man staat vir jou sonder erg en aanluister nie? Gee hom 'n stoel, laat hom sit en loop sê vir Petroniglia hier het iemand gekom wat weet van die kind! Sy't gesê sy sal nie rus voor sy nie weet nie." Toe ruk

Christie hom op en vra of ek dan nie gesê het dis Mirjam se verjaarsdag, ek bly by die huis nie. Ek sê vir hom ek staan om te hoor wat die man sê: mý twee voete het ek opgeloop agter tyding van die kind aan, mens-alleen het ek die laaste tyding kom gee. "Ek bly net hier tot ek gehoor het wat hy sê. Laat hom praat."

Hulle het almal gekom, nie net Petroniglia en Ilario nie. Eers het die Barrett-man lank grond toe gekyk en toe hy begin, was dit of hy op die skip is en Christie moes tolk om by te hou.

Die kind het die middag saam met Mister Brown opgeklim, Mister Brown eerste klas, sy derde klas. Die skip sou die volgende oggend uitvaar. Mister Brown het gevra dat hulle, wat ook in die derde klas was, vir hom na die kind moes omsien. Sy kon nie Engels praat nie, net Italiaans. Haar ouers is syboere by Gouna, noord van Knysna. Die kind het 'n trommel en 'n kombers by haar gehad en Barrett se vrou het die volgende môre gesê die kind het die nag regop gesit en slaap, sy wou nie lê nie. Sy het ook nie 'n matras gehad nie. Hulle kon nie met haar praat nie, sy het hulle nie verstaan nie. Vroeg die volgende môre het die kind van die skip af probeer kom, maar 'n seeman het haar voorgekeer en haar teruggebring ondertoe. Toe die kos kom, het sy vrou vir die kind ook geskep en tienuur het die skip geseil. Toe sy vrou weer nie die kind gewaar nie, het sy hom gestuur om te gaan kyk waar sy is. Hy het haar op die dek gekry en die kind was bang. Hy het by haar gebly en kon dit regkry om uit te vind dat haar naam Catarina Grassi is. Sy het iets probeer sê van 'n Nicolo Tomaso en land toe bly wys.

Later die dag het die kind vir hom beter gelyk en sy vrou het die middag weer toegesien dat sy kos kry. Die middag het sy selfs begin notisie neem van hulle baba en met haar gespeel. Teen die aand se kant is hy saam met 'n ander immigrant wat ook van Engeland af was, Joseph Allen, bo na die dek toe. Allen het graag teen die laatte sy konsertina op die dek gespeel. Toe hy weer sien, toe staan die kind ook by hulle en dit lyk of sy van die musiek hou. Dit was net na sewe die aand, die see was mooi en die maan het helder geskyn. 'n Mens kon die land duidelik sien en hy het by homself gewonder waarom die skip so naby die kant vaar. Ná 'n ruk is hy ondertoe omdat hy drie van die ander manne belowe het om saam met hulle kaart te speel. Catarina het by Allen op die dek agtergebly, Allen het belowe hy sal na haar kyk.

Hulle het die tweede rondte net klaar gedeel toe die skip skielik 'n hewige rol gee en terselfdertyd het dit vir hom geklink of 'n klomp enjins vir 'n oomblik aan die raas gaan. Van die ander het opgespring en gesê die skip skuur oor 'n rots. Almal het dek toe gehardloop. Een van die offisiere het verbygekom en gesê dis niks, die skip het maar net die bodem geraak, maar was weer los. Hy is af ondertoe om vir sy vrou te gaan sê dis niks. Sy vrou het hom gestuur om Catarina te soek. Eers kon hy haar nie kry tussen al die mense op die dek nie. Toe het hy haar gesien waar sy van die een na die ander loop en iets bly vra, maar hulle het haar nie verstaan nie. Sy het gehuil. Hy het haar hand gevat om haar na sy vrou toe te neem, maar sy het losgeruk. Hy kon nie agter haar aan nie, want hy is beveel om na die pompe te gaan en te help water uitpomp. Die skip was die hele tyd besig om om te draai, weg van die land af en totdat die voorstewe weer in die rigting was waaruit hulle gekom het. Gerugte het verbygekom dat die kaptein bereken het dat hulle Simonsbaai maklik sou haal en daarom het hy die skip laat omdraai. Van die ander manne by die pompe was ontevrede; hulle wou hê die skip moes tot stilstand gebring word sodat die reddingskuite kon sak en die mense afgehaal word.

"Dov'è Catarina?" het Petroniglia gevra, half ongeduldig, half smekend. Sy wou weet waar Catarina was en het reg voor Barrett gestaan, haar gesig stram.

Barrett het gesê hy het Catarina kort-kort tussen die mense gesien. Al meer vroue en kinders het boontoe gekom en almal moes op die agterdek bymekaarbly. Almal was baie kalm. Die skip se dokter, dr. Rose-Innes, was die hele tyd by hulle en het mooi met hulle gepraat; hy het vir hulle gesê daar is geen gevaar nie: as die skip sink, sou die reddingskuite hulle veilig by die land kry. Teen kwart oor ag se kant was sy eerste skof by die pompe verby en het hy sy vrou en kind onder gaan haal en ook boontoe gebring.

Fardini het tussenin gekom en Christie laat vra of die mense dan nie reddingsbaadjies aangehad het nie. Barrett het gesê niemand het reddingsbaadjies aangehad nie, daar was nêrens reddingsbaadjies op die skip nie, net in die reddingskuite. Teen halfnege was daar op party plekke onder in die skip ses voet water en van die manne is beveel om te help vrag afgooi. Ander het gehelp om die reddingskuite gereed te kry vir ingeval.

"Dov'è Catarina?"

Sy was nou by sy vrou op die agterdek en was gehoorsaam. Die pompe kon die water nie wen nie, die reddingskuite is tot by die relings laat sak, maar niemand het probeer inklim nie, almal was kalm. Party van die mans het by hulle vroue en kinders op die agterdek gebly, dr. Rose-Innes het nooit van hulle af weggegaan nie. Catarina het vir hom, vir Barrett, beduie sy wil teruggaan ondertoe om haar kombers te haal. Hy het haar hand gevat en saam met haar gegaan. Toe hulle egter 'n ent teen die trap af was, kon hulle nie verder nie, die water was te diep en van die mense se goed het al in die gange rondgespoel. Toe Catarina dit sien, het sy begin huil. Hy het self ook geskrik, haar opgetel en weer boontoe geneem. Hy het 'n offisier gevra waarom die kaptein nie die skip stop sodat die mense op die reddingskuite gelaai kon word nie. Die offisier het gesê dit was gevaarlik om mense in die donker oor te laai, al was dit ligtemaan. Dit was veiliger op die skip. Teen halftien was die skip se voorstewe baie laag in die water, die see het bly oorspoel. Hulle is beveel om op te hou vrag afgooi en van die offisiere het begin rockets afskiet.

"Dov'è Catarina?" Petroniglia was ongeduldig en verskrik.

Catarina was by sy vrou en kind op die agterdek. Al die passasiers was nou op die agterdek. Die dokter het beveel dat almal plat moes sit; as dit dalk sou gebeur dat die skip nie Simonsbaai haal nie, sou almal op die skuite kom as hulle hulle stil gedra. Nie rondtrap of stoot of stamp nie. Daar was genoeg plek op die skuite vir almal. En niemand moes probeer om enige besittings te red nie; net wat hulle aan hulle lywe had, kon saam op die skuite. Toe het baie mense nog klere bo-oor die ander aangetrek en soveel goed as moontlik in die sakke gesteek. Die meeste mans het die geld wat hulle by hulle gehad het, vir die vroue gegee om aan hulle lyf weg te steek omdat die vroue en die kinders eerste gered sou word as die skip dalk nie Simonsbaai haal nie. Van die offisiere het tussen die mense deur kom loop om te kyk of daar nie skelm bondels gemaak word nie. Net een vrou het 'n bondel onder haar tjalie gehad. Toe die offisier haar beveel om dit oop te maak, was dit mooi haar kleine baby wat sy so toegedraai het. Die kind kon versmoor het.

Kort na tienuur die aand het hulle gehoor dat die skip nie meer wou stuur nie. Net daarna is die enjins gestop en die stoom afgeblaas. Niemand het opgespring en op die skuite probeer kom nie, die dokter het die hele tyd mooi met hulle gepraat. Eers toe die bevel kom dat die eerste vroue en kinders na skuit nommer drie aan die stuurboordkant moes beweeg, het daar beroering gekom, want toe moes daar gegroet word.

Barrett het skielik opgehou praat. Dit was doodstil. Net die piet-my-vrou wat sonder ophou bo by die geelsloot gesit en roep het, en die wind wat aan die tente ruk.

"Die man het 'n naarte oor hom," het ek vir Christie gesê. "Stuur een om vir hom drinkwater te haal. Vir Petroniglia en Ilario ook. Kyk hoe lyk hulle." Christie het Giuditta gestuur om water te haal en ek het vir hom gesê hy moet die man vra hoekom die onnooslike kaptein nie die skip eerder gestop het nie. Toe sê Christie dit was klaar in die koerant dat die kaptein die skip moes probeer red het omdat die kompanjie wie se skip dit was, baie geld sou verloor as die skip sink. Giuditta het teruggekom met die water en toe die man beter voel, het hy weer begin vertel.

'n Stuk of dertig vroue en kinders is langs die loopplank af en het sonder moeite op die eerste skuit gekom. Catarina is saam met sy vrou en kind op die skuit op en Joseph Allen se vrou en kinders ook. Catarina het een van die Allens se kinders gedra en sy het ook gehuil. Teen daardie tyd was die kaptein self ook tussen die mense en baie ontevrede omdat die skuite nie vinniger omgebring word na die loopplank toe nie. Allen het gevra waarom die loopplank aan die ander kant van die skip nie ook laat sak word nie, dan kon daar ook mos mense gelaai word. Niemand het hom geantwoord nie en die skuite het nog altyd van die bakboordkant af omgekom na die stuurboordkant toe. Hy en Allen het by mekaar gestaan toe die tweede lot vroue en kinders aanloop om gelaai te word. Die skuit waarop hulle eie vroue en kinders én Catarina was, was nog teen die agterstewe van die skip en hy het probeer oorleun om te kyk of hy hulle kan sien. Daar was egter skielik 'n gerommel van water en stoom, en toe was dit of daar 'n rukwind is en die skip sy voorstewe onder die water in ploeg. Hy en Allen het probeer om oor te hardloop na die ander kant, maar die dek was skielik afdraand en hulle het gegly en geval. Hy het 'n tou beetgekry en tot by die reling gekruip. Allen was agter hom. Die skip was tot by die skoorsteen onder die water, agterstewe in die lug. Toe het hy en Allen in die see gespring. Die skip moes op daardie selfde oomblik gesink het, want hy is saam afgetrek en toe hy opkom, was daar niks. Hy het rondgeswem, en die skuit waarin die skip se timmerman was, het hom opgepik. Hy het gevra waar die skuit met die vroue en kinders is; iemand het gesê hulle is saam afgetrek want hulle was nog met 'n tou aan die skip vas. Hulle het tot middernag toe bly rondroei en nog 'n paar mense uit die see gehaal. Daarna was daar nie meer nie. Van die stuk of tweehonderd-en-veertig mense was ses-en-dertig oor.

Petroniglia het met droë oë gestaan. Eers dog ek dis van verslaenheid, maar toe sien ek dis van bitterheid. Iemand het vir Ilario 'n sitding nader gesleep; hy het sy vingerlitte een vir een gekraak en vasgekyk teen die grond. Die son was onder. Die piet-my-vrou was stil en die paddas het begin klik. Toe die tak 'n entjie die Bos in skeur, toe sê ek in my hart: mog dit die wind of 'n vrotplek wees, net nie 'n olifant nie. Nie nou nie. Hy sou bo-oor Petroniglia loop en sy sou nie eers opkyk nie.

Toe ek by die huis kom, staan Mirjam by die watervat. Haar hare was los en haar rok vuil, maar sy't gestaan soos een wat van 'n blydskap omgloei is.

Sewe

Oktober se maand het aangeloop. Elke aand het die sterre 'n entjie hoër geskuif na Krismis se kant toe. Die nagte was kort, die dae lank. 'n Man se hande kon baie uitrig op 'n dag: meer stoeletjies, meer strikke stel, meer spit, meer plant, meer skoffel, meer takke kap en heinings pak vir die Italiane se kampe, meer vuurmaakhout uitsleep, meer palings vang. Net die geld in die blik wou nie meer raak nie.

Daar was dae wat ek die tente aanskou het en die wêreld uitmekaar wou breek tot in die Kaap en by die goewerment. As hulle net iemand wou stuur om te kom *kyk*. Die tente het al meer soos goed gelyk wat wou omslaan en gaan lê, die klere aan die Italiane se lywe soos lap wat te veel gewas is. Die vroue se voete het al meer in hulle skoene geslof en die kantkrae was lankal nie meer wit nie, maar geel. Alles was in vervallenheid, al het daar 'n houding in hulle lywe en oë gebly wat wou stry dat hulle nog nie onder die platrand buk nie. Gebuk het hulle. Die goewerment moes net iemand stuur om te kom kyk. Maar nee. Al wat my gemoed weer tot ruste gebring het, was die wete dat elke ding 'n einde het, dat 'n wiel tot so ver kan rol, en dan kom daar 'n klip of 'n gat in sy pad. Tot daartoe moes ek uithou.

Vroeg in Oktober het Christie dae lank aan 'n brief so dik soos 'n boek geskryf en gesê dit is aan 'n baie vername man in Engeland. 'n Getittelde man: die Earl of Kimberley. "Kyk asseblief dat ek nie gesteur word nie, Miggel, hou die Italiane besig en hou hulle van my tente af weg. Hierdie is een van die belangrikste geskrifte wat nog deur my opgestel is; ek wend my nou tot Kimberley, Secretary of State for the Colonies. Die werwing en keuring van die syboere het volgens sý opdragte geskied en ek weet dat hy persoonlik baie belang gestel het in hulle koms hierheen. Daar ís al aan hom geskryf, maar nie so breedvoerig soos wat ek nou doen nie."

"Sê vir hom Silas Miggel van die platrand sê: vir 'n getittelde man is hy maar min van verstand as hy gedink het sywurms en Italiane kan hier kom aard."

Christie het 'n week lank aan die brief geskryf. Op die ou end is ek dorp toe om die ding op die poskar te kry en moes ek een-en-ses uithaal vir die stêmpgeld, want Christie was nog steeds sonder 'n pennie. Maar die brief was immers weer 'n bietjie hoop.

Mieta het twee keer gekom en Ilario weer beter gekry. Ek het agtergekom dat sy my Mirjam al meer met haar bossie-geheime vertrou en wys wat om te pluk en hoe om te trek en te meng. Dit was goed. Elke kind wat ons self kon dokter, het geld gespaar. En Petroniglia het darem ook weer haar hare begin kam, al was sy nog half eenkant van die rou. Baie dae, as ek aan die stoeletjies gewerk het, het sy sommer daar by my kom sit en seekant toe gekyk.

"Moenie so net op een kol vaskyk nie, Petroniglia, jy moet notisie vat van die hele lewe," het ek met haar geraas. "En as ek daardie Monica van jou nog een keer by Canovi uit die tent moet loop haal, maak ek vir haar met die spanriem vas."

Van Poortland se kant af was dit stil. Hal het weer eendag kom vra, sy ma vra, of ek nie asseblief sal kom uithelp nie, Mister Barrington is op. "Maar nie te op," sê ek vir hom, "om te vertoog om die Bos onder ons uitverkoop te kry nie." Toe sê hy sy pa het nie meer krag vir baklei nie; John het die ding van die Bos oorgevat en was al tot by die koerante om steun te kry. Ek het hom nie gewys dat ek skrik nie, ek het net gesê hy moet vir John sê hy moet 'n slag sy baadjie uittrek en werk sodat hy kan voel hoe dit is as die sweet jou afloop.

Christie het soms vir dae nie sy kop by die tent uitgesteek om te tolk nie; dit was die dae wat hy geprotesteer het omdat sy salaris nog nie betaal was nie. Dan moes ek òf alleen regkom òf Fardini se Pietro moes kom help praat. Meestal het ek self reggekom, want hulle het al hoe meer verstaan wat ek sê.

Dit was amper die einde van Oktober toe Mirjam die middag laat van die dorp af kom en ek sommer op haar gelaat sien sy is beklemd van gemoed. Daar was niks verkeerd toe sy die môre saam met 'n paar van die vroue en Amêrika weg is dorp toe met die slee en die os om te gaan winkelgoed koop nie. Ek het nog vir hulle gesê die gewoonte om my slee en os te vat moet end kry, my goed was nie daar om elke keer vir Italiane meel en suiker aan te sleep platrand toe nie. Hulle kon die goed dra.

Mirjam was soos een wat nie kon besluit of sy wil sit of staan nie; sy praat nou hier en dan daar soos dit haar gewoonte is wanneer sy bang of skuldig is. Ek sê niks. Sy vra of ek al die mooi kantkragies gesien het wat die vroue aan hulle rokke het.

"Wat daarvan?"

"Anna Fardini en Mariarosa kan self kant maak, Pa. Met hulle hande. En Vittoria Robolini sê sy sal my leer om lekker kos te maak. Sy het die hele pad bly blare pluk en ruik en proe. Sy sê sy soek blare om in die kos te gooi."

"Jy bly weg uit hulle kospotte uit, ek is nie 'n bok nie, ek eet nie blare nie."

"Hulle wil nie die blare eet nie, Pa, net die kos meer smaak gee. Ek het vir haar gewys hoe lyk die hardepeer se blare en dat dit nes amandel ruik. En die witysterhout na suurlemoen, en die stinkhout na kaneel. Oor die wildepeper het hulle glad hande geklap. Pa gaan sien, een van die dae praat hulle Hollands en sal 'n mens alles kan verstaan. Hulle is slim. Amêrika het weer vir sy mense 'n brief gepos, vir Borolini se mense ook. As hulle net eers antwoord kry. Giuditta sê Mangiagalli se mense is ryk, hulle sal vir hom en vir haar skipgeld stuur om by die huis mee te kom. Pa moenie kwaad wees nie, daar is 'n pennie kort op die geld. William het gevra ek moet vir hom 'n koerant koop en bring."

"William?" Ek het geen William geken nie.

"Mister Christie, Pa."

"Van wanneer af is sy naam William?"

"Hy het gesê ek moet hom op sy naam noem, sy naam is William."

"Sy naam kan ystervark wees, maar jy sal hom nie daarop noem nie! As jy eers begin name noem, is dit netnou hand om die lyf en ek hoop nie jy't die koerant gekoop nie."

"Nie een van die Italiane wou vir hom die pennie voorskiet nie, Pa. Sodra sy geld kom, sal hy Pa alles teruggee wat hy Pa skuld. Die kroonarend het by Witkop-se-draai 'n dassie gevang."

"Mirjam," het ek haar gewaarsku, "jy kan maar vanaand

draaie praat, jy kan maar hier trap en daar trap en niks raaktrap nie, jy sal nie môre Bos toe gaan nie. Daar's 'n yslike trop grootvoete hier bo; ek moes omdraai, ons kon nie verby om die vuurmaakhout te kap nie."

"Ek wil nie môre Bos toe gaan nie, Pa."

Dis toe wat ek agterkom dat die kind van onrus deurmekaar is. "Mirjam," vra ek, "het daar iets gebeur? Steek jy vir my iets weg?"

"Ek dink Pa moet môre dorp toe gaan." Toe sy dit sê, toe begin sy huil en ek skrik.

"Om wat te gaat maak?"

"Toe ek die Italiane se sjielings by Mister White gaan haal, soos ek tog al hope kere gedoen het, is daar 'n ander man. Hy wou nie die geld gee nie, hy wou weet waar die tolk is, waar Mister Christie is. Ek sê vir hom Mister White gee altyd vir my die geld, Fardini hou boek van alles wat gekoop word, ek vat nie die geld nie. Ek het vir hom gewys die Italiane staan by die slee oorkant die straat, maar hy het skaars gekyk. As John Barrington nie daar aangekom en vir die man gesê het hy ken my nie, dink ek nie hy sou die geld gegee het nie. Hy het in elk geval sy gesig op allerhande maniere getrek om te wys hoe ontevrede hy is."

Daar het so 'n effense koue deur my getrek. "Waar's White?" het ek gevra.

"Ek weet nie, Pa. Ek was te bang om te vra. Miskien is hy weer weg Engeland toe soos laas, na sy mense toe."

"Toe was daardie handlangerklerk van hom, Dreyer, in sy plek. Waar's Dreyer?"

"Hy is daar, maar hy't nie opgekyk nie. Pa sal moet loop uithoor."

"Ja."

Ek is eers die volgende môre na die onderste kamp toe om te gaan klaar spit sodat die aartappels in die grond kon kom. Net die week tevore het ek vir White gesê hy moet kyk dat daar moere vir die Italiane kom om te plant; aartappels se prys was hoog, hulle kon nie aanhou koop nie. Nou het Mirjam kom sê White is nie daar nie. Dit was al vir my of die tyding aan my wou vreet. Die beste sou wees om halfdag in die pad te val en self te loop hoor.

Ek het die eerste ry skaars klaar gespit, toe kom Christie oor die oopte met sy baadjiepunte soos vlerke langs sy lyf. Iets moes hom uit die tent gejaag het, want dit was weer een van sy protesteertye en twee dae van hy laas van hom laat hoor het.

"Miggel!" het hy van ver af geroep.

"Wat is dit nou weer?" Elke keer as Christie in haas oor die oopte gekom het, het ek lus gevoel om te hardloop. Met veertien verlepte tente vol vreemde siele het 'n man nooit geweet van watter kant af die volgende ding jou gaan kom tref nie. Hulle het net een pad geken en dit was na Silas Miggel toe. Ilario was beter, maar nog lank nie wat 'n man moes wees nie. Robolini se Giuseppe-kind het met die koors-verkoue gelê en Mirjam het my al twee keer gestuur om te gaan witysterhoutwortels graaf en fyn te stamp om die kind in te gee.

"Miggel!" Christie was uit sy asem uit en hy het 'n koerant by hom gehad. "Ek kom om aan jou iets voor te lees!" het hy hygend gesê toe hy by my kom.

"As jy vir my kom voorlees lat die kastige gesant van die Italiane in die Kaap vir hulle 'n skip uit die goewerment gekry het, kan jy maar lees. In die ander bladsye stel ek nie belang nie."

"Wag nou, wag nou, Miggel, daar is nuwe lig gewerp op die *Teuton*-ramp!"

"Wat se lig? Die lig is klaar uit, niks kan hom laat opkom en weer laat dryf nie."

Maar Christie was soos een wat aan die gis was van beroering. "Hierdie is 'n berig wat in die *Globe* in Kanada verskyn het. Ek was lank in Kanada, dis 'n gerespekteerde nuusblad."

"Wat sê hulle?" Die kind kon tog nie uitgekom het nie.

Christie het die koerant met altwee sy hande vasgevat en vir my gelees asof dit 'n dringende boodskap is: "'Nuus is van die Kaap in die suide van Afrika ontvang van die vergaan van die stoomskip *Teuton* by Quin Point, negentig myl ten ooste van die Kaap van Goeie Hoop af.'"

"Daar is aan my gesê dis sestig myl van die Kaap af."

"'Die skip het onverwags met geweld teen 'n rots vasgeloop waar hy geruime tyd bly sit het.'"

"Mister Barrett het dan uitdruklik gesê die skip het aangehou met vaar en dadelik begin omdraai. Is jy seker dis dieselfde skip wat jy daar beet het?"

"Dit is. Luister verder: 'Die skip was erg beskadig, maar skynbaar nie onherstelbaar nie. Afgryslike tonele van paniek het egter aan boord begin afspeel. Passasiers wat onder in die skip was, moeders met kinders, het verskrik boontoe gehaas en almal wat reeds op die dek was, het na die reddingskuite gestorm. Die kaptein en offisiere het tevergeefs probeer keer dat hulle mekaar vertrap. Sommige is só vermink dat hulle net daar uit die lewe gehelp moes word; kleine kinders is uit die moeders se arms gestamp, meesal deur bemanningslede wat gestoei het om eerste by die reddingskuite te kom.'"

"Mister Christie," het ek hom in die rede geval, "staat jy nou en liegte opmaak of staat die liegte op wit en swart in daardie koerant opgemaak?"

"Elke woord staan hier, Miggel, ek maak niks op nie." Hy het die wind uit die blaaie geskud en voortgelees: "'Die skip het intussen van die rotse af gedryf en die bemanning is tot orde geroep en beveel om die kragtige enjins aan die gang te kry. Skielik is daar uitgeroep dat die skip besig is om te sink. Drie reddingskuite is onmiddellik neergelaat, maar een was só oorlaai dat hy gesink het die oomblik toe hy die water raak. Elke drenkeling wat opgekom het, is deur wagtende haaie verskeur totdat die golwe rooi was van die bloed.'"

Dit was te veel vir mý bloed. "Heigenherder, Engelsman, nou lees jy stront!" sê ek. Nooit was ek 'n man wat my met vloekery opgehou het nie, maar daar kom 'n dag wat jy jou tong nie meer kan keer nie. En toe staan hy nog en opkom vir die blêssitse koerant ook.

"Die *Globe* is 'n eerbare koerant, Miggel, ek lees dit vir jou soos dit hier staan, woord vir woord!"

"Jy't nog nooit 'n koerant met daardie naam laat koop nie, dit was nog altyd 'n *Cape Times* of 'n *Argus*. Waar kom jy nou aan hierdie een?"

"Hierdie is 'n *Cape Argus*, hulle het die berig net so oorgeneem uit die *Globe*."

"Dan't hulle 'n liegstorie oorgeneem om te kom help rondstrooi. Mister Barrett het met sy eie mond tot hier gekom en kom sê wat gebeur het. Waar kan jy in die nag die water sien rooi word van die bloed soos die haaie vreet, al was dit ligtemaan? Net 'n blêrrie fool kon so iets geskryf het vir ander blêrrie fools om te glo."

"Moenie te gou praat nie, Miggel, wag totdat ek klaar vir jou gelees het. 'Die ander twee reddingskuite wat neergelaat is, het Simonsbaai ná vele ontberinge bereik. Die meeste oorlewendes was bemanningslede van die *Teuton*, slegs vier passasiers het die ramp oorleef. Elke man op die rampskip moes vir sy eie lewe veg.'"

"Daar was nie net vier passasiers wat uitgekom het nie, nie volgens Mister Barrett nie en ook nie volgens die koerant wat ek die dag by Mister White gekry het nie."

"'Vroue is eenkant gestamp, sommige selfs oorboord, sonder dat 'n lid van die bemanning enige teken van genade betoon het. Net die kaptein en 'n paar van die offisiere het op hul poste gebly en probeer om die orde te herstel. Dit is nie seker of die kaptein oorboord gegooi is, of oorboord geval het nie. Van die passasiers in die reddingskuite wou hê dat hulle die worstelende kaptein uit die water moes oppik, maar die bemanning het geweier. Die oorlewendes wat Simonsbaai gehaal het, was net skaduwees; meer as een is onderweg dood as gevolg van ontbering en uitputting.'"

"Dis nog 'n lieg. Mister Barrett het gesê hulle het middernag begin roei, later het hulle seile opgetrek en kort ná die middag was hulle aan wal. Hy het nie 'n woord gesê van ontbering of van een wat op die pad dood is nie."

"Ons het net Mister Barrett se woord, Miggel. Ek stel voor dat die Grassi's ook hierdie kant van die gebeure hoor en self besluit wat hulle wil glo."

"Luister, Mister Christie," het ek hom gewaarsku, "ek het Mister Barrett daardie dag in die gesig gestaat en kyk, ek weet hy't nie gelieg nie."

"Die Grassi's het nog altyd die reg om albei kante te hoor en self te besluit."

Ek was kwaad genoeg om 'n moord te pleeg. "Loop sê jy soveel soos een woord by die tente van wat jy nou uit daardie duiwelsbybel gestaat en lees het en ek loop maak vir jou bo in die Bos vrek waar die aasvoëls jou nie eers sal kry nie!" Ek het die koerant uit sy hand gegryp en voor sy oë in die aarde in getrap. "En dit," het ek bygevoeg, "was die laaste koerant wat op hierdie platrand kom staat en lieg het."

"Dit is mý reg wat jy daar onder jou voete vernietig!" het hy vir my geskree. "Ek eis van jou respek vir my eiendom sowel as my persoon en posisie en jy sal hiervoor apologie aanteken! Ek is lankal moeg vir jou barbaarsheid en vernederings!"

Hy moes vinnig padgee. Die graaf het sy skoen se punt met 'n aks gemis.

White was nie daar nie. 'n Vreemdeling het agter die tafel gesit, 'n Mister Walker, het hy gesê is sy naam. Hy was die nuwe Agent vir Immigrante op Knysna. Mister White was weg.

"Waar's die tolk?" het hy die eerste van my wou weet.

"In sy tent op die platrand, dikbek oor sy koerant. Ek is Silas Miggel, ek is die een wat vir alles instaan."

"Mister Miggel!" het hy uitgeroep en opgestaan om my die hand te gee. As ek nie 'n versigtige man was nie, sou ek gedink het hy is verheug om my te sien.

"Ek het net kom hoor hoe ver julle met die skip is," het ek gesê.

"Die skip?"

"Ja, die skip wat hulle nou maande lank voor wag. Dis amper Krismis."

Hy het weer agter die tafel gaan sit en ewe ongeërg met 'n pen se nip begin speel. "Daar is grond aan hulle toegestaan om 'n sybedryf op te vestig. Waarom doen hulle dit nie, Mister Miggel?"

"Omdat daar nie 'n moerbeibos is soos aan hulle gelieg was nie! Omdat die wurms uitgebroei en gevrek het." Ek het dit woord vir woord voor hom neergesit.

"Hulle is kosteloos van moerbeibome deur die goewerment voorsien." Hy was kalm soos 'n klip, en ek het skielik die gevoel gekry hy speel nie net met die nip nie, maar met my ook.

"Waar's Mister White?" vra ek.

"Mister White is nou in die Kaap. Hy was 'n baie toegeeflike man, Mister Miggel."

"Ek weet nie wat Mister daarmee bedoel nie, ek weet ook nie waarom Mister sit soos een wat in sy binneste wil lag nie; dis nie 'n saak om oor te lag nie, dit gaat sleg op die platrand."

"Ek kan jou die versekering gee dat ek geen begeerte het om te lag nie. Die tente word vir ander immigrante benodig en moet aan die einde van Desember by hierdie kantoor afgegee word. Netjies en skoon en opgevou."

"Wat?" Ek moes vorentoe leun en my lyf teen die tafel stut. "En waar moet hulle dan bly? Kaal op die oopte?"

"Die Wet op Immigrante van 1879, waaronder hulle hierheen gekom het, en besit geneem het van die grond, bepaal dat hulle binne 'n redelike tydperk vir hulleself 'n hut of skuiling moet maak en die tente teruggee. Binne twee jaar moet elkeen 'n huis van nie minder nie as twintig pond in waarde op sy grond oprig. Hulle is nou amper ses maande hier, dit is sekerlik 'n redelike tyd? Ek neem aan dat hulle reeds skuilings of hutte gemaak het?"

Ek wou die bewerasie kry van ergernis. "Hulle wil nie hutte of huise hê nie, Mister, hulle wil 'n skip hê om hulle huis toe te vat. Het Mister White dit dan nie vir Mister gesê nie?"

"Mister White was hopeloos te toegeeflik."

"Is Mister aangestel om my uit my verstand uit te probeer kry?" het ek hom gevra. "As julle die tente afvat, is julle van júlle verstand af!"

"As hulle verdere gebruik van die tente verlang, kan hulle skrywe rig aan hierdie kantoor en ek sal dit aan Mister Merriman in die Kaap voorlê."

"Wat se Mister Merriman? Dis 'n Mister Laing aan wie alles voorgelê word om niks van te kom nie."

"Mister Laing is in 'n ander pos aangestel. Mister John X Merriman is die nuwe Kommissaris van Kroongrond en Openbare Werke. Ek sal die skrywe aan hom voorlê. Die weeklikse toelae van 'n sjieling per kop per dag sal nog tot en met die sesde November uitbetaal word. Daarna word dit gestaak."

Die man het nie sy stem verhef en nie vir 'n oomblik opgehou om met die nip te speel nie. Miskien het hy my vir die gek gehou. "Op watter dag en datum laat Mister hulle koppe afkap?" het ek hom gevra, maar hom nie geroer nie.

"Tot die sesde November toe."

"En waarvan die bliksem stel Mister voor moet die winkelgoed daarna gekoop kom?"

"Hulle het op die sesde Mei hier aangekom, op die sesde November sal dit ses maande wees en ek neem aan dat hulle seker teen hierdie tyd 'n tweede oes uit die grond uit kan haal? Verder is hulle omring van een van die beste woude in die land en het hulle seker al liksense bekom om te kap en te verkoop en op daardie manier hulle inkomste aan te vul."

"Mister sit en yl en Mister weet dit nie. Hulle is nie groenteboere nie, hulle is nie houtkappers nie, hulle is syboere en só bang vir die Bos dat ek met moeite die drie wat my die vuurmaakhout help kap, daar kry. En dan ook nie sonder die leer nie. Die oeste waarvan Mister praat, is daar nie, want daar is nie genoeg water en mis om vir elkeen 'n lappie geil te kry nie. Vir elke mieliepit moet daar takke gekap en heining gepak word, en Mister kom sit en voorstel lat hulle sonder die sjielings kan klaarkom."

"Die Wet op Immigrante van 1879, klousule 21, bepaal dat alle immigrante ná hulle aankoms vir hulleself moet sorg. Dit geld vir die Italiane ook. Daar is spesiale uiteensettings van die wet vir die Italiane in hulle eie taal opgestel waarin dit duidelik omskryf is dat hulle selfonderhoudend moet wees terwyl hulle die bome aanplant en vir hulle huise oprig."

Ek het sommer tot by die deur geloop en weer terug tot by sy tafel net om 'n bietjie te bedaar. "Mister," sê ek vir hom, "daar groei nie moerbei op die platrand nie; 'n graaf se diepte en jy's op die potklei! Verstaan Mister Hollands? Die hele sywurmgeneuk is van die begin af 'n verknoeide spul en 'n ander man se droom. Honderd-en-tien briewe is al aan die goewerment geskryf om te sê dat die Italiane vra om teruggestuur te word na hulle land toe. Hoor Mister wat ek sê? Hulle wil nie plant nie, hulle wil nie huise oprig nie, hulle wil *huis toe* gaan!"

"Wie sê vir jou hulle wil huis toe gaan?"

Ek het 'n oomblik stom gestaan. "Probeer Mister nou snaaks wees?"

"Nee. Antwoord my vraag: wié sê hulle wil huis toe gaan? Het hulle dit aan jou bekend gemaak?"

Dit was 'n strik, maar daar was nie tyd om om te loop nie. "Hulle praat nie Hollands nie. Hulle het dit vir Mister White gesê, hulle het dit vir Mister Christie gesê, en daar is al hoeveel klagskrifte weg Kaap toe waarop hulle self hulle name geteken het."

"Praat hulle Engels?"

"Nee, net hulle eie taal."

"Hoe kon hulle vir Mister White gesê het hulle wil huis toe gaan?"

"Mister, waar jy nou wil strik stel, lê nie eers 'n spoor nie. Het jy al deur 'n nat en koue winter in 'n tent gesit? Lê daar in jou huis kooigoedbos op die vloer om dit onder jou kinders droog te hou? Dan wil Mister nog kom sit en vra wié sê hulle wil huis toe gaan? Hoekom vra Mister dit nie self vir hulle as Mister dink ek staat hier en lieg nie?"

"Ek sê nie jy lieg nie. Ek vra bloot wié dit is wat sê hulle wil huis toe gestuur word. Die tolk? Veronderstel – onthou, ek sê veronderstel – die tolk dra nie hulle woorde, of hulle wense, heeltemal korrek oor nie?"

Genade uit die hemel. Ek het nie geweet of hy dit vir my vra of vir my sê nie. "Mister," sê ek vir hom, "Mister wil nou van een saak 'n ander saak maak. Ons bosmense het die manier om te sê: moenie van 'n rooi-els 'n witels probeer maak nie, jy gaat lank sukkel. Julle moet die skip laat kom om hulle huis toe te vat of julle gaat lank sukkel."

"Hulle is geen skip beloof nie."

Hy was soos 'n brommer wat teen 'n ruit vasgevlieg het en gons en gons en nêrens uitkom nie. Ek kon nie verstaan hoe 'n man van geleerdheid, wat met 'n stywe hemp en 'n ordentlike broek en baadjie in hoë stoel sit, kon maak of hy van die hele saak weinig begryp nie. "Mister," het ek weer probeer, "ek weet dat hulle nie 'n skip beloof is nie, hulle vrá 'n skip. Verstaan Mister dit dan nie?"

"Ek dink dit is jý wat nie verstaan nie, Mister Miggel."

"Hoe stel Mister voor moet hulle sonder die tente en die sjielings klaarkom?" Ek het self soos 'n brommer begin voel wat gons en gons oor dieselfde ding.

"Hulle moet klaarkom soos al die ander immigrante klaarkom. Die Britse immigrante het nie 'n pennie toelaag of 'n implement of 'n trekos gekry nie en hulle tente was teruggegee lank voor die eerste ses maande om was. Die Italiane weet natuurlik dat hulle alles wat aan hulle voorgeskiet is, binne twee jaar moet terugbetaal."

"Waaruit, Mister, waaruit?"

"Dit sal ons maar moet sien. Ek stel voor dat jy nie jóú daaroor bekommer nie. Hulle is natuurlik ook deeglik daarvan bewus dat die eerste afbetaling op die grond Juniemaand van volgende jaar moet geskied."

"Mister, sonder die sjielings sal hulle skaars kos hê om van te leef, en Mister sit en praat van dít betaal en dát betaal. Wat gebeur as hulle nie kán betaal nie?"

"Moenie jou daaroor bekommer nie, Mister Miggel."

"Ek vra Mister wat dan gebeur?" Ek wou weet.

"Die wet gee hulle ses maande uitstel; as hulle dan nog nie betaal het nie, word die grond opgeveil vir die skuld."

Dit was die eerste wat ek van dáárdie deel van die wet gehoor het. 'n Helderte het oor my verstand gekom en my verbeelding opgehits totdat ek moes keer om in kalmte daar voor sy tafel te bly staan en te maak of dit niks is nie. "Mister sê as hulle nie Juniemaand betaal nie, word die lotte Desember van volgende jaar opgeveil?"

"Ja."

"Hoe gaat hulle van die wind geleef kry tot dan, of tot wanneer toe ook al?"

"Moenie jou daaroor bekommer nie, Mister Miggel. Italiane is ou planmakers, hulle sal lank voor daardie tyd iets bedink het. Jy sal sien."

"Kan enigeen op die veiling koop?"

"Ja, mits hy geld het om neer te sit."

"Sê nou die goewerment stuur wel vir hulle 'n skip, wat word dan van die lotte?"

"Volgens wet moet dit dan nog altyd opgeveil word."

Silas Miggel, het ek vir myself gesê, hou stil jou voete, staat asof niks gebeur het nie, maar een van daardie lotte is so goed soos joune. "Mister," sê ek vir hom en praat anderpad sodat hy nie moet agterkom ek staan in nuwe hoop nie, "as die goewerment net 'n man wil stuur om self te kom kyk wat daar bo by Gouna op die platrand aangaan, kry hierdie ding 'n einde, maar die naaste aan die goewerment wat dáár aankom, is die boswagters, en dis net boswagters."

"*Ek*, Mister Miggel, is die Agent vir die Immigrante en goewermentsamptenaar. Een van die eerste take wat ek myself opgelê het, is juis om persoonlik te gaan vasstel wat daar by Gouna aangaan."

"Wanneer?" Ek kon dit nie glo nie.

"Môre, om jou die waarheid te sê."

"Wragtig."

Uiteindelik. Ná al die maande van praat en praat en skryf en skryf dat iemand moes kom kyk, sou 'n goewermentsgesant die moeite doen. Vattigheid het ek nie aan die Walker-kêrel gehad nie, maar beter kon ek nie op daardie oomblik vir die Italiane gevra het nie. Hy was immers bereid om self te kom kyk en vir een keer was dit ordentlike tyding wat ek kon terugdra platrand toe, al was dit dan nog nie 'n skip nie.

"Engelsman," het ek vir Christie by sy tent loop sê, "jy moet jou lyf uit die kooi kry en jou woorde bedink. Mister White is weg, daar's 'n ander man in sy stoel en hy's môre hier om inspeksie te doen. As hy dinge na sy sin vind, word die sjielings begin van November afgevat en die tente einde van Desember." Hy het die tentflap kom oopmaak en my gestaan en aankyk soos een wat heeltemal verdwaas is. "Maak toe jou mond, en kry jou skryfgoed reg. Alles wat gesê moet word, moet neergeskryf word, nie 'n woord sal uitgelaat staan as hy hier weggaan nie. Roep die Italiane bymekaar, sê vir hulle hulle moet solank vooruit dink. Jy moet notisie vat, Mister Christie, hier is uiteindelik 'n goewermentsman op pad!"

"'n Mister Walker, sê jy?"

"Ja. Hy kom self kyk."

Toe ek omdraai, staan Lucinetti en Cuicatti 'n entjie weg en Lucinetti trek met sy vinger oor sy keel en wys vir my dis wat hulle met Christie wil doen. Ek het geweet daar is weer stribbels tussen hulle, ek sê vir hulle hulle kan hom keel-af sny, maar net nie solank hulle nog op die platrand is nie.

En 'n rooiborssperwer en sy wyfie sweef hoog bo die platrand om en om en bly aan die roep. As my arms vlerke was, het ek saam met hulle gaan sweef, só groot was die verligting wat oor my gekom het. Ek het eendag reguit vir White gesê hy is bang om op die platrand te kom, hy's bang hy kom trap in sy eie mis. Hoër en hoër het die sperwers bly boontoe draai teen die bloue lug. Daar was ag pond en 'n paar sjielings in my geldblik, twintig akker grond sou dit nie koop nie, maar daar was meer as 'n jaar oor na die vendusie toe; maak nie saak hoe nie, die geld sou daar wees. Ek het dit geweet. Ek had twee hande wat kon werk, gesondheid in my lyf, en vir die eerste keer in 'n lang tyd blyte in my hart. Die oumense het gesê: solank jy nog 'n pit koffie het om te brand, is dit goed; sleg kom eers as jy die dag bostolbospitte vir koffie moet brand. Ek was nog ver van bostolboskoffie af.

Amêrika het van onder oor die platrand af aangedraf gekom, sonder die wip en sonder 'n fisantveer in die hand, en al wat ek kon uitmaak, was "serpente". Dit kos my omdraai na Christie toe sodat hy kon tolk en ek kon uitvind wat gebeur het. Toe kom dit uit dat 'n boomslang kort by hom in die onderbos teen die takke opgeseil het waar hy geskuil het om die wiptou te trek. Ek sê vir Christie om vir hom te sê boomslang is 'n bang slang, hy sal liewers wegseil as pik, maar Amêrika skud net sy kop. Al wat hy sê, is: "Gaan nie weer, signor Miggel, gaan nie weer." Nes 'n kind.

Vir Mirjam het ek die aand gesê sy moet vroegoggend 'n paar strikke gaan stel, die tente se vleis is min, maar sy moes nie draai nie. As Walker kom, moes sy daar wees om te praat oor die kinders wat snotneus bly, oor Cruci se een wat pal met 'n hygbors loop, van Mariarosa wat die wildeskree kry, van Ilario wat die een week op die voete is en die ander week in die kooi. Van alles moes sy hom sê. Elke woord sou tel.

"Mirjam," sê ek vir haar, want ek sien sy sit weer nes een wat nie hoor nie, "môre word hier uiteindelik inspeksie gedoen en dis belangrik dat elkeen sy praat sal praat."

"Ja, Pa."

Twee Sondae agter mekaar het sy uit die Bos gekom met voete wat sleep, nie opgehelder van plesierigheid soos gewoonlik nie. Ek het sommer reguit vir haar gevra of die een nie opgedaag het nie, toe sê sy ek klim in die verkeerde boom. Meer kon ek nie uit haar uit kry nie.

Walker was vroegmôre daar, hy en Dreyer, die klerk. Te perd. Christie het hulle reguit na sy kantoortent toe gevat; ek het vir my staanplek by die flap gekry en gemaak of ek nie sien dat hy my daar wil weghê nie. En eerste trek hy los oor sy salaris wat nog nie uitbetaal is nie en oombliklik belowe Walker hom dat dit binne 'n week op die dorp sal wees. Christie kan dit maar kom haal. Ek steek my kop by die tent in en sê hy moet onthou van die veertien pond wat hy mý skuld. Hy maak of hy my nie hoor nie, of ek nie daar is nie. Toe loop draai hy by die verskriklike klomp *correspondence* wat hy moet behartig en waarvoor hy geen ekstra vergoeding ontvang nie. Ek vra vir hom: wat help al die *correspondence*, niemand antwoord jou nie? Van die kastige Earl het hy ook nie gehoor nie. Toe ruk hy hom op en sê ek moet my werk loop doen, daar's nie vleis nie. Ek roer nie, ek staan my staan. Toe Walker vra wie die segsman onder die Italiane is, toe sê Christie dis Robolini en ek sê dis 'n lieg, dit was nog al die tyd Fardini. Ten einde stuur hy my om altwee te roep. Toe ek hulle bring, sê ek vir Christie hy moet hulle laat sit, nie soos twee beskuldigdes laat staan nie en dit nog krom daarby om onder die tent in te pas. Maar Christie steur hom nie, hy laat hulle staan. Walker vra vir hulle hoe lank hulle al op die platrand is, hoe dit met hulle gesondheid staan, hoeveel akker grond elkeen al bewerk het, hoeveel kinders daar is, hoe oud die kinders is. Hy vra. Christie tolk. Hulle antwoord. En nie Walker of Christie kom skynlik agter dat die twee Italiane vertoorn staan nie. Net ek kom dit agter, want ek het al lankal geleer om net hulle gesigte en hulle lywe dop te hou en te weet wat hulle in die gemoed voer. Ek kom agter hulle vertrou nie die ondervraery nie. Daarby is Walker 'n man wat nie opkyk nie en hulle is mense wat vir jou fyn in die gesig kyk as hulle met jou praat. Ek sê vir myself: moenie indruk nie, staan stil, die eintlike inspeksie lê by die tente voor.

En Walker het nie een tent oorgeslaan nie. By elkeen het hy handgeskud, uitgevra, die kinders onder die ken gekielie, die vrouens aan die bo-arms gedruk; of hy hulle wou vertroos of net aan hulle vat, weet ek nie. Ek weet net dat die Italiane skielik bot was; hulle het hom dopgehou met plooie tussen die oë asof hulle wou seker maak hy steel niks. Ek roep Christie eenkant en sê vir hom om vir hulle te sê die man is daar vir hulle redding, hulle moet praat, hulle moet lawaai en opstandig raak, maar die onnooslike Christie hoor my skaars, hy drawwe net al agter Walker aan asof die man vir sý redding daar is. Toe Walker klaar is by die tente, toe loop inspek hy die lotte en ek sien sommer dis nie na sy sin nie.

"Ek het Mister gesê die water en die mis is te min vir almal, ek het hulle sommer maar solank laat spit en plant omdat hulle nie werkeloos kan sit tot die skip kom nie."

Hy het net sy mond getrek. En toe hy klaar is by die lotte, toe loop hy na mý plek toe en beginne mý groentekampe inspek. Ek sê vir hom hy het niks daar te soek nie, dis my plek. Maar hy loop, met Dreyer en Christie nes twee werfhonde agterna. Halfpad sien ek hy sê iets vir Christie en Christie draai terug tente toe. En hy inspek nie net my groentekampe nie, hy loop om my huis ook, steek sy neus by my houtkamer in. En genoeg is dit nog nie, toe hulle die tweede keer om die huis kom, toe loop hy by my deur in sonder dat een hom genooi het en gaan sit by die tafel waar Mirjam net begin het om brood te knie. Dreyer agterna. Ek sê vir myself: Silas Miggel, betoom jou, laat hulle onder jou kooi loop inkyk as dit sal help om die platrand verlos te kry van die Italiane.

"Jy het seker baie probleme met hierdie mooie dogter van jou en die mans daar by die tente, nè?" vra Walker met 'n kastige laggie toe hy sit. Ek antwoord hom nie. Ek sleep vir my die bankie nader en toe ek sit, toe vra ek vir hom of hy nou tevrede is met wat sy oë by die tente gesien het.

"Dit is vir my totaal onbegryplik dat Mister White nooit weer kom kyk het nie."

"Onbegryplik is die woord, Mister," het ek hom verseker. "Ek sal graag wil weet wat Mister nou besluit het, as ek mag vra."

"Hulle sal beslis toegelaat moet word om die tente langer te hou. Indien dit nodig is, natuurlik."

Moenie moed kry nie, het ek myself gemaan, wees versigtig. "Glo Mister nou dat dit hulle self is wat gevra het om huis toe gestuur te word?"

"Beslis."

"Nou vir wat is Mister dan nog ontevrede oorlat daar nie genoeg van die lotte bewerk is nie?"

Hy het die lepel wat op die tafel gelê het, gevat en daarmee begin speel. "Soos ek jou reeds gesê het, Miggel, Italiane is plannemakers. Ek was al twee keer in hulle land; dis 'n pragtige land, maar die mense is baie arm, veral in die suide."

"Hulle kom uit die noorde."

"Hulle ken swaarkry dáár maar net so goed. Jy hoef jou nie oor hulle te bekommer nie."

"Dis nie lat ek my oor hulle bekommer nie, Mister, maar daar is darem tog kinders en die kinders bly loopneus. Mister moes hier gewees het toe die winter op sy strafste was, ek sê vir Mister, die hoenders en die perde en die varke oorkant op Poortland, was beter beskut. Ek en Mirjam en ou Mieta moes hoeveel van hulle deurhaal van die koorsverkoue. Dis reënbos hierdie, Mister. Op die oomblik mag dit nie vir jou so lyk nie, want die son skyn en die reën het nou twee keer verbygehou, maar as dit reën dan reën dit. Ons het kooigoedbos gekap asof die goed uitgeroei moes kom. Vuurmaakhout is by die vragte uitgesleep en dan weeg ek nie eers vir Mister die vleis en die ander kos nie."

"Ek kan jou maar net bedank vir wat jy alles vir hierdie syboere doen, Miggel. Dit kan nie 'n geringe taak wees nie."

"Dit is nie. As die goewerment nie gou 'n ander plan met hulle maak nie, is ek in my maai in en hulle ook."

"Ek stem saam met jou."

Ek het al meer moed gekry. Dis 'n dom man wat haastig bly word, maar ek het moed gekry. "Mirjam," sê ek, "los die skottel en maak eers vir Mister Walker en Mister Dreyer 'n bietjie koffie." Solank hy met my saamstem, moes ek vashou. "Dit sal nie vandag vir my of vir Mister baat om draaie te loop nie, hierdie Italiane moet huis toe gestuur word en klaar."

"Hoe lank neem dit om 'n huis soos hierdie van jou op te rig, Miggel?"

"Die oprig is niks, Mister, dis die hout se kap en uitsleep en opsaag en droogword wat die ding is." Ek sê dit vir hom, maar ek laat hom nie agterkom dat hy 'n rigting ingeswenk het waar Silas Miggel sou keer met alles wat hy het nie. Daar sou nie vir hulle huise opgerig word nie. "Wat help dit in elk geval Mister praat van huise? Waar moet die huise opgerig kom? Mister het self gesê hulle kry niks verniet nie, die grond moet afbetaal kom. Hulle het nie geld om grond mee af te betaal nie, en wie sal nou op 'n ander man se grond vir hom loop huis opsit?" Ek was 'n bietjie naby my eie huis en moes wegkom. "Mister het gister gesê as hulle nie Junie betaal nie, word die lotte Desember opgeveil."

"Eintlik eers die Maart daarop. Hulle kry drie maande uitstel en dan word daar 'n verdere ses maande gewag voordat die grond opgeveil word. Ek het jou miskien nie volledig genoeg ingelig nie." Die lepel in sy hand het al harder op die tafel getik. "Ek sal toelaat dat hulle die tente vir nog ses maande hou. Intussen wil ek op jou 'n beroep doen om hulle nie te veel meer te help nie. Moenie vir hulle strikke stel nie, moenie vir hulle vuurmaakhout kap nie, laat hulle dit self doen."

"Hoe sê Mister nou?" Ek het die man skielik nie meer vertrou nie. Mirjam ook nie; sy het die waterbeker wat sy in haar hand had, met mening neergesit en doodstil na Walker bly staan en kyk. "Wat ek onderneem het om te doen," sê ek vir hom, "doen ek in ruil vir blyreg vir my en my meisiekind. Mister White het Kaap toe geskryf oor my blyreg, en tot tyd en wyl die Italiane hier weggevat word, sal ek my woord hou sodat daar nie agterna gesê sal kan word dat ek woord gebreek het en daarom my blyreg verbeur het nie."

"Ek wil maar net nie hê jy moet hulle langer bederf nie, Miggel."

Dit was nie ek wat hom geantwoord het nie, dit was Mirjam. "As 'n mens 'n hond nie meer wil hê nie," het sy vir hom die woorde uitgemeet, "dan hou jy op om hom kos te gee in die hoop dat hy dalk sal aanloop en jy van hom ontslae is."

Hy't nie opgekyk nie en haar ewe rustig teruggekap: "'n Hond loop nie só maklik weg nie, hy leer dalk net om sy eie kos en lêplek te soek."

"Hulle is bang vir die Bos!" het sy gesê.

"'n Mens vrees die onbekende net totdat jy daaraan gewoond is, my liewe juffrou. Soms is dit goed as jy gedwing word om met die onbekende kennis te maak. Ons Engelse het 'n manier om dit te sê, ons sê: jy moet soms wreed wees juis om goed te kan wees."

"Luister, Mister," het ek vir hom gesê, "as ek 'n bosbok in 'n strik vang en hy leef nog, dan vat ek my mes en ek sny sy keel af, ek loop staat nie eenkant en wag lat hy doodspartel en sê dan ek is wreed omlat ek goed is nie. As jy nie in hierdie bos gebore is nie, vat hy jou nie. Dis anderster mense hierdie, hulle haal ook asem, maar hulle is anderster. Julle kan nie die geld afvat voor julle hulle nie huis toe stuur nie, en as Mister vandag my lepel breek, koop Mister vir my 'n ander een."

"Ek weet wat ek doen, Miggel."

Dit was nie vir my duidelik of hy van my lepel of van die Italiane praat nie. Ek het vir Mirjam gesê sy moet die koffie los. Hy het opgestaan en geloop. Dreyer agterna.

"En nou, Pa?"

"Nou niks." Ek het die graaf gevat en die geelsloot loop oopsteek vir 'n lekseltjie water oor die patats. Cuicatti en Borolini het verbygekom met 'n sleepsel takke; Mangiagalli en Cruci het in die koelte gesit en die patatranke gedeel wat ek hulle die oggend gegee het; Mariarosa en Giuditta was besig om wasgoed te was en van die kinders het om hulle gespeel.

"Middag, signor Miggel."

"Middag, signor Miggel."

"Hoeveel keer moet ek julle belet om by die geelsloot wasgoed te was?"

"Ander water no good."

Petroniglia het 'n entjie weggestaan; sy het my met haar oë gegroet en vir my gesê dis nog altyd seer in haar oor Catarina. Snaaks, ek het alles geweet wat sy sê.

Ag

Drie dae later het ek oorkant op Poortland loop inval asof ek nooit weg was nie. Barrington was nog in die kooi toe ek daar aankom, John was te perd weg dorp toe, Hal by die stalle, Will op Karawater. Ek en Mrs Barrington en Flos, die oudste dogter, het 'n deurloop van die werk gemaak wat gedoen moes kom en besluit dat dit die beste sal wees as ek eers om die huis begin met die tuin en die groentekamp: die vuilgoed het só hoog gestaan dat jy nie meer kon sien waar die een van die ander skei nie.

Die goewerment kon die Italiane uithonger om van hulle ontslae te probeer raak, maar hulle sou nie Silas Miggel uithonger nie. Die dag as die lotte te koop is, moes ek geld hê. Vooruit sou ek my nie verheug nie, dit het ek my voorgeneem, maar ek wou ook nie agterna huil as daar dalk 'n kans kom om 'n stukkie van die platrand op my naam te kry en my geldblik is leeg nie. Ek sou nag en dag werk.

"Wat van die Italiane, Pa?" Mirjam was rasend toe ek vir haar sê ek gaan terug Poortland toe. "Of het Pa nou besluit om Mister Walker sy sin te gee en hulle nie verder te help nie?"

"Ek het niks met Walker en sy sin te doen nie, ek het my eie. Jy loop stel die strikke, en sleep uit en slag af. Die vuurmaakhout kap ek en Amêrika en Coccia en Taiani op die dae wat ek nie Poortland toe gaan nie."

"Hoeveel dae in die week gaan Pa op Poortland werk?"

"Drie. Dis vyftien sjielings. Op die ander dae maak ek stoeletjies en ek wil sommer 'n bietjie hout ook kap om te verkoop, elke pennie sal tel. As ek een van die lotte bekom, is jy besorg en staat ek nooit weer in my lewe verleë oor blyreg nie. En as Amêrika nie môre die wip vat en loop fisante vang nie, vat ek die karwats en foeter die slang uit hom uit."

"Los vir Amêrika, Pa. Ek sal Lucinetti gaan wys om die fisante te vang."

"Nee. Jy bly weg van Lucinetti af, dis Amêrika se werk. Palings kan ek Donderdae loop vang as dit nodig is."

"Pa sal nooit alles alleen gedoen kry nie."
"Ek moet."

Ek was seker goed 'n twee uur aan die skoonmaak in die tuin, toe kom Imar en Gabrielle uit met 'n stoel en kom sit hom onder die suurlemoenboom en Barrington sukkel op sy eie voete agterna. Vergaan.

"Silas."

"Honourable."

Asof ek nooit weg was nie. En ek kyk anderpad terwyl hy tot by die stoel loop, want 'n mens kyk nie 'n ander aan van wie die lyf tot niet is, maar die trots nog in die kop en in die oë sit nie.

"Soos jy sal opmerk," sê hy toe hy sit, "het ek probeer om die groentetuin aan die gang te hou."

"Ek het gesien, honourable." In die een hoek was daar tekens dat iemand geskoffel het. "Die maan is reg, ons sal plant."

"Ja. Ek het goeie moere uit Engeland laat kom."

"Ons sal hulle in die grond kry, Mister Barrington."

Ek het gewerk. Hy het gesit. As ek te ver van hom af weggewerk het, het hy my nader aan hom 'n vak laat aanvoor. "Ons moet praat, Silas."

"Ons moet praat, Mister Barrington."

"Ek weet nie hoeveel tyd daar vir my oor is nie."

"Die beste sal wees as Mister Barrington maar Mister Barrington se orders afgee solat dit klaar is." Ek wou nie reguit vir hom sê dat dit nie vir my lyk of daar veel tyd vir hom oor is nie.

"Dit is my wens dat Georgina met die dogters teruggaan Engeland toe. Van my grond sal verkoop moet word om die koste te dek en om hulle van 'n inkomste te verseker."

Dit was die eerste keer dat hy ooit Mrs Barrington voor my op die naam genoem het. "Soos dit Mister Barrington se begeerte is," het ek gesê.

"Ek wil hê jy moet hier aanbly totdat hulle vertrek."

"Ek werk nie onder John nie."

"My seuns het my diep teleurgestel, Silas, maar hulle is vir my kosbaar. Oor Will wil ek nie praat nie, van almal het ek van hom die meeste verwag en nou is hý die een wat my die seerste maak."

"Die ander twee het ook maar weggeloop en weer teruggekom. Kind bly kind, jy vergewe hom alles. Ek sê maar net vroegtydig lat ek nie onder John werk nie."

"Ek wil eerbaar begrawe word, Silas. Wat ek vir my seuns gesê het, sê ek vandag vir jou. My oorskot moet met my eie wa en met twaalf swart osse na die graf geneem word. Jy moet die osse gaan kry en jy moet die wa vir my dryf."

"Waar dink Mister Barrington gaat ek twaalf swart osse in die hande kry?"

"Jy moet hulle gaan soek," het hy gesê. "Op Redlands is vier, op Belvidere sal jy ten minste drie kry, Mister Stewart het twee en op Lancewood is drie. Dis klaar twaalf."

"Dink Mister Barrington dis speletjies om twaalf vreemde osse voor 'n wa in te span en stigtelik te hou? Dit gaat neuk."

"Ek verwag van jou om toe te sien dat die osse hulle gedra."

"Ek weet nie so mooi nie. As ons nou van 'n vrag hout gepraat het, was dit 'n ander ding, maar dis honourable wat ek op die wa gaat hê."

Wat het dit nou saak gemaak of jy met twaalf swart osse of met twaalf bont osse weggery word? Jou siel is mos nie op die wa nie, jou siel is saam met die engels weg. Maar as hy dit so wou hê, sou ek dit so vir hom doen.

Elke keer as die koelte wegtrek, het ek hom met stoel en al agterna getrek en gevoel hoe min gewig daar in hom oor was. As hy Krismis haal, sou dit my verbaas. En dit was toe ek hom die derde keer skuif, dat hy met my oor 'n heel ander ding praat.

"Silas," sê hy, "jare gelede het jy vir my iets gesê waaroor ek later baie diep nagedink het."

"Wat is dit wat ek vir Mister Barrington gesê het?" Ek het hom baie dinge gesê, na weinig het hy geluister.

"Jy het eendag gesê die mens is net om een rede op die aarde en dit is om goed te word. Ek het nie destyds besef dat jy in jou eenvoud dalk op 'n groot waarheid afgekom het nie. Vandag twyfel ek nie daaraan dat dit wel ons grootste taak op aarde behoort te wees nie. Wanneer jy aan die einde van jou dae kom, en jy kyk terug, is net dít wat goed was, nie tevergeefs nie. Die verwyt wat jy het, is dat die goed so min is en dat . . ."

"Mister Barrington." Ek het hom in die rede geval. "Die dag toe ek daardie woorde vir Mister Barrington gesê het, het ek nie geweet wat ek praat nie. As ek eerder geweet het Mister Barrington sit nog altyd daarmee in die kop, het ek eerder gekom en Mister Barrington kom reghelp, want ek het Mister Barrington verkeerde kant toe gestamp." Hy't my half ontevrede aangekyk. "Ek is jammer, honourable, maar die mens is nie op hierdie aarde afgesit om te kom goed word nie, maar om te kom leer om nie te lieg nie. Dis al, en dis die hele simpele waarheid wat ek intussen in helderheid bedink het vanlat die Italiane daar oorkant op die platrand aangekom het."

Hy het sy lyf dwars in die stoel gedraai asof hy hom erg en eers na 'n lang ruk weer met my gepraat. "Ek het my nie met leuentaal opgehou nie," het hy kortweg gesê. "En as daar van die osse is wat vir jou te maer lyk, gaan soek ander in die plek. Dit moet twaalf mooi osse wees. Ek wil hê dat jy self ook skoon en netjies en in swart geklee moet wees. Nou kan jy my help om in die huis te kom en voortgaan met jou werk. Alles is agter." Asof dit mý skuld was. En nie 'n woord oor die Italiane nie.

Ek het tot laat toe gewerk voordat ek by die agterdeur gaan groet het. Gabrielle het my loon gebring en gesê Mister Barrington is al terug in die kooi. Toe die geld in my hand lê, toe is dit net drie sjielings. En ek staan nog en besluit of ek moet loop of praat, toe kom Flos agterna en kom lê nog twee sjielings in my hand en sê Mister Barrington het 'n oomblik vergeet dat hy John gestuur het om te sê van die nuwe prys.

Teen die tyd wat ek by die huis gekom het, was dit donker en alles in 'n warspul. 'n Vleiloerie het agter die kerslig aan by die deur ingevlieg en in sy nood teen alles vasgeduiwel. Die res het Mirjam omgestamp met die probeersel om hom te vang. Ek het my hoed gevat, die ding langs die wateremmer vasgedruk en by die deur uitgegooi. Toe ek omdraai, staan Mirjam stram verskrik.

"Pa, ta' Hannie sê as die vleiloerie in die donker vlieg, bring hy slegte tyding."

"Jou ta' Hannie het nog nooit geleer om haar mond toe te maak as die wind waai nie. Walker het die tyding gebring, nie die vleiloerie nie." Ek het die stoel opgetel en begin help om die huis aan die kant te kry.

"Mister Christie was dorp toe om sy geld te haal. Mister Walker sê dit het nog nie gekom nie."

Ek het die vyf sjielings uit my sak gehaal en in die blik gesit. Die goewermentswiel sou nie oor my kom staan ry nie.

Maandae en Dinsdae en Woensdae het ek op Poortland gewerk. Donderdae, Vrydae en Saterdae op die platrand. Dit was 'n harde tyd. Die meeste Sondae het ek met die Bybel op my skoot aan die slaap geraak, maar elke sjieling wat in die blik geval het, was soos 'n sooi van een van die lotte, en elke pennie wat ek moes uithaal om van te leef, 'n kluit minder.

By die tente was dit soos altyd: lawaaierig, opstandig, moeilikheid onder mekaar, moeilikheid met Christie, skittery, koorsverkoue. Die kwaaiste dae was die dae wat dit vir my gelyk het of 'n moedeloosheid oor die tente gaan lê; dan was hulle stiller en het hulle nie die aand musiek gemaak nie. Dit was ook die dae wat die vroumense makliker onder mekaar geskoor het, wat Cuicatti en Tomé wou vuisslaan oor 'n tentpen wat makeer, wat Fardini heen en weer bly loop het asof hy 'n pad oor die platrand wou ooptrap. Christie het brief na brief aan die goewerment geskryf oor sy geld en om te vra dat die toelae verleng moet word. Nie lank nie, toe sit hy sonder papier en sy ink is ook op en hy kom vra by mý vyf pond om te leen.

"Jy skuld my klaar veertien wat ek nie weet of ek dit ooit sal sien nie!" het ek hom sommer ingevlieg. "Dis amper die einde van Oktober. As hulle jou nou nog nie betaal het nie, is hulle nie van plan om jou te betaal nie, en jy sien kans om nog te kom leen?"

"Hulle is wetlik verplig om my te betaal."

"Vergeet van die wet, vat die blêssitse Italiane en val met hulle in die pad Kaap toe en loop sit hulle voor die goewerment se deur neer. Ek sê vandag vir jou, hier gaat groot geneuk kom as Walker ophou sjielings uitdeel."

"Dit is 'n blote dreigement, die goewerment sal dit nie doen nie, nie ná die vertoë wat ek gerig het nie. En ek verwag nie van jou om vir my vyf pond te leen sonder sekuriteit nie, ek is bereid om my grond aan jou te verpand totdat my geld kom."

"Jy weet goed jy kan nie jou grond vir my in pand gee nie, dis nie jou grond nie, dis die kroon se grond." Ek sou my geldblik vir hom omgekeer het as dit nie so was nie. Maar teen dié tyd het ek met 'n ander plan in die kop geloop, en dit net daar, versigtig, voor hom neergesit: "Mister Christie," sê ek, "ek sal jou 'n ander offer maak: ek skryf jou skuld af én ek gee jou die volle tien pond vir die twintig akker wat vir jou uitgemeet lê; jy loop betaal dit en skryf die kaart en transport in my naam." Dit was soos wanneer 'n mens met die stuk paddavleis die paling onder die klipskeur uitlok en jy nie jou skaduwee laat roer nie vir ingeval hy skrik. Christie had lus om te byt, ek kon dit sien. "Tien pond."

Hy het sy kop geskud. "Die wet bepaal dat 'n immigrant nie sy grond binne vyf jaar mag verkoop nie, nie eers al het hy reeds ten volle betaal en is hy reeds pagter in plaas van huurder nie."

Die paling had nie tande om mee te byt nie. "Dis jammer," sê ek, "jy kon nou tien pond gehad het."

"Maar daar's baie maniere om 'n wet te omseil, Miggel. Ek kan jou aanstel as my wettige verteenwoordiger, ek kan my grond aan jou bemaak. Daar's baie maniere om verby die wet te kom."

"Los dit. Die dag as ek 'n stuk van hierdie platrand koop, koop ek dit vir kaart en transport, vir niks minder nie. Intussen het ek in elk geval blyreg."

"Ek sou nie so seker van die blyreg wees as ek jy is nie."

Dit was nie vir hom nodig om dit vir my te sê nie, ek het dit geweet. En op die ou end het ek hom drie pond voorgeskiet met Mirjam as getuie. Ek het vir hom gesê om die Italiane bymekaar te roep en vir hulle te sê dat die geld moontlik nog net tot die sesde November uitbetaal sal word, maar hy wou nie. Hy skram weg. Hy sê daar sal uitkoms kom, die goewerment sal dit nie doen nie. Dis net ek wat nie die geloof wil kry nie. Dit voel vir my iewers kom die wiel aangerol en dis afdraand. Ek sê vir myself: Silas Miggel, al wat jy kan doen, is om vroegtydig te koes sodat hy nie bo-oor jou ook ry nie.

Die dae wat ek op die platrand was, het ek net so hard gewerk as die dae wat ek oorkant op Poortland was. By die wip het ek Amêrika nie weer gekry nie, nie eers vir die karwats het hy geskrik nie. "Gaan nie weer, signor Miggel, gaan nie weer." Toe bied Canovi aan om die fisante te vang en die Donderdag sit ek my werk neer en loop leer hom soos ek Amêrika geleer het, en toe dit klaar is, loop gaan ek ewe gerus by die stoeletjies aan. Laat-agternamiddag kom hy van onder af op, een fisant in die hand en Petroniglia se Monica aan die ander hand. Snotkind. Veertien. Maar onder my oë is sy verby na hom toe op die boskloof se rand. Ek sit die spansaag net daar neer en loop haal haar ma uit die tent uit en roep Christie om te kom tolk. Ek sê vir hom om vir haar te sê daar's genoeg moeilikheid op die platrand en genoeg op pad, sy moet haar meisiekind onder die oog hou, Canovi is 'n vabond. En sy laat nie Christie vir haar antwoord nie, sy antwoord my self:

"Signor Miggel het Mirjam, Petroniglia het Monica."

Ek wis nie of ek my moet erg nie, want ek wis nie of sy weet wat sy sê nie. Met my meisiekind had sy niks te doen nie, oor haar sou ek my self bekommer. Of nie bekommer nie. Want in daardie tyd gebeur 'n eienaardige ding.

Sê ek die middag vir Mister Barrington ek wil 'n bietjie vroeër loop, die weer steek op en voor dit reën, wil ek met 'n paar van die Italiane die wal aan die oostekant van die tente, by die afloopspruit, 'n bietjie hoër gaan gooi. Al vang ons net 'n emmer water meer na vorentoe, kon dit help, want dit was droog. En ek wou hulle by die geelsloot wegkry. Maar teen die tyd wat ek oorkant op die platrand kom, was die lug blouskoon, die reën het weer verbygetrek. En Mirjam is nie by die huis nie. En omdat my dunhout 'n bietjie laag was, vat ek die handbyl en die rieme, ek sit vir Mirjam boodskap op die tafel neer en ek loop die Bos in.

Nie ver nie, toe kry ek haar in Rooiels-se-sleeppad: loop sy met haar arms gevou en haar oë voor haar voete soos een wat diep van gedagte is. Toe sy opkyk en my sien, is dit of 'n agterdog haar beetgryp. Ek sê vir haar daar is niks verkeerd nie, ek het maar net vroeër by die huis gekom oor die weer wat opgesteek het, en so is ons daar uitmekaar: sy huis toe, ek na die drooghout toe.

Maar nie 'n kwartier nie, toe kry ek vir Jacob Terblans kop-onderstebo op 'n windvalboom sit en dis oombliklik vir my vreemd. Die Terblanse is Diepwalle se mense en Diepwalle het 'n bietjie ver gelê om daardie tyd van die dag nog in Rooiels-se-sleeppad te sit. Die Terblanse het in elk geval selde in Gouna se deel van die Bos gekom. Goeie mense. Van Nols Terblans se sewe seuns is Jacob die middelste en die een wat almal aan weerskante van hom in die kooi in gewerk het as dit by hout kom. Vir jare al kuier hy by my eie niggie Grieta se dogter, Susanna, op Groot Eiland, en Grieta het graag met Jacob gespog en het al 'n hele paar keer begin rondstrooi dat die bruilof nie meer ver is nie. Sy kón met Jacob spog. Dit was 'n jong man wat vir hom in sy eie tyd 'n hele wa se hout gekap en bewerk het en die wa self gemaak het ook nog. Goeie mense. Sy ouma van moederskant was so dik, sy't 'n hele wa vol gesit, en die dorpnaars het haar die naam *Forest Fairy* gegee. Dik, maar goed.

Ek vra vir Jacob hoekom hy daar sit. Hy sê hy rus, hy't 'n deurloop kom maak om te kyk hoe die witpeer daar aan ons kant van die Bos lyk. By hulle was die witpeer baie uitgekap en die houtkoper wil witpeer hê; die meubelmakers in die Kaap vra skielik weer witpeer. Ek vra vir hom of hulle iets gehoor of gesien het van Josafat Stander. Hy sê nie taal of teken nie, die man is die ewigheid in sonder begrafnis, soos 'n heiden. En ons stap saam tot waar hy moet wegswenk vir Kom-se-bos en ek stuur nog groetnis vir nig Grieta en haar huismense.

Die aand aan tafel sê ek vir Mirjam ek het Jacob gekry, ek wonder wanneer hy en Susanna trou. En net daar skuif sy haar bord agteruit en sê dis lankal af tussen Jacob en Susanna. En op die oomblik is daar 'n stilte oor die tafel wat nie 'n gewone stilte is nie. Ek sê vir myself: Silas Miggel, hou teë jou tong, jy trap nou òf op die lelies òf jy trap op die rand. Ek sê nie 'n verdere woord nie, ek vra nie hoe sy dit weet nie, ek begin sommer oor die ou slegte deegkoekies praat wat Petroniglia skemeraand daar aangebring het – ek kon dit nie inkry nie, net Mirjam het geëet.

Maar toe ek gaan lê, toe lê ek met 'n seerte in my gemoed, want ek weet Mirjam lê langsaan in haar kamer op haar kooi en sy huil. Ek hoor haar. Ek staan nie op nie, ek weet dis 'n alleenhuil. En ek knoop die rieme aanmekaar en ek twyfel nie dat sy en Jacob daardie middag in die sleeppad gesels het nie, en daar is 'n gerustheid oor my, seker omdat dit Jacob was. Want as ek my meisiekind aan een kon afgee, dan sou dit aan Jacob kon gewees het. Sy sou besorg gewees het. Ek sou nie gedurig met die weggesteekte vrees geloop het dat ek iets kon oorkom voordat daar vir haar genoeg voorsorg was nie.

Dit was maklik vir Petroniglia om te praat. Wat het sy geweet? Mirjam was nie Monica nie en Jacob was nie Canovi nie.

Oorkant op Poortland het dinge stadig begin beter gaan. Net met Barrington wou dit nie beter nie. Ons het twee ekstra werksmense bygehuur en ek het vir hom gesê om John van hulle af weg te hou, ek sou self kyk dat hulle werk. Eintlik het ek op 'n mooi manier vir hom probeer sê om op te hou uit die huis uit sukkel om te kom kyk of elkeen genoeg doen vir sy dag se loon.

Dieselfde middag kom John watter tyd van die dorp af soos 'n lord op 'n perd en kom staan en rondtrippel en skoor waar ons kamp regmaak om gars te saai. Ek vra vir hom hoekom hy nie liewerster die perd vat en vir sy ma loop hulp soek vir die kombuis nie. Dis nie reg dat 'n fyne vrou soos sy heeldag voor die warme vuur moet staan vir almal se eet en drink nie. Al die jare was die moeilikheid in Poortland se kombuis Barrington wat nie sy aandag uit vroumensewerk kon hou nie. Heeldag het hy geloop en ruik en inspek tot op die laaste wanneer elke koperpot waarin daar deur die dag gekook is, na sý sin geblink het. Ek sê John hy moet na Mary van Koos Matroos toe ry en vir haar gaan vra om terug te kom; sy en Mrs Barrington het goed klaargekom toe sy tevore daar gewerk het. Ek sê vir hom om te sê sy pa is uit die kombuis uit, hy's gedaan. Maar hy gee net so 'n hoonlaggie van die perd af en sê hy stel voor dat ek soggens vir Mirjam deurstuur om in Poortland se kombuis te kom help. Loon is een pond tien in die maand, die beste in die kontrei. Ek antwoord hom in kalmte; ek erg my nie vir die wind nie, veral nie toe ek nog die wynruikie ook in hom kry nie. Ek sê vir hom ek skat my Mirjam nie te goed om sy ma in die kombuis te kom help nie, dis net dat ek haar nie wou laat werk waar adders onder in die kloof lê om haar voor te keer nie. En kompleet soos 'n skuldige begin hy modder optel en gooi en sê as dit nie vir Poortland was nie, het Mirjam nooit uit die Bos gekruip en 'n paar maniere geleer nie; die dag as sy êrens op 'n boseiland in 'n vrotplankkaia sit en houtkapperkleintjies grootmaak, sal sy wens sy was in Poortland se kombuis om die vloere te skrop.

Die volgende dag was hy by die tente om te hoor of daar nie van die Italiane se vroue of dogters is wat oorkant op Poortland in die huis wil kom werk nie. Loon is 'n pond in die maand. Mariarosa het hom met 'n kookpot gegooi.

Barrington het my nooit na die Italiane gevra nie. Hy het ook nie daarvan gehou dat ek oor hulle moes praat nie. Net Mrs Barrington het my eendag gevra hoe dit by die tente gaan. "Sleg, missies," het ek vir haar gesê, "en die slegste lê nog voor. Al troos wat ek het, is dat die dag sal kom waarop die goewerment hulle sal móét huis toe stuur. Maar die volle getal sal nie die skip haal nie, 'n paar gaat agterbly in hulle grafte." Ek het gehoop sy sê dit vir Barrington. Die middag toe ek loop, toe gee sy weer 'n emmertjie melk wat ek vir hulle moet loop gee.

Kort daarna het ek Barrington reguit gevra hoe ver hulle toe gekom het met die Bos se uitverkoop. Ek moes weet. Toe sê hy dat die vertoë nie geslaag het nie omdat die mense van die dorp en distrik nie wou saamstaan nie, daar was te veel verdeeldheid oor die saak. Die enigste nagevolg was dat Harison hom per brief daaraan herinner het dat hy wat Barrington is, net so onderhewig staan aan die reël van bewaring soos enigiemand anders: hy sou nie toegelaat word om in Poortland se bos te kap soos hy wil nie. Dit was vir Barrington 'n veeg deur die gesig.

"Ek, Silas," het hy vir my gesê, "'n verantwoordelike persoon en 'n Britse onderdaan, is aangespreek asof ek 'n houtkapper is."

"Ja-nee, honourable, dis nie reg nie," het ek hom gesê.

Toe November se maand aanbreek, toe is die winter terug asof hy nooit weg was nie en kom lê dit vir meer as 'n week lank amper elke môre witgeryp oor die platrand. Dis net koue, nie 'n druppel reën nie. Ek maak die groentekampe nat en laat loop 'n bietjie verby na die Italiane se paar kampies toe. Twee keer agter mekaar kom Taiani en Lucinetti sonder vis of skof van die water af en moet ek watter tyd loop palings vang vir Vrydag se kos. En Mirjam dra die klagtes van die tente af aan.

"Pa, Cruci se kind se bors bly toegetrek."

"Gee haar van die heuning en die kooigoedbos-treksel in."

"Kan ons nie vir Felitze snags in die huis laat kom slaap todat dit weer warm is nie, Pa?"

"Nee. Netnou sit ek met 'n huisvlieg."

"Angelo Borolini sit nou twee dae in die tent en lig nie sy kop op nie. Hulle sê hy treur oor die meisie wat hy in Italië agtergelaat het en wat hy met die eerste kokon-oes se geld sou laat kom het."

"Gee vir hom van die pietersieliebos-treksel in."

"Mariarosa het weer gistermiddag aan die skree gegaan, Pa."

"Ek dink ons moet 'n slag vir haar melkhoutbas-treksel ingee."

Dieselfde week val twee van die groter kinders met waterpokke in en ek keer net dat die boswagter dit nie hoor nie, want hy sal sommer loop sê dis pokke. Elke aand sê ek vir myself: Silas Miggel, jy moet hóú. Hoe meer ek daaroor nadink, hoe sekerder het ek geword dat die goewerment met 'n onnooslike plan wou kyk of die Italiane nie self regkom op die platrand as hulle daartoe gedwing word nie. Die vraag was: hoe lank wou hulle bly kyk? Wat moes word? Wat hulle in die kop gevoer het oor Christie, het ek nie eers meer probeer uitdink nie; elke keer as hy loop vra of sy geld al gekom het, het Walker gesê dit kon nou enige dag daar wees, maar die dag het nie aangebreek nie.

"Hulle wil van my ontslae raak, Miggel," het hy by my kom kerm. "Hulle het agtergekom ek staan nie terug vir Koloniale stomheid nie, ook nie vir dreigemente nie."

"Wat se dreigemente?"

"Dat ek van my pos onthef sal word as ek nie ophou om my met sake te bemoei wat deur ander hanteer word nie. Dis omdat ek die wêreld vir hulle te warm hou oor my geld en oor die Italiane. Hulle weet dat ek nie sal opgee voordat regverdigheid geskied nie."

Ek het maar stilgebly van die wagter wat die vorige week daar by my aangekom het met 'n oorvriendelikheid wat my oombliklik versigtig gemaak het. Eers loop inspek hy my hout en toe my houtliksens, en toe kom steek hy pyp op en sê hy hoor ek doen so wonderbaarlik baie vir die Italiane. Wat doen die tolk dan? Ek sê vir hom die tolk tolk en hy skryf briewe om te kyk of daar nie êrens vandaan 'n skip uit die lug uit wil val vir die Italiane nie.

"Dink oom nie hulle kan al sonder 'n tolk klaarkom nie? Ek verstaan hulle praat al heelwat Hollands. Ek verstaan Mirjam hou vir die kinders skool."

"Ek weet nie waar Mister alles leer verstaan nie, maar as Mister weer daar kom, vra sommer hoe die Italiane sonder die sjielings moet klaarkom as die goewerment nie gaat kopgee nie, dan kom sê Mister dit vir my solat ek ook kan verstaan."

Maar hy wou terug na Christie toe: "Dink oom hulle kan al sonder die tolk klaarkom?"

"Nee. Ook nie sonder die sjielings nie. Loop sê dit vir die een wat jou gestuur het."

Die sesde November was op 'n Sondag. Die Maandag is Christie en Fardini en 'n paar van die ander weg dorp toe om die geld te haal en winkelgoed te koop, soos dit hulle gewoonte was, en die aand vra ek vir Christie of hy vir hulle gesê het dat dit die laaste van die goewermentsgeld kon wees. Nee, sê hy, hy is vol vertroue dat die vertoë sal slaag, en hy verwag om nog van die Earl ook te hoor, hy het weer aan hom geskryf.

Die week gaan verby. Die Sondagaand, net voor die Maandag van die veertiende, maak die Italiane nog ewe musiek en ek en Mirjam loop luister ook. Sy ken van die liede al so goed dat sy saamsing. Ek laat haar maar sing. En Petroniglia sing ook. Baie mooi. Sy was nog lank nie oor Catarina nie en ek het maar nog altyd gesorg dat die beste vleis na haar tent toe gaan. Partykeer, as ek skemeraand uit die kloof kom van Poortland af, het sy vir my gestaan en wag om dankie te sê. Sy was anders as die ander vroue, nie so rumoerig nie. Ek het baie dae gewens ek kon haar van die lelies vertel, sommer tot troos oor alles, maar ek kon haar taal nie praat nie.

So lank as wat ek kan onthou, het die storie van die lelies maar deur die Bos geloop: die storie van 'n vlei vol bloedrooi lelies wat iewers in die Bos weggesteek lê, maar niemand kon jou sê waar nie. Later het 'n deel van Gouna se bos glad die naam van Lelievleibos gekry.

"Ek ken die Bos," het my oorlede pa gesê, "hy't nie lelies in hom nie. Die lelies is bo in die berge."

Ek was nog 'n jong man toe ek eendag in 'n reënbui by Mieta skuil en ons hiervan en daarvan praat om die tyd om te kry en later vra ek vir haar of sy die storie van die lelies glo. Sy antwoord my nie reguit nie, sy antwoord my soos in 'n raaisel:

"Een glo sonder dat sy oë sien, een glo net wat sy oë sien. As jy moet sien, sal jy sien."

Dis 'n storie, sê ek vir myself toe ek daar wegstap. Soos die storie van die upright duskant die Homtinirivier by die olifantsrolplek se draai. Seker die mooiste upright in die hele Bos, maar nie 'n byl sou aan hom raak solank sy storie bly leef nie. Jare gelede, so sê die ou bosmense, het vier kappers uit Komse-bos laat een middag hulle skerm 'n ent van die boom af gemaak en vroeg gaan lê sodat hulle met ligdag kon begin inbyl. Die nag word hulle wakker van 'n gloed en spring op, want hulle dog dis 'n bosbrand wat uitgebreek het. Toe hulle buite kom, sal hulle sien dis die upright wat brand, maar hy brand nie met vlamme nie, hy gloei soos 'n vuurkool, sy volle lengte tot in die kroon. Eerste dink hulle dat die weerlig hom raakgeslaan het, maar daar is nie wolke nie. Hulle voel ook nie 'n vuur se warmte nie. Hulle staan nog in verwondering en vrees, toe begin die gloed voor hulle oë uit die boom uit trek totdat net die maanskyn tussen sy takke lê. Die boom was getoor. En die Bos het nog 'n storie bygekry, soos die storie van die lelies.

Jare ná die dag wat ek Mieta na die lelies gevra het, vat ek eendag kortpad deur die Bos om bo in die Knysnarivier se kranse by die heuning te kom. Mirjam was so twaalf en ek sê nog die dag vir haar dis 'n gevaarlike ding wat ek doen: kortpad soek, is moeilikheid soek; voor jy uitkom waar jy moet wees, loop jy in die rondte en is jy verdwaal. Maar, snaaks, dis al vir my of ek tog in 'n pad is, nie in 'n voetpad nie, nie in 'n sleeppad nie. Ek raak al versigtiger en ek vat die kind aan die hand.

Olifante het die manier om vir hulle stilletjies 'n pad oop te loop en as jy per ongeluk in hom beland, moet jy weet waar jy trap. Dit was Februarie en warm in die Bos die dag. Kort-kort val daar 'n reëntjie deur die blaredak en laat die wasem uit die bosvloer uit opslaan sodat dit lyk of ons deur die rook loop. Ons is later in 'n varingkloof wat ek nie ken nie, dis meesal boomvarings en die droë blare maak rittels as jy hulle wegstoot, 'n olifant sou jou ver hoor aankom. Ek was glad nie gerus nie. Om om te draai sou nie veel help nie, die beste was om aan te hou. Nie lank nie, toe hoor ek water en ek reken uit dat dit net die Rooiels se stroom kan wees, ons was nog in die regte rigting. Toe ons by die rivier kom, toe sien ek ons was nog al die tyd in die olifantpad ook, want dis die plek waar hulle deur die water loop. Ek sien nie 'n vars spoor of vars mis nie en hou aan: die pad is so fyn uitgetrap dat 'n man met 'n olifant se verstand moet dink om in hom te kan bly. Ek sê later vir Mirjam ons sal nou stadigaan moet wes swenk om vir die Knysnarivier te mik, en skaars het ek dit gesê, toe kom ek agter die pad begin ook wegswenk na die weste toe. En dis dikbos. Oubos. Die son kom beswaarlik deur.

"Is ons verdwaal, Pa?"

"Nee."

Ek onthou ons is by 'n upright met twee ysterhoutbome aan weerskante van hom verby: al drie ewe dik en ewe ver uitmekaar, nes drie wagte wat daar in die ruigte staan, en toe is dit skielik of die wêreld vorentoe ligter word. Of daar êrens 'n groot oopte in die bosdak is. Nie vyftig tree verder nie, toe is dit of die hele Bos van al die kante af in sy spore vasgesteek het en ek steek saam in myne vas en die kind langs my, want voor ons het 'n vlei vol bloedrooi lelies gelê. As dit nag was, kon ek gedink het ek droom. Honderde der honderde lelies vol in die son. Nie 'n groot vlei nie, na skatting so 'n honderd-en-dertig tree in die lengte en sewentig in die dwarste. Ek staan daar met my voete in die modder op die rand van die lelies en dis kompleet of ek dwarsdeur die Bos geloop het tot in sy hart, en daar kom 'n ontsag in my op wat ek nie ken nie. Dis of dieselfde ontsag in die ruigtes om my lê. Toe ek opkyk, vlieg 'n enkele loerie van die een kant na die ander en sy vlerke is net so rooi soos die lelies onder hom. Nie 'n kok nie, nie 'n geluid nie, nie 'n roering in die Bos nie, asof alles in angs staan en wag dat ek moet vorentoe trap of omdraai. Ek het doodstil bly staan. Ek, Silas Miggel, sondaar van die platrand, het op die lelies afgekom en gesien. Dit was nie 'n storie nie.

Ek is nie verby na die heuningkranse toe nie, ek het die kind aan die hand gevat en omgedraai. Toe ons ver was, het ons gaan sit om te eet en het ek vir die eerste keer 'n woord uitgekry.

"Dit, Mirjam," het ek gesê, "was die Bos se hart en die Bos se geheim. Nooit mag jy vreemdes daarvan sê nie, nooit mag jy in hom trap nie, want dan trap jy binne-in sy hart."

Die Maandag van die veertiende het ek oorkant op Poortland loop inval en Christie en Fardini is weg om die sjielings te haal. Hulle het met leë hande teruggekom. Teen die tyd wat ek die middag by die huis gekom het, het die opstand al bedaar en het daar 'n verslaenheid oor die tente gelê. 'n Mens het geweet die ding is op pad, en tog, toe hy regtig daar is, toe slaan hy almal plat.

Ek het hulle nog nooit só gesien nie. Ek dink hulle was vir die eerste keer werklik bang. Veral die vroue.

"Mister Christie is besig om 'n nuwe klagskrif op te stel," het Mirjam gesê. "Almal gaan dit onderteken. Amêrika sê hy gaan sy oupa se naam ook teken; sy oupa is al dood, maar hy sou geteken het. Hulle wil die priester hê. Giuditta het 'n floute gekry, Mariarosa het nie geskree nie, sy't net haar hare beetgekry en getrek en getrek, en Klaas van tant Grieta was hier om te kom sê daar is Saterdag bruilof op Groot Eiland, Jacob en Susanna trou."

Alles met dieselfde asem. Alles deurmekaar. "Jacob en Susanna trou?" Ek kon dit nie verstaan nie.

"Ja, Pa. Dit gaan sleg by die tente, Pa moet gaan praat. Pontiggia sit bo by die geelsloot, hy gooi hande vol klei in die water in, en Petroniglia huil nie, sy staan net by die vuurmaakplek."

"Jy sê Jacob en Susanna trou?"

"Ja, Pa." Asof dit haar nie kon traak nie.

Die geld by die tente was nie skielik op nie: Fardini moes deur die weke iets weggesit het, want tot aan die begin van Desember het hulle nog altyd winkelgoed gekoop. Al minder en minder totdat een man alleen dit later kon uitdra platrand toe. Maar dit was nog altyd iets. Veral die meel. Mirjam het ekstra strikke gestel, ek het afgeslag en uitgedeel.

Drie dae lank in die week het ek op Poortland gestaan, drie op die platrand. Die hele tyd het ek vir myself gesê: Silas Miggel, jy moet hóú. Die wiel was verby, maar hy sou weer kom. Al wat ek gevra het, was 'n klein bietjie uitstel. Op Poortland het Barrington al minder uit die huis gekom en in my hart het ek vir hom ook gesê: Honourable, hou nog net 'n rukkie aan die lewe vas sodat ek my loon seker bly; ek werk nie onder John nie.

By alles het daar in my 'n kommer oor my meisiekind opgelaai wat soos 'n klip in my kom lê het. Soggens het sy met 'n hartseer opgestaan en saans daarmee gaan lê. Die Saterdag van Jacob en Susanna se troue het sy getorring totdat ek saam met haar bruilof toe is. Nie 'n teken van ontevredenheid was daar in haar nie. As daar een was op wie se gelaat 'n hartseer gelê het, was dit op Jacob s'n; dis of hy ingearm staan met Susanna maar sy oë op Mirjam bly. En Mirjam is plesierig, maar ook nie heeltemal nie; dis of die plesierigheid nie tot in haar oë trek nie. Die volgende dag, die Sondag, is sy die hele dag Bos toe en toe sy terugkom, toe loop sy soos 'n voël waarvan altwee die vlerke sleep. Ek kon dit nie verstaan nie.

"Mirjam," sê ek vir haar, "as jy baklei teen dit wat jy nie kan verander nie, baklei jy net jouself tot niet."

"Ek baklei nie teen wat ek nie kan verander nie, Pa!" het sy losgebars. "Ek baklei teen wat ek nie verstaan nie."

"Wat verstaan jy nie?"

"Pa sê die Here weet alles en sien alles. As dit waar is, waarom stuur die Here dan nie vir die Italiane 'n skip om hulle huis toe te neem nie? Wat gaan van hulle word?"

Ek het opgestaan en vir haar koffie geskink en baie suiker ingeroer. "Jy begin weer by jou voete, Mirjam. Waarheen jy op pad is, weet ek nie; ek weet net wat in jou voete sit. As ek hierdie beker koffie op die vloer uitsmyt, gaat sit ek nie op 'n stoel en begin kerm lat die Here dit moet kom skoonmaak nie;

ek vra vir jou om dit vir my te doen, of ek doen dit self. Barrington het ingeskink, die goewerment het dit uitgesmyt, en nou wil nie een buk om skoon te maak nie, en jy kom gee die Here die skuld. Dis die een helfte van jou baklei; die ander helfte sal jy bestry, maar ek sê vir jou, jy verstaan nie hoekom Jacob met Susanna getrou het as hy eintlik al sy sin op jou het nie."

"Dis nie waar nie, Pa. Ek is nie ontevrede omdat hy met Susanna getrou het nie, hy kon tog nie met my trou nie."

"Iets sê vir my jy is nog ver van jou kop af, Mirjam."

"Wat gaan van die Italiane word, Pa?"

"Ek weet nie. Ek weet net lat as die goewermentswiel rol, dan rol hy, hy kyk nie oor wie hy rol nie, sy pad is sy pad. Maar hy gaat nie oor Silas Miggel rol nie, en hy gaat ook nie oor jou rol nie. Ons gaat uit sy pad uit bly en eerste moet daar genoeg geld in die blik kom om einde van volgende jaar een van die lotte te koop."

"Wat van die Italiane, Pa?"

"Oor 'n paar van hulle gaat die wiel rol, dit moet jy weet."

"Hinder dit Pa nie? Sê nou die wiel rol oor Petroniglia?"

Hoekom het die kind Petroniglia uitgsoek? Ek het niks daarvan gehou nie. "Nie ek of jy kan vooruit weet oor wie hy gaat rol en oor wie nie, maar sy draai sal hy maak en terugkom en weer kom rol en eers dan, miskien, sal hy brieke kry en 'n plan maak om hulle hier weg te kry."

"Ek wens ek was hard soos Pa."

Ek het haar nie antwoord gegee nie. By wat in haar kop was, het ons nie uitgekom nie. Die Woensdag het ek my hele dag se loon gevat en vir haar 'n rok en 'n onderrok by Mrs Barrington oorgekoop van Imar, en toe sy dit die aand aanpas, toe is hy hande vol lap te wyd en kom ek eers agter hoe maer sy geword het.

En die somer kom lê oor die platrand: bedags bak die tente soos bakoonde so warm en saans maak hulle nie meer musiek nie. Fardini deel die meel tussen die tente en ek deel die water tussen die kampe en skel oor elke druppel wat die kinders mors. Want die reën bly weg. Toe Desember die tweede week binnegaan, toe kom die mis uit die see uit en kom lê oor die Bos totdat jy skaars tien tree voor jou voete kan sien. Ek knoop 'n klompie rieme aanmekaar en loop maak die kleinstes van die kinders aan die tentpale vas. Ek was nog besig om Maria, Cruci se een, vas te maak, toe Christie sy kop by die tent insteek en kom staan en *shame*. Hy sê ek is 'n *cruel man*. *Cruel? Cruel*, sê ek vir hom, is wanneer die kind klaar weggedwaal het en jy dae lank in die mis loop en roep, soos die slag met Elias van Rooyen se een wat ons nooit gekry het nie. 'n Kind weet nie watter kant toe hy loop as die mis die wêreld kom blind maak nie. 'n Grootmens weet dit skaars.

Die derde dag lê die mis dat jy hom met 'n emmer kan skep. Op 'n sekere afstand is daar min verskil tussen die kleur van die tente en die mis, jy sien net die donker gedaantes van die lywe wat heen en weer soos spooksels loop. Ek kan nie by die palinggate kom nie, Lucinetti en Taiani nie by viswater nie. Canovi weet nie waar om die wip te stel nie; die fisante is stil, jy hoor nie waar hulle saans gaan slaap nie. Al vleis wat ek in die hande kry, is 'n bosvark en twee bloubokkies en dit kos deel om vir elkeen 'n stukkie in die pot te laat val. Die Saterdag kom Pietro van Fardini uit-asem by my aan en sê sy suster, Luigia, is weg, of ek haar sal gaan soek, sy pa het laat vra en sy ma huil. En eerste loop kyk ek of Cuicatti in sy tent is. Nes ek gedink het, is hy ook weg. Ek kry hulle onder op die platrand en ek jaag haar tot by haar pa en haar ma in die tent en hulle moes my keer of ek het haar ook aan die tentpaal vasgemaak. Snotkind. Dertien jaar oud.

Die Sondag is die mis nog net so dik. Ek ken hom so. Toe ek opstaan, toe kan ek voel my lyf is bly dat dit rusdag is. Ek sweer daar was dae wat ek nie twee man se werk gedoen het nie, maar drie s'n. Ek staan op en krap die as uit sonder om te raas, want ek wil hê Mirjam moet nog 'n bietjie slaap. Toe ek buite kom om die as uit te gooi, skiet daar meteens 'n rilling deur my lyf, want duidelik kry ek 'n reuk in die lug en ek weet dis olifantmis se ruik. My oorle pa het altyd vir ons gesê, as jy in dikmis grootvoet ruik, is daar net een ding wat jy kan doen: graaf 'n gat waar jy staan, klim daarin en krap jou toe.

Ek staan daar en al wat ek hoor, is my hart se geklop in my ore en die tip-tip-tip soos die mis van die dak af in die watervat drup. Ek weet nie of dit een olifant of 'n trop is nie, ek weet nie waar hulle is nie. Ek buk en ek sit die aspan versigtig neer sodat ek kan gaan kyk of hulle tussen die huis en die tente is. Ek moet weet. Maar toe ek by my hek kom, is die hek nie meer daar nie, 'n stuk van die heining ook nie, dit lê platgetrap. My verstand sê vir my ek moet bly waar ek is, maar ek kan nie, ek begin al langs die heining af loop en so ver as wat ek gaan, kom die skade voor my op: dwarsdeur my patatkamp, deur die kool, deur die pampoene tot onder in die mielies, en daar het hulle kaalgevreet of sommer net uitgetrek en laat lê. Toe hulle klaar was, het hulle die onderste heining platgetrap en die spore het in die mis verdwyn in die rigting van die platrand se voet. Verder het ek dit nie gewaag nie.

Jy kan jou teen baie dinge verset, teen elke boswagter of Italiaan en sy tent, teen Walker en teen Christie en die hele goewerment, maar teen 'n olifant het jy nie verset nie. Jy staan verslae en vertrap, maar jy weet jy staan teen 'n berg. Jy weet ook dat daar nie op daardie Sabbatsdag vir jou lyf rus gaan wees nie. Jy loop laaï die swaargeweer en begin tussen die huis en tente waak. Die olifante was êrens onder op die platrand in die mis; aan drie kante het die klowe hulle gekeer. As hulle na die noordekant toe wou terug die Bos in, was daar net een pad terug en dit was tussen die huis en die tente deur, of aan weerskante verby.

Ek glo nie die Italiane was in hulle lewe al so stil soos daardie dag nie; of hulle die kleintjies se bekke vol lappe gestop het, weet ek nie, maar nie 'n geluid het van die tente af gekom nie. Elke keer as ek 'n deurstap gaan maak, sien jy net oë wat wild kyk van die vrees. Petroniglia en Vittoria Robolini was by die vuur en toe Petroniglia vir my die tweede keer koffie gee, toe sê sy dit gaan sleg met Ilario, hy vra of Mieta nie gehaal kan kom nie. Ek het Christie loop uithaal om te kom tolk en vir haar te sê Ilario sou maar moes uithou, ek stuur nie Mirjam die Bos in in daardie weer nie.

Teen die agtermiddag het die mis begin opklaar. Toe ek so ver as die platrand se voet kon sien, was net die osse daar. Wanneer die olifante verby is, kon ek nie sê nie. Ek het die spore aan die westekant van my huis gekry, suutjies verby en duskant die geelsloot met Rooiels-se-sleeppad die Bos in.

Mirjam het die laaste van die pietersieliebos-treksel gevat en by die tente gaan lawe. Ek het die Bybel skaars oopgeslaan gehad, toe staan Christie en Fardini op my drempel.

"Kan ons binnekom, Miggel?" vra Christie. Hy het hom al minder geskeer en sy klere het al meer gelyk asof daarin geslaap word.

"Ja," sê ek, "maar julle sit nie lank nie, ek is moeg."

Toe hulle sit, toe begin Fardini sy vingerlitte kraak. "Baie sleg, signor Miggel, baie sleg. Meel is op, geld is op. Alles."

"Ons staan voor 'n krisis," voeg Christie by. "Daar is nie kos by die tente nie."

Ek het die Bybel toegemaak en eenkant geskuif. "Hoekom kom sê julle dit vir my? Hoekom loop sê julle dit nie vir Walker nie?"

"Sleg, baie sleg, signor Miggel."

"Daar is nie vleis nie," sê Christie, "daar is nie vuurmaakhout nie, die tente staan in nood, Miggel!" Hy het met sy hand op my tafel geslaan.

"Die vuurmaakhout sal uitkom tot Donderdag toe, ek het klaar gaan kyk. Vleis is daar nie omdat daar niks in die strikke was nie. As daar niks in die strikke is nie, is daar niks in die strikke nie. Ek kan nie vir julle 'n bok gaan aanhaal en vang nie, want ek is nie 'n hond nie. Die man wat altyd vir my iets ekstra vir julle geskiet het, is van die grootvoete getrap."

"Ons het kom vra of jy nie vir ons 'n paar pond kan voorskiet nie."

Ek dog ek skop die stoel onder hom uit. "Kom leen jy op die Sabbat by my geld?" vra ek vir hom. "Sien jy my vir 'n heiden aan?"

"Nee. Maar môre is Maandag en teen die tyd wat ons opstaan, is jy al weg Portland toe. Ek sê nie jy moet die geld nou gee nie, jy kan dit by Mirjam los en ek sal die nodige bewys daarvoor teken en toesien dat dit aan jou terugbetaal word sodra hulle die toelaag hervat."

"Wie dink jy gaat die toelaag hervat?"

"Die goewerment, natuurlik, hulle kan tog nie hierdie mense laat omkom van die honger nie."

"Jy maak 'n fout, Mister Christie," sê ek vir hom. "Ek dink dis juis wat die goewerment in die kop het: eers die sywurms, dan hulle en dan jy."

Hy het wit geword onder die stoppels. "Jy het nie 'n gewete nie, Miggel. Jy sit kastig met die Bybel, maar jy vergeet dat daar geskryf staan dat wat jy aan 'n ander doen, jy aan jouself gedoen wil hê."

"Moenie vir my kom Bybel uitlê nie. Ek het weke terug vir jou gesê om met hulle in die pad te val Kaap toe en hulle voor die goewerment se deur te loop neersit, nou wil jy met hulle voor mý deur kom staan? Môre, voordag, sal ek die strikke gaat naloop, Donderdag sal ek kyk lat die vuurmaakhout gekap kom en as Lucinetti-hulle nie vis kry nie, sal ek die palings loop vang, en Vrydag sal ek kyk lat daar nuwe kooigoedbos in die tente kom. Ek sal Mieta laat roep om na Ilario te kom kyk, ek sal doen wat ek moet doen, maar net geld leen ek nie vir julle nie en julle kom vra my ook nie weer nie."

"Net vyf pond."

"Nee."

Ek het uitgehou tot die dag voor Krismis. Toe vat ek die os en die slee en vyf pond uit die geldblik en val in die pad dorp toe en koop meel en koffie en suiker en vet, en toe die goed gelaai is, loop trek ek die slee voor Walker se deur en klop hom agter sy tafel uit.

"Vyf pond," sê ek vir hom. "Vyf pond skuld die goewerment my en ek wil dit nou hê. Daarby wil ek net vir jou sê hulle vrek daar bo op die platrand van die honger."

"Bly kalm, Mister Miggel," sê hy. Dit klink of hy dit vir my sing. "Hou moed, die uitkoms is dalk nader as wat jy dink." Toe gaan sit hy lekker langbeen agter sy tafel en vat die nip.

"Wat se uitkoms?" Ek wou na sy woorde gryp soos na 'n stut wanneer jou voete onder jou aan die uitgly is. "Wat se uitkoms, Mister?"

"Uitkoms vir almal."

"Daar is net een uitkoms en dis 'n skip om hulle huis toe te vat."

"Dit staan enigeen van hulle vry om terug te gaan, niemand sal hulle keer nie."

"Genade ons, Mister, met geld wat hulle waar moet kry?"
"Ek herhaal, Miggel, die uitkoms is nader as wat jy dink, maar jy glo my nie."
"Wat se uitkoms?"
"Wees geduldig, Miggel."
"Waar's Christie se geld?"
"Hy sal sy geld kry."
"Wanneer?"
"Binnekort. Hoe lank dink jy sal hulle nog 'n tolk nodig hê?"
"Vader in die hemel!" het ek vir hom geskree. "Dis Krismis! Hulle het nie 'n tolk nodig nie, hulle kan nie Christie slag en eet nie! Die kinders moet melk hê, die vroue wil meel hê, hulle eet anderster kos as ons, hulle eet deeg wat hulle in die water gooi. Hulle is weke sonder koffie, ek het vir hulle bostolbospitte loop pluk om te brand, maar hulle kry dit nie in hulle lywe nie. Dit gaat godsjammerlik daar bo, Mister! Die kinders is vol sere, ek en Mirjam sit slangblaar op, maar hulle bly dit aftrek."
"Sere?" Hy het skielik regop gesit. "Wat se sere?"
"Sere."
"Dis nie dalk pokke nie?"
"Dis nie pokke nie, dis hongersere!"
"Jy beter seker maak dat dit nie pokke is nie."
Dit was 'n hopelose besigheid. As ek nie gekeer het nie, het ek begin bang raak.
Die volgende dag was Sondag en dit was Krismis. Christie en Robolini is vroegmôre weg om die priester op die dorp te haal; hy sou die vorige dag gekom het en oorgeslaap het. Teen die tyd wat hulle hom op die platrand had, was daar 'n ding nes 'n troon duskant die tente onder die salieboom gemaak: Eers die gesnede beeld van 'n vrou, Pontiggia se werk, dieselfde hoogte as die een by die sloot die slag, maar hierdie keer het sy 'n lang gewaad aangehad en was sy immers nie nakend nie. Bo-oor haar was 'n boog van takke gevleg en die hele boog is vol blomme van Mirjam se syselbosheining gesteek, en tussen die blomme het daar ten minste 'n dosyn geelwit volstruispluime gekrul.
"En dié?" het ek vir Pietro gevra.
"Moeder van Gesù, signor Miggel."

"Waar kom julle aan die vere?"

"Antonio bring vere, signor Miggel." Dit was Amêrika.

En voor die priester vir hulle 'n diens kon hou en Nagmaal gee om die veretroon, moes hulle eers weer hulle sondes bely. Ek sê vir die priester hy moet dit los, hulle het nie veel sonde gedoen vandat hy laas daar was nie. Hy moes liewer op die dorp vir Walker laat bely. Maar nee, hulle moes sondes uitkrap en bely. Ek het sommer die Bos ingeloop, want dit was te 'n langdradige besigheid, Mirjam het gebly vir die diens en ook maar nie 'n woord verstaan nie.

Die Maandag is ek deur Poortland toe en toe ek skemeraand deur die kloof kom, toe staan daar vier vreemde tente onderkant die geelsloot. Ek sê vir myself: Silas Miggel, moenie skrik nie, as dit sywurms is wat agterna gekom het, is jou eerste taak om hulle daar weg te boender. Want toe staan hulle in die pad waarlangs ek die water afbring om my platgetrapte kampe te lawe. Met elke tree wat ek gee om by die huis te kom, sê ek vir myself: bly in bedaring. En Mirjam sit langs die tafel met haar hande op haar skoot, haar skouers vooroor en die vuur lê koud.

"Mirjam?"

"Pa."

Toe sy opkyk, toe sien ek sy is dikgehuil. "Wat gaat hier aan?"

"Pa moenie skrik nie."

"Wat se tente is dit?"

"Pa moenie skrik nie."

"Hoe kan jy sê ek moenie skrik nie? Wat se tente is dit? Hoekom sit jy só? Hoekom is hier nie vuur nie, hoekom is hier nie kos nie?"

"Dis die saagmeul se mense, Pa. Dis die mense wat van die geelsloot 'n dam kom maak. Mister Christie het die priester gaan wegbring tot op die dorp; hy sê daar is 'n tweede span teen Gouna se steilte wat die pad maak vir die waens wat die masjiene vir die meul moet bring tot hier. Hy sê hulle is ontevrede omdat hulle moet padmaak, hulle is nie padmakers nie, hulle het van Engeland af gekom om die masjiene op te rig en die hout te kap. Ons tyd op die platrand is verby, Pa."

Die eerste dag toe ek die Italiane uit die kloof sien kom het, het ek die stadige skrik gekry. Op daardie oomblik het ek die skrik gekry soos wanneer 'n kool vuur op jou kale vlees val. Ek het buitetoe gevlug soos een wat moes lug kry. Eers wou my voete na Christie toe loop, maar my kop sê vir my ek moet by die saagmeultente kom. En 'n stuk of tien vreemdes sit ewe lekker om 'n vuur en toe ek tussen hulle staan, kom een op sy voete en ons kyk mekaar op dieselfde hoogte in die oë vas.

"Is julle bebliksem?" vra ek hom. "Kan julle nie sien dis nie 'n blêssitse plek vir 'n saagmeul nie? Verstaan jy Hollands?"

"Ja."

"Ek vra of julle bebliksem is!"

"Nee."

"Daar anderkant staat veertien tente vol goewerment-mistakes en nou kom slaan julle nóg vier op en jy wil vir my staat en sê julle is reg wys?"

Hy antwoord my nie, hy steek sy hand uit om te groet. "Dunn is die naam," sê hy. "Broer van Dunn van Fox en Dunn. Ek neem aan u is Silas Miggel van wie Mister Walker my vertel het."

"Vergeet van Walker, ek wil weet wie vir julle gesê het lat die platrand 'n plek vir 'n saagmeul is!"

"Mister White het geweet die grond is aan ons toegesê. Hy is gewaarsku om die Italiane elders te plaas. Wil u nie sit nie?"

"Sit? Mister se verstand sit skeef in die kop as Mister dink lat ek sal sit. Ek wil eerder omval. Ek is Silas Miggel van die platrand, ek ken elke kluit en elke druppel water wat oor hierdie platrand loop, dis net so min 'n plek vir 'n saagmeul as vir Italiane. Die laaste tyding wat ek van julle verneem het, was lat julle Kaap toe is om ander grond van die goewerment te kry. Hoekom het julle nie ander grond gevat nie?"

"Omdat ons die versekering gekry het dat hierdie die beste plek vir die meul is. Ons kan al die hout wat ons nodig het, binne 'n myl of twee kap en uitbring. Ek verstaan daar is nog weinig in hierdie deel van die Bos gekap."

My hele lyf was van 'n bewerasie deurtrek soos een wat in koors staan. "Mister," sê ek vir hom en ek sê dit stadig, "hier is nie water vir 'n saagmeul nie."

"Dis waarom ons die dam gaan maak, om genoeg water op te vang."

Nie 'n splinter het ek van hom afgebas gekry nie. Hy't my aangekyk of hý die een is wat met al die kennis oor die platrand staan en ek die een wat die valk nou net daar laat val het. Ewe vriendelik klop hy my op die skouer en sê:

"Ek dink ons gaan mekaar nodig kry, Miggel. Ek het by verskeie persone verneem dat jy die omgewing baie goed ken, die voetpaaie, die sleeppaaie, die hout en alles wat daarmee saamgaan. Ons gaan jou onmiddellik in diens neem, die betaling sal beter wees as die beste in hierdie kontei. Ons wil soveel as moontlik van die Italiane in diens neem en van hulle die hoofspan maak wat moet kap en uitsleep, en ons gaan jou as voorman oor hulle aanstel. Die goewerment is angstig dat ons moet begin saag. Soos jy seker weet, is die kontrak reeds in Februarie gesluit, maar weens probleme met die verskeping van die masjinerie in Engeland het baie tyd verlore gegaan. Boonop het die skip in 'n storm beland en het ons skade gely van etlike honderde ponde en moes ons nog parte agterna laat kom. Op die oomblik wag ons vir Mister Robinson, die Rochdale-man, wat in beheer van die oprigting sal wees, maar ook sý skip moes kort nadat hulle Plymouth verlaat het, weens stormskade omdraai."

Ek het meteens geweet dat dít die uitkoms was waarvan Walker gepraat het. Hy het geweet die meul is op pad. Hy het geweet as hy die Italiane lank genoeg uithonger, sal hulle inval en werk. Hy't vooruit geweet. Die goewerment ook. Hulle het dit slim bedink.

"Mister Dunn," sê ek vir die man voor my, "hier gaat meer as stormskade vir julle tref."

Hy hoor my nie, hy gaan net voort asof dit vir hom 'n plesier is om my in te lig. "Die dringendste is die pad, Miggel. Volgens die goewerment sou Thomas Bain maande gelede gekom het om die nuwe pad af te steek en te bou, maar tot nou toe is daar niks gedoen nie, en dit verplig ons om self die huidige sleëpad in 'n toestand te kry sodat die waens die masjinerie tot hier kan bring. Italiane is goeie padbouers."

"Hierdie Italiane is nie padbouers nie, hulle is syboere, hulle hande is saf."

"Ek is seker hulle sal bly wees oor die werk, ek verneem dat hulle baie swaar kry weens die mislukking van die sybedryf. Hulle kan kies: òf onmiddellik by die pad gaan inval, òf by die byle. Die oomblik wat die meul gereed is, moet daar hout wees, want heel eerste begin ons planke saag vir ons werkers se huise. Ek verstaan die Italiane moet oor 'n paar maande die tente afgee. As hulle in ons diens tree, sal hulle voorkeur kry vir huise. Intussen beplan ek ook om 'n kleinerige span bymekaar te kry wat solank met die kap van die vuurmaakhout vir die stoomketel moet begin; die hout moet nog droog word."

Ek het die enigste klip wat ek kon kry, opgetel om mee te gooi: "Mister, julle kan nie hier aankom en sommer kom kap soos julle wil nie, julle moet liksens hê, afkappingspermissie."

"Dis 'n goewermentskontrak, Miggel, ons het magtiging om sonder liksens te kap. Ek wil ten minste vier spanne instoot om te kap. As daar mense in die Bos is wat belang sal stel om vir ons te kom kap, kan hulle by my aansoek doen."

"Bosmense kap vir hulleself, nie vir ander nie."

"Vir die Italiane is die loon ses sjielings op 'n dag en vir die een wat as voorman oor hulle aangestel word, ag sjielings op 'n dag."

"Ek sal dit vir die tolk gaan sê, hy is hulle voorman."

"Ons het nie werk vir die tolk nie," het hy vinnig gekeer. "Ons wil jou as voorman oor hulle aanstel en julle moet so gou as moontlik inval. Die oopskuur waaronder die saagmeul opgerig gaan word, moet gebou kom en daar sal pale gekap moet word vir die stutte. Ons moet 'n houtstoor op die dorp oprig. Die nuwe kaai word binnekort begin, want die oue sal nie die verskeping van die geweldige aantal dwarslêers kan dra nie." Hy het my weer op die skouer geklop. "Die meul, Miggel, sal vir julle 'n uitkoms wees, ek raai jou aan om nie te lank teen te skop nie."

Ek het nie daardie nag op my kooi gaan lê nie, ek en Mirjam het die meeste van die nag langs die tafel omgesit.

"Ons tyd op die platrand is verby, Pa."

"Nee. Ek laat my nie van 'n goewermentswiel platry nie. Tot tyd en wyl die lotte opgeveil word, vat ek die blyreg wat ek verdien het. Klaar."

"Blyreg tussen twee saagmeulwerwe? Is dít waarvoor Pa kans sien?"

"Ek sal die huis skuif. Maar van 'n saagmeul en 'n goewerment laat ek my nie van die platrand af skuif nie. Ek sê vir jou, hulle het hierdie ding ver uitgekyk, hulle het Silas Miggel saam uitgekyk, hulle weet as hulle die Italiane wil hê, moet hulle my ook vat."

"Gaan Pa inval?"

"Het die goewermentswiel my nie dalk skrams getref en klaar ingestamp nie?" Dit was nie 'n lekker vraag om te vra nie, maar ek moes dit vra. Ek moes dit vir myself vra.

"Ons moet dorp toe trek, Pa. Die Italiane ook, hulle kan daar gaan werk soek." Die kind was aan die hardloop, sy het nie meer gedink nie. Wat se werk? Daar was nie werk op die dorp nie. Nie lank tevore nie het Koos Oosthuis sy byl bo in Streepbos in moedeloosheid neergelê en op die dorp gaan werk soek. Hy kon tussen twee werke kies: die street-keeper of die nagemmers uitry. Hy kies toe die strate en die besem, maar nie lank nie toe kom daar 'n nuwe wet die dorp in: enige hond wat sonder liksens in die strate loop, moet deur die street-keeper gevang en buite die dorp loop vergeeftig word. Eers wou Koos nie instem nie, maar hulle sê hy moet, dis wet. Hoe gouer hy van die eerste hond 'n voorbeeld maak, hoe gouer sal die mense sorg dat hulle honde liksense het. Koos het die eerste hond gevang en loop gif ingee en agterna gesê nooit weer nie, dan dra hy liewerster emmers. En skaars het hy begin emmers dra, toe kom daar 'n nuwe wet die dorp in wat sê die prys per emmer vir elke huis is nou ses pennies, nie meer vier pennies nie. Toe loop sit almal groter emmers in sodat hulle genoeg kon skyt teen die nuwe prys. Toe vat Koos sy hoed en loop tel sy byl op.

Dit help nie jy hardloop uit die een gemors in die ander in nie. Hoe dieper ons die nag in is, hoe helderder het my verstand geword. Die goewermentswiel het my teen die grond gegooi, maar my oë was nog nie vol stof nie, ek kon nog kyk watter kant toe om te kruip om op my voete te kom. Veronderstel, het ek vir myself gesê, veronderstel hulle gooi 'n wal by die geelsloot en dam genoeg water om die stoomketel mee vol te hou en hulle saag, dan kon dit beteken dat ek op die langste vyf jaar teen die saagmeul sou moes uithou. Vyf jaar en vyfhonderdduisend dwarslêers. Dit was soos 'n kloof waarvan jy die bodem nie kan sien nie. Maar veronderstel die Italiane loop val in teen ses sjielings 'n dag, sou dit beteken dat hulle hulle eie skipgeld bymekaar kon maak en dít sou nie vyf jaar wees nie. Ek het Mirjam gesê om potlood en papier te haal en die som te help maak.

"Beteken dit dat Pa wil gaan inval?"

"Die Italiane is vas, Mirjam, ek kan nie sien hoe hulle nié kan gaan inval nie. En as hulle inval, moet ek inval. Walker het gesê die uitkoms is naby, hy was dalk meer reg as wat hy gedink het hy is. As 'n mens in kalmte gaan sit, kom jy dalk by meer as een uitkoms uit. Gee die potlood."

Daar was vyftien wat kon kap as ek Ilario nie byreken nie: Fardini en sy twee seuns, Alberto en Giuseppe; Robolini, Cruci, Tomé, Mangiagalli, Canovi, Borolini, Cuicatti, Coccia, Taiani, Lucinetti, Pontiggia en Amêrika Mazera. Dit het my 'n rukkie geneem om die som te maak, maar toe ek hom het, toe het ek hom. Dit sou hulle nege-en-tagtig dae vat om almal se skipgeld te verdien. Dis nou Catarina s'n afgereken. Net nege-en-tagtig dae. Rek dit vir winkelkos en die onvoorsiene en vir reëndae en Sondae en siekte na 'n volle jaar se dae toe, en die som het vir jou gesê hulle kon in 'n jaar se tyd skipklim. Goed, ek het geweet dit beteken dat ek ook sou moes loop inval. Maar teen ag sjielings 'n dag kon ek genoeg in my geldblik kry vir twee van die lotte plus 'n ploeg en nog iets oorhê. Ek is nie dom nie, ek het geweet 'n ding wat jy só vooruit sit en bereken, is slaggate graaf; jy moet weeg en weer weeg. Rek dit liewerster na twee jaar toe, het ek vir myself gesê. Wat is twee jaar in 'n leeftyd? Die eerste slaggat wat ek gesien het, was die Grassi's se skipgeld. Wie sê die ander sou dit vir hulle verdien? En wat van die loslopers wat net hulle eie skipgeld had om bymekaar te kry? Die getroude manne het vroue en kinders ook gehad wat moes klim. Die beste sou wees om daardie gat na Fardini se kant toe oor te skuif. Maar van die begin moes hulle weet: daar sou nie een-een geklim word nie. As een klim, klim almal.

Toe die dag breek, toe weet ek ek sal in daardie kloof moes af, daar was nie 'n ander pad terug platrand toe nie. Altyd as ons sware hout met ons eie lywe moes uitsleep waar die osse nie kon in nie, het my oorle pa ons gedryf en gemaan om ons oë voor ons voete te hou, nie op te kyk en te meet tot waar ons moes uithou nie. Die kloof wat vir my voorgelê het, kon 'n volle vyf jaar breed wees. Ek het geweet as ek opkyk, sal ek duiselig raak. Ek sou my oë voor my voete moes hou. Maar die troos wat sonder 'n twyfel in my kom lê het, was dat dit net ek en Mirjam sou wees wat oorkant uitkom. Êrens sou die Italiane afdraai en êrens sou die saagmeul se flenters bly lê.

Sonop het ek die pad gevat Poortland toe. Nie om te gaan inval nie, maar om te gaan sê dat ek nie langer sou kon uithelp nie. Dit was nie maklik nie. Toe ek Barrington daardie môre groet, het ek geweet dis die laaste groet. Hy het Krismis gehaal, maar hy sou nie nog een op hierdie aarde sien nie.

"Twaalf swart osse, Silas."

"Twaalf swart osse sal dit wees, honourable."

Die volgende dag het ek Dunn na die tente toe geneem sodat hy self met Christie en die Italiane kon praat. Wat gesê moes word, moes hý sê, nie ek nie. En nie 'n halfuur nie, toe is dit woelig en toe stry dit voor Christie se tent. Ek bly eenkant. Christie wil hê die Italiane moet stem vir verdere vertoë tot die goewerment. Dunn sê hulle moet stem vir inval teen ses sjielings 'n dag of nie. Ek sou die wip en die fisante moes oorskuif na die vroue toe, het ek solank gestaan en bedink. Die vis en die palings dalk ook. Al vertoë wat daar vir Christie oorgebly het, was vir die Grassi's. Walker en die goewerment sou die een of ander kant toe vir hulle 'n plan moes maak. Ek het klaar vir Dunn gesê dat daar vyftien was wat kon inval, maar dat hulle net sou werk totdat hulle die skipgeld bymekaargemaak het. Die dag as hulle uitval, val Silas Miggel ook uit. Dunn het gesê hy aanvaar dit so, solank hulle net die skipgeld nie te gou bymekaarmaak nie. Ek het vir hom gesê die eerste planke wat gesaag word, moet na die Italiane se kant toe val, hulle moes uit die tente kom. Hy't gesê die eerste planke is hulle s'n.

Dit was 'n lang vergadering. Die vroue het gehuil, opgehou, weer begin. Die kinders was lastig. Die mans het rondgetrap soos vasgekeerdes wat nie uitkoms kry nie. Aan die einde het vyf gestem om by die pad te loop inval: Pontiggia, Amêrika, Taiani, Lucinetti en Coccia. Tien het gestem vir die byle op voorwaarde dat ek elke dag die geweer sal saamdra en hulle die leer.

Dit was die Dinsdag. Woensdag het die vyf wat moes pad toe, ingeval. Dunn wou hê die ander moes dieselfde dag begin kap; ek sê vir hom nie voor die Donderdag nie. Die enigstes wat van 'n byl af iets geweet het, was pad toe en so te sê die laaste kos is vir hulle ingepak. Fox en Dunn sou moes voorskiet vir die ander, 'n man kon nie bylswaai met niks in die maag nie. Daar moes ten minste twee sakke meel en koffie en suiker en vet gekoop kom. Mirjam en die vroue kon dit met die os en die slee loop haal. Dunn het die geld gegee en die res van die dag het ek die tien wat by my moes inval, die verskil tussen 'n regsbyl en 'n linksbyl, tussen 'n kraansaag en 'n treksaag geleer, en hulle gewys hoe die byle geslyp moes kom: eers met die platvyl en dan met die slypsteen, anders is die goed draderig. Nie 'n enkele "Sì, sì, signor" het ek uit hulle gekry nie, maar ek het aangehou. Die middag het ek Luigia Fardini en Monica Grassi gaan wys hoe om die fisante te vang. As hulle groot genoeg was om agter die loslopers aan te foeter, was hulle groot genoeg om 'n wip te stel en op te pas. Oor die palings en die vis sou ek later besluit, ek wou nie Mirjam alleen na die palinggate toe stuur nie en ek wou nie die vroumense verby die padmakers stuur om die vis te gaan vang nie. Hulle sou maar Vrydae moes deegkoekies eet of dit los.

"Pa klim in 'n verkeerde boom! Ons moet met hulle dorp toe trek."

"Of hulle hier vrek of daar vrek, wat's die verskil?"

"Pa!"

"Hier is immers 'n kans. En hulle is nie dom nie, hulle weet dis al manier wat hulle by die huis gaan kom. Fardini het klaar vir Christie gesê om presies uit te vind hoeveel die skipgeld gaan wees."

"Dit lyk of klein Maria Cruci masels het, Pa."

"Loop bind toe haar oë en sê hulle moet die ander van haar af weghou."

"Mariarosa sit inmekaargetrek van gister af, ek weet nie meer wat om te doen nie."

"Gee haar 'n graaf en laat haar gaat spit, dis van werkeloos sit."

Skemeraand het die vyf wat weg was pad toe, slinger-slinger en vuil oor die oopte gekom. Amêrika het vir my sy hande kom wys. "Seer, signor Miggel, seer."

"Toe maar, jy't ses sjielings in jou sak en môre sal dit beter gaan."

Die Donderdag was dit die ander se invaldag. Toe ek by die tente kom, staan hulle reg met die byle en die leer, en nog nooit het ek soveel weersin oor mense se gesigte sien lê nie. Ilario Grassi het tussen hulle gestaan.

"Jy bly by die tente," sê ek vir hom. Dit het gelyk of die byl oor sy skouer hom aan die een kant afdruk.

"Gaan saam, signor Miggel."

"Jy's klaar uit jou asem uit, jy kan nie saamgaan nie."

"Gaan saam, signor Miggel."

Robolini het vorentoe gestaan. "Ons help hom, ons kap almal, signor Miggel."

Ek het ineens geweet dat dit 'n beplande ding was, hulle het self ook vooruit gekyk. "Goed," sê ek, "hy gaan saam. Kom."

My eie gemoed was klipswaar toe ek die môre met hulle in daardie bos instap. Agter my het my kampe verdroog gelê, die Italiane s'n ook. Die reën het nog steeds verbygehou en die geelsloot was nie meer 'n sloot nie; 'n wal van geel klei was besig om onder om hom op te stoot vir 'n dam. Waar die water vandaan moes kom, het ek nie gevra nie. Oorkant die kloof, aan die westekant, het Poortland in die verte gelê; 'n doodsheid was oor die plek asof hy klaar sy baas begrawe het. My eie huis het verlate agter my bly lê. Waarheen en wanneer ek hom sou moes skuif, het ek nog nie geweet nie. Een ding het ek my voorgeneem: ek sou 'n heining om hom pak, al moes ek nagdeur by die lantern werk, en só hoog sou hy wees dat geen oog by my vensters in sou sien nie. Na my meisiekind sou daar nie geloer word nie. Ek het vir Dunn gesê: die eerste van sy damgrawers wat naby haar kom, skiet ek plat dat hy nooit weer opkom nie. Ek het dit vir Mirjam ook gesê.

"Moenie weer begin nie, Pa, dis verby."
"Wat is verby?"
"Die maakman wat 'n ruk lank lewe gekry het."
"Moenie duister praat nie."
"Ek praat duister omdat dit duister in my is. Alles is deurmekaar. Pa sê Pa sien kans om teen die saagmeul uit te hou, al is dit vir die volle vyf jaar, maar wat van die Italiane?"
"Hulle sal moet uithou teen ses sjielings 'n dag."
"Dis nie waarvan ek praat nie, Pa. Hoe gaan hulle dit teen die Bos uithou? Hulle het ingestem om te gaan kap omdat hulle weet hulle is vasgekeer, maar dit maak hulle nie minder bang vir die Bos nie. Dit bly nog altyd vir hulle 'n vernedering om te moet bylvat en dis wreed om van hulle te loop houtkappers maak."
"Wreed? Wat is die wreedste: om hulle te laat doodgaan van die honger of om hulle te laat houtkap?"
"Pa moet mooi met hulle werk, Pa moet hulle genadig wees."
"Wie is my genadig?" Niemand nie.

Ek is met hulle in Rooiels-se-sleeppad die Bos in. Elke keer as ek omkyk, was dit of die opstand dikker in hulle lê. Al een wat ek jammer gekry het, was Fardini. Hy was 'n man ouer as ek, volgens Christie 'n gesiene man in die plek waar hy vandaan gekom het, 'n man na wie ander opgekyk het. Nou moes hy buk om hout te kap. Dit was net so goed Barrington buk om hout te kap.

Geelhout, het Dunn gesê, geelhout en niks anders nie. Kalander of upright, maak nie saak nie, solank dit geelhout was en ons net uitgegroeide bome kap. Voor ons uitsleep, moes elke boom gemoot word in sewevoet-dwarslêer-lengtes.

"Volgende week stoot ek 'n tweede span in om te help kap, die week daarop 'n derde span en sodra die pad klaar is, 'n vierde. Sê vir die houtkappers hier in die Bos hulle gaan nog sien wat hulle kastige trots hulle kos."
"Hulle sal nie vir jou kom byl optel nie."

As ek in my lewe met 'n spektakel in die Bos beland het, was dit daardie môre. Nie 'n halfuur nie, toe kry ons die eerste olifantdrol, só vars dat die wasem nog uit hom opstaan. "Skiet, signor

Miggel, skiet!" skree dit om my. Borolini trek die leer diékant toe en Cuicatti trek hom anderkant toe, elkeen mik na 'n ander boom. Ek hoor die takke na die westekant toe breek en ek weet ons is veilig, die luggie trek van die suide af.

"Los die blêssitse leer!" sê ek vir hulle, "die grootvoete is verby en weg." Maar dit stry oor die leer totdat Cuicatti die oorhand kry, en toe ek weer sien, toe hang die helfte soos vinke in 'n kwar en die ander sleep die leer na 'n witels toe. Net Fardini en Ilario het in die sleeppad op hulle plekke gestaan. En ek doen wat ek die dag met Petroniglia gedoen het, ek los hulle net daar en begin aanstap. Nie vyftig tree nie, toe breek en val dit uit die bome en kom hulle agterna. Maar daarvandaan was dit net: "Torniamo indietro, signor Miggel! Torniamo indietro!" Hulle wou hê ons moes omdraai.

"Dis te laat vir omdraai. Kom!"

Die plek wat ek vooruit bedink het waar ek hulle wou laat kap, was net duskant Draaikloof: dikbos, mooihout, net wes van die sleeppad, nie te skuins vir die uitsleep nie en naby 'n spruit en 'n oopte waar daar veilig vuur gemaak sou kon word. Dit help nie jy kap hier en jy kap daar as daar baie gekap moet word nie, kies liewer vir jou 'n seksie en kap hom van 'n kant af uit. Dis beter vir die uitsleep ook.

"Torniamo indietro!"

"Kom!"

Ilario het beter bygehou as wat ek gedink het hy sou. Fardini en Robolini het na hom gekyk en Mangiagalli het sy byl gedra. Kap sou hy nie kon, ek sou vir hom 'n ander plan moes maak. Ek wou in elk geval so gou as moontlik 'n paar sinkplate saambring vir 'n sink-en-tak-skerm om in nat weer onder te skuil en vuur te maak en dan kon hy sommer daaronder lê as hy die dag moes lê.

Die ander rede waarom ek die plek duskant Draaikloof gekies het, was omdat Dunn gepraat het van ten minste vier ander spanne wat moes kap. Vreemde kappers. Ek het geweet hulle sou te bang wees om so ver as Draaikloof te kap, en dit was wat ek wou hê. Met my span byle sou ek keer dat daar nie verder noord gekap word nie, want noord het die lelies gelê en 'n mens weet nooit wanneer loop dwaal een waar hy nie moet dwaal nie.

Heel eerste het ek hulle 'n plek laat skoonkap vir die vuur. "Nie 'n vonk sal uit 'n vuur van Silas Miggel spat om 'n bosvuur te begin nie," het ek vir hulle gesê. "Ek wil skoongemaak hê tot op die bosvloer." Terwyl hulle skoongekap het, het ek 'n rowwe takskerm tussen 'n ysterhout en 'n hardepeer gepak en daarna twee mikpale en 'n dwarshout gaan kap vir oor die vuur sodat ons kon koffiewater oorhang. Die hele tyd het ek gemaak of ek nie sien dat hulle só vol onrus is dat die rittels deur hulle trek nie. Toe die vuur brand, het ek hulle 'n bietjie laat rus en eet en toe het ek die eerste vyf bome vir hulle uitgemerk. Ilario het ek onder by die skerm gelos en hom gesê om sy oë op die vuur te hou.

"Twee man by 'n boom," het ek vir die ander gesê, en soos ek gepraat het, het ek na die beste van my vermoë beduie. "Maar net een man byl 'n valkeep in en dis ek, want elke boom sal val waar ek wil hê hy moet val. Hier sal nie een gekap word en drie, vier terselfdertyd verniel word met die val nie. Ek kap die merke in en julle gaat daarop aan: een voor en een agter." Toe ek dit die tweede keer verduidelik, toe gaan daar darem so hier en daar 'n "Sì, sì, signor" op, al was dit flouerig. Ek het by elke boom die valkepe en die agterkepe ingebyl en twee-twee aangesit om te kap. Die sesde boom het ek vir myself uitgemerk, want ons was 'n ongelyke getal, ek sou alleen moes kap.

En geneuk het dit geneuk. Ek het nie gedink hulle sou só omslagtig kap nie. By my eie byl het ek skaars gekom, ek moes op my voete bly van boom tot boom en sonder ophou praat. "Hou stil julle voete! Staat op een plek stil! Dis nie sywurms se koppe wat julle moet staat en afkap nie, dis hout! Swaai hoog en byl diep in!"

"Houtkap no good, signor Miggel."

"Dit sal nie help om te staan en *no good* nie, kap!" Een na die ander het ek die byle uit hulle hande gevat en gewys hoe ek dit gedoen wou hê: "Korrel reg!"

"No good, signor Miggel."

"Swaai hoog, en byl diep in!"

Elke tien, twaalf kappe het hulle eers orent gekom om te rus, om hande te spoeg, om die koppe te skud soos goed wat wou asem uitblaas. Dan het hulle weer gestaan en luister en uitkyk van watter kant af die gevaar gespring gaan kom. As ek 'n tree te ver na hulle sin van die geweer af was, het hulle nóg onrustiger geraak en die hele tyd het die leer teen 'n kershout reggestaan.

"Kap! Ek sal uitkyk vir die gevaar."

"Moeg, signor Miggel."

"Moeg se maai, kap! Sê vir julleself julle gaat huis toe. Elke kap is 'n tree nader aan die skip! Kyk waar lê die skaduwees en julle het skaars 'n sjieling verdien. Dunn het gesê hy wil elke aand van my 'n rapport hê oor hoeveel daar deur die dag gekap is."

"Moeg, signor Miggel."

"Hou jou oë op jou byl, Cuicatti! Ek sal uitkyk van watter kant af die grootvoet gaat kom om jou plat te trap."

Die sweet het onder hulle hemde uitgeslaan en strale het teen hulle gesigte afgeloop. Die aantal kappe tussen elke orentkom het al minder geword. Elke keer as ek loop kyk hoe dit met Ilario gaan, het hy 'n bietjie nader aan die vuur gesit soos een wat in die heldere son wou verkluim.

"Van môre af gaat ek jou leer om patats onder die as te sit en dit gaar te kry sonder dat al die olie uitgebak is. Ek gaat jou leer om koffie te maak. As ek sien jou lyf hou, leer ek jou om middae die strikke te loop stel en soggens te kom naloop; ons ander sal die bokke uitsleep en huis toe dra. Dunn kan jou nie betaal vir sit en niks doen nie."

Ons sou tussenin die vuurmaakhout ook moes kap, die vroue kon nie bylvat nie. Hulle kon opkloof en wegpak.

Toe die son begin sak en die eerste swerm loeries bome toe kom om te slaap, het ek hulle laat uitval. Daar het net twee bome omgelê en dit was die twee waaraan ek die meeste help kap het. Dit het gevoel of mý moed ook wou gaan lê. As dit nie vir die loon was wat hulle van die platrand af moes kry nie, het ek net daar vir Dunn loop sê: 'n bobbejaan is 'n bobbejaan en 'n Italiaan 'n Italiaan, van nie een van die twee sal jy 'n houtkapper maak nie. Nooit.

Toe ek met hulle by die tente aankom, was daar min verskil tussen hulle en die vyf wat van die pad af gekom het. Almal was ewe tot niet. En voor die deur by my huis het twee sakke patats gestaan. Martiens Botha het die een gestuur en Gert Oog die ander, het Mirjam gesê.

"Dis gestuur asof dit gevra is."

"Mister Christie was dorp toe, Pa, hy het sy geld gekry."

"Jy sal my dit nie sê nie."

"Regtig. Die volle bedrag."

"Met ander woorde, die goewerment het dít ook fyn vooruit gekyk: hulle het eers gewag tot die Italiane in die Bos is, toe betaal hulle hom. Nou kan hy betaal wat hy my ook skuld."

"Monica en Luigia het ses fisante gekry. Mister Dunn het kom drinkwater vra, hy sê hy wil Pa sien."

Mirjam was weer nes een wat rympies opsê om 'n ding. "Dunn moet wegbly van my huis af as ek nie hier is nie. Hy kan vir hom by die sloot loop water skep."

"Die water is troebel van die gewerskaf met die dam se maak."

"Dan kan hy in die kloof af tot onder by die rivier en daar loop skep, soos wat ons een van die dae sal moet maak as dit nie reën nie. Of hy kan anderkant die tente loop sukkel om 'n bietjie syferwater bymekaar te kry."

"Konstabel Clark was hier."

"Konstabel Clark? Wie's hy?"

"Hy sê hy's nuut op die dorp."

"Wat wou hy hê?" Ek het nie van konstabels op my werf gehou nie.

"Hy het na Amêrika kom soek, Pa. Hy moet Dinsdagoggend van die derde Januarie in die hof loop staan op die dorp oor 'n volstruis."

"Wat?"

"Oor 'n volstruis, Pa."

Volstruis. Krismis. Die vere in die boog om Maria se beeld. Dit was net Amêrika wat ek nie ingepas kon kry nie. "Wat het Amêrika met die volstruis te doen?"

"Ek weet nie, Pa. Pa beter by Mister Christie loop uithoor."

En Christie het soos 'n magistraat in sy tent gesit. Amêrika en Taiani en Coccia en Borolini het voor hom gestaan en almal het gelyk gepraat en hande geswaai.

"Wat hoor ek van 'n volstruis?" het ek agter hulle gevra en

hulle sommer stilgemaak ook. "Wat kom soek 'n konstabel op die platrand agter 'n volstruis aan?"

"Dit, *Mister* Miggel," het Christie uit die hoogte uit geantwoord, "is maar net nog 'n voorbeeld van die skaamtelose skurkery van hierdie Koloniale goewerment en sy gesante. 'n Onskuldige man, Antonio Mazera, word aangekla van kwaadwillige vernietiging van 'n ander se eiendom sodat daar van hom, sowel as van my en die res van die Italiane, 'n openbare voorbeeld gemaak kan word. Dít is wat dit is."

"Ek wil van die volstruis weet," het ek gesê.

Dit was 'n omslagtige storie. Eers het Christie begin by die *poor Italians* wat nog nooit tevore 'n volstruis gesien het nie; al wat hulle van die voëls af geweet het, is dat hulle wild rondloop in Afrika. Twee dae voor Krismis, toe die vier teenwoordig op pad was dorp toe, sien hulle aan die ander kant van die hoogte, net ná die drif, en teen die oorkantse skuinste, 'n arme wilde volstruis sit. Antonio, dis nou Amêrika, het onmiddellik sy lewe gewaag en van die duskant af in die gevaarlike kloof afgeklim, oorkant uit tot by die voël in 'n poging om hom te probeer red aangesien dit duidelik was dat die stomme voël daar afgegly het en nie weer kon uit nie. Toe hy egter na die voël gryp om hom op te help, val die dier hom verwoed aan en was hy genoodsaak om hom met behulp van 'n stok te verdedig, met die gevolg dat die voël toe verwilderd raak en met 'n vreeslike spoed verder teen die hang af begin hol, teen 'n rots vas, oor die afgrond, en hom onder morsdood in die spruit val. Die ander drie, wat die hele tyd bo in die pad gestaan het, kon vir alles getuig. Hulle het onmiddellik na benede geklim om te gaan kyk of hulle vir die voël iets kon doen. Hy was egter reeds dood. Toe het hulle die vere uitgepluk, die meeste daarvan by Smit se winkel op die dorp gaan verkoop en 'n paar vir hulleself gehou as aandenking van die treurige gebeurtenis.

"Mister Christie," sê ek toe hy klaar is, "ek wonder of julle Engelse van goedheid of van onnoosIikheid alles glo wat julle hoor."

"Antonio het *drie* getuies om sy woord te bevestig!" het hy hom opgeruk.

"Hy kan honderd ook hê. Ek sê vir jou hulle lieg. Ek ken 'n

volstruis, ek sal vir jou sê wat gebeur het. Ek bestry nie lat hulle op pad was dorp toe nie, ek bestry ook nie lat hulle die volstruis by Stewart se plek teen die hang gesien het nie, want daar loop 'n paar mak volstruise. Maar verder bestry ek alles. Ek sê vir jou, hulle het besluit om vir die aardigheid die volstruis te jaag in die hoop om 'n paar vere in die hande te kry. Soos ek Amêrika ken, sou hy eers 'n stok opgetel het, want hy's die bangste. En verder het hulle nie geweet 'n volstruis is 'n dom ding nie: as jy hom verwilder en hy skrik, begin hy hol sonder om ooit weer voor sy pote te kyk. Sy kop sit te hoog, hy hol net. Afdraand of opdraand, hy hol. Hierdie keer was dit afdraand en die krans en die afgrond was voor. Volstruis stop nie, hy duiwel af en vrek en klaar. Hulle geluk is toe 'n hele voël se vere. Die ongeluk het eers agterna gekom en nou moet Amêrika voor magistraat Jackson loop verskyn, want hý was die een met die stok. En om voor Jackson te verskyn, kan erger wees as afduiwel oor 'n krans."

"Ek stem nie met jou saam nie, Miggel," het Christie kortweg gesê. "*Ek* sal Antonio se saak opneem en toesien dat geregtigheid geskied. Julle wat nie van beter weet nie, mag voor Maximilian Jackson sidder, maar nie ek nie. As 'n *honest Britisher*, sal ek nie huiwer om vir reg en geregtigheid te veg nie."

"Mister Christie," het ek hom mooi gewaarsku, "as daar een man is van wie af jy ver weg moet staan, is dit Jackson die magistraat. Ek ken hom nie, maar almal wat al voor hom verskyn het, sê dis nie 'n plesierigheid nie, as hy slaan dan slaan hy hard. Ek weet van 'n man, sy naam is Esau Esau; hy het vir 'n sikspens wat hy gesteel het, een maand hardepad gekry, en Jan Alie het twaalf maande en vyf-en-twintig houe met die kats gekry vir 'n paar hoenders steel. Beland jy in die tronk, kom jy twee dae in die week in die donker sel solat jy oor jou sondes kan nadink. Die eerste dag toe hy op die dorp aangekom het, het hy die konstabels bymekaargeroep en vir hulle gesê enigeen wat net op straat vloek, moet ingebring word. Nou wil jy met 'n liegstorie oor 'n volstruis loop staan en stry? Amêrika kan nie nou in die moeilikheid kom nie, hy moet in sy werk staan, elke dag beteken vir hom ses sjielings in sy sak. Dinsdag is hy nou klaar sy loon kwyt om in die hof te loop staan en die ander drie ook. As ek jou kan raad gee, vat hom en laat hy die waarheid loop praat en vir genade pleit, of vat hom na Stewart toe en gaan praat eers daar. Miskien trek die man die saak terug as jy vir hom sê dat Amêrika eintlik maar van dommigheid die voël gejaag het, dat hy in bittere jammerte staan oor wat gebeur het. Praat mooi."

"Waarom moet Antonio skuldig pleit as hy nie skuldig is nie? Ek verstaan jou nie, Miggel. Hier is drie persone wat hy as getuies kan roep om sy onskuld te bewys en jy stel voor dat hy homself moet skuldig verklaar."

"Ja. En ek hoor jy het jou geld gekry, jy skuld my sewentien pond."

"Ons kan later daaroor praat, ek staan met 'n hofsaak op my hande."

Toe ek omdraai, kry Amêrika my aan die arm beet. "Signor Miggel gaan saam?" vra hy. "Signor Miggel sal sê van *lo struzzo*?"

"Lo struzzo?"

"Die volstruis," sê Christie.

"Nee, ek gaat nêrens heen saam nie. Ek staat Dinsdag in my werk solat die ander in húlle werk kan staan. Loop sê vir die magistraat jy't die volstruis gejaag en sê vir hom jy's jammer."

"Signor Miggel gaan saam?"

"Nee."

Die tweede dag wat ek met hulle Bos toe is, het daar darem meer hout geval as die eerste dag, alhoewel my oë en my ore die hele tyd orals moes bly: op die byle, op die vuur, op die patats, oral. Waar 'n man te ver uitgesak het, het ek sy byl by hom gevat en in sy plek gekap totdat hy weer asem had. Veral Fardini het bly uitsak.

Die Saterdag het ek vier by die byle weggevat en hulle by die treksae gesit om solank te begin moot vir die uitsleep. Dunn het gesê die osse is op pad; as hulle kom, moet ons uitbring.

En net ná die middag, die Saterdag, kom een van die boswagters daar bo by ons aan. "Oom," sê hy, "die grootbaas wat oor die Bos aangestel is, die Comte de Vaselot de Regné, het gehoor dat hier alreeds vir die saagmeul gekap word. Hy het my gestuur om te kom kyk dat julle in seksies kap. Oom mag nie sommer net laat kap soos oom wil nie."

"Loop sê jy vir hom hy hoef nie agter mý boodskappe aan te stuur nie; as hy van kap wil weet, kan hy kom, ek sal hom leer."

"Oom praat nou van die man wat in die hoogste plek oor hierdie bos aangestel is, oom moet respek toon vir sy woord."

"Hy kan so hoog sit lat sy kop aan die hemel raak, verstand het hy nog altyd nie. As hy verstand gehad het, sou daar nie permissie gegee gewees het vir 'n stoomsaagmeul op Gouna se platrand nie, en moenie jy vir my kom vertel vir wie ek respekte moet hê en vir wie nie."

"Oom soek moeilikheid."

"Nee, die moeilikheid soek my. Loop sê vir hom ek kap van die begin af in 'n seksie, ek weet wat ek doen."

Die volgende dag was dit Sondag en Nuwejaarsdag. By die tente was dit stil, die manne was gedaan. Ek en Mirjam het Spruitbos-se-eiland toe geloop soos dit elke jaar met Nuwejaar ons gewoonte was, maar niks wou haar plesierig kry nie. Nie eers Klein Martiens of Sias wat bly pamperlang het om haar nie.

Die Maandag was ek met 'n vol span terug in die Bos. Die eerste het ek Ilario geleer om te kyk waar die bokke water toe kom om te drink en om 'n behoorlike strik met 'n riem te stel. Die eerste twee het ek gestel, die derde een het hy alleen gedoen en glad nie vrot nie.

Halfdag, toe ons eet en rus, sê Fardini: "Signor Miggel, Antonio bang vir môre. Nie tronk toe, asseblief."

"Ons sal maar moet wag en sien. As Christie na my luister en gaan maak soos ek gesê het, sal hy loskom."

"Christie no good."

"Ons kyk maar."

Ek was self nie gerus nie. As dit Pontiggia was wat op die moontlikheid van tronkstraf gewag het, het ek my nie gesteur nie, maar vir Amêrika het ek 'n halwe jammerte gehad. Hy was nie een vir kwaad nie. Hulle wou maar net 'n paar van die volstruis se vere gehad het.

Die Dinsdag laat val ek 'n bietjie vroeër uit, want ek was self nuuskierig om te hoor wat geword het van die volstruis. Toe ons uit die Bos kom, toe sit Amêrika langs die tent en ek sien van ver af sy nek is slap.

"En toe?" vra ek. "Ek sien jy's darem nog buite."

"Jackson no good, signor Miggel."

Ek hou verby na Christie se tent toe en dié sit by sy tafel en skryf dat die ink spat. "Ek neem aan dis nou Jackson die magistraat se beurt om gerapport te word," sê ek.

"Dis reg."

"Wat het geword?"

"Jackson is 'n bedreiging vir enige *court of justice* en niemand doen iets daaromtrent nie."

"Dis nie waar nie. Mister Barrington het eendag gesê die mense hét hom al rapport, maar dit het nie gehelp nie. Wat het geword?"

"Vra liewer hoe ek beledig is! Die Italiane is nie net beledig nie, hulle is ook gewaarsku dat hulle soos misdadigers verdryf sal word as hulle nie oppas wat hulle doen nie. Na rede en getuie is daar nie geluister nie; van hofprosedure, soos ek dit ken, was daar weinig; die beskuldigde is nie verhoor nie, maar bloot beskuldig. Die saak sal nie hier gelos word nie."

"Wat is die straf?"

"Alleen deur mý toedoen en optrede het hy tronkstraf vrygespring."

"Wat is die straf, vra ek?"

"Hy moes ses pond vir die voël betaal."

"Wat hy waar gekry het?"

"Wat ek hom voorgeskiet het op sy loon. Hy sal my weekliks terugbetaal."

"Hy kan van geluk spreek lat dit net ses pond was; volstruise is duur goed vandag se dae."

"Die saak sal nie hier gelaat word nie."

"Mister Christie, daar is bome wat jy kan klim, en daar is bome wat jy nie kan klim nie, nie eers met 'n leer nie. Los vir Jackson en sy hof waar hulle is."

'n Bietjie meer as twee weke later het Amêrika en Taiani en Lucinetti en Pontiggia en Canovi hulle bondels gevat en aangeloop. Nie ek of Christie of Dunn kon hulle keer nie. Die *Natal* was by die kaai op die dorp, hulle het genoeg skipgeld tot in Port Elizabeth gehad waar hulle van plan was om werk te soek totdat hulle genoeg had om in Italië mee te kom. Hulle was klaar met die wildernis, het hulle gesê. Hulle was klaar met pik en graaf vir ander se paaie, klaar met byle vir ander se hout.

Ligdag, die Dinsdagmôre, het hulle by my kom groet en Pietro Fardini saamgebring om te tolk waar dit nodig was. "Julle maak vandag 'n fout," sê ek vir hulle. "Ses sjielings 'n dag is goeie loon. Wie sê julle gaat beter kry in Port Elizabeth? Julle weet nie eers waar die plek is nie." Dis nie dat ek hulle wou keer nie, dis net dat ek hulle wou waarsku.

"Klaar met Bos, signor Miggel. Klaar met voorman by pad," sê Lucinetti. "Finito!"

"Finito!" sê die ander agterna.

"Julle sal moet loop blyplek soek en daarvoor betaal. Hier bly julle immers verniet."

"Klaar met tente. Finito!"

Mirjam het vir hulle brood en koffie gegee en hulle het geëet. Toe hulle opstaan en groet, het Amêrika agter bly staan vir laaste. "Ek skryf vir signor Miggel, ek skryf brief," sê hy.

"Ja, skryf maar, ek sal lat Christie lees."

"Christie no good. Hy vat my kombers, vat my matras, vat my mes vir *lo struzzo*."

"Dit sal jou leer om nie volstruise te jaag nie."

Ek en Mirjam het met hulle saamgegaan tot by die tente. Toe hulle wegstap, toe staan sy saam met die vroue en huil asof dit familie is. En Monica Grassi bly skaamteloos aan Canovi hang tot op die laaste. Volgens Mirjam sou hy haar kom haal en saam terugneem Italië toe sodra hy genoeg bymekaargemaak het. Ek het reguit gesê ek wou dit eers sien. En toe Pontiggia vir Mirjam groet, het ek hulle fyn dopgehou. Gelukkig het sy haar lyf mooi eenkant gehou. Maar toe bly hulle mekaar in die oë staan en kyk soos twee wat dinge sonder woorde sê, en dit kos my 'n paar keer keel skraap om dit stop te sit.

"Die dag as julle oppak," het ek vir die ander gesê, "loop leen ek groot slees om julle tot by die kaai te kry, maar van stilstaan sal daardie dag nie aankom nie. Bring die byle!" Ek had 'n nuwe een in die span, Coccia. Hy't gekies om in Canovi se plek te kom inval en nie alleen terug te gaan pad toe nie. Gelukkig het hy darem iets van 'n byl geweet, want ek het hom by die vuurmaakhout geleer.

En daar was meer as een ding ligter in my gemoed toe ons daardie môre in die Bos in stap: die eerste vyf Italiane was vort, en Dunn het die vorige aand vir my kom sê hulle gaan die *yard for logs* en die *yard for sleepers and timber* en die hele saagmeul 'n stuk of vyfhonderd tree wes skuif, nader na die dam toe, my huis kon bly waar hy is. Dit was soos 'n rots wat uit my pad rol. As 'n man se huis sestien jaar op sy plek gestaan het, staan hy diep en jy staan saam. Dis nie 'n hoenderhok se afbreek en skuif wat vir jou voorlê nie. Ek was dankbaar. Nou moes ek nog net 'n hoër heining om my plek en om Mirjam kry. Waar ek die tyd vandaan moes haal, het ek nie geweet nie. En Mirjam het nog steeds met 'n hartseer in haar geloop wat ek nie verstaan het nie. 'n Paar keer het ek self gesien hoe jak sy van die dammakers en die loslopers by die tente af as hulle te naby haar bly peuter. Dit was troos vir my gemoed, maar dit was nie soos ek my meisiekind ken nie. Sondae het sy haar aangetrek en Poortland toe geloop en middae die Barringtonnuus gebring: hulle het pampoene tussen die appelbome geplant; Barrington het laat weet sodra hy weer op die been is, gaan hy begin om 'n kelder vir die appelwyn te bou; John is weg Kaap toe om die skoener *Hettie* in te wag waarop 'n groot vrag hout uit Poortland se bos is, hy gaan die hout in die Kaap verkoop.

"Ek hoop hulle sien hom weer," het ek gesê.

Dunn was ontevrede oor die vyf Italiane wat aangeloop het. Elke hand is noodsaaklik, het hy gesê, die pad moet dringend klaarkom. Toe ek hom vra waar die kastige spanne is wat teen daardie tyd al tot waar sou gekap het, sê hy hulle is op pad. En die osse wat nie uitkom nie? Hulle is ook op pad. Alles op pad.

"En die water?" vra ek. "Waarvandaan is die water vir die dam op pad?"

"Dit moet die een of ander tyd reën. Solank die dam net vol is teen die tyd wat ons gereed is om te begin saag, sal daar nie probleme wees nie."

"Intussen staan die platrand sonder kos, Mister," sê ek vir

hom. "Die bietjie water wat ek en Mirjam voordag aandra vir die groentekampe is te min. Daar anderkant staan die Italiane se goed en verdroog, want ons kan nie meer natlei nie, julle vervloekste damwal keer ons af."

"Julle verdien genoeg om kos van te koop."

"Die Italiane werk nie vir kos nie, hulle werk vir skipgeld!" het ek hom herinner.

"Solank hulle net nie die skipgeld té gou bymekaarmaak nie, Miggel. En ek wou jou al na die Grassi-man gevra het, dit lyk nie vir my of hy juis 'n byl sal kan swaai nie. Dink jy dis nodig dat hy elke dag saamgaan en betaal word daarvoor?"

"Los hom. Ek laat hom werk."

En net die volgende aand is Dunn weer in my huis. Ek dog dis weer oor die werk wat hy kom praat, maar dis oor 'n heel ander ding. "Daar is Saterdagaand 'n dans op die dorp, Miggel," sê hy. "Ek wil graag jou dogter saamvra as sy 'n ordentlike rok het om aan te trek."

Net so. En voor ek kon opspring om hom met stoel en al by die deur uit te smyt, staan Mirjam langs die tafel uit die kamer uit en ek sien sy's kwaad, maar toe sy praat, toe is dit op sy eie taal en soos 'n lady en sy kyk hom vas in die oë.

"Mister Dunn," sê sy, "as jy met my wil gaan dans, vra jy eerste vir my en dan vir my pa. As jy my eerste gevra het, was die antwoord nee, en het ek jou dit gespaar om my pa te vra. Sou jy my volgende keer weer wil vra, maak net eers seker of jy met mý of met my rok wil gaan dans."

My mond het oopgeval. Syne ook. Ek het 'n kant van my meisiekind gesien wat ek nie geken het nie en ek het skielik geweet dat die man wat vir háár sinnigheid kry, deur die hel sou moes loop om haar weer uit sy lyf te kry, en ek kon nie help om te wonder hoe dit met Jacob en Susanna gaan nie.

Dunn het sy keel geskraap en 'n laggie gegee. "Wel, ek het gehoor jou pa is kwaai, maar hulle het my nie van jou gesê nie."

Sy het hom nie antwoord gegee nie, sy het omgedraai en by die deur uitgeloop. Toe ek weer kyk, toe is sy net 'n stippel in die maanskyn ver onder op die platrand.

Toe Februarie op die helfte staan, toe staan die heining om my huis: sterk en hoog en goed en met 'n stewige hek aan die oostekant. Ek het hom snags by die lantern gepak. My houtkamer was binne, die helfte van Mirjam se blommetuin, en aan die suidekant 'n flentertjie grond vir 'n bietjie kos. Ek was ingegord vir wat voorgelê het. En net betyds ook, want toe die maand uitloop, toe is die pad klaar en die waens begin kom. Ses waens. Drie was Fox en Dunn se eie waens, drie was houtkapperwaens met drywers en al gehuur. Hulle het dae lank aangery. Eers die tente vir die werkers, die meeste genadiglik onder na die voet van die platrand toe. Toe het die saagmeul begin kom: stukke masjiene, drie vragte om die stoomketel bo te kry, kaste vol parte met groot letters opgeverf, gereedskap, sink, trommels, bondels. Jy kon saans aan die osse se stukkende skofte sien hoe hulle die godsonmoontlike vragte daar gekry het; veral aan Fox en Dunn se osse. Die houtkappers se osse was minder verrinneweer; 'n houtkapper weet tot waar om 'n wa te laai sonder om sy osse tot niet te moor.

Mirjam het begin bang word. "Wanneer hou dit op met aankom, Pa?"

"Die Here weet." Dit was soos die plae van die Bybel wat oor die platrand kom lê het. Elke dag het ek vir myself gesê: Silas Miggel, kyk voor jou voete, moenie oorkant vaskyk waar jy moet uitkom nie. Die eerste keer wat ek werklik geskrik het, was die dag toe die osse gekom het. Eenhonderd een-en-twintig osse, het ek in ontsteltenis getel en vir Dunn loop vra of hy mal is. Waar moes die goed wei? Waar moes hulle suip? Honderd een-en-twintig osse.

By die Italiane se tente het dit onleefbaar geword. Die osse was oral, hulle suipplek het die bietjie vangwater aan die oostekant van die tente geword en binne 'n week was dit soos 'n miskraal. Die vroue moes begin drinkwater aandra onder uit die kloof. Christie het daagliks die Wet op Immigrante-grond onder Dunn en die ander se oë loop druk, maar hulle het hom platgeloop om elke ding op die plek te kry. Die hele wêreld het vol saagmeulparte gelê. Al hoop wat ek kon bedink, was dat Robinson, die Rochdale-man, in der ewigheid die spul nie aanmekaargesit sou kry nie.

Nog drie spanne kappers het gekom en die boswagters het hulle gaan wys waar om te kap en wat om te kap. Soggens het ek gesorg dat ek eerste met my span die Bos ingaan, en middae het ek laaste uitgekom. Nie 'n byl sou verder noord as myne kap nie.

Op die eerste Sondag in Maart, toe ek die môre wakker word, toe roep die vleiloerie en die nag begin dit reën. Die volgende môre, toe ek klaarmaak om te gaan inval, dog ek Mirjam kom iets oor.

"Waar gaan Pa heen? Pa kan hulle tog nie in hierdie weer laat kap nie!"

"Ek het nog nooit van reën gehoor wat 'n mens gesmelt het nie; dis sagte reën, dis uitsleepweer."

"Hulle gaan siek word, Pa!"

"Moenie dinge aanroep nie, Mirjam! Hulle gaat niks oorkom nie; hulle gaat op hierdie dag leer om hout uit te sleep en terselfdertyd 'n dag se loon verdien."

Die hout moes kaal uitgesleep kom, sonder slees. As jy kaal uitsleep in droë weer en die vrag syg in die stof in vas, sukkel jy; die osse skaaf onder die bors deur en dit vat jou duwwel die tyd.

Ek het die volle span, behalwe Ilario, loop aankeer en twaalf van die beste osse uitgekeer. Nie een van die ander spanne is Bos toe nie, net my span. Halfdag, toe ons met die eerste hout uitkom en dit anderkant die dam op die nuwe *yard for logs* loshaak, toe kom staan Dunn en spog en prys dat jy sou sweer dis 'n sleepsel olifanttande wat ons uitgebring het.

"Well, done, Miggel, well done!" sê hy seker 'n dosyn keer agter mekaar en op Engels sodat almal wat onder van die saagmeultente af opgekom het om te kom kyk, kon hoor en verstaan. "You and your men are an example today!" Ek het my nie gesteur nie. Die Italiane ook nie. Dit was in elk geval een van daardie dae wat hulle nes honde was wat genoeg slae had en nie eers bodder om te knor nie.

Ons het tot die Woensdag toe uitgesleep. Toe ons weer begin kap, het dit beter gegaan. Daar was tye wat ek dit selfs reggekry het om hulle moedig te laat kap: "Swaai die byle, manne! Sê vir julleself die loon is goed, julle gaat huis toe.

Milano! Firenze! Venezia!" Teen daardie tyd het ek die meeste name van die plekke waar hulle vandaan gekom het, uit my kop geken. Soms het ek daarvan 'n speletjie gemaak en elke kap 'n naam gegee en só die byle egalig gehou.

"Milano!" Mangiagalli se plek.

"Treviso!" het Borolini geroep. "Bergamo!" het hy bygelas toe dit weer sy beurt was om te roep; dit was sy meisie se plek, die een wat agterna sou gekom het.

"Como!" Dit was 'n plek wat enigeen kon uitroep, want dit was waar die meeste van hulle kokonne heen gestuur is om gespin en geweef te word.

"Milano!" Dit was Cruci se plek ook.

"Gouna!" Partykeer het ek saamgespeel.

"Bergamo!"

"Firenze!" Dié naam is die meeste uitgeroep. Dit was Fardini se plek, Cuicatti se plek, Robolini se plek, Coccia se plek.

"Ilario, waar kom Ilario vandaan?"

"Milano!"

Houtkappers van bloed sou 'n mens nooit van hulle gemaak kry nie, maar dom was hulle ook nie. Op 'n dag, toe ek weer sien, toe kap hulle self die valkepe in en lê die hout netjies neer.

"Venezia!" Tomé se plek.

"Gouna!" My plek.

"Roma!" Dit was nie een van hulle se plek nie, maar dit was 'n naam wat hulle graag uitgeroep het.

Ons staan nog eendag so en kap en name uitroep van oral af, toe kyk ek op en in Diepwalle se wagter se gesig vas. Hy staan skoon stom en met 'n dikke plooi tussen die oë.

"Wagtertjie!" skree ek vir hom, "hierdie boom gaat vir jou kry as hy val. Staat soontoe!"

Hy't vinnig padgegee.

"Is die voorman by die tente, oom?"

"Watter voorman? Daar's nou baie voormanne op die platrand."

"Die tolk, oom. Ek loop met 'n dringende boodskap vir hom."

"Wat se boodskap?"

"Mister McNaughton, die Assistent-Kommissaris van Kroongrond, kom môre tot by Gouna om na die Italiane se klagtes te luister."

Ek het die byl stadig neergesit. "Wat sê jy daar?"

"Hy is van die Kaap af hier, oom. Hy is besig om al die immigrante in die distrik te besoek en kom môre tot op Gouna. Die meeste gekla kom glo van die platrand af, nou kom hy môre self uithoor. Ek moes al gister kom sê het, maar 'n trop grootvoete het my afgekeer."

"Wat is die man se naam, sê jy?"

"McNaughton, oom."

"Dan beter hy voordag of skemertyd kom, want die Italiane kan nie vir hom loop sit en wag en loon verloor nie."

"Oom moet ophou met moeilikheid maak, oom sien wat met Pieter Kapp gebeur het."

Ek het nie geweet wat met Pieter Kapp gebeur het nie. Vandat ek nie meer op die dorp gekom het nie, het ek van min geweet. Pieter Kapp woon al jare lank by Kransbos en kap vir homself. "Wat van Pieter Kapp?"

"Hy het mos vir hom ook op kroongrond loop neerplak, nes oom, en daar's hy nou in groot moeilikheid. Die einde van die maand moet hy af en nie 'n plank van sy huis mag hy saamvat nie. Daar is klaar immigrante op pad van Engeland af vir die grond."

Dit was nie goeie tyding nie. Dit was glad nie goeie tyding nie. Maar Pieter Kapp is nie Silas Miggel nie, sê ek vir myself. Dinge is vir hom anders as vir my, hy is nie aangestel om Italiane op te pas nie. En tog, toe ek my byl lig en weer begin kap, toe's dit of ek wil wurg in die tyding. Voor die son sak, moes Christie die geld gee wat hy my skuld, ek had hom al hoeveel keer gevra. Daar was twintig pond drie sjielings in die geldblik. Saam met die sewentien wat hy my skuld, was dit sewe-endertig pond drie sjielings. Die dag as die lotte opgeveil word, moes ek regstaan om uit te tel. Daar sou nie van my 'n tweede Pieter Kapp gemaak word nie. So waar as die Here nie.

En ek is reguit verby na Christie toe, toe ons laatmiddag op die platrand kom. Eerste sien ek sy hare is gesny, hy het 'n paar nuwe skoene aan, en hy gee net orders af tussen die tente.

"Wat gaat nou aan?" vra ek vir hom.

"Mister McNaughton, die Assistent-Kommissaris van Kroongrond, is môre hier en skynbaar is dit net ek wat die belangrikheid van sy besoek besef!" Die man was heeltemal op hol. "As ek dit net tot hierdie mense kan laat deurdring wat die gevolge van die man se besoek kan wees!"

"Ek dink nie hulle vertrou meer enige gevolge nie."

"Mister McNaughton is die *Assistent-Kommissaris van Kroongrond*, Miggel," skree hy vir my. "Weet jy hoeveel vertoë dit gekos het om hom hier te kry van die Kaap af?"

"Seker baie, ja."

"Dit was ék wat op die vergadering gesê het dat ons 'n ondersoek op hoë vlak *eis*. Ek is die een wat gesê het ons is nie meer tevrede met ondersoeke op plaaslike vlak nie, en noudat die resultaat op pad is, kyk die vroue my aan sonder enige teken van belang."

"Wat se vergadering?"

"Die immigrante-vergadering wat in Februarie op die dorp gehou is."

"Hoekom weet ek niks daarvan nie?"

"Omdat jy nie 'n immigrant is nie!"

"Hoekom was die Italiane nie daar nie?"

"Omdat hulle nie Engels magtig is nie. Al die ander immigrante in die distrik is Engelssprekend; ek het myself, sowel as hulle, verteenwoordig. En ek het reeds vir Dunn gesê dat hulle nie môre sal gaan werk nie. Die moontlikheid is baie groot dat hulle glad nie weer vir hom sal werk nie, dat Mister McNaughton dit nie sal goedkeur nie. Daar mag selfs ander grond aan hulle toegestaan word, grond wat vir moerbei en 'n sybedryf geskik is."

"Is jy nou so waar as wragtig terug by die wurms wat onder die grond lê?" Ek kon dit nie glo nie. En dit was nie al nie.

"Daar sal ook gerapporteer word dat Dunn wederregtelik toegelaat het dat die meeste van die saagmeultente op die grond wat vir ons as meent uitgesit is, opgeslaan word, dat hy weier om sy mense te verbied om oor die Italiane se lotte te loop, en dat hy weier om die saagmeulparte wat op Tomé en Robolini se lotte lê te verwyder."

"Jy moet ophou om met Dunn en sy werksmense te skoor,

hulle gaat vir jou seermaak. Daarby sal ek jou aanraai om eenkant te gaat sit en te begin dink. Ek voel nie vir jou nie, ek voel nie veel vir hierdie Italiane nie, ek voel nie vir die saagmeul nie, maar stry kan jy nie, op die oomblik is dit die enigste uitkoms wat te sien is. Hulle kan immers eet en self skipgeld bymekaarmaak. As McNaughton beter uitkoms bring, is dit goed, maar dan moet hy dit eers kom neersit. En jý gaat die geld neersit wat jy my skuld. Nou."

Hy't my aangekyk asof ek hom 'n klap gegee het. "Ek is besig om gereed te maak vir Mister McNaughton se koms en jy kom oor geld praat? Ons kan die saak oormôre afhandel."

"Nou."

"Moenie oorhaastig wees nie, Miggel, ek weet jy wil een van die lotte bekom. 'n Beter een as myne is daar nie en ek verseker jou ons kan 'n wetlike manier vind waarop jy dit by my kan koop."

"Teen watter prys?" Vooruit sou ek my nie verheug nie, maar ek moes weet.

"Ons kan later oor die prys onderhandel."

"Ek wil nou weet."

"Ek kan nie vir minder as vyfhonderd pond verkoop nie."

"Wat?" Ek dog eers die man het hom verspreek, maar hy knik met sy kop en ek weet hy is ernstig. "Het jou verstand ingegee?" vra ek vir hom. "Met vyfhonderd pond koop ek die hele wêreld van hier af tot op die dorp en dan't ek nog geld oor ook. Barrington het vir die hele duisend akker van Karawater maar vyf-en-veertig pond betaal en jy wil vyfhonderd hê vir twintig akker potklei op die platrand?"

"Daar is sprake van goud."

"Goud se gat, man! Die gerugte lê al jare rond, party is al aan die soek en kry net krummels. Mister Dunn sê hy weet van goud: as hulle 'n streepsak vol uit hierdie bos haal, is dit baie. En jy wil kom prys maak asof jou ou lotjie met goud bestrooi is? Jy moet op die dorp kom lat dokter Gorman na jou kop kan kyk!"

"Ek mag dit oorweeg om vierhonderd-en-vyftig pond te aanvaar."

"Oorweeg? Ek oorweeg om jou harspan inmekaar te slaan."

"Dreig jy my met die dood?"

Ek het skielik die gevoel gekry hy wil na 'n ander kant toe spring. "Gee my geld, ek is moeg."

"Ek sal jou geld oormôre gee."

Ek was nie meer lus vir hom nie. Ek het met die handbyl gestaan, want ek wou nog 'n bietjie dunhout gaan kap het. Toe ek hom lig, toe koes hy tot by sy trommel en ek het nie laat sak voor die laaste pond nie in my hand gelê het nie.

"Jou dag sal kom, Miggel," het hy gesê, wit om die kiewe. "Jou dag sal kom, en ek sal sorg dat hy kom."

Ek was al 'n hele ent weg, toe gooi hy nog dreigemente agterna. Die laaste wat ek gehoor het, was dat hy my verbied om naby die tente te kom terwyl McNaughton daar is. Hý behartig die Italiane se belange, nie ek nie.

Ek laat my nêrens op die platrand verbied nie, het ek vir myself gesê.

McNaughton was kort na die middag daar. Hy en Dreyer, Walker se klerk. Toe hy van die perd afklim, toe sien ek die man het pyn, hy kry sy lyf met moeite op die grond. Jig. Dis nie goed nie, sê ek vir myself, 'n man met pyn het nie geduld nie en geduld sou hy nodig hê. Want wat van vroegmôre af met die Italiane aangegaan het, kon ek nie met sekerheid agterkom nie.

Toe Mirjam die slag oorkant op Poortland skoolgegaan het, het Miss Ritchie hulle partykeer laat konsert hou; dan moes almal anderster aantrek, anderster praat, anderster loop, en die grootmense sit en handeklap. Mrs Barrington het my ook eendag laat roep om te kom kyk. Sommer 'n verspotte besigheid. Mirjam had flenterklere aan en haar naam was kastig Cinderella. Ek het reguit vir Miss Ritchie gesê ek hou nie van 'n bespotting nie.

Al wat ek die dag van McNaughton se koms kon dink, was dat die Italiane aan die klaarmaak was om vir die man konsert te hou óf om Christie van sy kop af te kry. Dié het die oggend opgestaan en hom soos 'n jentelman reggemaak. Tot om sy tent gevee ook. Die Italiane het net mooi andersterom gemaak: van die mans had hulle baadjies binnestebuite aan, die vroue se hare was nie gekam nie en ook nie die kinders s'n nie. Die tente se ankertoue is laat skiet totdat die goed in 'n slapte gestaan het, en nie 'n stukkie wasgoed is uitgehang nie. Hier en daar is 'n leë wateremmer neergesit en 'n paar stukkies hout ook. Maar die beste was die twee stukkende ploeë wat hulle van die bosrand af aangesleep het, en toe nog boonop die twee kleinste fisante van die vorige dag se vangs, met die pote vasgemaak en die koppe ondertoe oor die een ploeg gehang. Nes hongersnood.

Christie het later vir mý laat roep. "Praat met hulle, Miggel! Doen iets om te help, die man kan enige oomblik hier wees en nie net mý reputasie is op die spel nie, maar ook hulle eie. Dit is van die grootste belang dat ons op Mister McNaughton 'n goeie indruk moet maak!"

"Dan werk my kop seker vandag soos 'n Italiaan s'n," het ek reguit erken. "Ek sou ook eerder dink dis beter om op hom in te druk hoe ellendig dit gaan. Nie hoe goed nie."

"Mister McNaughton is deeglik ingelig oor toestande; maande se vertoë het dit gedoen. Die minste wat ek vra, is dat hy met respek en ordentlikheid ingewag en ontvang word, maar al wat ek kry, is winkbroue wat lig en skouers wat opgetrek word! Kyk hoe lyk dit tussen die tente! Kyk hoe lyk húlle! Watter indruk moet Mister McNaughton kry? Hy sal glo dat dít die standaarde is wat ek onder my toesig toelaat. Praat met hulle, Miggel!"

Toe die twee manne te perd oor die platrand aangery kom, toe skuif die konsert bo by die tente reg: die kinders het op die kale aarde gaan sit en begin prentjies trek in die stof; party het klippies in die lug opgegooi en met die afkom gevang. Vittoria Robolini en Antonia Tomé het besems gevat en lusteloos begin vee terwyl Fardini en Cruci en Cuicatti met geboë hoofde die byle met die platvyle gaan sit en slyp het. Dit wás vir my snaaks dat hulle die oggend laat vyle leen het, ons slyp gewoonlik saans. En Ilario is langs 'n tent op sy hurke sitgemaak en 'n vroumenstjalie is in die bloedige warmte oor sy skouers gegooi.

Selfs Mirjam het in verbasing vasgesteek toe sy Cruci se kind sy medisyne kom ingee. "En nou, Pa? Wat gaan nou hier aan?"

"Ek dink hulle gaat konsert hou vir Mister McNaughton."

Wie se konsert dit aan die einde was, die Italiane s'n of Christie s'n, is moeilik om te sê, want toe sal die onnooslike

Christie nie agterkom dat die man beswaarlik van die perd kan af nie; hy trek sommer los en spreek 'n uitgerekte welkomswoord uit asof hy die spektakel agter hom met hoë woorde wou verberg. En met dieselfde asem slaan hy oor na al wat 'n ongeregtigheid is wat hom en die Italiane aangedoen is, en net mooi toe hy hulle treurige ontvangs in die Kaap aanhaal, toe kom Mariarosa en Petroniglia tussen die tente deur, kruppelkruppel onder twee sware emmers water aan 'n rooihoutspar tussen hulle skouers. Net so min het hulle met daardie water uit die kloof gekom as wat ek daarmee gekom het, maar vir my was dit die mooiste van die hele konsert. Hulle sit die emmers reg voor McNaughton se voete neer en Mariarosa trek los en begin hom op haar eie taal te skel. Wat sy gesê het, sou ek graag wou weet. Christie het nie getolk nie, hy't net gesukkel om hulle weg te kry en verskonings te maak. Hy moes hulle gelos het. McNaughton het nie geweet hulle hou konsert nie; as jy nie fyn gekyk het nie, sou jy dit nooit geweet het nie. En die hele tyd het ek boonop met die gevoel gestaan dat hulle hom skelm dophou om te sien of hý dit geniet. Dit was Christie wat met sy rondtrappery alles verknoei het. Dit was hý wat McNaughton laat lostrek het met die ou storie van hoeveel meer hulle as die ander immigrante gekry het, wat hy alles aan die goewerment sou gaan rapport. Praat, praat, praat. Waarom is daar so te sê niks gedoen om die grond wat aan hulle toegestaan is, te bewerk nie? Waarom is daar geen teken dat daar 'n eerlike poging aangewend is om die sybedryf te vestig nie? Al slotsom waartoe hy kon kom, is dat hulle moedswillig en 'n las op die land is. Ek sê vir Christie om vir hom te sê van die droogte en die sywurms wat gevrek het, van die saagmeul se osse wat alles vertrap, maar Christie staan soos een van wie die laaste moed opgedroog het; hy tolk nie, hy staan net. En miskien ook maar goed dat hy nie getolk het nie, want anders het die konsert op 'n konsternasie uitgeloop. Ek is sommer nog voor die einde huis toe.

Die week daarna, toe kom die reën. Die groot reën. Drie dae aanmekaar, nag en dag, en nie 'n byl kan in die Bos kom nie, nie 'n os om 'n splinter uit te sleep nie, niks. Toe die eerste druppels begin val, het Dunn padgegee dorp toe. Die tweede dag kom mor sy werkers by my; hulle tente staan in die water. Ek sê vir hulle hulle moenie by my kom kla nie, ek het niks met hulle te doen nie. By die Italiane se tente was dit ook nat, maar dit was nie verspoel tot onder hulle lywe nie. Die dag voor die reën begin uitsak het, het die vleiloerie hard gepraat en toe die wind wes draai, sê ek vir Mirjam sy en die vroue moet loop kooigoedbos kap en hulle moet kyk dat die keerwal reggemaak kom waar die kinders die ding platgerits het. Die vuurmaakhout het ek en die span die middag uitgebring en onder die skerm gekry. Toe die water die nag begin val, toe lê ek gerus. Behalwe oor Mirjam wat nie wou regkom nie. Daar was nog altyd 'n hartseer in haar.

Toe dit opklaar, was ons drie dae se loon agter, maar die droogte was gebreek. En Dunn kom roep my om te kom kyk na die water in die dam. Toe ek op die wal staan, toe is dit so goed ek kyk af op my eie drome. Al die jare was my begeerte 'n dam vir die platrand. Dis net dat ek nooit kon droom dat ek hom uit 'n saagmeul sou wen nie.

Dieselfde aand, toe ek by die huis kom, sê Mirjam konstabel Ralph was die middag weer daar. Christie en drie van die Italiane word daarvan aangekla dat hulle 'n os geslag het en hulle moet die Donderdag in die hof verskyn. Die drie wat medepligtig was aan die slagtery, was Mangiagalli en Tomé en Cuicatti. Ek het sommer my bord kos agteruit geskuif en opgestaan. Die een moeilikheid was skaars verby, dan het die volgende een reggestaan, en elke keer moes daar byle neergelê en loon verloor word.

"Wat hoor ek nou weer van 'n os?" het ek vir Christie loop vra.

"Hulle wil van my ontslae raak, Miggel." Hy het in sy kantoortent by die kers gesit. "As hulle my uit die pad uit kan kry, beteken dit hulle is bevry van alle verdere verantwoordelikheid teenoor die Italiane. Solank ek hier is om vertoë te rig en geregtigheid te eis, bly die mislukte sybedryf vir hulle 'n verleentheid."

"Wat se os?"

"Noudat hulle begin agterkom dat ek my nie van dreigemente en duistere metodes wil laat wegkry nie, word 'n os-slagtery teen my opgemaak."

"Wat se os?"

"Volgens konstabel Ralph is dit die os waarop 'n boswagter die dag net voor Kersfees hier onder in Gouna se kloof afgekom het."

"Hoekom weet ek daar niks van af nie?"

"Omdat dit niks met jou of met my, of met een van die Italiane, te doen gehad het nie. Jy was die dag op Poortland, ek het van die dorp af gekom en Mangiagalli en Cuicatti en Tomé onder in die kloof gekry. Hulle was ook dorp toe en het met die terugkom 'n bietjie onder by die water gerus. Dis waar ek hulle gekry het en van waar ek saam met hulle geloop het. Nie ver nie, toe staan 'n boswagter voor ons en hy sê daar lê 'n os in die ruigte geslag, of ons iets daarvan weet. Ek het hom die versekering gegee dat nie een van ons enige kennis van die os dra nie."

Ek was nie so seker nie. Ek sê nie Christie het iets met die slagtery te doen gehad nie; al wat ek weet, is dat dit daardie tyd sleg gegaan het by die tente en dat die laaste van die goewermentsosse wat vir die ploeë gestuur is, ook rondom Krismis verdwyn het. "Dis nie dalk die os wat hulle daar reg aan die begin geslag het nie?" vra ek hom.

"Ek weet niks van enige os wat ooit geslag is nie!" bestry hy onmiddellik en heftig. "Jý het destyds voorgestel dat hulle 'n os slag, ek stel voor dat jy saamgaan vir ingeval ons nog 'n getuie nodig het."

"Luister, Mister Christie, vir lewe en dood mog ek voor Jackson die magistraat loop getuig, maar nie vir 'n os nie. Gaat sê vir hom die goewerment het destyds twaalf halfdood osse hier aangestuur, sê vir hom jy't nie gekyk wat van hulle geword het nie. Ek sê nie jy moet loop lieg nie, maar loop hou vir jou dom."

"Jy begryp nie, Miggel, dit gaan nie hier om die os nie, dit is 'n bedinkte saak om van my ontslae te raak! Jy moet saamgaan om vir my te getuig."

"Ek gaat nie naby Jackson nie. As jy die os nie geslag het nie, het jy die os nie geslag nie. Dalk is dit die Italiane. Dalk is dit jou verbeelding wat vir jou sê lat hulle van jou ontslae wil raak. Dalk moet jy 'n bietjie minder briewe skryf om almal te rapport. Loop sê vir Jackson hierdie hof-toe-ganery moet end kry, die Italiane kan nie elke hoeveel weke loon verloor vir sý plesier nie. Loop sê dit vir hom."

Maar op niks na nie, het Christie met sy gat in die tronk gesit oor die os. Jeary, die houtkoper, en De Klerk, die een dorpsagent, het vir hom borg gestaan om te keer dat hy nie opgesluit word nie, maar eintlik was dit die drie Italiane wat hom gered het. Of hulle dit wetend of onwetend gedoen het, kan 'n mens nie sê nie; ek dink dit was wetend. Christie sê toe hulle die môre in die hof staan, toe staan hulle domonnooslik en verstaan nie 'n woord nie. Hy tolk dat die sweet hom aftap, Jackson is later warm, maar hulle skud net kop, hulle verstaan nie. En naby die Bybel wou hulle glad nie kom om hulle te laat insweer nie, hulle trek net skouers op, hulle verstaan nie, met die gevolg dat Christie toe alleen in die bank staan om beskuldig te word. Die getuies is stom.

"Onskuldig staan ek toe beskuldig," sê Christie. "Toe ek vra wie my aangekla het, sê Jackson die kroon kla my aan en hy verteenwoordig die kroon. Die man is 'n tiran, Miggel! Hy was terselfdertyd my aanklaer, my vervolger, my regter en my jurie! Ek is nie ondervra nie, net beskuldig dat ek vir die dood van die os wat in die Bos gevind is, verantwoordelik is. Toe daar nie genoegsame getuienis is nie, is ek aangesê om borg te vind totdat die saak na die Prokureur-generaal verwys is."

"En nou?" vra ek.

"Nou wag ons om te sien of die Prokureur-generaal 'n beter saak teen my kan inbring."

Ek het van die hele besigheid maar min verstaan. Êrens was iets verkeerd. Christie het nie die os geslag nie, daarvan was ek seker; hy was te treurig om 'n vlieg dood te slaan, wat nog te sê van 'n os keel-af sny? Ek het begin wonder of hy nie dalk reg is nie, of hulle nie tóg maar van hom ontslae wou raak nie. Hoekom het hulle dit dan nie reguit vir hom gesê nie? Gek na hom was ek nie, maar sonder 'n tolk kon dit nog altyd neuk.

Twee dae later kom een van die boswagters weer daar bo aan waar ons kap, en sê Walker het hom gestuur om vir my te kom sê die Italiane moet Saterdag op die dorp wees om geënt te word teen die pokke.

"Wagtertjie," sê ek, "ek begin nou sleg moeg word vir hierdie pokke-storie."

"Dit kan nie anders nie, oom."

"Hoekom loop sê jy dit nie vir Christie nie? Vir wat bring jy dit hiernatoe?"

"Mister Walker het gesê ek moet dit vir oom kom sê."

"Loop sê vir hom hulle staat Saterdag in hulle werk; hy kan homself laat ent sover ek traak. Hulle het nie pokke nie."

"Ek kan dit nie so vir hom gaan sê nie, oom. Oom beter maar sorg dat hulle Saterdag daar is."

Ek het my byl vinnig neergesit. "Luister, boswagter, Christie het my die versekering gegee lat hulle in Italië geënt is voor hulle op die skip geklim het."

"Dis nie in Londen bevestig nie, oom. Ook nie in die Kaap nie. Die papiere wat dit moet bevestig, het iewers weggeraak. Oom moet sorg dat hulle Saterdag op die dorp kom sodat dokter Gorman net kan kyk wie van hulle geënt is en wie nie."

"Hulle kan nie Saterdag se loon verloor nie, ek sê jou dit. Maart staan driekwart klaar en byna 'n week is al sonder loon verby. Ek kla nie oor die dae wat dit gereën het nie, ek kla oor die dae wat hulle vir ander se nonsens uit die werk moet bly. Waarvan dink jy moet hulle leef en op die skip kom?"

"Mister Walker gaan nie hiermee tevrede wees nie. Oom soek moeilikheid."

Ek het hom nie antwoord gegee nie. En min het ek geweet dat dit ék sou wees wat daardie Saterdag byl neerlê. Toe ek die môre deur my hek loop om die manne by die tente te haal, sodat ons kan gaan inval, toe sien ek 'n man te perd oor die platrand aankom op 'n jaaggalop en ek sien dis Hal. Ek sit die byle net daar neer en ek haal my hoed af en druk hom oor my hart, want toe weet ek.

"Môre, oom Silas."

"Môre, Hal."

"Ek kom net sê dat my pa vannag oorlede is, oom."

"Mag die liewe Here met julle goeie moeder en met julle gaan."

"Dankie, oom."

"Het hy swaar afgegee?"

"Ja, oom. Dit was maar met baie pyn."

"Kom tot by die huis, kom drink 'n bietjie koffie."

"Daar's nie tyd nie, oom, ek moet die tyding nog verder neem. My ma sê oom het my pa belowe om te sorg vir die osse en dat oom die wa sal dryf."

"So was my woord aan jou afgestorwe vader en so sal dit wees."

"Die begrafnis is Maandagmiddag om twee-uur, oom."

"Is die wa geghries?"

"Ek glo nie, oom."

"Ek sal kyk dat alles reg is en dat die osse bymekaarkom."

"Dankie, oom."

"Is John al terug van die Kaap af?"

"Hy het verlede week gekom, ons was al baie onrustig."

John was drie maande weg om die hout te loop verkoop.

Ek het met 'n vreemde soort droefenis in my bly staan toe Hal daar wegry. Barrington was Barrington, hy was hoog en ek laag, maar tog het ons dikwels mekaar se hande bygekom. Toe ek opkyk, toe sien ek die kroonarend tydsaam sweef bo in die kloof tussen die platrand en Poortland en dit was ook vreemd, ek het in jare nie 'n kroonarend oor die platrand gesien nie.

Ek het omgedraai en die tyding vir Mirjam geneem. Ek het die lanferband wat ek laas vir Magriet gedra het, uit die kas gehaal en om my arm gesit. Toe het ek by die tente loop sê dat ek nie weer voor die Dinsdag sou kon Bos toe gaan nie, as die Here my die lewe spaar. Ek het dit vir Dunn ook loop sê.

"Ek verstaan jy was jare lank op Portland in diens," sê hy nuuskierig. "Is dit waar dat die ou man sy vier dogters soos kluisenaars laat leef het?"

"In die eerste plek," het ek hom reggehelp, "het ek nooit verhuur gestaan aan Poortland nie, ek was nie in diens nie. Ek het oorle Mister Barrington uitgehelp soos wat ek jou in goedguns uithelp om voorman te staan oor die Italiane. Silas Miggel behoor aan niemand nie, Mister, hy behoor aan homself soos dit ons bosmense se gewoonte is. En wat oorle Mister Barrington se dogters betref, kan ek net sê lat ek hulle nooit in die huis toegesluit gesien het nie." Ek het nie vir hom gesê dat hulle selde toegelaat is om veel verder as die huis en die werf en

Karawater te gaan nie. Dit was nie Dunn se besigheid om te weet nie. Elke uitnodiging wat hulle na 'n dans of 'n partytjie gekry het, het Barrington persoonlik namens hulle bedank en menige traan het ek hulle daaroor eenkant sien huil. "Ek sal Dinsdag weer in die werk staan," het ek gesê.

"Moenie jou bekommer nie, Miggel, ek sal een van my ander manne saam met die Italiane stuur om te kyk dat hulle kap."

Ek het niks gesê nie.

Mirjam was nog nie klaar gehuil toe ek terugkom in die huis nie. "Hy was 'n goeie man, Pa."

"Ja. Dit help nie jy verwyt die dooie nie." Baie dae as ek die gedruis op die platrand aanskou het, en so moes sukkel met die Italiane, het dit opstandig geword in my en het ek Barrington van voor af verwyt. "Ja," sê ek vir Mirjam, "op sy manier was hy 'n goeie man. Dis net lat hy nou in die hemel sit en ek nog altyd op die aarde met sý Italiane."

"Pa, skaam vir Pa om so te praat!"

"Mens skaam jou nie vir die waarheid nie. En jy moet klaar huil; voor ek hom kan gaat laai, is daar baie waar my voete moet trap en my hande moet vat. Pak vir my 'n ekstra stukkie kos in, dis wyd waar ek moet gaat draai om die osse bymekaar te maak. As ek nie voor donker by die huis is nie, grendel die deur en laai die geweer, want dan slaap ek sommer langs die pad."

"Pa sal nooit alleen regkom met die osse nie."

"Ek weet. Ek gaan by Koos Matroos langs, hy sal my moet help en Maandag sal hy vir my moet lei ook. Môre sal ek die Sabbat moet gebruik om alles reg te kry, die kalf lê in die sloot. As Barrington nou liewerster vroeër die week gegaan het, was dit beter."

"Pa!"

"Pak die kos, Mirjam, ek moet loop."

Sondag, halfdag, het ek en Koos die laaste os op Poortland se werf gehad. Twaalf swartes. En my moed was min. "Ek sal 'n bosvark in die hande moet kry," het ek vir Koos gesê. "Hierdie spul gaat neuk."

"Ek loop al van gister af met dieselfde gedagte, baas Silas. Hierdie ossies gaat gatswaai."

"Jy sal vir ons hier by hulle moet bly solat ek kan platrand toe. Vat my orige kos en hou jou oë oop vir hulle."

Ek sou 'n bosvarkstrik moes gaan stel. Trek 'n sweep se voorslag deur 'n bietjie uitgebraaide bosvarkvet en die weerbarstigste os sal vir daardie sweep respekte hê. Nie dat my geloof sterk gestaan het vir die twaalf waarmee ek Barrington moes gaan besorg nie; vir hulle sou leeuvet beter gewees het. En vir die eerste keer in my hele lewe stel ek daardie dag op die Sabbat 'n strik. Vier strikke. Dit het nie lekker gevoel nie, maar dit kon nie anderster nie. En van die strikke af is ek reguit noord die Bos in om op Spruitbos-se-eiland by my suster Hannie te kom sodat ek haar oorle man se swart broek en baadjie kon leen. Barrington het gesê ek moet in swart geklee wees.

Toe Hannie die deur oopmaak en my met die rouband om die arm sien staan, toe skrik sy so groot dat ek dog daar gaan 'n beswyming oor haar kom.

"Ek het altyd geweet sy sal die dag van twintig nie sien nie," het Hannie gesê en begin huil. "Ek het dit altyd geweet."

"Waarvan praat jy, Hannie?"

"Is dit Mirjam?"

"Moenie vir jou besimpel staat hou nie!" Ek het my op die oomblik geërg. "Jy weet wat kom van voorspooksels! My Mirjam is blakend, dis Barrington wat af is."

"O."

"Ek het kom vra om oorle Hannes se swart te leen vir die begrafnis."

"Kom sit, ek wil met jou praat."

As Hannie die dag gepraat het, het sy nie weer klaargekry nie. "Hannie, ek het nie tyd vir predikasie nie, ek is net verleë oor die swart."

"Oorle Hans se swart is op Groot Eiland by Wiljam, wat dit kom leen het vir oorle Cornelius van Huyssteen se begrafnis, jou eie bloedfamilie, maar jy het nie eers die moeite gedoen om hom te kom help begrawe nie, want jy is te besig om jou eie graf op die platrand te graaf tussen vreemdes en 'n saagmeul. Dan kom sê jy nog vir my jou Mirjam is blakend. As jy dink Mirjam is blakend, is jou oë stokstyf toe. Mirjam was gister hier, die kind het 'n swarigheid in haar wat haar laat sleepvoet loop."

"Los vir Mirjam, sy sal weer regkom."

"Regkom waarvan?"

"Moenie in my kaste krap nie, Hannie."

"As ek in jou kaste krap, dan is dit omlat ek verkommer is oor Mirjam. Hoekom trek jy nie terug hiernatoe nie solat ek 'n ma se oog oor haar kan hou soos dit hoort nie? Wat is dit wat so swaar in die kind lê? Het sy sin vir een van daardie Taljane?"

Ek moes my bedwing. "Hannie," sê ek vir haar, "solank as wat ek die lewe hou, sal mý oog oor haar wees, nie joune nie. Dis genoeg lat jy die storie van die vloek aan haar staat en uitlap het."

"Ek het jou gevra of sy sinnigheid het vir een van die Taljane?"

"Nee."

"Het jý vir een van hulle sinnigheid?"

"Wat sê jy daar?" Ek wou sommer opstaan en loop.

"Ek vra of jy sinnigheid het vir een van daardie vuuroogvroue wat ek al saam met Mirjam op die dorp gesien het."

"Hannie, as ek my vandag op hierdie Sabbatdag met mening vir jou erg, dan staat ek op en ek sit nooit weer my voete in jou huis nie!"

"Wat sal die verskil wees? Jy sit in elk geval selde jou voete in my huis. Toe jy die jare alleen met die kind op die platrand gewoon het, kon ek vir jou verskoning vind in my gemoed omlat ek verstaan het waarom jy haar moes eenkant hou. Maar nou verstaat ek jou nie meer nie. Die platrand is ingeneem en jy maak nie 'n plan om met haar daar weg te trek nie. Het jy dan jou sponsibility verskop? Wat soek jy nog daar, vra ek jou!"

"Die platrand is my plek. Dis my huis. Dis my reg. Dis my meisiekind se reg en niemand sal daardie reg kom vat nie. Op die allerlangste sal ek vyf jaar moet uithou, dan lê daar nie 'n spoor van 'n Italiaan of 'n saagmeul nie, dan lê net my en Mirjam se spoor weer waar dit hoort. Dis 'n kwessie van uithou. Jy sal sien. En my Mirjam sal weer opkyk, jy sal dít ook sien. Ek het gehoop om oorle Hans se swart by jou te leen solat ek my woord teenoor Barrington kan hou, nou sê jy Hans se swart is nog by Wiljam."

"Ja. Jy kan dit loop haal of los. Ek leen dit vir jou, nie vir Barrington nie. Hy het nie 'n pennie se tyd of genade vir ons bosmense geken nie, ek weet nie vir wat jy nog in die rou vir hom staan nie."

"Sy huis was goed vir my Mirjam."

Toe kos dit my Groot Eiland toe loop om Hans se swart te kry en kom ek amper donker eers by die huis.

"Het die Italiane toe gister gaat kap?" vra ek vir Mirjam.

"Nee, Pa. Mister Dunn het 'n man gestuur om saam met hulle te gaan, maar hy kon hulle nie in die Bos kry nie, nie eers met Mister Christie se hulp nie."

"Wat het jy gister by jou ta' Hannie loop soek?"

"Ek was Bos toe, Pa. Ek wou sommer alleen wees en toe loop ek op die ou end verder as wat ek gedink het ek sou."

"Het jy die geweer by jou gehad?"

"Ja, Pa."

Vandat die saagmeulwerkers die wêreld kom inneem het, wou ek haar nie eers meer Sondae sonder die geweer laat loop nie. "Vir wat wou jy alleen wees?" vra ek haar. "Jy was dan alleen by die huis?"

"Dis nie meer alleen op die platrand nie, Pa. Toe net die Italiane hier was, was dit lekker, maar nou is dit nie meer lekker nie. Hier's te veel vreemdes, en te veel osse, en te veel tente, dit maak my bang, Pa. En die huis voel soos 'n tronk met die hoë heining om."

"Dit kan nie anders nie. Ons moet net uithou en ons oë voor ons voete hou. Die saagmeul is die Italiane se uitkoms, dis my en jou uitkoms vir 'n goeie geldjie in die blik. Ek weet dis 'n bitter uitkoms en 'n beproewing, maar ons moet uithou."

"Borolini sê die oomblik wat hy genoeg skipgeld het, loop hy. Fardini sê almal moet vir almal wag."

"Fardini is 'n verstandige man. Gee vir my die Bybel, ek moet krag kry vir die dag van môre en vir die week wat voorlê. Die osse gaat neuk." Sy het vir my die Bybel gebring en in haar kamer gaan lê. Ek het die Here gedank dat die Italiane nie saam met die ander man die Bos wou in nie; solank Dunn verleë was oor my, was ek my loon seker en solank ek my loon seker was, was daar hoop vir een van hulle lotte. Ek het die Here gevra om vir my 'n hand oor die osse te hou sodat ek Barrington stigtelik op sy plek kan kry. Toe ek opkyk, toe staan Mirjam in die deur.

"Pa?"

"Ja, my kind?"

"Pontiggia is terug."

"Hoe nou?"

"Hy't vanmiddag gekom. Hy sê hulle het twee weke in Port Elizabeth gewerk en is toe maar weer met 'n skip tot in die Kaap. Daar het hy loswerk gedoen totdat hy weer skipgeld gehad het tot hier."

"Vir wat het hy teruggekom?" Ek was sommer vies.

"Ek weet nie, Pa."

"En die ander?"

"Hulle werk in die Kaap. Amêrika het laat weet Pa moet vir hom geld stuur om terug te kom hiernatoe."

Dit was nie 'n goeie ding nie. "Hulle kan nie nou een vir een wil staat omdraai en terugkom nie! Wie weg is, is weg," het ek gesê.

"Pontiggia sê hy val van môre af by die byle in om sy skipgeld Italië toe te verdien."

"As ek 'n ryk man was, het ek dit nou vir hom loop gee."

"Moenie met hom snaaks wees nie, Pa."

Toe sy omdraai, het ek by die stoel op my knieë gegaan en vir die Here gesê ek sal regkom met die osse, solank Hy net vir my 'n hand oor Mirjam hou. Ek was glad nie gerus oor Pontiggia wat terug is nie.

Donkervoordag, die Maandagoggend, is ek weg na die strikke toe. Kort na sonop het ek die voorslag deur die vet getrek en halfdag, toe span ek en Koos oorkant op Poortland in en ons maak met die wa 'n wye draai oor die werf. Hotkant en haarkant wou 'n paar juk afgooi, maar as ek die voorslag so oor hulle koppe piets, was dit so goed soos 'n stem wat uit die lug uit met hulle praat. Teen die tyd wat ons oorle Barrington voor die deur moes gaan laai, het hulle soos 'n swarte slang sonder kinkel of roersel gestaan, die witte horings soos 'n duwwele ry halfmane agter mekaar. Pragtig.

Toe hulle die kis op die wa sit, het die mense gekom en mooie kranse om hom kom pak: kranse van lukwartblaar met blomme tussenin; kranse wat van sy eie rose, waarna hy altyd so mooi gekyk het, gemaak is. Ek het Mirjam se krans ook opgesit. Toe Mrs Barrington met haar vier dogters uitkom om hulle plek agter die wa in te neem, toe sluk ek teen die knop in my keel vas. Maar toe ek wegtrek, toe is dit só egalig en netjies dat hy nie 'n aks sou geskuif het waar hy lê nie. Stadig en met eerbied is ek voor die stoet uit in Redlands se pad op; die pad wat Barrington self in sy leeftyd laat maak het vir nóg 'n droom wat halfpad moes bly lê. Redlands se pad was bedoel om uiteindelik by die Homtinirivier se pas aan te sluit, en al die jare wat hulle aan die pas gewerk het, het Barrington geglo hulle sal die pas na hom vernoem: Barrington-pas. Maar die pas het nie sy naam gekry nie, en Redlands se pad het nie klaargekom nie.

Ek het my oë nie 'n oomblik van daardie osse af weggehaal nie. As een net uit die ry wou trap, het ek hom die voorslag laat ruik om hom terug in sy spoor te kry. Die hele tyd het die eienaardigste rillings agter my rug af gegly; dit was kompleet of Barrington voor op die wa sit en sy oog oor my hou. Toe ons die laaste draai voor die gat maak, toe sê ek sommer in my binneste: Honourable, honourable kan in tevredenheid gaat rus, ek het jou stigtelik tot hier gebring. As honourable ontevrede is oor Hans se broek wat vir my 'n bietjie kort en knap is, vra ek verskoning, ek is 'n groter man as wat hy gewees het.

Dit was 'n mooi begrafnis. Eerbaar en aandoenlik soos dit by 'n hoë man hoort. En toe hy sak, toe sak sestien jaar tussen my en Poortland saam met hom en staan ek eenkant toe.

My voete het nooit weer op Poortland gekom nie.

Donkeraand het ek en Koos elke os op sy plek gehad, en toe ek deur die kloof tussen Poortland en die platrand kom, toe voel dit vir my ek kry my lyf nie by die huis nie. Die hele wêreld lê deurmekaar: dis saagmeul-osse, saagmeulparte, saagmeultente vol skynsels kerslig; dit rumoer, iemand speel 'n bekfluitjie by die dam se tente, kinders skree by die Italiane se tente. Ek sê vir myself: kyk voor jou voete, 'n moeë man struikel makliker as 'n ander. Toe ek en Koos die middag besig was om die osse uit te span, kom Will na my toe en kom vra of ek dink daar sal vir hom werk wees by die saagmeul. Vir wat? 'n Man met al Karawater se grond op sy naam, werk nie by 'n saagmeul nie. Toe sê hy vir my hy staan onterf, Karawater is nie syne nie. Dinge tussen hom en sy pa het nie reggekom nie. Ek kon dit nie verstaan nie. Hoe kan jy jou kind onterf en onvrede agterlaat in jou huis?

Nie dat ek my eie huis in tevredenheid gekry het toe ek daar aankom nie. Die kos was oor die vuur, die brood gebak, alles was skoon, maar Mirjam se oë was dikgehuil en ek was te moeg om iets te sê.

Nege

Die volgende môre was ek met die volle span plus Pontiggia terug in die Bos, en op niks na nie het ek met een minder die aand teruggekom. Toe ons die middag uitval, is Ilario weg. Hy's nie by die skerm nie. Ons roep, maar hy antwoord nie en ek sien die ander is oombliklik onrustig. Ek het nie geskrik nie. Halfdag het hy vir my gesê hy gaan die strikke naloop; miskien was daar 'n bok wat ons saam kon terugneem, die vleis was op by die tente. Maar só lank kon dit hom nie geneem het om die strikke na te loop nie.

"Grootvoete trap hom, signor Miggel?" vra een van Fardini se seuns, Giuseppe.

"Nee, bly hier, ek sal hom gaan soek. Ek vat die geweer."

Heeltemal seker kon 'n man nooit wees nie, maar tog het ek nie gedink 'n olifant het hom getrap nie. Die olifante was in elk geval al weke lank amper te stil na my sin. Elke Maandagoggend het die Sondag se mis gelê waar ons die week tevore gekap het, maar dit was al. Die res van die week het ek niks gehoor of gewaar nie. Ek het vir Mirjam gesê 'n mens sou sweer hulle kom Sondae die bome tel wat deur die week geval het. Een ding was seker: ás Ilario onder 'n olifant beland het, kon Dunn vergeet dat 'n Italiaan ooit weer vir hom sou byl optel. Nie 'n dag het verbygegaan dat die leer nie saamgedra is en teen 'n boom staangemaak is vir die klim nie. Daar was nie 'n kraak in die ruigtes wat hulle nie laat opkyk het om te sien of ék onrustig is nie.

Ilario moes òf iets oorgekom het, òf verdwaal het, het ek geloop en uitreken. As hy verdwaal het, gaan ek sy nek vir hom omdraai, want ek het hom belet om ooit uit die stuk bos te dwaal wat ek vir hom neergelê het vir die strikke.

Eendag vra ek vir een van die voormanne by die ander spanne of die olifante hulle nog nie gepla het nie, toe sê die onnooslike man vir my nee, hulle het die versekering gekry dat daar nie *elephants* in Gouna se deel van die Bos is nie.

"Wie het julle dié klas versekering gegee?"

"Mister Dunn van Fox en Dunn. Ons is ook aangesê om nie na jou stories te luister nie, jy is net oor die Italiane aangestel."

"Wragtig?" Dit was goed om te weet wat agter my rug gesê word. "Ek sal julle aanraai om te luister as ek vir julle sê om op te hou om daardie goed se naam so openlik te gebruik, hulle hoor fyn en ver. Elke Italiaan wat onder my staan, weet dit."

Die man het hom nie gesteur nie.

Ek was seker so 'n bietjie meer as 'n halfmyl van die skerm af, toe hoor ek Ilario in benoudheid roep. Ek hoor dis naby, maar ek sien hom nie want dis ruig. En ek hoor hy is in die lug. Ek roep, hy antwoord, maar ek kry hom nog nie.

"Waar die swernoot is jy?" Dit was al sterk skemer onder in die Bos. En eers sien ek net sy voete bo in 'n witels deur die takke steek en ek skrik, want my eerste gedagte is dat hy homself probeer ophang het en nie reg geval het nie. "Wat maak jy daar bo?" skree ek vir hom. "Hoe't jy daar gekom?"

"Kan nie af, signor Miggel. Help!"

As dit nie so laat was nie, het ek hom net daar laat sit en hom self laat sukkel om op die grond te kom, want vir 'n sieklike man het hy hoog geklim gehad. Toe kos dit mý inklim om hom daar uit te kry.

"Wat het jy in die boom gesoek?" vra ek toe ek hom onder het.

"Grootvoet, signor Miggel. Baie groot. Tande baie vet."

"Waar was die grootvoet?"

"Toe ek buk by strik."

"Dit was jou verbeelding, man, het jy hom gesien?"

"Baie groot. Hoog."

"Kom," sê ek, "jy kan later besluit of jy gedroom het of nie, dit raak donker."

Ons was nie vyfhonderd tree weg nie, toe trompetter 'n olifant teenaan ons in die ruigte dat die hele Bos dreun en ek weet dis 'n olifant wat in woede staan en ek skree vir Ilario om te hardloop. Wie of wat daardie olifant kwaad gemaak het, sou niemand kon sê nie. Daar was nie 'n skoot deur die dag of 'n tak wat gebreek het nie, maar êrens was iets nie wat dit moes wees nie. En Ilario kon nie byhou nie, ek moes omdraai en hom voor my instoot en hom in die hardloop aan sy broek se gat daar hou.

By die skerm was almal behalwe Fardini bo in die bome.

En die volgende oggend was daar nie een wat 'n byl wou optel om te gaan kap nie. Nie van Dunn se spanne nie, ook nie die Italiane nie. "Gevaarlik, signor Miggel, groot gevaarlik," het Robolini namens die ander gepraat. Dunn was ook by. Hy was van mening dat as ek die Italiane in die Bos kon kry, hy die ander daar sou kry. Die hele wêreld het die vorige middag die olifant gehoor; tot Christie was heeltemal simpel geskrik.

"*Ek* is verantwoordelik vir die veiligheid van hierdie mense," sê hy, "ek eis 'n ondersoek na die voorval en 'n waarborg vir hulle veiligheid."

"Wat se waarborg?" vra ek hom.

"Die olifante moet geskiet word."

Ek dog ek beskyt my. "Wie dink jy gaat by die vyfhonderd grootvoete kom skiet? Hoe lank dink jy gaat dit hulle neem en hoe lank voor hier weer gekap sal kan word? Waarvan moet die Italiane intussen leef? Waaruit moet hulle skipgeld verdien?"

"Ek sal nie toestemming gee dat hulle verder kap voordat die saak nie ondersoek is nie."

Ek het hom sommer met die geweerkolf 'n stoot tussen die skouerblaaie gegee, só kwaad was ek. "Daar is niks om ondersoek te word nie!" sê ek vir hom. "En kom staat jy nog een keer hulle naam op hierdie platrand en noem, en daar is moeilikheid."

"Ek sal jou aankla van aanranding!"

"Loop kla aan en kry klaar. Maar voor jy loop, sê jy net eers vir hierdie spul banggatte, ek sê, hulle kom kla nie by my as daar nie kos is om te eet nie! Sê vir hulle hulle kan maar in die tente loop sit, ek sal vir my 'n ander span op die eilande gaan bymekaarmaak."

Ek het my byle en die rieme en die geweer en bladsak kos gevat en begin aanstap. Christie het nie getolk nie, maar ek het geweet dat hulle genoeg verstaan het van wat ek gesê het. Toe ek die sleeppad vat, toe weet ek ek is nie alleen nie, maar ek kyk nie om nie. En toe die eerste mis in die pad lê, toe maak ek die geweer reg vir skiet, want die spoor is Oupoot s'n en ek skrik dat die sweet oor my uitslaan. Ek kyk nie om nie. Eers toe ons amper bo by die hout is, kyk ek om en tel die ry stroewe gesigte agter my. Almal was daar behalwe Pontiggia. En hy het nooit weer daarna 'n byl opgetel nie.

Die aand, toe ek by die huis kom, toe ek intrap, toe weet ek dis nie dieselfde plek wat ek die môre by uit is nie. Die tafel het nog gestaan waar hy gestaan het, die stoele, die kas, die wateremmers, maar dit was nie dieselfde plek nie. En Mirjam was nie dieselfde Mirjam nie.

"Naand, Pa." Dit was of sy skyn. Of alles skyn.

"Mirjam?"

"As Pa nou só staan?"

"Was hier mense?"

"Mister Dunn het kom kla oor Mister Christie, Mister Christie het kom kla oor Mister Dunn." Half guitig, asof sy my wou terg soos dit lanklaas haar gewoonte was. "Ek het vir Pa 'n lekker fisant in die pot en patats onder die as." Nie 'n teken van 'n traan nie. Nie 'n teken van hartseer nie. Net van 'n blyheid wat haar beglans.

"Wie was nog hier?"

"Petroniglia. Sy het vir Pa wors gebring."

"Wie nog? Was Pontiggia in my huis?"

"Hy was die hele dag weg dorp toe om werk te soek. Gaan was Pa se hande en kom eet."

"Mirjam, ek wil nie kos hê voorlat ek nie weet wat hier aangaan nie! Toe ek vanmôre hier uit is, was jy nog soos 'n voël waarvan altwee die vlerke sleep; nou is jy skielik soos een wat in die lug opgevlieg het? Was jy Bos toe?"

"Ja, Pa." Nog altyd guitig. "En die Bos is weer groen, daar is weer krappe in die spruite en naaldekokers en paddas en die kakelaars lag en die loeries roep. 'n Mens moet net nooit ophou glo nie, Pa. Nooit."

"Moenie vir my staat en duister woorde uitdeel nie, Mirjam! Ek wil weet wat gebeur het om jou só te kry, ek wil die waarheid weet!" My hart was op loop.

"Kom eet, Pa." Nes sy gewees het, soos 'n boom wat sê: kap, ek sal nie val nie.

"Het jy vir Jacob, man van Susanna, in die Bos gekry?"

"Moenie my vra nie, Pa, asseblief nie."

Ek het haar weer gevra, en weer en weer, ek wou later uit my klere uit breek, maar sy het klaar die stilte ingevlug.

'n Bitter tyd het vir my aangebreek. Saans was my lyf tot niet van bylswaai en sukkel met die Italiane wat maar net nie die Bos wou aanneem of vertrou nie, my kop was suf en deurmekaar van kommer oor my meisiekind en menige aand het ek oor my bord kos aan die slaap geraak. Ek kon nie die werk los om haar op te pas nie, ek kon haar nie opsluit nie, ek kon haar nie bedags saamvat Bos toe nie, al het ek baiekeer gedreig om dit te doen.

"Ek verstaan Pa nie: toe ek ongelukkig was, was dit nie na Pa se sin nie; noudat ek weer gelukkig is, is dit ook nie na Pa se sin nie. Wat wil Pa dan hê?"

"Ek is nie onnooslik nie, Mirjam, jou gelukkigheid is nie 'n gewone gelukkigheid nie en jy weet dit."

Elke keer as ek gepraat het, is sy net weer die stilte in. Sondae het sy by die huis gebly, met ander woorde dit was deur die week wat sy die een gesien het. Ek kon nie agterkom dat hy tot by die huis kom nie, want elke oggend het ek voor die deur gevee en saans die spore deurgekyk. Dunn s'n het glad te veel na my sin daar gelê en ek het hom dopgehou, al het ek al meer spesmaas gekry dat sy Bos toe loop na die een toe. Die hele Maartmaand het Nols Terblans se span laag in Kom-se-bos gekap en Jacob was in die span en dit was nie ver om Gouna toe te loop nie. Ek het allerhande dinge gedink. En tot April toe het ek uitgehou voordat ek die Sondag my trots opsy geskop het en in die pad geval het na Mieta toe. As daar een was wat sou weet, was dit Mieta. Sy was nes die grootvoete, sy het alles geweet wat in die Bos aangaan.

"My Mirjam loop na 'n man toe," sê ek vir haar toe ons sit. "Ek doen 'n verkeerde ding om na jou te kom, maar dit kan nie anders nie. Ek wou nie op haar gespaai het nie, maar ek moet weet, die onrus maak my gedaan."

"Is dit een van die Italiane?"

"Nee. Ek het gehoop jy sou weet."

"Is dit een van die saagmeul s'n?"

"Nee."

"Dis nie dalk een van oorle Barrington se seuns nie? Die paar keer wat ek hulle gesien het, het hulle vir my alte geil gelyk."

"Dis nie een van hulle nie."

"Is jy seker sy hét een, Silas Miggel?"

"Ja. En ek het met die hoop gekom dat jy iets sou weet."

"Miskien weet ek, miskien weet ek nie."

"Mieta, ek wil nie nog raaisels hoor nie!"

"Sê nou ek weet, en ek sê jou en jy loop skiet, kom lê die man se dood oor my."

"Ek sal nie skiet nie, ek sal net keer, want my meisiekind is klaar soos een wat nie meer op die aarde trap nie."

"Moenie so praat nie."

"Sy moes 'n ma gehad het."

"Dink jy dit sou haar gekeer het? Sy's jóú kind. As sy wil trap, sal sy trap, sy sal niemand se permissie vra nie."

"Ek moet weet waar sy trap."

"Ek kry haar by die lelies, maar sy sit alleen. Ek kry haar in die voetpad, maar sy loop alleen. Ek kry haar in die sleeppad, sy loop nog altyd alleen. Sy loop suutjies."

"Wat beteken dit?"

"Dit beteken lat ek jou nie kan help nie. Maar ek sal van hier af beter kyk en miskien kom sê ek jou wat ek sien, Silas Miggel. Miskien."

Ek weet nie waarom nie, maar ek het die ou heks nie vertrou nie.

En Mirjam is ook nie elke dag Bos toe nie. Soms het daar meer as 'n week verbygegaan dat sy nie weg was nie, maar as sy die dag gegaan het, kon ek dit die aand aan die blyheid in haar sien. Ander aande was sy baiekeer net so moeg soos ek en het ek háár skoene vir haar uitgetrek.

"Daar is al minder fisante onder die wip, Pa, hier is te veel geraas. Ek en Petroniglia moes gaan palings vang."

Soos wat ek oor die mans gewaak het, het sy oor die vroue en kinders gewaak en baie dae het ek gewonder wie van ons die moeilikste taak had, ek of sy. Vir die vleis en die vuurmaakhout het ek en die span gesorg; ek het afgeslag, Mirjam het uitgedeel. Mirjam het die medisyne gaan pluk en getrek. Mirjam het gedokter. Mirjam het "skoolgehou". Mirjam het getroos waar ek lankal sou geklap het. As Mariarosa die wildeskree kry, moes sy hardloop met die pietersieliebos-treksel.

"As hulle net uit die tente kon kom, Pa, dis amper 'n volle jaar!"

Dunn het gesê die eerste planke sal na die Italiane se kant toe val. Daardie tyd het hy kastig voorsien dat die sae aan die einde van Maart sou loop; teen April het die parte nog net so gelê waar die waens dit afgelaai het. As dit nie teëspoed was by die oopskuur se maak waaronder die meul moes kom nie, was daar moeilikheid met Robinson, die Rochdale-man, wat nie uitgekom het om die parte aanmekaar te kom sit nie.

"Mister Dunn," het ek eendag sommer aspris gesê, "hierdie bos het 'n manier om 'n saagmeul te toor." Daar was die dag weer moeilikheid oor 'n os wat een van die ander spanne laat wegraak het met die uitsleep. Van die honderd een-en-twintig osse was daar ag-en-negentig oor.

Dunn het hom geërg: "Moenie met bostwak by my aankom nie, Miggel! Bepaal jou by die Italiane en by die hout, julle het laasweek minder uitgebring."

"Die dae word korter, ons kan nie in die donker werk nie. En al bring ons minder uit, bring ons nog altyd die meeste en die beste uit." Op my werk sou hy nie 'n woord kon lê nie. Maar daar was 'n ander ding wat al meer in my gepraat het en waaroor ek nie langer kon stilbly nie. "Mister Dunn," sê ek, "wanneer laas het jy die moeite gedoen om te gaat kyk waar jou ander spanne kap?" Ek het goed geweet hy sit nie 'n voet in die Bos nie. "Die enigste span wat in 'n seksie bly kap, is my span; die res is besig om die wêreld uit te roei."

"Ek is bly jy roer die saak aan, Miggel. Een van my voormanne sê jy het hom teen die grond gestamp en ek neem baie sterk eksepsie daarteen."

"Volgende keer druk ek vir hom sy kop tussen sy bene in as ek weer 'n witels verflenter kry vir vuurmaakhout. Witels staat in hierdie bos vir klim as die grootvoete jou jaag en vir die bye vir die heuning se maak."

"Jy verwag tog seker nie dat my werkers elke boom in hierdie wildernis moet ken nie?"

"Die boswagter het vir hulle kom wys hoe lyk die geelhout wat vir die sae gekap moet kom, hy't vir hulle gewys hoe lyk dooihout wat vir die vure gekap kan kom, maar nou sien ek die span wat die vuurmaakhout kap, kap alles wat voor die byle kom! Dis stinkhout en geelhout en witels en kamassie, en tot die enigste paar perdepramme wat aan hierdie kant van die Bos gestaan het, is ook af." Hy wou my keer, maar ek het my nie laat keer nie. "En nie een van die spanne werk in 'n seksie nie, nie een boom word neergelê sonder dat twee en drie en vier nie agterna verniel staan nie. Party is gekap en laat lê waar geen mens of os hulle ooit uitgesleep sal kry nie, maar die ergste is die bome waaruit net 'n paar kepe gebyl is en wat dan net so laat staan is. Dis mos bliksemswil nie reg nie."

"Miggel, jy moet ophou om jou met my ander spanne in te meng!" Hy was kwaad. "Hierdie is 'n goewermentskontrak, ons het permissie om te kap wat ons nodig het. Hier word volgens goewermentsinstruksies gewerk, nie volgens joune nie. Die Kommissaris van Woude, De Regné, bepaal die bewaring wat toegepas moet word, nie Silas Miggel nie."

Fardini het eendag gesê: as jou meerdere twak praat, moet jy stilstaan en maak of jy met aandag luister; anderdag as jy verleë oor hom is, dan onthou hy jou. Ek wou stilbly en aanloop, maar ek kon nie, my kop het nie soos 'n Italiaan s'n gewerk nie. "De Regné sit met sy gat in 'n kantoor op die dorp," sê ek vir Dunn. "Al wat hy doen, is om sy orders uit te stuur Bos toe met die boswagters saam en dan kom noem Mister dit goewermentsinstruksies en bewaring? Wat se bewaring? Ek was nog nooit begek oor bewaring nie, maar ek weet wat mors is as ek dit sien."

"As jy jou nie by jou byl en by die Italiane wil bepaal nie, Miggel, kan jy jou goed vat en loop."

Dit was 'n diep hou. Hy het goed geweet daar was nêrens waarheen ek kon loop teen ag sjielings 'n dag nie. Hy't vergeet dat dit hý is wat verleë staan oor die Italiane en dat hulle nie sonder my in die Bos sou in nie, maar hý het 'n byl gehad om mee te kap, nie ek nie.

En dit was nie 'n week daarna nie, toe kom daar weer 'n boswagter bo by my en die span aan en by hom is 'n vreemdeling. "Dis Mister Dumbleton," sê die wagter. "Hy is pas hier aangestel as inspekteur van woude en sal meesal gemoeid wees met die kap en uitsleep van die hout vir die saagmeul. Hy verstaan nie Hollands nie, oom."

"Dit maak nie saak nie, solank hy net verstaan wat hier aangaan en sien hoe hier gemors word met die hout. Dunn het gesê ek moet my uithou."

"It's a disgrace, it's a god-damn disgrace!"

"Dit kan Mister weer sê."

"Ek het hom klaar gehad waar die ander kap, oom, hy gaan 'n dik rapport uitskryf."

"It's a disgrace, it's a god-damn disgrace."

"Ja," sê ek. Maar ek het hom nooit weer daarna in die Bos gesien nie. Die enigstes wat ooit in 'n seksie gekap het, was my span. En 'n mens kan nie dag na dag saam bylswaai sonder om aan mekaar te raak nie. Met die tyd saam het ek hulle beter leer ken, al was dit nog altyd net aan die bas, en nie eintlik in die hart nie. Drie maal op 'n dag het ek hulle laat uitval om te rus en te eet en te rook wie gerook het, en dan is daar baie gepraat. Hulle het nooit moeg geraak van praat nie. Soms moes ons onder die skerm sit en wag vir 'n reënbui om verby te trek en dan is daar eers gepraat. Later het ons mekaar amper heeltemal verstaan. As een nie verstaan het nie, kon 'n ander een tolk. Veral Fardini, hy was slim in die kop.

Van hulle land het hulle my graag vertel, van die plekke waar hulle vandaan gekom het ook. Van die sneeu in die winter, van die warmte in die somer. Van die groot dorpe met die groot kerke, nes Christie gesê het, alles van klip. Van die baie mense in die strate saam met wie jy kan lag en gesels. Vername mense. Mooie vroue. Van die groot sale vol goue behangsels waarin daar net musiek gemaak word. Mooie musiek. Van die mere waaruit die berge soos kastele opstaan; baie groter mere as die meer by Knysna, baie mooier, baie dieper. Van die beelde, party so hoog soos bome, wat uit spierwit klip gekap is en wat sommer langs die strate staan; beelde van al wat 'n heilige in die Bybel is. Nie 'n enkele fontein loop sommer wild nie, die water spuit by die bekke van visse en leeus en engels uit. In Fardini se plek, Firenze, is al die dakke rooi en die kerk uit wit en groen klip gepak. In Tomé se plek is al die strate weer van water en ry die mense met skuite in plaas van met perde en karre en waens.

Ek dog eers hulle lieg, maar toe ek weer sien, toe loop die trane oor die grote Tomé se gesig en ek is sommer op die oomblik van voor af ergerlik.

"Nou vir wat kom foeter julle toe hiernatoe?" vra ek.

"Ons is belieg!"

"Goeie grond beloof."

"Moerbeibos."

"Skure vir ons wurms."

"Baie geld."

"Nou kap ons met byle."

"Nou het ons niks kerk."

"Niks skool vir kinders."

"Koffie no good."

"Wyn no good."

Hulle het almal klaar gekla voor Fardini gepraat het: "Signor Miggel sien, ou moeilikheid is altyd beter as nuwe moeilikheid." Uit sý mond het die uiteindelike waarheid met die tyd saam gekom oor waarom hulle daar anderkant geepad het. Vir jare was daar 'n plaag van siekte onder die sywurms, wat soveel as die helfte van 'n oes laat uitvrek het, en dit was baie want hulle was groot boere. Op gehuurde grond, die huur moes betaal kom. Hulle was goeie boere, hulle het nie met goedkoop eiers geboer wat aan die einde van die somer op die markte verkwansel is nie, hulle het net die beste eiers gekoop. Toe die geelwurms van hulle eie land bly vrek van die siekte, het hulle eiers uit Japan laat kom. Nie lank nie toe het die nuwe eiers se wurms ook die siekte en daarby spin die Japan-wurms minder sy in die kokonne as die geelwurms. En behalwe dit is al wat 'n sywurm is, nog vol piep ook; as die weer die jaar skielik omswaai na koue toe, verkluim die goed. Die Japanwurms kon die koue van die bergdele beter staan, maar die geelwurms het weer die hitte van die vlaktes beter uitgehou. Die jaar voor hulle daar weg is, het die ryp ontydig gekom en nie net die druiwe tot niet verniel nie, maar ook die moerbeibome, met die gevolg dat daar nie genoeg blare was om die duisende der duisende wurms te voer nie. Nie eers al die syboere, van al die distrikte saam, kon genoeg kokonne lewer aan die honderde spinnerye nie, en die spinnerye het begin om kokonne uit vreemde lande te koop.

Baie dinge het so stuk vir stuk uitgekom. Baie het ek nie verstaan nie.

"Italia oud, signor Miggel. Baie oorlog, baie bloed," het Robolini eendag met sy rug teen die boom gesit en sê. Dit was die dag toe dit uitgekom het dat almal in hulle land bang is dat die armoede hulle sal opvreet. Nes die bosmense maar ook. Miskien nie heeltemal nie. Dié wat nie geld het nie, het Mangiagalli vir my verduidelik, is bang hulle kry nie geld in die hande nie; dié wat geld het, is bang hulle geld raak op. Die armes is bang vir die ryk base, die ryk base is bang vir die duisende der duisende armes wat altyd wil mor en opstand maak; die gewone mense tussenin is bang vir die ryk base én vir die duisende der duisende armes. Om almal gerus en op die plek te hou, word daar wette gemaak, baie wette. Party van die wette is al honderde jare oud, party is gister gemaak en die ander is nog op pad. As jy roer, trap jy op 'n wet. Robolini het gesê elkeen se eintlike begeerte is dat dit met sy kinders beter moet gaan as met hom, maar daar is nie genoeg skole nie, duisende kinders het nie geleer lees of skryf nie, daar is nie genoeg werk nie.

Toe lees Cruci se oom – 'n baie vername man in Milano – in 'n koerant van die plek met die naam Al Capo di Buona Speranza, die plek van Goeie Hoop, waar hulle syboere soek en waar die mense goeie grond sal kry. Robolini se suster se man – 'n baie ryk koopman in Firenze – het dieselfde in 'n ander koerant gelees. Die een het vir die ander daarvan gesê en vir mekaar die adres gegee van die man, Mister Burnett in Londen, na wie hulle moes skryf. Honderde het geskryf, of iemand gekry om vir hulle te skryf. Van al die honderde is daar toe vir 'n stuk of tweehonderd laat weet om op 'n sekere dag in 'n plek met die naam Torino te wees waar die konsul van Engeland hulle sou uitsoek. Baie is te voet Torino toe.

"En wie sê toe vir julle dat hier 'n bliksemse moerbeibos is?" vra ek.

"Bliksemse man in Torino."

'n Mens kon niks meer voor hulle sê nie. "Los uit daardie eerste woord, dis 'n verkeerde woord. Wat sê die man?"

"Nie konsul, ander man by konsul sê vir ons van moerbeibos toe ons vra na plek waarheen ons kan kom, na die plek van Goeie Hoop."

Die meeste het nie geweet waar die plek is toe hulle die dag op die skip geklim het nie. Fardini en Robolini en 'n paar ander het darem geweet. Naastenby.

"Waar kom julle toe aan Christie?"

"Genova, waar ons op eerste skip moes klim om in Londen te kom."

"En toe?"

"Ver. Baie ver."

"En nou?"

"Italia beter as Bos. Italia het kerk vir ons kinders."

"Niemand hier om vir ons sondes te bid nie, signor Miggel."

"Ek moet maar vir my eie sondes bid," het ek gesê.

"Ons bly nie in Bos," het Tomé gesê, "Bos vir grootvoete en rowers."

"Hoeveel geld het julle al eenkant gesit vir die skip?" Ek het dit gereeld gevra.

"Drie pond."

"Twee pond."

"Vyf pond."

"Een pond tien, kind moes skoene hê."

"Kos duur, signor Miggel. Alles duur."

"Julle moet minder eet!"

As daar net vir elke tent 'n bietjie kos in die grond kon kom, maar alles was onder die saagmeul vertrap. Elke aartappel en ui en eier en druppel melk en die botter en vet moes uit die loon gekoop kom. Patats het ek teen 'n goeie prys vir hulle op die eilande gekoop; baie het ek verniet gekry uit barmhartigheid. Op die platrand was dit nog net ek en Mirjam wat 'n lappie kos aan die gang gehou het. Die laaste pampoene is van my dak af gesteel en ek het vir Dunn gesê hy moet die skelm vir my loop uitsoek daar in sy tente sodat ek hom van die platrand af kon boender. Van die Italiane se goed het ook weggeraak. Ek het vir hom gesê dis nie 'n plek vir bandiete nie.

Middel van April het hulle Christie laat weet dat die saak van die os teen hom teruggetrek is, maar hulle het hom weer nie vir die maand betaal nie. En nie 'n week het verbygegaan sonder dat hy nie iemand aan die goewerment rapport het nie. As dit nie Dunn was nie, was dit Walker of een van die boswagters, of 'n konstabel, of die man by die poskantoor wat hom aanstoot gegee het.

"Hulle probeer van my ontslae raak, Miggel."

"Hoekom vat jy dan nie maar jou goed en gaan terug Engeland toe nie?" het ek hom gevra.

"Ek het saam met die Italiane hier aangekom, en gaan saam met hulle hier weg. Ek eis vir elkeen van ons 'n vry passaat en tot dan moet die toelae van 'n sjieling per kop per dag hervat word. En ek wil my salaris aan die einde van elke maand hê. Verder eis ek dat ek toegelaat moet word om my grond te verkoop; dis 'n Britse Kolonie en ek is 'n Britse onderdaan. My prys vir die grond, Miggel, is nou driehonderd pond. Ek kan nie vir minder verkoop nie."

"Mister Christie, jy sal dit nie eers vir die hele platrand kry nie. Wanneer moet die Italiane die eerste betalings op die lotte gee?"

"Op of voor die twintigste Junie."

Ek sal my nie vooruit verheug nie, het ek vir myself gesê. Ek sal wag en versigtig wees. In Fardini of Cruci se lotte het ek nie belang gestel nie, want wat wou ek maak met twee lotte waardeur die *New Road to Knysna* geloop het? My oog was eerste op Christie se lot en daarna op Robolini of die Grassi's s'n.

Die einde van Mei, toe kom Robinson, die Rochdale-man, en begin die meul se parte aanmekaar sit. Stuk vir stuk. Nog meer hande kom by, nog vier tente. 'n Ekstra span kappers word ingestoot om te help met die vuurmaakhout se kap. Aand vir aand, as ek met die Italiane verbykom, het dit vir my gelyk of 'n gedierte onder die oopskuur groei, en dit was al of 'n vuis op my maag begin druk en nie weer wou los nie.

"Hier kom 'n winkel op die platrand, Pa," het Mirjam een aand gesê toe ek aan die tafel sit.

"Het jy dit bedroom?" vra ek.

"Nee, Pa. Hulle het vandag vier vragte planke en goed gebring en is klaar besig om hom onder op die platrand op te slaan."

Ek wou dit nie glo nie, ek wou nie hê dit moes waar wees nie. "Is dit nie dalk 'n houtskuur nie?"

"Nee, Pa, dis 'n winkel. Dis een van die Engelse immigrante se winkel en die vleiloerie het heeldag geroep, dit gaan reën."

"Nie 'n pennie van my sal by daardie winkel inloop nie, ek sê jou dit nou. Ook nie van die Italiane nie. Die ding moet hier weg, dis nie 'n dorp nie!"

"Moenie blind raak nie, Pa. Dis ek wat elke Saterdag die os en die slee moet vat om almal se winkelgoed van die dorp af te kry. Wie dink Pa sal nege myl Knysna toe loop en nog weer terug ook vir 'n pennie se sout as jy dit hier onder kan koop?"

Sy was reg. Ek was te moeg om te stry. Dis net dat 'n winkel op die platrand soos 'n luis aan my lyf gevoel het. Daarby het die stoomketel die middag aanmekaargesit gestaan toe ons uit die Bos kom.

"Pa?"

In die *yard for logs* het die hout stapels gelê en wag vir die sae, aan die onderkant het die hope vuurmaakhout vir die stoomketel gelê en drie man het voldag gesaag en gekloof om dit in die regte groottes vir die vuur te kry.

"Pa?"

"Ja, Mirjam?"

"Canovi is terug. Hy het vanoggend gekom."

Dit was soos tyding van nog 'n luis aan my lyf. "Vir wat?"

"Ek dink dis oor Monica. Hy sê die ander drie is nog in die Kaap, hulle werk waar die spore vir die treine gelê word, en Amêrika het laat weet Pa moet asseblief vir hom geld stuur om in Italië mee te kom. Hy het 'n adres saamgestuur."

"Hy kan sit daar in die Kaap." Dit was die tweede een van die vyf en nie 'n goeie ding nie. Dit was nie goed vir die ander nie. "As Canovi terug is," het ek vir Mirjam gesê, "sal hy môre bylvat en kom inval. Hier sal nie leeggelê word en agtergebly word nie. Dis genoeg lat Pontiggia niks doen nie."

"Hy doen nie niks nie, Pa. Hy het al drie perdekarre geverf en daar wag nog 'n hele paar."

"Wat se perdekarre?" Ek het daar niks van geweet nie.

"Hy verf vir mense krulle en patrone en skilde op hulle karre. Ek het die een gesien wat hy vir Mister Duthie geverf het, dis mooi en fyn en hulle betaal hom goed. Hy sê hy is voor die einde van die jaar terug in sy land."

"Mog dit die waarheid wees." Ek weet nie waarom nie, maar ek wou net nie heeltemal gerus raak oor Pontiggia nie. Sy broek het te styf gesit en sy ooglede het te slap gehang as hy na Mirjam kyk.

"Ek was Spruitbos-se-eiland toe, Pa."

Dit was 'n meisiekind wat 'n ding skielik voor jou kon neersit. En toe sy dit neersit, toe bly sy stil en ek sien sy's nukkerig; sy's lankal nukkerig, dis net dat ek dit nie eerder gemerk het nie. "Jy was Spruitbos-se-eiland toe," sê ek en ek hou my dom in die hoop dat dit 'n rusie sal keer.

"Ja. Tant Hannie sê Pa was by Mieta en sy dink dit was oor my."

Ou Sarel van Rensburg het gesê die dag as 'n vroumens leer om haar mond toe te hou, daal die vrederyk op die aarde neer. "Jou ta' Hannie is 'n skinderbek en sy soek vir my. Ek het vir haar gesê om uit my kaste te bly."

"Wat het Pa by Mieta gaan maak?"

Ek het haar nie antwoord gegee nie. Kind is nie my magistraat nie.

"Ek wil weet wat Pa by Mieta gaan maak het. As dit oor niks was nie, sou Pa my mos gesê het Pa was daar."

"Mirjam, bedags swaai ek byl en snags lê ek wakker oor jou, want jy vee jou spore dood soos 'n skelm!" Al die opkrop het uit my losgebars. "As ek by Mieta was, dan was ek by Mieta. As jy die waarheid nie vir my wil sê nie, dan moet ek dit op 'n ander plek loop soek."

"En?" Sy was versigtig.

"Die waarheid sal uitkom."

"Is dit waarom Mieta my nou al twee keer probeer besluip het en gedink het ek weet dit nie? Is dit Pa wat haar aangestel het om op my te spaai? Sy vergeet dat dit Pa is wat my geleer het om suutjies te loop in die Bos."

"Ek het jou nie geleer om skelm te loop nie!"

"Ek loop nie skelm nie." Sy het met haar rug na die vuur toe gaan staan en my vas in die oë gekyk. "Van my hele lewe vra ek een oomblik vir myself om te loop waar niemand van weet nie en niemand my volg nie, Pa. Net een oomblik vra ek vir myself. Wanneer dit verby is en ek moet omdraai, sal ek nie by Pa kom huil nie, dit belowe ek vanaand vir Pa. Ek sal nie opstandig kom raak nie, ek sal tevrede leef vir die res van my lewe. Ek weet waaraan Pa alles dink, ek weet wat Pa snags laat wakker lê, maar dis mý lewe, Pa. Dis mý lot waarteen ek vir net 'n oomblik wil opstaan. Gee dit vir my, Pa."

Die blinke trane het uit haar oë geloop. My mooie meisiekind het daar gestaan en sonder skaamte vir 'n stukkie van haar lewe by my gepleit, asof dit in my hande was om vir haar te gee. As ek op daardie oomblik altwee my arms op 'n blok kon lê, en sê kap af, as dit haar lot van haar kon wegneem, het ek na daardie blok toe aangehardloop, só jammer het ek haar gekry. Die Here weet, die mens het nie mag oor die praat van sy hart nie; as daar eers 'n danigheid in jou begin groei het vir een, kom daar 'n verlangste oor jou vlees wat niks kan keer nie. Ek weet. En vir die een is daar uitkoms, vir die ander nie.

"Is dit Jacob, Mirjam?" Ek het dit mooi gevra.

"Ek kan nie vir Pa sê nie. Asseblief nie. Het Pa al gesien hoe lyk die lelies wanneer dit afgeblom is en die bosvarke loop dowwel hulle om?"

"Is dit Jacob, Mirjam?"

"Moenie my vra nie, Pa. Al wat ek vir Pa kan sê, is dat dit nie meer lank is voordat ek sal moet omdraai nie."

Dit was Jacob. Ek sou sweer. My kind het in skande geloop. "As Mieta jou kry, lê 'n vlek oor jou naam!"

"Sy sal my nie kry nie."

"Jy speel met vuur!"

"Ek weet, Pa. Maar ek is nie dom nie, ek is versigtig."

"Draai om, Mirjam! Draai om!" Ek was bevange van vrees.

"Ek sal omdraai, Pa. Ek belowe."

"Wanneer?"

"Onthou Pa toe my kat die slag dood is, wat Pa met my gemaak het?"

Ek het goed onthou. Barrington het haar 'n vervloekste kleinkat uit Poortland se stalle gegee en dit nadat ek hom in ordentlikheid gevra het om haar nie haar sin te gee nie. Toe ek hom vra vir wat hy teen my woord gegaan het, toe sê hy 'n mens wat vir 'n dier omgee, is 'n goeie mens. Mirjam is 'n goeie kind, daarom het hy vir haar die katjie gegee. Ek het reguit gesê dan is ek nie 'n goeie mens nie, want daardie vlooigat se kop druk ek onder die water in as ons middag deur die rivier loop op pad huis toe, en daar sal ek hom hou tot hy ophou skop. Toe ons die middag loop, is Mirjam weg: sy is vooruit om die kat deur die water te kry. En vyf jaar lank moes ek saam met daardie mannetjieskat onder een dak uithou; snags het hy by haar voete geslaap en bedags in die son, en verder het hy gevreet. Die dag toe hy siek word en vrek, het ek Mirjam haar sin gegee en saam begrafnis gehou, gesing ook, want ek was bly hy is onder die grond. Maar toe hou sy nie op met huil oor die kat nie. Die derde dag toe sit ek my voet neer en ek sê: jy kan nog tot Vrydag toe huil, maar dan beter jy uitgehuil wees, dan's dit klaar. As dit nie klaar is nie, graaf ek daardie katmannetjie uit en dan kan jy sien of jy nog lus het om oor hom te huil. Tot Vrydag toe. Sy't geluister.

"Hoe lank nog, Mirjam?"

"Tot die lelies weer blom, Pa. Februarie."

En ek, Silas Miggel, man van eenvoud maar van eer, het haar nie teëgegaan nie en daarmee net so goed as my konsent gegee. In 'n oomblik toe ek vir haar wou sterf van jammerte, het ek ingegee, het iets in my gebreek. Ek het my konsent gegee en dit agterna nie verstaan nie. Ek kon nie omdraai nie; sy was klaar soos 'n voël waarvan die vlerke losgemaak is.

Op die sewende van Junie het hulle die eerste hout deur die sae gestoot. Dunn het die dag 'n feesdag verklaar; niemand sou 'n hand hoef te lig nie, maar elkeen sou volle loon ontvang. Dit was die enigste dag in my lewe wat ek iets gekry het vir niksdoen.

Van vroeg af het die mense begin aankom: Walker, Jackson die magistraat, Harison die hoofbewaarder, John Barrington op sy perd en sonder om af te kyk en te groet, Mister Stewart,

Mister Smit. Christie was natuurlik voor in die eergestoelte. Wat van Will Barrington geword het, weet ek nie. By die saagmeul het hy nie kom werk nie.

Ek en Fardini en Cuicatti en Mangiagalli en Mirjam en Petroniglia en Mariarosa het vir ons onderkant die damwal plek gekry om te staan. Dit was 'n bietjie modderig onder onse voete, maar ons kon goed van daar af sien. Waarom ek gegaan het, weet ek nie. Uit die dam uit was 'n sluis en daarvandaan het 'n voortjie geloop tot by 'n kleiner dam waaruit die water vir die stoomketel geskep kon word. Die res van die platrand het sonder water gelê.

"Trek regop Pa se skouers, dit lyk of Pa by 'n begrafnis staan," het Mirjam 'n slag in my oor kom sê.

Ek het dit nie as 'n begrafnis gesien nie; by 'n begrafnis staan almal vergader om die dooie tot rus te bring. Hier was dit andersom: die dooie moes tot lewe kom. Van die begin af het die ding vir my die gestalte van 'n gedierte aangeneem en so sou dit bly. Aan die agterkant was die stoomketel met die vuur in die gat en die dikke rook by die skoorsteen uit. Van vroeg die môre af het die stokerman begin sweet met die vuur om die pens vol water tot kook te kry na die sin van die man wat die stoom moes voer vir die krag van die kraan wat die hout moes lig; stoom vir die bande wat die sae moes trek wat die hout moes saag. Robinson, die Rochdale-man, het die laaste deurloop gemaak, hier gevoel, daar gedraai, met die *machine men* gepraat en gekyk dat elkeen op sy plek is: ses man aan die begin by die afbreek, vier by die bandsaag, twee by die rondesaag, drie agter by die ketel, tussenin 'n ekstra hand of twee. Toe hy tevrede was, het hy 'n teken gegee en Dunn van Fox en Dunn het op 'n kas geklim en almal toegespreek. Jackson die magistraat het die antwoord gegee, vorentoe getree en die meul gereed verklaar *for the enormous task ahead*.

Toe die man agter by die ketel die stoom oopdraai, klap daar 'n geweerskoot van ten minste tien op die pond na Gouna se kop se kant toe dat dit galm oor die aarde, en voor die klank behoorlik lê, toe klap die tweede skoot, die derde skoot, en toe is dit stil. Êrens het 'n grootvoet geval.

Maar almal se oë is op die ketel waar die stoom die arms

begin stoot om alles tot roering en krag te laat kom. Een man, een enkele man, lig met die stoomkraan 'n geelhoutblok wat my twaalf osse gekos het om tot daar te bring; hy lê hom neer sonder dat 'n druppel sweet van hom afloop. Die mense klap hande en staan nader. Die *machine man* keer hulle weg van die band wat vir doodsake hardloop om die sae se spoed te behou en toe die blok in die eerste saag instoot, toe gaan daar vanuit die hout 'n geskreeu op asof dit uit die hel self kom. Ek wou wegdraai en aanloop, maar ek staan of ek betoor is totdat die hout deur die laaste saag is en die manne die planke juigend omhoog hou vir almal om te sien. Aan die voorkant het die tweede blok begin instoot. In die Bos sou dit twee man 'n volle dag op die putkuil laat saag trek het om gedoen te kry wat daardie bliksemse dooie ding in 'n oogknip gedoen het.

Ek het omgedraai en die Bos in geloop en aangehou met loop totdat die geluid van die sae my nie meer kon kry nie en ek net die wind en die voëls en my eie asem gehoor het. Ek het geloop tot waar die Rooiels oor die kranse duiwel en skuimend onder in die kloof val. Ek het op my hurke gaan sit en vir myself gesê: Silas Miggel, kyk voor jou voete vas en kyk stip. Vyf maande van die vyf jaar was verby. So seker as wat die son skyn, sou die dag kom wat hulle daardie saagmeul van die platrand af sleep, maar nie vir Silas Miggel nie.

Die Maandag het Walker 'n boswagter gestuur om vir my te kom sê, om vir die Italiane te sê, daar is nog twaalf dae oor voordat die eerste betalings op die grond moet geskied. Op daardie selfde dag sou die uitstel vir die tente verby wees. Hulle moes skoon en heel en netjies opgevou ingehandig word. Nie 'n tentpen mag makeer nie.

Ek het die tyding van die betalings eenkant gesit, dit was die tente wat kon neuk. "Hoekom kom sê jy dit vir my? Loop sê dit vir Christie," het ek vir die wagter gesê.

"Mister Walker het gesê ek moet dit vir oom kom sê. Mister Christie se tyd as tolk en voorman is in elk geval dieselfde dag verstreke. Hulle gaan hom nie weer aanstel nie. Ek verstaan hy mag aanbly op sy grond as 'n gewone immigrant, maar dis al.

Mister Walker het gevra of oom vir hom die tente met oom se slee sal bring tot op die dorp."

Ek het gemaak of dit 'n drag hout is waarvan hy praat. "Ons kan maar sien. Sê vir Mister Walker ek sal môre met hom kom praat, sê ek sal vroeg daar wees." Dit kon nie anders nie, ek sou 'n dag se loon moes laat verbyloop, die Italiane ook, as hulle nie alleen wou Bos toe nie. Voor dit neuk, moes ek by Walker kom. Vir Christie kon ek nie gaan pleit nie, hy het sy eie gat met pen en papier toegesteek. Hoeveel keer hy my al rapport het, het ek nie geweet nie en ook nie getraak nie, maar sonder hom sou dit nog altyd neuk. Gee 'n man wat hom toekom, al is dit ook Christie. Hy was immers die hele tyd 'n klip wat voor die goewermentswiel probeer inrol het, al het dit die meeste kere op 'n kluit uitgeloop. Solank hy daar was, het die goewerment dit geweet. Ek, alleen oor die Italiane, was niks. Wie't van Silas Miggel geweet? Behalwe Walker miskien. Mangiagalli het eendag gesê: net 'n man met mag kan 'n ander dreig tot hy skrik. Ek had nie mag nie, maar ek was ook nie bang nie. Van die platrand af sou hulle my nie kry nie. Ook nie my meisiekind nie.

En die môre toe Walker by sy kantoor instap, toe stap ek agterna. Toe hy gaan sit en vir hom 'n nip optel, toe plant ek my voete voor sy tafel asof hulle geanker is en ek sê vir hom: as daar nou eenmaal 'n man van aansienlikheid in die dorp was, dan is dit hy; dis 'n plesier om voor hom te staan. Oor die aansienlikheid het ek nie gelieg nie, hy wás 'n aansienlike man; dis oor die plesier wat ek nie heeltemal seker was nie. Robolini het gesê: met 'n paar goeie woorde op die regte plek maak jy 'n vername man se kop gou vir hom saf.

"Wat kan ek vir jou doen, Miggel?" Dit het geklink of hy my met die hothand groet, glad nie saf nie.

"Daar is nie eintlik veel wat Mister vir my kan doen nie, dis net lat ek nie weet hoe ek in elf dae se tyd die Italiane in huise gaat kry nie. Die saagmeul het maar eers Woensdag begin saag aan die planke. Mister Dunn het my met sy eie mond gesê hulle sou Maartmaand volsterkte gesaag het en dat die eerste planke vir die Italiane val. Hier staat die jaar op Junie en hulle begin nou eers saag. Alles het verkeerd geloop by daardie meul, ek het al glad begin wonder of die ding nie getoor is nie."

"Swak bestuur, Miggel."

Ek het hom raakgepraat. "Mister sal beter weet as ek," sê ek. "My kop is net by die hout en by die Italiane om hulle aan die kap te hou, want sonder die loon kan hulle nie leef nie. Sonder die tente ook nie, want dis al weer Junie en die wêreld is klaar dun aangetrek, die koue klou al weer snags aan 'n mens se lyf." Hy wou iets sê, maar ek was te vinnig vir hom. "As ek die planke eerder gehad het, het die huise vandag gestaan en was daar nie moeilikheid nie. Die hout is nou wel groen waarvan die planke gesaag word en somertyd gaat die spul sleg ooptrek; ons sal maar weer bo-oor moet toespyker. So vinnig as wat Fox en Dunn saag, sal ons timmer, al is dit ook snags, want die dae is kort. As Mister net die tente 'n rukkie langer kan gee."

"Ek het hulle reeds ses maande uitstel gegee."

"Dis reg. As dit nie vir die uitstel was nie, was die helfte nou uitgesterf."

"Hoekom het hulle nie eerder begin hout kap en self vir hulle planke gesaag vir huise nie?"

"Waarvan praat Mister nou? Hulle was te bang om in die Bos in te gaan."

"Ja. As ons nie die toelae weggeneem het en hulle forseer het om self iets te doen nie, het hulle seker vir die res van hulle lewe in die tente gesit."

"Ek sal nie vir Mister al die tente gelyk kan laat kry nie. Soos hulle leegkom, sal ek hulle stuur. Opgevou en alles. Eerste spring ek in om die vier gesinne met kinders onder dak te kry en Giuditta wat moet kalf. Dis klaar vyf tente wat ek kan terugstuur. Maar elke huis moet 'n dak hê en 'n dak vra sinkplate. As die goewerment nou net kan help met die plate se koop." Ek dog hy gooi my met die nip.

"Die goewerment, Miggel, sal beslis nie vir hulle sinkplate koop nie! Daar is meer as genoeg vir hulle gedoen. Hulle het grond gekry, werk het na húlle toe aangeloop gekom daar bo by Gouna, ná die twintigste Junie wil ek nie weer van hulle hoor nie. Hulle is nou in diens van Fox en Dunn. Alles wat hulle hiervandaan nodig het, koop hulle vir hulle self. Daar sal ook nie langer vir hulle 'n tolk aangestel word nie."

"Met ander woorde, op die twintigste Junie sit die goewerment hulle heeltemal neer?" Ek kon verstaan dat hulle Christie nie langer wou aanhou nie, ek kon verstaan dat hulle die tente die een of ander tyd wou terughê, ek kon min of meer alles verstaan; maar dat die goewerment hulle net daar wou neersit en van vergeet, kon ek nog nie verstaan nie. Wie't laat sywurms kom? "En wat van my, Mister?" vra ek hom. "Waar staat ek?"

"Jy is ook in diens van Fox en Dunn, sover ek weet."

"Maar ek is deur Mister White aangestel om saam met Christie oor die Italiane te staan. Ek is blyreg belowe. Wat het daarvan geword?" Ek wou maar net weet.

"Ná die twintigste Junie is niemand meer oor die Italiane aangestel nie. Nie jy nie en ook nie Christie nie. Met die blyreg wat Mister White jou belowe het, het ek niks te doen nie. Fox en Dunn se werknemers het in elk geval blyreg op die platrand solank hulle in diens van Fox en Dunn bly." Hy het opgestaan en papiere uit 'n kas gehaal en dit vir my gegee. "Hierdie is 'n lys van die bedrae wat elkeen van hulle voor of op die twintigste by die kantoor van die magistraat moet betaal. Die tente kan hulle tot die einde van Julie gebruik, maar nie een dag langer nie. Tot siens."

'n Man kan maar sê ek is met Italiane en al onder die gat daar uitgeskop. En ek staan daar voor die deur, ek kyk die straat op, ek kyk die straat af: perdekarre, man te perd, 'n trop jong osse aan drawwe al voor twee opgeskote kinders uit; 'n deftige vrou kom oor die straat en lig haar rok se soom en trap versigtig om die mis wat agterbly; 'n wa, ou Bart van Huyssteen se wa bo uit Ysterhoutrug se bos, swaar gelaai onder 'n yslike geelhoutblok.

"Silas."

"Oom Bart."

Drie matrose met winkelgoed en 'n lewendige hoender onder die arm. Ek kyk die wêreld om my, maar dis of ek eenkant staan, die wêreld sien nie vir my nie. Ek sê vir myself: Silas Miggel, loop breek af jou huis, vat jou blêssitse goed en vat jou meisiekind en trek die Bos in tot waar die berge jou keer en jy nooit weer 'n blêssitse goewermentsgesant of Italiaan of saagmeul of tent of mens hoef te sien nie. Trek. Vat jou goed.

My lyf staan daar in die straat, maar my gees beginne vlug en ek gaan kap eiland uit vir my huis en my houtkamer en my groentekampe, en 'n vrede kom oor my. Ek weet ek staan en droom, maar ek keer nie. Ek weet ek kan Mirjam nooit alleen op 'n eiland gunter in die Bos agterlaat as ek iets sou oorkom nie, die platrand is haar plek. Myne ook. Ek keer die droom en kom terug tot by my lyf. Die saagmeul se tyd was vyfhonderdduisend dwarslêers lank. Die Italiane se tyd was skipgeld lank. Ek kon nie meer vuur onder die saagmeul gaan maak om die sae vinniger te laat hardloop nie, maar ek kon die vuur onder die Italiane gaan hou en dít was wat die moed weer in my laat opstaan het. Ek wou my hande uitsteek en die tyd in bondels nader trek sodat dit verby en tot ruste kon kom op die platrand. Ek het begin aanstap en Walker en die goewerment net daar in die straat gelos om in hulle maai te gaan. Silas Miggel sou self verder goewerment.

Maar net buite die dorp haal die duiwel my in en kom vra vir my: wat gebeur as die Italiane besluit om die eerste betalings op die grond te maak? Ek het sonder antwoord gestaan en die vuis vaster op my maag voel indruk. Die beste sou wees om heel eerste 'n vergadering te hou, en dit het ek gedoen. Ek het vir Christie by sy tent loop sê dat ek die Italiane bymekaar gaan roep; as hy ook wou kom, kon hy kom. As hy vir my wil tolk, kan hy tolk, so nie kan hy dit los want hy word in elk geval die twintigste afbetaal. En die man kom staan voor my en skree vir my dat dit nog lank nie die twintigste is nie, dat hý die Italiane bymekaar sal roep, dat hý tot die einde toe vir *justice* sal veg. Nie ek nie.

"Justice?" sê ek en ek lag in sy gesig. "Wat se justice? Ek sal vir jou sê wat justice is. In my taal is dit geregtigheid, en geregtigheid beteken lat oorle Barrington geregtig was op sy jêmpot sywurms. Treine is geregtig op paaie, paaie is geregtig op dwarslêers, dwarslêers is geregtig op 'n saagmeul, die saagmeul op hout uit die Bos. Die Italiane is nie geregtig op skipgeld nie, want die wet sê alleen wie die goewerment *begeer* om terug te stuur, sal skipgeld kry; die goewerment is geregtig om te begeer wie hy wil terugstuur en wie nie. Voor jy verder wil staat en baklei vir justice, Mister Christie, maak net seker lat dit nie dalk 'n ding is waarmee jy jou eie sin soek nie. As jy justice wil soek, moet jy jou een oog toebind en die ander een op 'n skreef trek, want anderster kom jy dalk die verskil tussen stront en grond agter. Die Italiane sal vir hulle eie justice moet werk en ek vir myne. Staat soontoe, ek moet vergadering hou."

"*Ek* hou die vergadering." Hy het die papiere wat Walker gegee het gevat en die Italiane bymekaargeroep. Ek het hom laat begaan.

"Sê vir hulle Walker sê hulle kan die tente nog net tot die einde van Julie toe kry. Sê vir hulle Walker wil die eerste betalings op die twintigste hê. Vir die betalery is daar drie maande uitstel, maar vir die tente nie. Dit beteken dat daar ingespring sal moet word om huise aanmekaar te timmer as hulle nie in die oopte wil sit nie; dit beteken 'n paar weke sonder loon en die sink vir die dakke moet hulle self koop."

Wat hy alles bygevoeg het, weet ek nie, maar hulle het doodstil gestaan en geluister. Die laaste het hy vir hulle die skuld begin voorlees:

"Robolini: allotment number ten, 21 822 acres. Payment due on 20.6.1882, one pound one shilling and ten pence plus ten shillings – as payment on implements, oxen and money advanced. Grassi: allotment number fourteen, 21 654 acres. Payment due, one pound one shilling and two pence plus ten shillings – as payment on implements, oxen and money advanced."

Of hulle dit onder mekaar afgespreek het, kan ek nie sê nie, maar tot sover het die vergadering geduur. Voor Christie tot by die volgende een se skuld kon blaai, het hulle omgedraai en weggestap. Al wat Fardini vir my gesê het, toe hy verbykom, was: "Signor Miggel, dan moet ons huise hê."

Die einde van Julie, toe staan daar op elkeen van Fardini en Robolini en Ilario en Mangiagalli en Cruci se lotte 'n tweevertrek-huis van plank, en op Cuicatti se lot, die een wat hy by Taiani geruil het, staan 'n huis van sooie en op Tomé s'n ook. Daar was nie genoeg planke vir almal nie. En elke huis is ten minste vier tente se grootte, maar die vroue huil.

"Waai om, signor Miggel."

"Julle is laf! Die dag as hierdie huise omwaai, waai die hele Bos uit."

"Grootvoete stamp huise stukkend, signor Miggel."

"Grootvoete stamp net stukkend wat in grootvoete se looppaaie staan, nie een staan in grootvoetpad nie."

"Wil nie hier bly, signor Miggel."

"Julle moet uithou, die loon is agter, maar ons sal inhaal."

Nie een van hulle het die twintigste van Junie 'n pennie gaan betaal nie. Christie ook nie. Vooruit wou ek my nie verheug nie, maar die vuis was ligter op my maag. Elf tente is afgegee, drie het nog gestaan: Christie se twee en die een waarin Pontiggia en Canovi en Borolini en Coccia gebly het. Canovi het nie 'n lot gehad nie, Borolini en Coccia en Pontiggia was besig om sommer vir hulle almal saam 'n eenvertrekhuis op te slaan op Borolini se lot. Wat met Borolini aangegaan het, weet ek nie, maar ek het agtergekom dat hy al minder opkyk.

"Is jy siek?" het ek hom gevra.

"No good, signor Miggel, no good."

"Wat is *no good*?"

"No good."

Dit was al wat ek uit hom uit gekry het en pietersieliebostreksel wou hy nie meer drink nie. Toe kom die vervloekste boswagter ook nog die dag om weer oor die pokke te kom sukkel en vra vir my of Borolini nie dalk sere aan hom het nie.

"Loop bars, man!" sê ek vir hom.

"Oom moet hom dophou, daar gaan nou 'n plankgebou op Steenbokeiland in die meer opgerig word vir enige geval. As oom iets gewaar, moet oom hom dadelik inbring sodat hy afgesonder kan word."

"Borolini het nie pokke nie, kry dit nou in jou kop en laat dit daar bly!"

Onder op die platrand het 'n paar kaias weerskant van die winkel opgegaan, almal op 'n bondel en vol geprop van saagmeulwerkers. Die meeste was nog in tente en die enigste geluk was dat hulle in die verte gebly het en ek en die Italiane en Dunn alleen aan die bokant van die platrand. Net die blêssitse osse was orals, maar hulle het ook stadigaan minder geraak.

Die dag toe ek vir Dunn loop sê dat Walker die tente die einde van Julie wil hê, het hy hom nie veel gesteur nie. Eers toe ons die derde dag planke aandra om Mangiagalli se huis klaar te kry sodat Giuditta onder 'n dak kon kom, kom staan Dunn daar en rondtrap soos een wat wil kook.

"Miggel!"

"Ja, Mister Dunn?"

"Hoe lank gaan julle besig wees met die huise voor julle weer kan gaan kap?"

"Dit sal nie gou wees nie, Mister, hier is baie asems wat moet dak kry."

"Mister Walker het gesê ek moet kyk dat elke man se huis op sy eie grond staan. Wie se huis is dit hierdie?"

"Mangiagalli s'n. Sy vrou moet nou enige dag 'n kleintjie kry. Dis nog 'n asem."

"Wie se grond is dit?"

"Wetlik gesproke die goewerment s'n, menslik gesproke is dit Mangiagalli s'n."

"Goed. Ek kom spreek jou vanaand."

Walker het die eerste dag al 'n boswagter gestuur om te spaai waar ons die eerste huis opslaan. Toe Dunn sê ons kan maar begin planke vat, het Fardini en Robolini en Pontiggia 'n groot stuk papier om my tafel kom ooplê en Dunn het Christie ook gaan roep. Op die papier was twaalf huisies ewe knap geteken. Pontiggia se werk. En die twaalf huisies was netjies in 'n vierkant: drie aan die noordekant, drie aan die suidekant, drie aan die westekant, drie aan die oostekant. Sy aan sy, en in die middel was 'n groterige vierkant met klippe uitgelê.

"En dit?" het ek gevra en vir Mirjam gesê om die venster oop te maak, hulle het my plek benoud gestaan.

"Piazza," het Pontiggia geantwoord. "Huise om piazza."

Dit was 'n pleintjie, het Christie gesê. Hulle wou die huise om die plein hê, en nie in 'n ry nie, nie uitmekaar op elkeen se lot nie. Christie het verduidelik dat Italiane graag naby mekaar woon. Die kinders speel op die plein, die grootmense sit op die plein, dis amper soos 'n voorhuis vir almal saam. Dunn had nie beswaar nie, ek had nie beswaar nie. Al wat ek gesê het, was dat hulle self die klippe onder van die rivier af sal aandra om die ding mee uit te lê, en hulle sou dit voordag of skemeraand moes doen, daar sou nie loon verloor word vir klippe dra nie. Daarmee was hulle tevrede. Dit was Christie wat stywelyf bly staan het en gesê het daar sou eers by Walker permissie gekry moes word om die huise om 'n piazza op te rig. Die Wet op Immigrante sê elkeen se huis moet op sy eie grond staan.

Dit was soos oorlog. Hulle is tot by Walker op die dorp en daar is amper vuisgeslaan. Dreyer, die klerk, het 'n skrams hou van Cuicatti gekry, maar verder kon ek en Dunn en Christie darem keer. Walker het later 'n konstabel laat kom, maar die konstabel was bang vir hulle en toe moes Walker die enigste uitweg vat wat hy oorhad: "Nou maar goed," sê hy, "as julle dan nie die wet wil gehoorsaam nie, moet julle van die grond en van die platrand af." Onmiddellik. Sonder die tente.

Wat kon hulle maak? Niks. En Mangiagalli se huis was dringend, Giuditta kon nie meer snags met haar lyf op die seilkooi in die tent uithou nie. Mirjam het elke dag geneul dat ek moes instem dat sy solank by ons intrek, maar ek sou dit nie toelaat nie. Sy moes maar net uithou.

En soos Dunn gesê het, het hy my die aand kom spreek. Of liewer, hy't mý gespreek, maar sy oë het op Mirjam gebly. "Miggel, die goewerment is ontevrede omdat hier nog nie dwarslêers gesaag word nie."

"Daar's baie dinge waaroor ek ook ontevrede is, ja."

"Ek kan nie bekostig dat daar in hierdie stadium een span byle minder in die Bos is nie. Veral nie jou span nie."

Dit was koud, ek het by die vuur gaan staan om my rug 'n bietjie warm te maak. "Nou wat stel Mister voor?" het ek gevra. "Moet ek die tente vir Mister Walker leegkry, of moet ek vir die sae loop hout kap?"

"Jy het sekerlik nie die hele span nodig om huise op te rig nie!"

"Nee. Maar hulle weet nie van timmer af nie, waar hulle vandaan kom, is die huise van klip. My oë moet op elke spyker wees, en verder weet Mister self hulle gaat nie sonder my in die Bos in nie. Al wat ek dan kan voorstel, is lat Mister my laat deursaag van jou meul."

Hy het kwaad geword. "Ons sit met 'n dwarslêerkontrak wat meer as 'n jaar agter is, Miggel! Op die oomblik word daar net planke gesaag. Ek het gedink jy is aan my kant, ek het gedink jy is angstig dat hulle elke dag moet loon verdien om hulle skipgeld bymekaar te kry, maar nou staan die helfte en spykers aangee en die ander helfte staan in mekaar se pad om een spyker ingeslaan te kry!"

"As Mister 'n ander plan het, is ek môre met die vol span terug in die Bos. My eie loon loop op die oomblik verby, en dit kook in my oor die Italiane se loon. Maar wat kan ek maak? Walker wil die tente hê. Wet is wet."

"Al wat ek het om voor te stel, is dat die span wat op die oomblik besig is om die houtskuur op die dorp op te rig, eers daar los en die Italiane se huise kom oprig."

Ek moes keer om nie hande te klap nie. Dit was wat ek van die begin af gedink het hy kon doen, maar drie dae moes eers sonder loon verby voordat sy verstand begin werk het. Vir wat moes 'n hele span op die dorp aan 'n houtskuur werk as daar nog nie eers een dwarslêer gesaag is om in die ding te kom nie?

Die einde van Junie toe staan daar vier huise en Giuditta lê met 'n seun: Giuseppe. En Cuicatti kom sê hy wil ook 'n huis hê, hy en Luigia gaan trou. Snotkind, pas veertien geword, maar sy sien kans om hom te vat. En skaars het ek hom daar weggeboender, toe is Canovi daar. Hy sê hy't papiere ingevul om Borolini se lot te kry, hy wil ook 'n huis hê, hy en Monica Grassi gaan trou. Ek loop praat met Petroniglia, ek sê vir haar hulle weet nie eers behoorlik waar die man vandaan kom nie, hoe kan hulle dit toelaat?

"Sy wil hom hê, signor Miggel."

"Van wanneer af het 'n meisiekind van veertien 'n wil om te wil trou?"

"Sy is nou vyftien, signor Miggel."

En twee Sondae agter mekaar sien ek vir Pontiggia en Coccia

laatmiddag uit die Bos kom, ek sien hulle loop met die leer en ek wonder of hulle loop heuning soek het. Ek het hulle geleer om heuning uit te haal, maar nie op die Sabbat nie, nie solank hulle op die platrand woon nie. Ek roep vir Mirjam en vra of sy iets weet, en eers staan sy net en lag.

"Vir wat lag jy? Ek wil weet wat hulle op die Sondag met die leer in die Bos gaat maak!"

"Pa weet mos waarvoor die leer is, vir ingeval hulle vir die grootvoete moet klim. En verder is Pa so blind dat Pa nou eers agterkom hulle loop Sondae Bos toe. Sonder Pa. Hulle loop al lank, hulle loop Spruitbos-se-eiland toe, Pa."

Dit was nie waar nie. Hulle het nie eers van Spruitbos geweet nie, wat nog te sê van die eiland. "Mirjam, waarvan praat jy nou?"

"Pontiggia loop na Sussie van tant Emma toe en Coccia loop na Anna van tant Hannie toe."

Ek dog ek slaan om. "Waar sal hulle aan Sussie en Anna kom?"

"Ons is nie al mense wat deur Gouna se drif dorp toe loop nie."

"Hoe kan die eiland-mense toelaat dat hulle met die meisiekinders peuter?"

"Niemand het hulle nog weggejaag nie, Pa." Vir elke vraag het sy reggestaan met die antwoord. Dit was net ek wat van niks geweet het nie. Maar dit sou end kry. Ek het opgestaan en dit net daar vir Christie loop sê; ek het gesê daar sou nie dinge aangevoor word wat kon bly nie, daar sou nie met bosmeisiekinders skipgeklim word nie!

Christie het skaars opgekyk. Vandat een van Fox en Dunn se ander voormanne hom amper doodgeslaan het met die houtspar, was hy voltyd dikbek. Ek het hoeveel keer vir hom gesê om op te hou met skoor met die saagmeulwerkers, maar nee, toe hulle begin om die kaias onder op die voet van die platrand op te slaan, toe loop bodder hy aanmekaar omdat dit die meentgrond van die Italiane is, en toe erg die voorman hom. Waarvoor Christie nog oor die grond bly waak het, kon ek nie verstaan nie; hulle het mos nie betaal nie.

"Tot tyd en wyl die drie maande uitstel verstryk het, Miggel, het ons volle reg op die grond. My prys is honderd-en-vyftig pond. Jy sal spyt kry as jy nie koop nie."

"Mister Dunn sê die lotte sal nie eers twintig pond stuk op 'n veiling haal nie."

Einde van Julie toe staan die huise. Anderster huise. Ek verstaan dit nie. Die meeste is van plank soos myne, die dakke is van sink soos myne, maar hulle is anderster soos die mense in hulle anderster is. Voor elke deur is 'n platklip ingebed vir die voete se afvee. Langs elke huis is 'n gat gegraaf en netjies uitgepak met klip waarin die geut van die dak afloop vir die reënwater se opgaar. Slim. Elke klipgat is netjies toegemaak met 'n deksel van hout of van sink en by elkeen staan 'n emmer aan 'n tou reg vir die skep.

"Julle hou daardie deksels toe, julle kom sê nie vir my een van die kinders het ingeval en versuip nie!"

Vir elke huis wat klaar was, het Pontiggia 'n houtekruis gekerf wat op 'n rakkie teen die muur in die voorvertrek gekom het. By party van die kruise is klein gesnede beeldjies staangemaak, of 'n flessie met takkies en blommetjies uit Mirjam se tuin, of 'n prent in 'n raam. Waar hulle aan al die goed gekom het, weet ek nie.

"Dit was in die trommels wat die dag op die slees was, Pa."

Tafelklede van die safste lap het oor die rowwe hout gelê; slope sonder stopsels oor die stoele. Dekens oor die katels. Dunn het gesê hulle moet ophou hout wegdra by die meul; as hulle wil huisgoed maak, kan hulle putkuil graaf en self saag. Ek het niks gesê nie. Ek het geweet hulle verkwansel wors en vleis vir hout by die saagmeulwerkers; by my het hulle rieme en lym en gereedskap gebedel en vir Mirjam twee kantkragies en kamme vir haar hare gegee. Al waarop ek gestaan het, was dat daar saans by die lanterns huisgoed gemaak word, nie bedags wanneer hulle loon moes verdien nie.

En alles in die huise en om die huise is neergesit asof daar eers 'n reguit streep met 'n bloklyn getrek is. Niks was skeef of 'n aks uit sy plek nie. Daarby is elke huis se deur toegemaak en gegrendel en geen mens is maklik binnegenooi nie. En die ontevredenheid omdat die huise so ver uitmekaar moes staan, het nooit gaan lê nie.

"No good, signor Miggel, no good."

Kort voor Julie uit was, is die eerste dwarslêers gesaag.

"Nou moet julle kap en uitsleep soos nooit tevore nie, Miggel!" het Dunn gedryf. "Moenie dat die sae julle inhaal nie."

"Die blêssitse meul is nes 'n ding wat vreet en vreet en nooit genoeg kry nie!" het ek vir hom gesê. "My span bring duwwel uit teen die ander, maar teen dieselfde loon."

"Moenie kla nie, Miggel, die loon is goed. Voor Julie van volgende jaar wil ons honderdduisend dwarslêers lewer. Julle sal moet kap, sê ek jou."

Voordag, elke môre, het ek die stokerman hoor verbygaan om die vuur te gaan opsteek sodat daar ligdag genoeg stoom kon wees om alles te laat hardloop. Elke môre was ek dankbaar dat ons onder die lawaai kon uit en gaan kap. Later het ek liewerster nie meer opgekyk as ons verby is waar die ander kap nie; ek was bang ek sien te veel en ek moor. As hulle in 'n bietjie meer as ses maande sóveel kon vermors, was dit beter om nie te vra hoe dit ná vyf jaar sou lyk nie.

Tot troos vir myself het ek elke Saterdagaand die geld in die blik getel. Toe die eerste dwarslêers in die *yard for sleepers and timber* hoopgesleep word, toe lê daar oor die veertig pond in my blik. Vooruit het ek my nie verheug nie, maar volgens wet en volgens Walker sou die vendusie teen Maart van die volgende jaar moes plaasvind. As hulle teen daardie tyd nog nie betaal het nie. Die moontlikheid was maar altyd daar soos 'n klip wat wou val en ek het gereeld vir Fardini gevra wat hulle plan is.

"Ons gaan terug, signor Miggel."

"Almal?"

"Almal."

Deur dit alles was my meisiekind soos een uit wie die son bly skyn het. Nie 'n nag het ek sonder onrus oor haar gelê nie; nie 'n Sondag het verbygegaan sonder dat ek op my knieë gegaan het om die Hand te vra om oor haar te waak, en vergiffenis te vra dat ek my konsent gegee het nie. Beter as Mirjam om vir my 'n oog oor die vroue en kinders te hou, sou ek nêrens kry nie; 'n beter kind in my huis ook nie. Elke aand was die kos reg, die brood onder die as uit, die bietjie groente geskoffel en natgedra. Oor elke Italiaan se huis kon sy verslag doen, oor elke spoor wat voor die deur gelê het. Die dae wat sy weg was Bos toe, het ek uitgeken aan die stilte wat saam met die blyheid in haar was.

Ek het geleer om al minder te vra en die tyd af te tel na Februarie toe.

Die koue het vroeg gekom daardie jaar; teen die einde van Julie het dit bedags gevoel die son trek só ver verby dat daar skaars 'n spetseltjie warmte deur die bosdak kom. Halfdag het die dou nog van die bome af geval. Die bosvloer onder jou voete het klam gebly en die koue van onder af laat opslaan tot in jou hande om die byl se steel.

"Koud, signor Miggel."

"Kap!"

"Siek, signor Miggel."

"Kap!"

"Wil nie meer kap nie."

"Halfdag kan julle julle lywe gaat warm maak by die vuur. Kap!"

"Gaat liewer Kaap toe, signor Miggel," het Coccia die dag bly kla. "Bly nie meer hier."

"Solank jy net nie weer omdraai nie," het ek vir hom gesê. "En solank jy net nie dink Anna sal agter jou aanloop nie." Hy en Pontiggia wou nie hoor nie, elke Sondag is hulle weg Spruitbos-se-eiland toe. Ek het op die eiland ook gaan praat, ek het vir hulle gesê daar moenie by my kom kerm word as dinge verkeerd loop nie. Maar die meisiekinders was dwarskoppig.

"Ek vat Anna saam, signor Miggel."

Ek het hom nie antwoord gegee nie. Dit was sommer praat. En dit was Saterdag, die week was om en hulle was klaar. Tevrede by die byle sou ek hulle nooit kry nie, nog minder sou hulle ooit die ruigtes vertrou.

"Blêrrie byl no good."

"Dis jy wat die ding stoets geslyp het, Cuicatti!"

"Christie sê hy het geskryf aan die goewerneur, sir Hercules Robinson, hy sal vir ons help."

"Sal hy julle kom help kap?"

"Hy sal ons skipgeld stuur."

"Swaai daardie byl, hý sal vir jou skipgeld gee."

Die Sondag sit ek nog ewe aan my tafel met die Bybel, nie 'n gedagte nie, en toe ek opkyk, staan Christie in die deur. Dit was vreemd, want dit was weke vandat hy laas 'n voet in my huis gesit het, dae vandat hy laas 'n woord met my gepraat het.

"Is jy siek?" vra ek, want hy staan net daar.

"Nee, ek kom net groet."

Ek het geweet Christie sou die een of ander tyd moes vort, sy tyd op die platrand was verby; van die wind kon hy nie leef nie en byl sou hy nie vat nie. En tog, toe hy daar staan en sê hy kom groet, toe skrik ek. Dit was net so goed hy kom sit die laaste gewig van twee-en-dertig Italiane op my skouers neer en los my alleen. Onnooslik en agterstevoor soos hy was, was hy darem daar om te tolk as dinge die dag werklik bepraat moes kom. En al het ek lankal opgehou om geloof in sy briewe te hê, was daar tog in my binneste hoop dat een iewers in 'n oop-hand kon val, al was dit dan net vir die helfte van die skipgeld. En hy kom tot by die tafel en Mirjam kom van die ander kant af en ek sien sy staan net so verslae.

"Jy sê jy kom groet?" vra ek vir hom.

"Ja."

"Sit, ons moet 'n woord praat."

"Dankie."

Aan sy klere kon 'n mens sien dat hy meer as 'n jaar in 'n tent gesit het. Op sy gelaat en aan sy lyf was nog dieselfde hoogmoed waarmee hy die dag daar aangekom het, net meer halsstarrig, miskien. Dit was dieselfde hoogmoed wat ek baiekeer in Barrington gesien het. Engelse is ook anders. Fardini het eendag gesê dis omdat hulle nie warmte in die bloed het soos ander nie; jy weet nooit wat hulle dink nie, hulle gesigte bly koud van die koue bloed. Toe sê ek vir Fardini: dan het Italiane seker kokende bloed. Hulle het Christie nooit heeltemal vertrou nie; Ilario het eendag reguit gesê hulle wonder vir wat die man so vir hulle baklei, wat hy dink hy daaruit gaan kry.

"Waarheen is jy op pad, as ek mag vra?"

"Vir eers net tot in die Kaap waar ek sekere persone op hoë vlak sal spreek. Slaag die samesprekings, kom ek terug hierheen. Slaag dit nie, gaan ek Londen toe waar ek my persoonlik tot Mister Burnett sal wend."

"En ék bly agter met alles."

"Miskien is dit deel van wat die goewerment as die oplossing gesien het, Miggel. Wie weet? Ek sal op die volle saak moet ingaan."

"En jou grond?"

"My tente bly waar hulle is. Ek laat 'n paar persoonlike besittings agter waarna Coccia vir my sal kyk. Verkry ek tevredenheid in die Kaap, kom ek terug, soos ek gesê het. Sou ek verplig wees om na Londen terug te keer, sal ek reëlings tref en julle laat weet waarheen om my goed te stuur."

"Ek vra: wat van jou grond?" Dit was nog altyd die mooiste van die lotte; as hulle hóm die dag opveil, staan ek voor in die ry.

"Alles hang af van wat in die Kaap gebeur, of ek terugkom." Die man had 'n bedruktheid oor hom.

"Hoe gaat jy op die dorp kom?"

"Ek het Tomé en Cuicatti gevra om my trommels tot by die hotel te dra. As die weer dit toelaat, vertrek ek môremiddag met die *Ambulent* tot in die Kaap. Die priester moet volgende Vrydag op die dorp gehaal word; die kennisgewings van Cuicatti en Canovi se voorgenome huwelike is klaar ingedien op die dorp, hulle trou Saterdag."

"Vir wat?" Ek het gedog hulle het dit gelos.

"Al hulle dokumente wat nog in my besit was, het ek aan Fardini afgegee."

Ek het opgestaan en my hand uitgesteek om hom te groet. Mirjam het om die tafel gekom en dit het vir my gelyk of sy wil huil oor die man. En skaamteloos gaan staan sy voor hom en sê vir hom sy sal hom mis. "Gee hom jou hand en kry klaar!" sê ek vir haar, want toe lyk dit vir my sy sien boonop kans om hom op die mond te soen. En tot op die laaste moet hy my vertoorn. Toe hy haar die hand gee, draai hy na mý toe en sê:

"Jy het 'n goeie en 'n kindhearted dogter, Miggel, sy's nie soos jy nie."

Hoe die duiwel was ek dan?

Maandag, laat-agternamiddag, toe ons met die laaste sleepsel mote uit die Bos kom, toe is albei sy tente weg. Walker het 'n boswagter gestuur om die tente te haal, het Mirjam gesê. Wat van sy stoel en sy tafel en sy katel geword het, kon niemand sê nie. Toe ek die aand gaan lê, toe sê ek vir myself: Silas Miggel, nou is jy alleen voorman en vredemaker en sieketrooster en alles, en Fox en Dunn betaal jou loon. Die goewerment was òf slimmer as wat ek gedink het, òf die Voorsienigheid het vir almal verder vooruitgekyk.

"Nou ja," sê ek vir hulle toe ons die volgende môre regstaan om in te byl, "as alles goed gaan, kan júlle oor 'n jaar skipklim." Hulle het my aangekyk soos goed wat sonder geloof staan, maar toe hulle wegval en begin kap, was dit of daar 'n krag in hulle arms is waarvan ek nie geweet het nie.

En die hele tyd wil ek 'n onrustigheid in die ruigtes aanvoel. Ek hoor dit aan die voëls: as die een loerie ophou met gorrel en sis, begin die volgende een. Ek hoor 'n swerm kakelaars bo in die kroondak, maar dis of die goed nie hulle sit en klouter kan kry nie, dit bly van die een boom na die ander asof iets hulle jaag. Dalk is dit 'n tier, sê ek vir myself. Maar vir wat sal hulle soveel notisie vat van 'n tier? Eintlik het ek maar die tier gekies om my vermoede weg te kry van die olifante af; dalk was dit een van daardie dae wat 'n vabond by jou in die ruigtes staan en jy dit nie weet nie. Nie voor hy storm nie. Miskien staan hy sommer en is dit glad nie in sy kop om te storm nie. Maar hoe moet jy weet?

Ek kap, maar ek meet die treë tot by die geweer waar ek hom teen 'n boekenhout staangemaak het; nie 'n witels of 'n stinkhout is naby om te klim as iets gebeur nie. Die Italiane se leer het teen 'n kershout gestaan en ek het getwyfel of daar vir meer as vier plek sou wees in 'n oomblik van nood.

Dit was nie my verbeelding nie, ek ken die Bos, ek ken sy aard, dis later of ek rillings oor my lyf kry.

"Signor Miggel sien iets?" vra Cuicatti toe ek weer 'n slag 'n draai by almal maak. Hulle is fyn.

"Ek sien niks, kap."

"Signor Miggel hoor iets?"

"Ek hoor niks, kap!"

Fardini en Robolini was by die treksaag, besig om te moot. Ek sou geruster gewees het as ek almal net 'n rukkie kon laat ophou sodat ek behoorlik kon luister. Partykeer hoor 'n mens 'n grootvoet se binnegoed van ver af rammel. Maar stop ek die byle en die saag, maak ek hulle onrustig en as hulle eers eenmaal onrustig is, sukkel jy lank om hulle weer gerus te kry.

Ek het Coccia die dag alleen laat kap sodat ek by Borolini kon kap om hom dop te hou. 'n Sterke jong man, maar by die dag het hy meer inmekaargetrek van gemoed. Net die week tevore sit ons die dag vir halfdag se rus onder by die skerm en dis nie lank nie, toe skeur die tak na die westekant van die spruit toe en jy sien net Italiane kos neergooi en leer toe hardloop. Toe die tweede tak klap, toe help Fardini tot vir Ilario teen die leer uit. Ek skree vir hulle dat ons veilig is, die wind is aan ons kant, die grootvoete se deurloop is meer as 'n myl van waar ons is, maar hulle hoor my nie, dit bly sukkel en klim en ek los hulle. En die hele tyd sit Borolini soos een wat nie eers sou opkyk as 'n olifant reg voor hom kom staan nie. Ek sê nog vir myself: 'n jonge mens wat só sit, is òf kwaai siek, òf sy gemoed het te diep ingesink.

Daarom laat kap ek hom die môre by my om te sien of hy beter is, maar hy is nie. "Borolini," praat ek met hom, "jy kap soos een wat dunhout kap. Het jy pyn?"

"Nie pyn nie."

"Nou wat het jy dan?"

"Wil huis toe gaan, signor Miggel, jaar is te lank."

"Hoeveel skipgeld het jy bymekaar?"

"Ses pond, signor Miggel. Fardini vat skipgeld bymekaar."

"Dis reg, want julle moet almal saam klim." Ek wou nog vir hom sê om moed te hou, dis nie meer so lank nie, 'n jaar is kort as jy werk, maar ek sê dit nie, ek swaai my byl terug en uit die hoek van my oog sien ek 'n roering in die ruigte en ek laat sak. Nie tien tree van my af nie, in die onderbos, staan Josafat Stander. Nie sy gees nie. Hy. Ook nie heeltemal hy nie. My eerste gedagte is dat hy geskiet en gekwes is. Hy het 'n jas aan, nie die velgewaad wat hy altyd wintertyd gedra het nie; 'n goeie jas, maar dit lyk soos bloed wat aan hom is en die een skouer is uit die naat geskeur. Hy kyk my in die gesig, botstil, hy praat nie. Sy hare is korter, sy baard ook, en dis of daar 'n haat uit hom kom. Dit kon woede ook gewees het.

"Josafat Stander?" sê ek.

"Ja." Sommer kortaf, half ongeskik. Asof hy vir die wêreld kwaad staan en my daarmee kom gooi. Die een oomblik staan ek simpel verskrik en die volgende oomblik erg ek my, want uit die dode staan hy op en die eerste kom skoor hy.

"Het hulle jou uit die hemel uitgeskop?" vra ek vir hom.

"Nee, uit die hel uit," kap hy my terug soos 'n heiden.

"Nie 'n wonder die loeries waarsku al van vroegmôre af dat daar gevaar op pad is nie." Toe hy nader kom, sien ek die vuiligheid aan sy klere is vars, hy het iewers in die dou geslaap. "Ons het jou begrawe, Josafat Stander," sê ek toe hy my die hand gee.

"Ek weet."

"Waar was jy?"

"Waar oom nooit sal kom nie, waar ivoor sy regte prys het."

"Dan was dit ver."

"Dit was."

"Hoe lank is jy al terug?"

"Nie te lank nie. Het oom kos?"

"Onder by die skerm, ja."

Dit help nie om jou vir Josafat Stander te erg nie. Hy was soos Oupoot: almal het hom met eerbied gehaat, maar as een van die twee makeer het, was die Bos nie dieselfde nie. En snaaks dat ek aan Oupoot dink, want skaars sit ons, toe sê hy vir my dat Petrus Brand-eiland se bul die vorige dag geskiet is en net daar is ek weer kwaad.

"Vir wat het jy dit loop staat doen?" vra ek hom. Petrus Brand-eiland lê meer as 'n halfdag se stap na die oostekant toe van Gouna af, anderkant die wapad wat Langekloof toe loop. Almal ken Petrus Brand-eiland se bul. Al die jare is daar gesê dit was Oupoot se eerste kalf van sy jongbuldae; nie heeltemal so groot soos sy vaar toe hy uitgegroei staan nie, nie heeltemal so beneuk nie, maar 'n mooie bul. "Vir wat loop staat skiet jy die bul?"

"Ek het nie."

"Wie dan?"

"Thesen en Duthie en Metelerkamp en 'n man met die naam van Harran of iets."

Van die Harran het ek nie geweet nie, maar die ander drie was vername manne van die dorp en distrik. Barrington se petuurs. "Hoe weet jy dit was hulle wat geskiet het?"

"Ek weet. Ek was op pad Poort toe gisteroggend toe ek hulle anderkant Job Terblans se plek kry. Ek het die nag op die dorp geslaap. Ek sien aan hulle gewere hulle gaan nie om bosvarke te skiet nie, tienopdieponders en hulle dra swaar aan die lood. 'Jy is mos Stander,' sê Thesen vir my, 'grootste ivoorsteler in die Bos, nie waar nie?' Ek laat hom praat. Hy sê ou Job het vir hulle gesê daar is 'n groot trop grootvoete in die omgewing van die Poort, hulle het spesiale permissie om een te skiet. Eintlik meer as spesiale permissie, eerder spesiale opdrag uit die Kaap om vir die museum daar een te skiet wat hulle wou laat opstop."

"Opstop?" Ek was seker hulle het met hom gespot en nou kom spot hy met my.

"Ja. Om op te stop en weer staan te maak sodat die mense kan sien hoe 'n grootvoet van naby lyk en aan hom kan vat. Dis 'n museum."

Ek wou dit nie verstaan nie. "Om op te stop soos 'n pop?"

"Min of meer."

"Dit sal wragtig baie lap vat om 'n grootvoet opgestop te kry." Ek sien die Italiane sit ook en luister. Ek het hulle laat uitval, want hulle sou nie alleen aangegaan het met kap daar bo nie. Ek sien hulle kyk Josafat met aandag en agterdog aan en ek moet 'n tweede keer vir Ilario sê om vir die man koffie in te gooi. "En toe?" vra ek.

"Toe nooi Thesen my om saam te loop. Ek sê vir hom ek het nie 'n geweer by my nie; hy sê toe hulle verkies eintlik om self te skiet, dis 'n seldsame opdrag. Wat meer is, die naam van die man wat hom plattrek, sal op 'n plaatjie aangebring word. Hy vra of ek nie net wil saamloop tot waar hulle die spoor kry nie. Die ander hou ook aan. Duthie sê, Job Terblans het gesê, die trop is in 'n oopte nie twee myl vorentoe nie. Ek ken die oopte. En ek ken manne wat vol moed en met swaargewere die Bos binnegaan om grootvoet te skiet; nes die Bos om hulle toemaak, val die moed by hulle voete uit. Ek het geweet waarom hulle so aanhou dat ek moet saamgaan."

"Solat jy kon voorloop, ja."

"Net so. Maar die wind was reg, as hy nie omswaai nie, sou dit gou gaan. En ek sê vir Thesen ek sal saamgaan, wat wil hulle skiet, 'n bul of 'n koei? 'Bul,' sê Duthie en ons loop. Hulle loop nie sleg nie, dis nie die eerste keer dat hulle in die Bos loop om te jag nie. En nie 'n halfuur nie, toe loop ons ons vas in 'n yslike trop. Of dit dieselfde trop was waarvan Job hulle gesê het, weet ek nie, ons was nog in elk geval 'n hele ent onderkant die oopte. Toe hulle ons gewaar, sien jy net onderbos swaai en takke breek soos hulle padgee. Kans vir skiet was daar nie, dis te ruig, en binne oomblikke was hulle weg. Behalwe een. 'n Bul met ten minste drie voet ivoor aan elke kant, en ek sien sy plan, ek sien sy ore flap en sy slurp kom op, maar ek weet hy sal nie regtig storm nie, hy maak ons net skrik sodat die ander kan wegkom. Dis 'n bluf. Maar die manne kom verby en Duthie skiet eerste. Toe Thesen. Toe Metelerkamp. Toe Harran. Die bul storm nog nie, maar hulle moes hom geraak het, want hy begin die jong bome om hom uitpluk en skud en te kere gaan en eers tóé storm hy. Thesen en Metelerkamp is die naaste en hulle skiet gelyk. Die bul steek vas en trompetter asof hy hulle uit sy pad uit wil vloek. Ek sien hy's in die voorbeen gekwes, en net daarna tref Duthie en Harran hom bo en onder die blad en dit gee Thesen en Metelerkamp kans om 'n ent teen 'n windval-assegaai uit te kom. Maar hulle kan nie daarvandaan skiet nie, want hulle het nie vastrapplek nie. Duthie skiet weer. Harran ook. Die bul is die ruigtes in, ek kan hom nie sien nie, net aan die takke se swaai kan jy sien hy is daar. Toe hy uitkom, is Thesen terug op die grond en hy skiet. Harran skiet. Duthie skiet. Metelerkamp skiet, hy is ook uit die boom. Die bul raak van sy kop af. Elke keer as hy trompetter, spoeg hy 'n stuifsel bloed die lug in. Ek wil Harran se geweer gryp, maar hy spring onder my uit want die bul storm. Ek weet nie meer wie skiet nie, ek keer net vir my eie lyf en die bul vir syne. Een oomblik storm hy regs, dan weer links en trap alles voor hom plat of ruk dit uit die aarde uit. Thesen en Duthie kry staanplek op 'n stomp, Metelerkamp en Harran aan weerskante. Koeël na koeël slaat die bul, maar hy storm en breek sonder teken dat sy krag afneem. Harran skiet op twintig tree en tref die slurp; tien tree voor die bul Harran trap, skiet Duthie en tref hom ook in die slurp. Die skoot skop Duthie van die stomp af en hy val. Die bul storm. Treë voor hy Duthie trap, skiet twee hom van die ander kant af en laat hom weer wegswenk. Duthie se volgende skoot tref hom in die sy en vir die eerste keer steier die bul en doen hy 'n ding wat ek nog nooit gesien het nie. Hy kry sy lyf tot by 'n kalander, 'n stuk of tien tree weg, en gaan leun teen die boom soos een wat eers moet rus. Thesen skiet, Harran skiet. Die bul storm 'n paar tree vorentoe, draai om en gaan leun weer teen die boom. Voos geskiet, maar hy gee nie op nie. Metelerkamp skiet. Duthie skiet. Die bul storm. Weer terug tot by die boom. Rus. Bloed stroom voor sy een oor uit. Harran skiet. Thesen skiet. Ek sien die bul is klaar, maar hy storm 'n laaste keer en toe Metelerkamp hom tref, toe val hy. Sewe-en-twintig koeëls is in hom in. Ek het hulle getel."

"Heiland," sê ek, "hulle sal hom eers moet lap voor hulle hom kan stop."

"Ja. En dit was Petrus Brand-eiland se bul."

"Nie 'n wonder daar is onrus in die Bos nie."

"Hulle sou vanmôre begin uitslag en sout om hom op die skip te kry Kaap toe vir die ekspert wat hom moet stop."

"Opstop no good," gee Mangiagalli antwoord. "*Marmo*. Gee Pontiggia *marmo*, hy kap mooi grootvoet uit. Opstop no good."

Kom en gaan. Niks staan stil nie. Christie was vort. Josafat Stander was terug. Petrus Brand-eiland se bul was geskiet. En die middag laat, toe ons uit die Bos kom, hardloop Mariarosa ons van voor af in en sy skree net: "Aiuta, signor Miggel! Aiuta! Help! Slang pik Felitze!"

Ek smyt die byle net daar neer en hardloop agter haar aan na Robolino se huis toe. Met elke tree trap ek 'n spooksel raak so ver as wat ek hardloop: dis te laat in die dag om Mieta te laat roep; as dit 'n skaapsteker is, haal ek hom self deur; as dit 'n pofadder is, haal ons nie met hom die dorp nie. Wie was by? Wie't die slang gesien? Waar was Christie om te kom tolk en uit te vind wat se slang? As hulle opgewonde raak, kry hulle swaar 'n Hollandse woord onthou, dan's dit net hulle eie taal. As dit 'n horingsmanslang was, twyfel ek of ons 'n dokter haal. 'n Boomslang was dit nie, dan sou Mariarosa die doodstyding by haar gehad het. Augustusmaand was 'n bietjie vroeg vir slange, maar Koos Matroos se oorle oudste kind is ook in Augustus gepik. En voor ek in die huis is, hoor ek Mirjam saam met die vroue huil, en ek weet as ons daardie kind begraaf, kry ek haar nie gou tot ruste nie. Dit was nie nou 'n kat nie.

Hulle maak vir my 'n pad tot by die kind. Petroniglia staan met hom in haar arms en Mirjam hou die voet vas. Iemand het 'n lap styf onder die knie gebind; ek gee die voet een kyk en ruk die lap af.

"Was die kinders in die Bos?" vra ek. Ek skree, want almal kerm en praat gelyk.

"Ons moet hom by die dokter kry, Pa!"

"Ek vra of die kinders in die Bos was?"

"Ons het gaan sparre kap, Pa, van die kinders was saam. Moenie dat hy doodgaan nie, Pa!"

"Dis nie slang nie, dis kanferbos." Ek ken die verskil tussen slang en kanferbos. Daar's min verskil. Veral as dit 'n kind is.

"Wat gaan ons maak, Pa?"

Die gif was deur sy lyf, sy kop was al warm. "Vat hom bo na die huis toe," sê ek vir hulle. Dit kon nie anders nie. "Lê hom op my tafel en skeur lappe en maak water warm. Mirjam, kry jou kop op jou lyf, daar's nog van die blinkblaar-treksel wat Mieta gegee het toe die kinders vol sere was, gee hom 'n stywe dop in, die bloed moet reinig."

"Sal ons hom nie liewer op die dorp kry nie, Pa?"

"Nee." Daar was nie tyd vir praatjies en redenasies nie; ek moes gaan byangelbos kap en die naaste byangel waarvan ek geweet het, het onder in die kloof aan die westekant van die platrand gegroei. By Goukamma het hulle dik gestaan, maar dit was te ver. Die son was onder. Ek het die platpik en die lantern met lang treë gaan haal, dit sou moes gou gaan.

Dit sou nie help om die dorp te probeer haal nie: 'n man wat drink, drink as die son sak, en die dokter was 'n man wat drink. Help nie jy kom daar aan en die man sit onkapabel nie. Dit het met Dunn gebeur toe een van sy werksmense die middag seergekry het. Hoeveel keer het ek nie gesê die kinders moet uit die Bos uit gehou word nie! Toe die vroue begin neul oor heinings om die huise, het ek gesê as hulle wil heinings hê, sal hulle self loop takke en sparre kap. Mirjam kon gaan help. En dit was nie lank nie, toe sien ek sy kry hulle mak, hulle kap al dieper die Bos in. Ek sê vir hulle die kinders moet op die oopte bly, ek wil nie hoor daar's een weg nie, ek los hom net daar. En Mirjam weet van kanferbos, sy weet ek kap hom nie. Jare gelede het Stefaans van Rooyen eendag vir 'n vreemdeling gaan kanferbos kap; die man het gesê hy sal hom goed betaal, want hy wou die hout Engeland toe neem en vir hom 'n viool laat maak. Stefaans het versigtig gewerk, maar met die regkap het hy 'n splinter in die hand gekry, diep, en by die dood het hy omgedraai.

Voor ek onder in die kloof was, moes ek die lantern opsteek, en net godsgenade lei my tot by die byangelbos en ek kap hom uit met wortels en al; dit help nie jy trek net die wortels of net die blare nie, dit moet altwee saam wees. En met die terugloop pluk ek slangblaar en prop my sakke vol. Enigiets wat gif kon uittrek, sou ons nodig hê. Nagdonker kom ek uit die kloof en 'n ent van die huis af staan Petroniglia soos 'n spook vir my en wag. Ek skrik. "Is hy afgesterwe?" vra ek.

"Nee. Baie siek."

"Kom." Toe sy langs my inval, kyk ek af en sien sy's kaalvoet. "Waar's jou skoene, Petroniglia? Hoekom loop jy so in die koue?"

"Skoene op. Ilario wil nie koop, geld vir kos en skip."

"Ek sal kyk of daar nie van Mirjam 'n paar oues is nie." Ek het begin agterkom dat hulle al suiniger koop.

En heelnag deur bly Petroniglia met haar kale voete by my en Mirjam en help sukkel met die kind. Die ander het ek huis toe gestuur, maar sy wou bly. En ek kry die gif nie uit hom uit nie. Ons pak pap op die voet en sit slangblaar by, ons trek die byangel, ons gee hom in wat ons het, hy bring die meeste net so uit en ons gee weer. Ek druk die boosbitter slangblaar in sy mond in en laat hom kou. Mirjam word al stiller en meer beangs. Petroniglia sit later haar kraletjies met die kruis op die kind se bors en dis of hy 'n bietjie slaap, maar ligdag weet ek ons gaan hom nie deurhaal nie.

"Hardloop!" sê ek vir Mirjam. "Vat die geweer en gaan haal vir Mieta, sê vir haar dis kanferbos. Sê sy moet draf, en kyk uit vir die grootvoete, Petrus Brand-eiland se bul is geskiet en Josafat Stander is terug; luister uit waar hy skiet, moenie onder sy vuur in hardloop nie."

"Wat sê Pa daar?" Sy was al by die deur om die geweer af te haak, toe sy vassteek.

"Hardloop!" skree ek vir haar. "Jy kan later skrik."

Mariarosa het kom help sodat Petroniglia kon gaan rus. Ek het vir Dunn loop vra of hy nie vir my vir die Italiane werk het vir die dag by die houtwerf nie, ek kon nie van die huis af weg nie. Hy het vier teen volle loon gevat en die res teen halfloon, wat beter was as leeglê. Net vir Ilario het ek gesê om liewerster by die huis te bly.

En Mirjam kom nie uit met Mieta nie. En die blêssitse saagmeul saag en raas die laaste geduld uit my uit. Ek weet voor my siel sy kan nog nie terug wees nie, maar ek bly tussen die kind en die heininghek. Petroniglia kom terug en vat weer oor by Mariarosa, ons sit vars slangblaar op, ons gee in wat daar nog oor is van die byangel, maar dis of hy onder ons hande slapper word. Ons sukkel nog so, toe klop daar een aan die deur en ek skree hy moet inkom, menende dis weer Dunn of Fardini en Robolini wat kom kyk hoe dit met die kind gaan. Maar dis nie een van hulle nie, dis die boswagter wat weer die beste tyd uitgesoek het om alles te kom vertoorn. Toe hy in die kamerdeur staan en hy sien die sieke kind, toe is dit of hy sy lyf wil teëhou.

"Wat makeer daardie een?" vra hy en hy sit sy hand oor sy mond en neus.

"Kanferbos. Wat makeer vir jóú?" vra ek.

"Ek is gestuur om die tyding te bring: pokke het uitgebreek aan die Kaap, die skepe hou verby. Mister Jackson die magistraat wil elke immigrant in die distrik onmiddellik op die dorp by dokter Gorman hê. Daar word môreoggend 'n begin gemaak om die rooi stoor net buite die dorp in te rig as pokke-hospitaal. Hulle sal nou daar afgesonder word, nie meer op Steenbokeiland nie."

"Dis kanferbos." Ek betoom my.

"Hoe kan oom seker wees?"

"Ek is. En loop rapport jy nou net 'n dwaalstorie, breek ek jou nek vir jou."

"Die pokke het *uitgebreek*, oom! Hoor oom dan nie wat ek sê nie? Die pokke is hier!"

"Ek het jou gehoor. Ek is bly vir julle part, julle nooi die pokke mos nou al maande lank, plek voorberei daarvoor, alles, nou wil julle kom staat sleg voel daaroor? Ek het nie voorspooksels gemaak nie, ek het nie die pokke genooi nie; die immigrante wat onder my staan, het nie een pokke nie. Loop praat met Mister Dunn daar by die meul, dalk het hy vir jou 'n paar solat julle siele kan rus kry."

"As Mister Jackson van oom se houding hoor, is oom in die moeilikheid. Sy opdrag is dat die Italiane by Gouna die eerstes is wat daar moet wees. Môre. Almal. Oom moet sorg dat hulle daar kom, dis 'n goewermentsopdrag."

As Mieta hom nie op daardie oomblik uit haar pad gedruk het om by die kind te kom nie, het ek hom tot buite gestoot.

Mieta het oorgevat. Teen die aand het ek vir my in die houtkamer 'n lêplek gaan maak, want geen mens kon leef waar Mieta oorgevat het nie. Ek het vir Mirjam gesê hulle moet die kind goed toedraai en in Robolini se huis loop neerlê sodat Mieta daar na hom kon kyk, maar al wat ek gekry het, was kyke en verwyte. 'n Mens sou sweer ek het gesê hulle moet die kind toedraai en loop begrawe.

Toe kom sit Dunn by my in die houtkamer en hy sê die boswagter was by hom. Pokke is 'n verskriklike ding, dis beter as ek nie moeilikheid maak nie en maar liewers sorg dat die Italiane op die dorp kom. Verder wil hy Coccia uit die kapspan vat en by die stoomketel as stoker sit.

"Ek kan nie van my manne afgee nie," sê ek vir hom.

"Julle is in elk geval dertien by die byle vandat Canovi terug is, dis 'n ongelyke getal. My stoker is nie gesond nie, Miggel,

Coccia is jonk en sterk, hy moet van Maandag af by die meul inval."

Ek kon nie vir hom sê dat ons eintlik 'n gelyke getal by die byle is nie, dat ek Ilario by die skerm het nie. As hy Coccia wegvat, beteken dit dat ek maar weer vir twee moet kap. Ek was nie bang om twee man se werk te doen nie, dit was my gewoonte, dis net dat ek nie reguit met hom kon praat oor Ilario nie. As hy nie verstaan nie, was die Grassi's sonder loon en wat dan? Oral moes ek keer of dis twee tree vorentoe en een agteruit; nes ek dink dinge begin beter raak, dan trap 'n vervloekste kind in 'n kanferbossplinter en Mieta kos geld. Robolini sou moes betaal. Of pokke breek uit in die Kaap en Jackson sien kans dat hulle 'n volle dag se loon verloor vir sý plesier. Of meel se prys gaan op, of een moet 'n broek kry of 'n ekstra kombers.

En nie eers in my eie houtkamer is my rus gegun nie, want Dunn is skaars weg, toe moet ek weer kers opsteek vir Petroniglia wat aan die oop kant kom staan nes 'n gedaante. Toe sy nader kom, toe sien ek sy staan met swaarte op die gemoed.

"Sit daar op die stomp, Petroniglia, en trek regop jou rug!" sê ek vir haar.

"Ons moet in kerk kom, signor Miggel, God het ons vergeet. Ons kom nie in kerk, God sien ons nie, Hy vergeet van ons."

"God sien tot op die platrand, Petroniglia," sê ek vir haar, want ek moet toe nog prediker ook wees. "Julle moet net uithou."

"God sien jou net in kerk, nie op platrand. Wie moet vir ons sondes bid?"

"Julle sal maar self moet bid."

"Signor Miggel verstaan nie. God sien jou net in kerk."

Ek het sommer geweet waarheen sy wou loop. "Petroniglia," sê ek vir haar, "as jy kom sit en voorstel lat ek vir julle op George moet kry, kan jy maar opstaan en huis toe gaan. Daar staat twee kerke op die dorp, ek sal vir julle soontoe vat, maar nie George toe nie, dis twee dae se loop."

"Knysna se kerk nie regte kerk. God sien ons net in regte kerk. George."

"God sien vir jou oral!"

"Net in kerk."

"Petroniglia, moenie vir jou sit en koppig hou nie!"

"Net in regte kerk, en ek dra nie ou skoene van Mirjam nie, signor Miggel."

'n Mens het nooit geweet wat in hulle koppe is nie. En skaars is Petroniglia weg, toe is Mieta daar en steek ek weer die kers op. "Daar is nie meer rus vir 'n man nie!" sê ek vir haar. "Hoe ver is jy nou met die kind?"

"Die gif is afgeflou, hy sal deurkom. Jy kom vra vir my om te kyk waar jou Mirjam loop, jy kom vra nie weer nie."

"Ek weet."

"Sy kom nie meer by die meisiekinders op die eilande nie; hulle praatjies is nie meer dieselfde nie, omdat sy soos 'n koei geword het wat uit die trop gestoot is."

"Daar is nie meer vir haar tyd om te loop kletspraatjies maak op die eilande nie, jy sien self hoe dit hier gaan." Ek wou nie met haar oor Mirjam praat nie.

"Wat het hierdie vrou met die swart oë by jou in die houtkamer gesoek?"

Ek dog ek gooi haar met 'n stuk hout. "Waarvan praat jy nou? Loop kyk liewerster lat die kind regkom en lat hy uit my huis kom! Moenie kom staat en yl nie."

"Jy's nog sterk, Silas Miggel. Johanna wag en hoop nog al die jare."

"Mieta, jy soek my!"

"Seker maar jóú bloed wat in Mirjam is; ek sien haar spore lê waar baie sou wou, maar min dit sou waag."

Ek was met een spring op my voete. "Waarvan praat jy?" vra ek en ek staan voor haar.

"Sy't vir ons altwee te fyn geloop, Silas Miggel. Haar wil is haar wil, haar lot is haar lot."

My asem wou uit my uit. "Waar lê haar spore? Sê vir my waar haar spore lê, ek moet weet!"

"In die vuur. En dit was 'n slang, nie kanferbos nie."

Ek het van my voete tot op my kop yskoud geword.

Die Saterdagmôre is ek met die hele spul dorp toe. Ilario en Felitze op die slee, die ander te voet. Mirjam het by die huis gebly. Vrywillig het hulle nie ingeval en geloop nie, ek moes van ligdag af sukkel om hulle bymekaar te kry en bymekaar te hou.

"Nie siek nie, klaar papiere ingeskryf," het Mangiagalli eerste gat-om gegooi. "Papier in Londen gevat."

"Hulle wil net kyk wie geënt is en wie nie."

"Almal geënt. Op papiere."

"Hulle het die pampiere laat wegraak, dit sal nie help nie. Jackson wil hê die dokter moet julle bekyk, ons moet begin loop!"

"Jackson no good," sê Coccia.

"Hy's magistraat; as julle nie op julle eie voete daar kom nie. stuur hy die konstabel en laat haal vir julle in skande en in rye soos bandiete!"

Dít het hulle aan die loop gekry. Kort ná die volstruisgeneuk die slag het ek al agtergekom daar lê 'n dik streep eervoeligheid in hulle. Fardini het gesê hulle het met goeie name aangekom, hulle wou met goeie name weer weg ook. "Armoed, signor Miggel, kan jy wegsteek, nie slegte naam nie."

En voor tienuur die môre het ek hulle voor die dokter se plek in die Main Street. Halfdag, toe wag ons nog altyd. Die kinders is lastig, Felitze lê en koud kry op die slee, die ander mor. Elke keer as ek binne gaan vra waar die dokter dan is, dan sê die suurpruim agter die tafel: "He's busy, wait your turn." Ná die vyfde keer, toe sê ek vir haar ek *wait* nou lank genoeg, die weer is aan die opsteek, ek moet nog met hulle deur die drif. "Wait your turn." Toe stap ek in die straat op tot by Walker se kantoor en toe ek voor hom staan, toe lyk dit of die man agter in sy kop moet loop krap om te onthou wie ek is.

"Ja? Kan ek help?"

"Ek kom sê net lat Mister maar vir die magistraat kan loop sê ek het hulle hier gehad om hulle te laat deurkyk vir die pokke, maar die dokter bly *busy*. Ek staat met hulle in die straat, daar is nie eers 'n boom waaragter die kinders kan pie nie, elke keer moet ek met hulle die kop uit. Sê vir die magistraat ek het tot ná halfdag toe gewag, maar nou vat ek vir hulle terug."

"Van wie praat jy?"

"Van die Italiane, natuurlik!"

"Watter Italiane?" Hy kyk my in die gesig, maar hy trek 'n

wasem van onnooslikheid oor sy gelaat en ek weet hy doen dit aspris.

"Die Italiane wat die goewerment daar bo by Gouna in die moerbeibos kom aflaai het," sê ek vir hom. As hy wou speletjies speel, kon ek saamspeel.

Hy knip nie 'n oog nie, hy kies net sy nip uit. "Sover my kennis strek, is daar nie meer Italiane op Gouna se platrand nie," sê hy. "Daar wás Italiane. Ek herinner my selfs dat daar grond aan hulle toegeken was, maar geen betalings is gemaak nie en geen sybedryf is daar gevestig soos hulle onderneem het om te doen nie."

Ek het op die oomblik geweet ek gaan nie my tong gekeer kry nie. "Mister," sê ek vir hom, "wat eintlik daar gebeur het, is lat die goewerment gekak het, die Italiane getrap het en Silas Miggel moet uitsleep."

Toe jaag hy my uit sy plek uit. En toe ek by die dokter se plek kom, was meer as die helfte van die Italiane klaar deurgekyk. Van die kleinste kinders het met opgestote moue geloop en skree, klaar geënt. En twee dorpsvroue met mooie klere aan kom oor die straat en vra agter gehandskoende hande uit vir my: "Are they the silk-people?"

"Ja," sê ek.

"Shame."

"Ja," sê ek, "shame." Toe haal die een 'n pennie uit en gee dit vir Mariarosa se kleintjie wat die naaste staan, en voor ek kon keer, gryp Mariarosa die geld uit die kind se hand en gooi dit voor die vrou op die grond.

"La mia bambina non è una zingara!" spoeg sy die woorde in die vrou se gesig uit.

"Dis nie gipsy-kind nie," tolk Fardini se snip uit die bondel uit en ek wat Silas Miggel is, moet buk om die pennie op te tel. Toe sê die vrou ek kan dit maar vir my hou, dalk het ek meer dankbaarheid aangesien ek uit die Bos kom.

Dit het vir my gevoel daardie pennie brand my tot by die huis.

En Mirjam was weg Bos toe.

As daar tot op daardie dag nog êrens in my 'n splinter hoop gesteek het dat daar uit goewermentshand soveel soos 'n kind se skipgeld sou val, het ek sonder die splinter daardie aand loop lê. Daar was vir die Italiane net een pad huis toe en dit was houtkap en uitsleep vir die saagmeul.

En gekap hét hulle. Kap, saag, uitsleep. Kap, saag, uitsleep. Sondae lê hulle soos dooies.

"Pa dryf hulle erger as osse!"

Eers het Dunn vir Coccia weggevat en by die ketel gesit. Einde van September toe vat hy Canovi ook en sit hom by die bandsaag, maar ek moes nog altyd sorg dat dieselfde getal hout uitgesleep kom.

"Jammer, Miggel, dit kan nie anders nie."

Onderkant die saagmeul het die stapels dwarslêers bly groei en 'n ent verder die berg saagsels. Ek het vir Dunn gesê om te kyk dat die goed gereeld oopgekrap kom; saagsels is nes beesmis, hy lê nog so, dan begin hy sommer van onder af smeul. Hy sê ek moenie hom kom staan en leer nie, hy weet. Ek sit nog die Sondag by die tafel met die Bybel, toe hoor ek Mirjam buite net een skree gee. Ek gryp die geweer en ek hardloop, want ek dog dis 'n olifant, maar toe ek buite kom, toe trek die rook en voor ek genoeg hande had om te help water aandra, toe staan die vlamme in die lug.

As daar daardie dag 'n wind was, en hy het uit die weste gekom, was Fox en Dunn uit alles uit gebrand en ek uit my huis uit.

Donkervoordag, die volgende môre, word ek wakker van 'n geklop aan my venster. Die eerste dink ek aan die saagsels en ek spring op en sukkel in my broek in tot by die deur. Dis Coccia, stram geskrik, en hy trek net kruis oor die bors.

"Wat is dit nou?" vra ek.

"Ding in lug, signor Miggel."

"Wat sê jy?"

"Ding in lug. Ek loop om vuur aan te steek, Dunn sê hulle begin vroeg te saag vandag, ek kyk op, ek sien ding. Signor Miggel moet kom kyk."

Die man was aan die yl, en agter my het Mirjam uit die kamer gekom. "Wat sê hy van 'n ding in die lug, Pa?"

"Hy's deurmekaar. Gee aan my baadjie en kry iets om jou lyf."

Toe ek buite kom, toe is dit of daar 'n begeerte in my opstoot om self 'n kruis voor my te trek: aan die oostekant van die Suidekruis, op die skof van die Waterslang, het 'n vreemde blink streep tussen die sterre gelê asof iemand 'n handvol vuurvliege netjies daar loop uitstrooi het. Knip jou oë, Silas Miggel, sê ek vir myself, dit kan 'n vuiligheid wees. Ek knip my oë; dis nie 'n vuiligheid nie.

"Cometa, signor Miggel."

"Ja. Seker." Wat anders?

"Wat is dit, Pa?"

"Stertster. Komeet."

"Wat maak hy daar? Hoekom is Coccia so ontsteld?" Die kind het self ontsteld geklink. "Het Pa al tevore so iets gesien?"

"Nee. Ek was te klein. My oorle moeder het gesê toe jou ta' Hannie gebore is, was die hele helfte van die hemel vol van 'n stertster, seker dié lat Hannie so beduiweld is. 'n Vreemdeling het vir hulle gesê as Hannie eendag oud is, diep in die sewentig, sal die stertster terugkom. Dit kan nie dieselfde ster wees nie, Hannie is nog nie vyftig nie. Dalk het die ster eerder gekom, dalk is dit 'n ander een."

"No good, signor Miggel, no good. Wêreld vergaan."

"Moenie staat en stront praat nie, Coccia!"

"Moenie vloek nie, Pa!"

"Nie stront nie, signor Miggel, cometa. Wêreld vergaan."

"Die wêreld het klaar vergaan die dag toe White met julle hier op die platrand aangekom het! Loop kry jou vuur aan die gang." Ek het Mirjam aangesê om in die huis in te gaan en haarself tot kalmte te bring.

'n Bang man was ek nooit in my lewe nie. Op my dae is ek hoeveel keer deur Oudebrand se drif waar hulle sê oorle Samuel Terblans, wat homself die slag opgehang het, dik loop en spook, en nie 'n gevoelte het ooit oor my gekom nie. Maar 'n verskynsel in die hemel en 'n verskynsel op die aarde is wyd uitmekaar. Wat op die aarde is, kan jy bykom, wat in die hemel is nie, dis te hoog vir die mens. Die son en die maan en die sterre het hulle plekke, jy kyk nie op en twyfel nie. Dis eers wanneer 'n heldere streep kom sit waar hy nie hoort nie, dat 'n man versigtig staan. Om my was die platrand nog stil en donker; in die Bos was die naggeluide besig om op te droog. Daar was 'n soelte in die lug wat nie vir my reg gevoel het vir daardie tyd van die voordag of die jaar nie. Ek het vir die ding gekyk en hy vir my. Net ons twee. Ek sê vir myself: Silas Miggel, moenie besimpeld raak nie. Maar met dieselfde asem dink ek: sê nou die ding kom al nader en nader en die wêreld beginne skroei? Ek het al sulke drome gehad van 'n bosbrand wat my in die nag oorval. Dit moet 'n vreeslike dood wees.

Ek het buite gebly totdat die dag gebreek het en die verskynsel saam met die sterre verdwyn het. "Dit kan niks anders as 'n stertster wees nie," sê ek toe ek in die huis kom en die gordyne ooptrek wat Mirjam styf toe had. "Dit sal nie help om jou te verknies nie, die ding is te hoog vir ons."

"Hoekom laat dit 'n mens dan so vreemd voel, Pa?"

"Dis nie die ster wat jou laat vreemd voel nie, dis jou verbeelding wat nie weet watter kant toe om te hardloop nie. Hoe staan die Italiane se vleis?"

"Hulle sal uitkom tot Woensdag toe. Donderdag sal ons weer moet gaan probeer om palings te vang, niks wou laasweek byt nie."

"Die goed raak uitgeroei, soos alles."

"Dink Pa die stertster kan 'n soort voorbode wees?"

"Mirjam, hou op om soos 'n ou vrou te praat wat regstaan om onder die kooi in te kruip! Al voorbode wat ek kan sien, is lat Silas Miggel vanmôre deur die son uit die huis geskyn gaat word." Ek kon nie verstaan wat dit met haar was nie; ek was self nie heeltemal gerus nie, maar 'n mens se geloof trek darem ook nie sommer uit jou uit nie. "Jy moet 'n bietjie water dra vir die pampoene en die mielies. Cruci en Robolini se huise moet nog uitgeverf word met die paraffien, ek wil nie sukkel met luise nie. Wanneer is die kinders se koppe laas deurgekam?"

"Hulle koppe is skoon, Pa. Ons het verlede week gekam."

Sover as wat ek kon agterkom, het nie een van die ander die ster gesien nie. My plan was om later die dag met Fardini daaroor te praat. Hy het iets van die sterre af geweet, want een aand het ek en hy buite gestaan en ek sien hy bly in die lug opkyk na waar die saaister die aand blinker as al die ander gesit het.

"Dis een van die dwaalsterre," sê ek hom, "die oumense noem hom die saaister."

"Ons noem hom Saturno. Dis my land se ster, Saturno, vader van al die gode."

Ek het hom gevra of hulle dan meer as een god het, toe sê hy: nie meer nie, net een. Sý troon op aarde is in Italia. In Roma. En oombliklik is ek sommer weer ergerlik. Ek sê vir hom: julle sit met God se troon, julle het tot julle eie ster in die hemel, hoekom het julle nie gebly waar julle was nie? Eers antwoord hy my nie, hy kyk net na sy ster en in die naglig sien ek 'n verlangste soos 'n moedeloosheid oor hom kom. Toe sê hy ek sal nie verstaan nie. Sy land is anders as my land. Italia is soos 'n baie mooi vrou: sy is opgeruimd, sy is droewig, sy is rein, soms waansinnig, sy druk jou vas, sy laat jou voor haar aangesig tot op jou knieë sak, sy praat sag met jou, mooi met jou, hard met jou; eers wanneer jy 'n vrou se foute begin soek, word sy vir jou wat jy dink en jy dink haar dood. Dan is sy nie meer mooi nie en jy verlaat haar en begin van verlangste na haar sterf.

Ek het hom half jammer gekry. As daar 'n gevoelentheid vir 'n vrou in jou is, is dit daar. Jy kry dit nie bestry nie.

En laatmiddag, toe ons by die huis kom, het die vervloekste Coccia die verskynsel in die lug van kim tot kim vergroot en al wat vroumens en kind is, op hol daarmee. Toe die eerste sterre uitkom, toe staan hulle in 'n bondel by Fardini se huis met die oë omhoog.

"Die ding was saam met die Waterslang in die lug!" loop sê ek vir hulle, "en die Waterslang kom eers nanag op. Vat die kinders in die huis in, môre loop almal weer met snotneuse en pyn in die ore en moet ek en Mirjam sukkel!"

En skaars sit ek aan my tafel om 'n stukkie te eet, toe is Dunn daar en vol pitterigheid. "Een van my vernaamste manne by die meul, Tomlinson, die man by die stoomkraan, het sy goed gepak en is op pad terug Engeland toe. Ek sal Tomé uit jou span moet haal en by die kraan leer."

"Een vir een vat Mister my manne weg, maar die hout wat ek uitbring, moet dieselfde bly."

"Jy het genoeg manne oor. Ek sien Grassi het verlede week twee dae nie gewerk nie."

"Hy was nie wel nie." Elke keer as dit by Ilario se loon gaan draai, wou my keel toeswel. "Dis immers 'n beter rede as die rede waarvoor twee volle spanne van die ander laasweek byle neergelê het." Hy het seker gedink ek weet nie dat die olifante hulle gejaag het en twee dae buite gehou het nie.

"Grassi het nie dalk pokke nie?"

"Mister klink al nes die boswagters."

"Dis 'n ernstige saak, Miggel! As jy af en toe 'n koerant wil koop en lees wat daarin staan, sou jy geweet het wat in die wêreld aangaan en watter afmetings die pokke besig is om in die Kaap aan te neem."

"Ek het niks met die wêreld te doen nie, ek moet met die platrand sukkel. Maar ek sou wel graag wou weet wat Mister se koerant van die ding in die lug sê, of kyk hulle nie op nie?"

"Dit is die ander saak waaroor ek met jou kom praat het. Vier manne het vanoggend geweier om in die Bos in te gaan as gevolg van Coccia se voorspellings en twak. Die eerste een wat weer om daardie rede uitsit, word afbetaal. Dit geld vir jou en jou span ook."

"Wat sê die koerant?"

"Dis 'n komeet, man! Dis geen abnormale gebeurtenis nie. Die hele wêreld sien hom al van vroeg in September af, hulle noem hom September se komeet. Daar is plekke waar hy al helder oordag waargeneem is."

"Mister," het ek gesê, "as hy helder oordag oor die platrand kom hang, gaat dit neuk. Ek waarsku Mister maar net."

"Ek doen op jou 'n beroep om hierdie Italiane by hulle sinne en by die byle te hou. Jy moet met Coccia praat."

"Ek kan nie die ding uit die lug uit loop haal nie."

"Jy kan immers sorg dat die gepraat einde kry. Ons is maande agter."

"Dit lyk vir my hulle wurg Mister kwaai daar van bo af oor die dwarslêers, dié lat Mister nou sommer alles uit my uit wil kom wurg. Hoe ver is hulle met die kaai?"

"Halfpad. Ons kan nie begin uitry en laai voordat die kaai nie klaar is nie. Daar is nêrens waar dit nie sukkel nie!"

"Dit lieg Mister. Dit sukkel nie by wat ek moet doen nie."

"Sorg dat dit so bly. En gaan sê vir Tomé hy moet môre by die meul kom inval."

Voordag, toe sit die stertster weer in die lug en ek sien die een na die ander lantern van die huise af opkom oor die platrand: Fardini, Robolini, Cuicatti, Mangiagalli, Tomé, Canovi, Cruci, Petroniglia, Vittoria Robolini, Mariarosa, Antonia en van die groter kinders.

"Cometa," sê Fardini.

"Wêreld vergaan. Finito," sê Coccia. Dit klink of die vroue rympies bid.

"Groot ramp kom," sê Tomé.

"Ja," sê ek, "Dunn het gesê jy moet by die meul loop inval."

"Ons sondes is nie vergewe nie," kerm Antonia. "Wie sal vir ons sondes bid?"

"Huise van plank no good."

"Ons wil nie hier sterf!"

Al die ou opstand het van voor af uitgebreek. As ek op daardie oomblik 'n ryk man was, het ek 'n blêssitse skip loop koop en vir hulle present gegee sodat hulle kon wegkom van die platrand af en onder die stertster uit. Heeltemal gerus oor die ding was ek nie, maar ook nie onnooslik genoeg om te glo dat hy tyding kom bring het van die wêreld se vergaan nie. Barrington het eendag in 'n boek gelees dat die einde van die wêreld sal saamval met die dag wat die laaste godsboom op aarde val. Ek het nog die dag vir hom gesê dis ons geluk dat die Bos so groot is.

"Signor Miggel?"

"Ja, Petroniglia?"

"Ilario kan nie meer nie."

"Dan moet jy maar in sy plek kom inval as jy by die huis wil kom." Ek kon my nie deurbreek en nog sý werk ook doen nie. Hy sou werk, al moes ek hom self soggens saamsleep.

Die dag het begin breek. Hier en daar het 'n vlermuis 'n laaste duik kom gee en die voëls het in die neste begin roer. Voordat die Italiane en die saagmeul op die platrand was, was dit die tyd van die môre, winter of somer, wat ek buitetoe geloop het om die nag uit my lyf te kry voor ek oorkant op Poortland moes loop inval of op my eie werf. Nie 'n dag het gebreek nie sonder dat ek vir myself gesê het: Silas Miggel, aardse goed het jy min, bekommernis oor jou meisiekind baie, maar nie 'n koning het 'n platrand soos jy nie.

Die Donderdag, die vyfde van Oktober, het Mirjam negentien geword. Ek het tien sjielings uit die geldblik gehaal en vir haar gegee. "Laasjaar het ek niks vir jou gehad nie."

"Ek wil niks hê nie, Pa."

"Vat dit vir jou, koop vir jou iets."

"Hoe oud was Ma toe ek gebore is, Pa?"

Snaaks dat sy dít die môre moes vra. "So oud soos jy nou is. Koop vir jou 'n stukkie rokgoed en vra dat Mariarosa of een jou help om vir jou 'n rok te maak. 'n Mooie rok. Miskien 'n groene met rooi moue."

"Ek het nog genoeg klere, Pa. Maar ek sal die geld hou. Dankie."

Ek het nie gevra of sy Bos toe gaan nie, dit was nie nodig nie, want sy het klaar in haar beste rok gestaan en haar hare was op haar kop vasgesteek soos die Italiane se vroue haar geleer het om dit met die kamme te doen.

Dunn het eendag vir my gevra of ek nie dink dit is sonde om 'n meisiekind soos Mirjam aan 'n boslewe te onderwerp nie. Ek het vir hom gesê hy moet soontoe staan voor ek hóm onderwerp. Wat weet hy? Maar agterna het ek nagedink: Mieta moes vir Mirjam kom leer van die medisyne. Alles wat daar te leer is. Mieta was die oudste in die Bos; as my Mirjam kon oorvat as sy die dag los, sou dit goed wees. Eerbaar ook en darem 'n inkomste vir ingeval. Mirjam se hande was reg om te dokter en te pluk. Mieta het dit self aan my gesê. Waar ek my voet moes neersit, sou ek hom egter neersit. Soos die dag toe ek aan elke tent aan 'n ankertou 'n bos blinkblaarblare kry hang het en Mirjam daarna loop vra het. Dit was die slag toe dit so erg sleg gegaan het en Cruci se kind se bors nie wou ooptrek nie.

"Ek weet nie meer wat om te doen nie, Pa," het Mirjam gesê.

"Ek het by Mieta gehoor dat blinkblaar onheil afweer, sy wou al glad vir my 'n sakkie met gedroogde blare gee om om my eie nek te hang."

"Loop haal af die goed!" het ek haar gesê en self loop help om dit af te kry. "Dis nie 'n toornes dié nie, dis nie 'n plek vir heidense dinge nie."

Oral moes my oë wees. Die dag toe die twee snuiters met Cuicatti en Canovi getrou het, het Mirjam vir hulle blomme gemaak om in die hand te hou, en tussen die blomme was dit maar weer blinkblaarblare. Jy praat en jy kyk en jy keer, maar dis nie te sê dat dit altyd help nie.

Vir die Italiane het ek darem 'n ekstra sweep gekry om hulle aan die gang mee te hou: die stertster. Elke nag het hy vroeër opgekom en helderder kom sit om die vrees in hulle te hou om weg te kom. Hulle het al minder uit die loon gekoop. En dit was nie net die Italiane wat bang gebly het vir die ding nie: teen November se maand het hy uit die Waterslang geskuif en al hoër gesit, al blinker, al groter, en nog drie van Dunn se manne het hulle goed gepak en teruggegaan Engeland toe. Twee het in die pad geval Kaap toe. Dunn het een van Fardini se seuns, Alberto, uit die span gevat en by die meul gesit en die dag daarna, toe vat hy vir Cuicatti ook.

En die stertster skuif geleidelik saam met die naghemel oor na die weste toe. Daar is aande wat dit wil lyk of hy twee sterte het en die vroumense maak vroegaand die gordyne toe en hou die kinders binne. Mirjam loop net so vol onrus; sy dink ek kom dit nie agter nie, maar ek weet. En ek bly maar stil toe ek die aand by die huis kom en die beker met die blinkblaarblare op die tafel staan. Die dae was hard, daar was nie krag oor vir stribbels nie, ek sê maar niks. Elke aand staan ek die verskynsel en aanskou en ek sê vir myself: Silas Miggel, iets ís verkeerd. Wat weet ek nie, dis in die lug, dis of my voete en my bene en my hande en my arms dit weet; dis nog net nie in my lyf om by my kop te kom nie. Einde van Desember sit Dunn my loon met 'n sjieling 'n dag op en die Italiane s'n met ag pennies. Fardini hou boek van die skipgeld en stadig word dit meerder en meerder. Die saagmeul saag en die dwarslêers groei. Ek laat nie meer uitval vir reëndae nie, reëndae sleep ons uit, al is dit pappery.

"Hoe lank kan Pa aanhou om hulle so te dryf?"

"Jy't gehoor Robolini het Krismismôre gesê volgende Krismis is hulle by die huis."

"Kyk hoe lyk Pa, kyk hoe lyk Pa se klere, dis nie meer klere nie, dis ploiens. Hoekom vat Pa nie van die geld in die blik en koop vir Pa 'n baadjie nie?"

"Dunn sê Walker het vir hom gesê Maartmaand word die eerste lotte opgeveil. Wet is wet."

Daar was nie in my twyfel dat die ergste agter gelê het nie, al wat vorentoe gelê het, was uithou. En tog was daar iets wat nie reg was nie. Ek soek dit en ek kry dit nie. Daar is dae wat ek my glad beginne verbeel dat ek dit op ander se gesigte sien as hulle na my kyk. Tot op Dunn se gesig. Dis of daar anders na my gekyk word, of ek die pokke het en dit nie weet nie. Die dwarslêers groei tot teen my agterste heining en die stertster groei die hele hemel vol. Ons wen 'n mooi klompie aartappels en uie vir die Italiane en spaar baie loon. Aartappels staan op twaalf sjielings en 'n sikspens die sak en uie op tien sjielings.

"Wanneer begin julle die dwarslêers uitry dorp toe?" vra ek vir Dunn.

"Februarie. Ek sal ekstra waens nodig hê vir die uitry; sê vir die bosmense ek betaal ses pennies vir elke dwarslêer wat by die kaai afgelaai word."

"Hoe ver is hulle met die kaai?"

"So te sê klaar. Jy moet maar sê as daar iets is waarmee ek kan help, Miggel." Hy vra skielik vir mý of daar iets is waarmee hy kan help.

"Help waarmee?"

"Ek vra maar net."

Ek verstaan dit nie. "As ek net 'n wa gehad het, het ek die Italiane snags laat dwarslêers ry," sê ek vir hom. "Sikspens 'n lêer is goeie geld, dit kan 'n kind of twee op 'n skip kry."

"Hoe ver is hulle?"

"Op die langste nog so tien maande, en ek gee Mister nou al notice: die dag wat ek hulle laai, is die dag wat ek by hierdie saagmeul uitval."

"Hulle is knap werkers, Miggel; ek weet hulle kan nie hier bly nie, maar ek is bereid om later weer na hulle loon te kyk as hulle net 'n ekstra jaar wil aanbly. As ek net eers voor kom met die kontrak, Miggel."

"Mister, ek mag verkeerd wees, maar ek dink nie hulle sal 'n ekstra uur bly nie."

"My broer wil 'n gedeelte van Portland koop en stel belang om Coccia en Pontiggia in diens te neem."

"Hy kan daarvan vergeet. As een klim, klim almal."

"As hulle 'n ekstra ses maande aanbly, onderneem ek om twee van die Grassi-kinders se passate te betaal."

"Mister sal my nie omkoop nie. Vir hulle ook nie." Ek het in elk geval klaar besluit gehad: as Ilario iets moes oorkom, of hy kon glad nie meer nie, sou ek vir Petroniglia van die kinders se skipgeld gee.

En net die dag daarna kom ons by die skerm vir halfdag se eet en rus, en sit Mieta lekker by Ilario met 'n emmertjie koffie. Sy kyk my stip in die oë en sy sê: "Die lelies blom, Silas Miggel."

"Ek weet," sê ek. "Dis Februarie, maar ek weet nie of ek vanjaar daar kom nie. En ek hoop jy het weer vir Ilario van daardie ander medisyne gebring, hy is goed op die voete en hy moet daar bly."

"Ek is meer bekommerd oor jou as oor hom. Kyk hoe lyk jy. Jy's besig om jouselwers blind te werk. Die lelies blom, sê ek jou."

Sy was nie meer reg in die kop nie. "Ek weet die lelies blom. Jy moet vir daardie seun van jou sê hy moet vir my sy ou flenterwa gee, ek sal hom regmaak. Ek wil snags begin dwarslêers uitry dorp toe."

"Die teken is in die lug."

"Hy raak nou elke aand dowwer."

"Dis reg. As jy gepraat het, het jy gepraat. Dié wat moes hoor, het nie gehoor nie; dié wat moes sien, wil nie sien nie."

Sy was nie meer reg in die kop nie.

Van die middel van Februarie af het die waens gekom en die dwarslêers begin uitry dorp toe. Vrag op vrag op vrag. Stefaans van Rooyen en Gert Oog en Tol en Adam Barnard het uit die Bos gekom en 'n ekstra pennie kom verdien.

"Hierdie saagmeul is besig om ons brood uit ons mond uit te

saag, Silas!" kla Adam. "Ons sukkel om slippermote verkoop te kry, die kopers sê daar kom te veel hout uit die Bos. Stinkhout se prys is ook af. Annie sê jy moet maar praat as ons kan help."

"Help met wat?"

"As daar iets is wat ons vir jou en Mirjam kan doen."

"Ons het darem nog genoeg van alles, dankie. Die stryd is maar net om die Italiane aan die gang te hou. Die hout maak hulle klaar."

"Ja, ek sien dis lankal nie meer dieselfde mense wat hier aangekom het nie, hulle is verniel."

"As dinge hou soos dit is, laai ek hulle Novembermaand."

"Praat maar as daar iets is."

Die Saterdag kom Sias van Stefaans van Rooyen van Spruitbosse-eiland af by my aan waar ons kap, en kom sê my suster Hannie laat weet ek moet dringend en vir seker die Sondag tot by haar kom. Ek vra hom of daar siekte is, hy sê hy weet nie, maar Hannie huil al lank. Ek sê vir hom Hannie hou van huil, maar hy moet vir haar loop sê ek sal die Sondag kom tot daar. Dit was in elk geval toe al die derde boodskap wat sy agter my aanstuur.

En die Sondag vra ek vir Mirjam of sy nie wil saamstap nie; sy sê nee, sy sal maar bly, dit lyk vir haar of Roberto, die oudste kind van Robolini, wil uitslaan van die masels. Ek sê vir haar dis Sondag, sy moet 'n slag 'n ander rok aantrek, sy bly in dieselfde een. Sy sê sy sal. Ek sê vir haar sy moet 'n bietjie rus, ek sal sommer by Hannie iets eet. Die hele week het sy en Petroniglia en Mariarosa en Antonia en van die groter kinders takheinings gekap en gepak vir die twee groentekampe onder op Cuicatti se lot, die een wat hy by Taiani geruil het en wat die meeste na die westekant toe lê, 'n bietjie onder die saagmeul se voete uit. Elke krummel kos wat die vroue gewen het, het loon gespaar. Waar hulle aan die paar wingerdstokke gekom het wat hulle om die kante ingelê het, het ek nie gevra nie. Solank hulle hulle hande besig hou, het dit beter gegaan en het Mariarosa minder die wildeskree gekry.

"Hulle het begin om die matrasse te stop, Pa."

"Dis goed. Julle moet kyk dat daar vir Borolini 'n matras gemaak word, hy het sonder een hier aangekom."

"Ons sal."

"Daar is 'n ding wat ons nie praat nie, Mirjam. Dit lê in die huis, dit lê oor jou gelaat, maar ons praat nie daaroor nie. Dis Februarie. Die lelies blom."

"Ek weet, Pa. Ek het vir Pa gesê ek sal nie opstandig kom raak nie. Ek loop nie meer Bos toe nie."

Ek sou verstaan het as sy liewerster opstandig was en gehuil het, maar sy het nie. Sy het gedurig geloop soos een wat privaat is en skrik as jy praat. Toe sy klein was en 'n doring breek af in haar voet, sou sy op haar tande kners om nie kruppel te loop sodat ek dit moes agterkom en die naald vat nie. Sy't hom laat uitsweer en self uitgekry.

Toe Hannie die deur oopmaak, toe is dit net trane. Ek vra of daar siekte is. Nee, daar's nie siekte nie, almal is wel. Sy skink vir my koffie en breek vir my 'n patat oop. Sy praat nie, sy snuif net, en ek erg my tydsaam waar ek sit.

"Hannie," sê ek, "ek het nie my moeë lyf tot hier gebring om te kom sit en kyk hoe jy grens nie. Die saagmeul is besig om alles en almal op te vreet; as daar nie 'n rusdag is nie, kom ek nie deur die week wat voorlê nie. As jy gebrek het, sê my dan, ek kan vir jou iets uit my geldblik haal, al doen ek op die oomblik myself te kort om nie 'n pennie onnodig uit te haal nie. Maar moet net nie daar staan en aanhou snuif nie!"

"Die Woord sê in die laaste dae sal daar tekens verskyn."

"Dis te laat om oor die stertster te huil, Hannie, hy's besig om flou te raak en die wêreld staan nog net waar hy gestaan het."

Sy het haar gesig aan haar voorskoot drooggevee en my skielik met droë oë ingevlieg: "Silas, vir jou mag die wêreld nog staan, maar daar's ander vir wie hy klaar gekantel het. Wanneer laas het jy jou meisiekind aangekyk?"

"Ek kyk haar elke dag, sy's gesond. Ek weet sy werk hard, maar dinge beginne beter raak en ons moet saam uithou."

"Jou meisiekind, Silas, is in die ander tyd, sy moet 'n kleintjie kry!"

My voete het dit geweet, my bene, my hande, my arms; my lyf het gekeer dat dit nie by my kop kom nie, want my lyf het geweet ek sal van my verstand af raak. Ek het opgestaan en uit Hannie se huis geloop sodat ek kon wegkom voor ek ingee. En eerste gee jou oë in, niks bly op sy plek nie. Jy loop deur die Bos, maar die bome is nie ingewortel nie, hulle staan los op die grond, dit lyk of hulle gaan val. Jou kop word al groter. Jy sluk, maar jy sluk teen jou eie gorrel vas; jou asem roggel deur die fleim, jy vergeet om te hoes. Jou oë kyk nie waar jy loop nie, jy loop net, want jy moet wegkom onder Hannie se woorde uit sodat dit nie moet waar wees nie. Jy wil hardloop, maar jou kop is te swaar; jy roep na bowe, maar niemand hoor jou nie. Dis net die swerm kakelaars wat in die bosdak vir jou lag. Sewe-en-twintig skote het Petrus Brand-eiland se bul gekry. Een skoot vir Silas Miggel. Petrus Brand-eiland se bul het sy lyf teen 'n kalander gestut. Silas Miggel stut sy lyf teen 'n upright. Mieta. Mieta het gesê ek moet haar bring, maar dan moet dit gou wees. Hoe gou? Ek moes by Mieta kom. God kon my later vergewe. My voete het kortpad deur die ruigte gevat om terug te kom op Spruitbos-se-eiland; my lyf voel nie 'n tak of 'n skraap nie, ek moet gou daar kom. En Mieta sit voor die deur asof sy gewag het.

"Dis te laat, sy's te ver."

Jy loop. Jy loop en jy loop. As ek haar net tussen 'n trop grootvoetkoeie kon sit sodat sy saam met hulle kon wei totdat dit haar tyd is; grootvoetkoeie help mekaar. Ek dwaal, ek weet, ek is soos een in sterwensangs. As dit die pokke was, kon ek haar gesig met olie insmeer sodat sy nie skend nie, ek kon haar deurhaal. Dan begin die woede in jou opstaan; jy loop al vinniger en vinniger, jy loop tot voor jou eie deur.

"*Wie?*" Ek het die eerste ding wat voor my gestaan het gevat en tot in die vuur gesmyt en dit was die lamp. "*Wie?*"

"Wil Pa nou die huis op ons afbrand?" Asof sy niks makeer nie, asof sy my moes paai. Die vlamme het hoog in die kaggel opgeskiet en die soet reuk van lampolie het in my neus opgeslaan.

"Wie? Ek wil weet wie dit aan jou gedoen het!"

"Moenie so te kere gaan nie, Pa."

"Is dit Jacob?"

"Gaan Pa nou almal begin opnoem wat in Pa se kop is?"

"Ek wil weet wie!"

"Pa kan my doodmaak, ek sal nie sê nie."

"Here, help ons." Ek was klaar, ek moes gaan sit. Die vrees wat oor my gekom het, was soos 'n pikswart nag. "Ons moet iets doen!" skree ek vir haar.

"Daar is niks wat ons kan doen nie, Pa. Ek is jammer dat ek skande oor die huis bring, dat ek skande oor Pa bring. Kyk hoe lyk Pa. Ek sal bid dat dit 'n seun is, want as ek iets oorkom, moet Pa hom grootmaak."

Toe Magriet die nag gesterf het, het ek 'n man se huil in die Bos loop huil. Nou het ek opgestaan en na my houtkamer toe geloop en daar gaan sit. Ek het nie oor Mirjam gehuil nie, ek het net gesit, en dit was erger. 'n Mens trek al krommer en krommer, al meer inmekaar, jou kop is later tussen jou knieë. Amêrika het altyd so langs die tent gesit aan die begin, Borolini het ook die gewoonte gekry. Jy kan dit nie help nie, dis of 'n kramp jou opfrommel.

Ligdag het Mirjam vir my koffie gebring.

"Hoekom? Sê net vir my hoekom?"

"Drink Pa se koffie."

"Wanneer moet die kind aankom?"

"Einde van April." Sy was so kalm. Ek kon dit nie verstaan nie. "Drink Pa se koffie, Robolini en Mangiagalli is al by die hek."

"Ek is klaar met hulle. Ek is klaar met die meul."

"Pa kan nie nou los nie! Hulle is verby halfpad met die skip-geld, Pa kan dit nie doen nie!"

"Ek is klaar. Jy sal nie weer aan 'n besem of 'n graaf vat nie, jy sal in die kooi gaat lê; nie 'n paling sal jy vang of 'n bok afslag nie. Ek sal dit doen. Daar's 'n nuwe dokter op die dorp, daar's geld in die blik, ek kan betaal. Ek sal die laaste pennie uithaal en betaal."

"Pa praat nou dom en Pa weet dit nie. Pa moet opstaan en Bos toe gaan, Pa kan hulle nie nou los nie!"

"Nee, ek is klaar met hulle."

"Dan sal ek die geweer vat en saam met hulle gaan kap."

Die ergste was dat ek geweet het sy sou dit doen. By alles was sy nog koppig ook en ek moes opsukkel en loop bylvat, al was die dood in my eie lyf.

Hoe ek deur daardie week gekom het, weet ek nie. Die byl het by die dag swaarder in my hande geword en saans kon ek bekwaald my voete by die huis kry.

"Signor Miggel wys hom vir ons, ons dra hom tot op dorp, hy trou met Mirjam."

"Julle weet nie waarvan julle praat nie."

"Ons gaat hom kry vir signor Miggel."

Die Sondag is ek weer Bos toe. Bo by die lelies het ek op my knieë in die modder gaan staan en gebid soos alleen 'n mens in sy grootste nood kan bid. Ek het vir die Here gesê: vat vir my, vat vir Silas Miggel, vee hom plat, laat die grootvoete hom trap, maar spaar vir Mirjam. Die lelies het daardie jaar geblom dat jou oë seerkry van die rooie plaat. Teen halfdag was dit of my gebede van die een kant tot die ander kant oor hulle rol en in die Bos in wegtrek. Dit was of ek elke voël tot stilte bid, die wind ook. As my boude wou sak om op my hakskene te rus, het ek my rug hol getrek sodat ek nie sak nie. Ek wou my voor die Here pynig in my nood en ek het gevra dat as dit moes uitkom dat dit tog maar al die tyd Pontiggia was, Hy my hande moes vashou sodat ek nie moor nie. Ek het daardie dag gebid totdat die skaduwees oor die lelies kom lê het, en toe ek opstaan, toe lê daar in my 'n geloof soos 'n berg.

"Mirjam," sê ek toe ek in die huis kom, "daar moet klaargemaak word vir die kleintjie. Hy kan nie in vodde kom lê nie. Ek sal vir Dunn vra om die span Dinsdag op die houtwerf te sit, al is dit teen halfloon. Ek sal die lap op die dorp gaan koop en die vroue sal moet help met die naald. Daar moet jurke en doeke en naelbande en toedraaigoed gemaak kom, flenniekappies vir die kop. Wat hy moet hê, moet hy hê. Die wieg se maak is niks, ek het die hout, ek maak hom saans by die lantern." Ek praat en ek praat, maar dis of sy nie erg het nie. "Daar moet 'n duwwele matras gemaak word; as die een nat word, moet daar 'n droë wees. Mirjam, los die skottelgoed en luister na wat ek sê! God sal ons help, ons moet net glo."

"Ja, Pa."

"Die beste sal wees om twee groot komberse te koop en deur te knip en om te soom. 'n Paar stukke linne vir teen die lyf onder die kombers. Ek het jou altyd eers in die linne toegedraai en dan die komberse oorgegooi. Mirjam, los die skottelgoed en praat 'n woord! Ek sit van my verstand af en jy staat asof jy jou oor niks traak nie!"

"Ek is jammer, Pa. Ek kan nie vir Pa sê hoe jammer ek is oor wat ek besig is om Pa aan te doen nie."

"Vir wat het jy dit aan *jouself* gedoen?" Die vraag het hoe lank in my gekook, ek moes dit vra. Sy het die nat bord in die doek gedraai en neergesit en daar het 'n bitter trek in haar oë gekom. Sy het my aangekyk asof sy nog besluit of sy moet praat of nie. "Hoekom het jy dit oor jouself gebring?" vra ek haar weer.

"Omdat ek gedink het dit sou nie regtig met my gebeur nie. Ek het gedink God sal my jammer kry en vir my keer, want God alleen weet hoe lief ek een enkele man op hierdie aarde het. God weet dat ek nie vir Pa gelieg het die dag toe ek gesê het ek vra net 'n oomblik van my hele lewe voordat ek omdraai en my lot aanvaar nie. Ek het ook nie gelieg toe ek gesê het ek sal omdraai wanneer die lelies blom nie, dit was 'n pad wat nie verder sou loop nie. Toe ek uitvind dat ek 'n kind gaan hê, wou ek my hande in my lyf in steek en graaf en graaf totdat dit nie meer waar is nie, want toe was die lelies skielik nie meer die einde van 'n pad nie, maar die kind. Toe Giuditta haar kind verwag het, was sy bly en Angelo Mangiagalli was saam met haar bly. Ek is nie bly nie, Pa."

'n Bewerasie wou my oorval; my meisiekind het gepraat soos een van wie die moed klaar dood is. "Jy mag nie sulke dinge sê nie, Mirjam! Ons moet glo en ons moet regmaak vir die kind. Jy moet vir my sê wie die kind se pa is, ek moet weet waar sy bloed loop. Mirjam, moenie net so staan nie!"

"Pa, daar is 'n ding wat ek vir Pa wil vra en wat Pa my voor die Here moet belowe."

"Wat?"

"Belowe my dat Pa bedags vir Petroniglia of Mariarosa na die kind sal laat kyk, maar dat Pa nie Pa se hand van die Italiane sal wegneem voordat hulle nie genoeg skipgeld het nie."

"Jy praat soos een wat laaste orders afgee. Moenie! God sal ons help!" Ek wou die geloof in haar in skree.

"Ek is nie heeltemal sonder hoop nie, Pa." Sy het om die tafel geloop en die deur toegemaak. "Die stertster is besig om weg te gaan. Ek wonder waarheen hy gaan, ek wonder waarheen 'n mens gaan as jy doodgaan."

"Mirjam, nee!"

Sy het vinnig na my toe gedraai en my vas in die oë gekyk. "Moenie dat ons vir mekaar lieg nie, Pa," het sy gesê. "Ek is bang. Baie banger nog as Pa. Elke dag is die lug vir my 'n bietjie blouer, 'n bietjie mooier. Ek loop in die Bos in, ek vat aan die bome, ek buk en ek voel hoe sag die tongblaar tussen my vingers is; ek loop deur die onderbos en ek vat aan die ranksaffraan en die muishondblaar, ek trek my hande deur die varings en voel hulle teen my gesig kielie. Ek kyk op en ek sien hoe hoog die geelhoute bo die bosdak hulle koppe uitsteek, hoe trots hulle staan. Ek sien hoe klein die bloubokkies trap, hoe sonder sorg alles is, hoe skoon die spruite is, hoe vol plesierigheid. Moenie dat ons vir mekaar lieg nie, Pa; as ek leef, sal ek leef. Ek sit by die Italiane en ek sien onder al die lawaaierigheid, onder die droefenis oor wat met hulle gebeur het, borrel hulle van die lewe, en ek word nog banger. Pa moenie so ongeduldig met hulle wees nie, moenie hulle so verskriklik dryf nie, dis nie nodig nie, dis in hulle eie wil om terug te gaan na hulle land toe. Dis net Pontiggia wat miskien sal agterbly."

Die oomblik toe sy dit sê, toe pak 'n agterdog my om die keel. "Hoekom?" vra ek. "Hoekom Pontiggia?"

"Dis maar net 'n gevoel wat ek het, Pa."

"As hulle klim, klim almal."

"Pa moet na Borolini kyk."

"Dit help nie, ek weet nie of hy siek is nie."

"Hy is siek van huis toe verlang."

Tien

Op die laaste dag van Februarie het hulle die eerste drieduisend dwarslêers by die nuwe kaai op die *Ambulent* gelaai. Nog twee-, drieduisend het reggelê vir die volgende skip.

"Hout, Miggel, hout! Julle bring uit, maar dis nie genoeg nie, ek wil van hier af elke week 'n paar duisend laai!"

Ons het gekap en gesaag en uitgesleep. My oë was oral, my gemoed sonder 'n oomblik se rus van kommer. Ek wou 'n wig voor die son inkap sodat die dae nie so gou verby moet gaan na Mirjam se tyd toe nie. Daar was dae wat die angs my só oorval het dat ek in sweet uitgebars het soos een in koors. Ek het die wieg gemaak, 'n mooie wieg van stinkhout. Petroniglia en Mariarosa het vir my die kind se goed gemaak en Mirjam het skaars daarna gekyk.

Twee keer is ek dorp toe en ek moes daglank wag voordat ek die nuwe dokter kon sien om hom van Mirjam te sê. Van haar ma, van haar ouma. Ek het gehou van die man, 'n dokter Brown, hy het aandagtig geluister. Ek het vir hom gesê ek het geld, ek kan betaal. Ek het gesê ek sal die pad teen Gouna se steilte 'n bietjie gaan lap sodat hy met min sukkel op die platrand kon kom met sy perdekar. Ek sou sorg vir die perde se voer, alles. Toe sê hy dit sal beter wees as ek haar liewerster vroegtydig by mense op die dorp kan sit. By wie? Ek vra of hy nie vir haar plek het nie; hy sê hy het nie, hy's jammer. Petroniglia sê sy en Mariarosa het vir Giuditta gehelp, hulle sal vir Mirjam ook help. Ek sê vir haar Mirjam is nie Giuditta nie. Ek loop weer dorp toe en kry by Smit 'n kamer in sy agterplaas, ek sê vir hom al is dit net vir veertien dae vir my en Mirjam. Ek sal self die katels bring, 'n tafel en 'n stoel ook. Ek sê vir Dunn hy sal my moet laat aflê vir die tyd. Ek sal met Josafat Stander praat as ek hom weer sien; hy moet saam met die Italiane gaan kap, hulle sal hom vertrou. Dunn sê hy verstaan.

"Waar's die bastard, Miggel?" vra hy vir my. "Hoekom trou hy nie met Mirjam nie?"

Ek sê niks. 'n Man leer om jou oë grond toe te wend. Ek loop weer dorp toe, ek betaal Smit vooruit vir die kamer en sê vir hom ek sal die eerste week in April kom en die plek 'n bietjie kom skoonmaak en die goed kom insit. Joram Barnard het gesê hy sal met sy wa kom en die goed vir my tot op die dorp bring.

"Is dit een van die Italiane wat jou meisiekind in die moeilikheid gebring het?" vra Smit my die dag. Ek sê niks. Ek wend my oë neer.

Die pad uit platrand toe was uitgekalwer van die waens wat die dwarslêers uitry. Ek sou 'n matras onder Mirjam moes sit as ek haar die dag op die houtslee laai om dorp toe te neem.

Die derde week in Maart voor ek 'n nuwe seksie aan en laat die skerm ook skuif. Kort voor ons die dag uitval, kom Mieta verby met haar sak pluksels vir die medisyne.

"Pluk jy nie meer in die nag nie, Mieta?"

"Net partykeer nog. Ek hoor jy gaat haar dorp toe vat?"

"Ja."

"Dis goed. Ek is te oud, my hart sal ingee as ek haar ook moet afgee. Dis goed lat jy haar dorp toe vat."

Die dag daarna laat sleep ek die laaste hout van die ou plek af uit en sononder kom ons met die laaste op die platrand aan. Ek kyk op en sien Vittoria Robolini en Antonia en Luigia en Monica by my hek staan, koppe geboë. Ek skree vir Robolini om oor te vat by die osse en ek hardloop.

Mariarosa is in die kombuis by die vuur en kook die water. Petroniglia is in die kamer by Mirjam. Sy lê al. Ek staan in die deur en ek kan nie asem kry nie.

"Gaan haal vir Mieta," sê Petroniglia. Sy sê dit hard.

"Nee, ek moet haar op die slee kry."

"Haal vir Mieta, signor Miggel!"

"Nee, die dokter moet kom."

"Haal vir Mieta!" sê Petroniglia. "Hardloop vinnig, sy het al vanoggend begin. Gaan haal vir Mieta."

Ek kan nie roer nie. Mirjam se oë is toe, haar arms lê slap bo haar kop. Toe die volgende pyn haar vat en sy die katelstyl gryp, toe roep ek Boontoe en ek hardloop. Sonder lantern. Ek hardloop. Ek hardloop tot voor Mieta se deur en ek sweer ek is iewers teen 'n trop grootvoete verby. Mieta vat die bladsakke met die medisyne en ek vat die lantern en net die Here weet waar daardie ou vrou die krag gekry het om by te bly met die teruggaan.

Toe ons op die platrand uitkom, toe sit die Suidekruis vir tienuur en Mirjam veg om die kind uit te kry. Nes Magriet. Ek gaan sit op my hurke in die hoek van die kamer, drie kerse brand by die voetenent. Die een oomblik is dit Magriet wat daar lê, die ander oomblik is dit Mirjam. Ek weet ek is bedwelm, ek droom 'n droom wat ek al tevore gedroom het en iemand het die wieg ingedra. Daar is donker lywe in en uit van die kombuis af; Petroniglia praat op haar eie taal, miskien is dit bid. Ek kan nie bid nie. Ek roep net: Here, Here, Here. Mieta vee Mirjam se kop af. Sy bind 'n riem aan die voetenent en sit die punt in Mirjam se hande. Buite onder die venster kom sing die Italiane 'n sagte lied en ek proe die trane in my mond, ek het nie agtergekom ek huil nie.

Uur na uur worstel sy sonder om verlos te kom. En eers teen die einde maak sy haar mond oop om te skree soos net 'n vrou in barensnood kan skree. Vat die kind, Here! Vat die kind! Petroniglia lê haar kraletjieskruis op Mirjam se bors en vee haar kop weer droog. Daar is nie meer beddegoed oor haar nie, haar asem jaag al harder en Mieta vat oor by die voetenent. Toe dit Magriet was, moes ek haar help die nag.

"Vat vas die riem, Mirjam, en trek wanneer ek sê jy moet bring."

Ek maak my oë toe, ek voel my lyf word krommer en krommer en my kop sak tussen my knieë in. Vat die kind, Here. Vat die kind. Maar die Here vat nie die kind nie, die kind is uit want hy skree. Ek wil hom nie sien nie. Magriet het nog 'n uur geleef.

"Silas Miggel?"

"Mieta?"

"Kyk op, dis 'n seun. Sy's nie soos haar ma nie; dit was swaar, maar sy's deur."

Ek tel my kop op en maak my oë oop. Langs Mirjam kniel 'n man met sy rug na my toe en hy hou haar vas. Iemand het die dokter gaan haal. Dis nie die dokter nie, dis Josafat Stander.

Halfdag het die boswagter die tyding gebring: die eerste dwarslêers wat in die Kaap aangekom het, is afgekeur. 'n Spesiale komitee is aangestel om 'n ondersoek te doen en totdat hulle besluit het, moet die meul staak en mag daar geen verdere dwarslêers gelaai word nie.

Hy het dit vir my in die houtkamer kom sê waar ek gelê het. Ek het elke woord gehoor, maar dit eenkant neergesit, want daar was nie plek in my lyf nie. Ek was soos een wat ingegee het onder alles. Ek kon nie 'n krummel kos in my maag hou nie, alles het uitgekom.

Die môre van die derde dag het Josafat Stander die durf gehad om my in die oë te kom kyk. "Voel jy al beter, oom Silas?"

"As jy 'n man is, sal jy my geweer loop haal en vir my bring!" Ek het meteens beter gevoel. "Vrek sal ek jou nie skiet nie, maar kwes sal ek jou lat jy dit vir die res van jou lewe onthou. Vuilgoed!"

"Oom moet opstaan. Mirjam wil my kind vir oom wys."

"Vabond! Onder my twee oë het jy my meisiekind verlei."

"Ons trou sodra sy opstaan."

"Dan kwes ek jou nie, dan skiet ek jou liewerster heeltemal vrek." Ek het my broek begin aantrek. "My meisiekind sal nie met 'n ivoorsteler trou nie, dit sê ek jou nou. Oor haar kind hoef jy jou ook nie te bekommer nie, ék sal hom help grootmaak."

"Dis mý kind. En dis nou drie dae wat ek hierdie spul Italiane vir oom gevoer het. Ek het vir hulle loop vuurmaakhout kap, ek het vir hulle loop palings vang, maar verder het ek nie vir hulle raad nie. Hulle is in 'n opstand, oom. Hulle sit sonder werk, die mans trap stof uit en die vroue huil. Dunn is weg Kaap toe om te gaan hoor wat aangaan; hulle sê daar word voorgegee dat geelhout nie gaan hou op die grond onder die treinspore nie. Die goewerment mag dalk die hele kontrak kanselleer."

"Staan soontoe lat ek by my skoene kom. Vreksel! Jy kon haar pa gewees het."

"Ek is nie. Ek is sestien jaar ouer as sy en dis soos ek dit wil hê. Ons trou sodra sy opstaan."

"Jy sal Mirjam nie kry nie." Ek het die storie van die dwarslêers eenkant toe geskop; ek is nie onnooslik nie, daar was niks met daardie dwarslêers verkeerd nie. Ek was terug op my voete en eerste wou ek by my meisiekind kom, die res kon wag. Ek het Josafat Stander gesê om pad te gee van my werf af, ek wil alleen na my kind toe.

Sy het teen die kussing gesit, mooier as wat sy ooit was. Die kleintjie het langs haar in die wieg gelê wat ek so netjies gemaak het.

"Ek leef, Pa."

"Jy leef, Mirjam."

"Ek het 'n kind, Pa."

"Jy het 'n kind, Mirjam. Ek sal 'n groter venster moet inbreek, hier kom te min son vir hom in."

"Josafat sê die kind sal nie op die platrand grootword nie, hy gaan vir ons 'n huis op die dorp koop."

"Ons sal later praat." Sy moes rus. Die platrand was haar plek en my plek en die kind se plek, maar ons sou later daarby kom. Koppigheid is nie goed vir die kind se melk nie.

"Ek was bekommerd oor Pa. Ek het geweet Pa kon nie so aanhou nie."

"'n Mens gaat soms lê om weer krag te kry, Mirjam. Jy moet ook lê. Mieta moet bly tot jy sterk is; ek sal vir Petroniglia sê om ook te kom help."

"Fardini was hier, Pa. Hy sê Pa het hulle aanmekaar weggejaag by die houtkamer. Pa moet loop uithoor wat aangaan. Hy sê daar is 'n moontlikheid dat die dwarslêers in die een of ander mengsel gedoop kan word en dat die goewerment nie die kontrak sal kanselleer nie, dat hulle hulle werk sal terugkry. Maar hulle is bang, Pa."

"Daar's niks om voor bang te wees nie. Die dwarslêers makeer niks."

"Ek is lief vir Josafat, Pa."

"Die kind se kop lê te hoog. Petroniglia het die kussing te styf gestop, sy moet die ding kom regmaak."

Dit was 'n mooie kind. 'n Ivoorsteler sou hy nie word nie, daarvoor sou Silas Miggel keer.

Ek het in die pad geval dorp toe, na Walker toe. Ek het vir Fardini gesê hy moet die ander kalm hou tot ek terugkom. Dit sou nie help om stories op te tel nie, ons moes die regte tyding in die hande kry en dan verder dink. Intussen sou daar nie aan 'n pennie van die skipgeld geraak word nie. Hulle moes suinig werk met die meel.

"Ek het kom uithoor van die dwarslêers," sê ek vir Walker toe ek voor hom staan.

"Ons wag dat die aangestelde komitee tot 'n besluit kom."

"Wat se komitee? Wat weet hulle van geelhout af?"

"Hierdie is 'n saak waarmee jy niks te doen het nie, Miggel, Mister Laing het die dwarslêers afgekeur en 'n regverdige ondersoek is gelas."

"Waarvan moet die Italiane intussen leef? Toe julle die toelaes afgevat het, het julle geweet die saagmeul is op pad, julle kon hulle met 'n geruste hart uithonger. Wat het julle hierdie keer bedink?"

"Miggel, asseblief! Hierdie saak het niks met jou te doen nie."

"Ag so? Wie die bliksem het van die begin af na alles gekyk? Wie staat dag in en dag uit oor hulle voorman?"

"Sover ek weet, is jy in diens van Fox en Dunn."

"En Fox en Dunn is in hulle moer."

"Jou taal, Miggel! Jy is nie nou in die Bos nie."

"Ons bosmense vloek nie, Mister, dis ek wat deur julle gestamp is tot waar ek nie meer wil keer nie. Ek wil weet wat julle plan met die Italiane is."

"Hulle is in diens van Fox en Dunn. Ons moet maar wag om te hoor wat die uitslag is."

Ons het gewag. Mariarosa het weer die wildeskree begin kry, en twee keer moes ek Borolini bo in die Bos loop uithaal waar hy man-alleen loop staan en kap het.

"Ek kap, signor Miggel. Ek kry loon, ons gaat huis toe."

"Jy kan nie alleen hier kap nie! Ons moet wag om te hoor wat hulle in die Kaap besluit. Kom."

Die saagmeul het gestaan soos 'n ding waarvan die asem uitgeblaas is. Die platrand het stiller en stiller geword. Al wat Engelse kapper en saagmeulwerker is, het begin dorp toe trek om daar te gaan wag. Die winkel het nie meer bedags oopgemaak nie, dit was nie meer vir die man die moeite werd nie.

En Mirjam was koppiger as koppig. Ek sê vir haar sy kan nie die kleintjie elke oggend in die sinkbad sit en afwas nie, sy velletjie is dun, maar sy hoor nie. Sy seep hom nog boonop in ook. En Josafat Stander jaag ek elke dag van my werf af, maar hy loop nie.

"Hou op om teen Pa se verstand te stry! Pa moet na die Italiane omkyk, Josafat sal na my en die kind omkyk. Borolini is al weer weg met die byl."

Ons wag. Ek sê vir Fardini hulle moet een van die osse slag; die strikke lê leeg en daar sal nie 'n pennie van die skipgeld gevat word nie. Elke tweede dag loop ek dorp toe om by Walker te gaan vra of die uitslag al gekom het. Of Dunn al terug is.

"Jy kom mors my tyd, Miggel! As ek iets hoor, sal ek die boswagter stuur om julle te sê."

"Die Italiane staat meer as halfpad huis toe, Mister, so waar as die Here, julle moet 'n plan maak. Sê vir die goewerment hulle moet die ander helfte bysit, doen iets, Mister. Dit gaat sleg daar bo op die platrand; alles is besig om weer agtertoe te loop en ek sê vir Mister reguit die dag lê nie ver wat ek vir hulle elke middag gaat inbring dorp toe om te kom armmanskos eet by die tronk nie."

"Daar moet by die kantoor van die magistraat aansoek gedoen word vir die reg tot armmanskos. Hy sal die nodige permissie van die Kaap af kry."

Ek moes klou aan my geduld. "Die beste sal wees as julle my op die skip Kaap toe sit solat ek self vir die dwarslêers kan gaat praat. Wie sê hulle weet iets van hout af?"

"Daar is sprake dat die hout wat vir die dwarslêers gebruik is, van 'n minderwaardige gehalte is."

"Dis 'n lieg!"

"Dis wat ek hoor."

"Die hele wêreld se treine kan oor daardie hout kom loop, ék sê dit vir Mister, die hele wêreld se treine en jy sal dit nie eers sien nie. Voorlat hierdie ding nóg 'n moerbeibos word, moet julle vir my in die Kaap kry!"

"Jy kom mors my tyd, Miggel."

Die Vrydag kry ek vir Robolini en Tomé en Mangiagalli by Witkop se draai met meel en suiker en koffie en nog ander winkelgoed, en op die oomblik weet ek dis van die skipgeld gekoop.

"Kan nie anders nie, signor Miggel."

Elke keer as ek by Walker kom, moet ek langer voor die deur staan en wag voor hy tyd het om my te sien. Die Woensdag kom hy glad nie eers uit nie. Dis Dreyer, die klerk, wat vir my die nuutste tyding buitetoe bring: die dwarslêers was te lank vooruit gekap en gesaag en hoopgesleep voordat dit op die skip gelaai is, die hout toon tekens van ernstige verweer.

"Loop sê jy vir Mister Walker om vir hulle te skryf, Silas Miggel sê, hulle praat kak. Dis hulle koppe wat aan die verweer is; enige hout verkleur nadat dit gekap is. Hulle moet vir my kom vra, ek sal vir hulle sê wat die regte ding is."

"Die komitee behoort teen volgende week klaar te wees met die ondersoek."

"Ek sal kom hoor."

"Ons sal die boswagter stuur, Miggel. Jy moet ophou om Mister Walker so te kom lastig val, hy gaan nie veel langer met jou geduld hê nie."

"Mister Dreyer," sê ek, "loop sê vir Walker, en sê vir jouself, en sê vir die hele goewerment, Silas Miggel sê, as hulle daardie dwarslêers afkeer, is dit 'n skelmspul en gaat hulle nog baie geduld met Silas Miggel nodig hê. As ek vir hulle raad het, moet hulle kom vuurmaak in daardie saagmeul se gat solat daar gesaag kan kom."

Die Dinsdag is ek weer dorp toe. By Gouna se drif kry ek 'n boswagter en ek vra hom waarheen hy op pad is, maar die man mompel iets van sy werk gaan doen, hy kyk my nie in die gesig nie en loop verby. By Walker se kantoor word die deur amper oombliklik vir my oopgemaak en dis vreemd. Amper asof daar vir my uitgekyk is. En Walker sit agter sy tafel en speel klaar met die nip, soos dit sy gewoonte is, en kyk my ook nie in die gesig nie.

"Die dwarslêers, Miggel, is totaal ongeskik gevind." Net so, asof dit niks is nie. "Die kontrak is gekanselleer."

Ek skrik nie, dis net my een oor wat toeslaan. "En nou? Wat nou van die Italiane?" vra ek. Ek vra dit duidelik.

"Fox en Dunn sal skadevergoeding ontvang en volgens die eerste berigte sal dit net genoeg wees om die koste tot op datum te vergoed."

"Wat van die Italiane, Mister?" Ek vra dit ordentlik.

"Daar bestaan 'n moontlikheid dat die goewerment die meul later mag oorkoop en hier na Knysna toe verskuif. Ek neem aan dat enigeen wat belang stel, sal kan kom aansoek doen vir werk. Dit is nie vir my om in hierdie stadium daaroor te besluit nie."

"Wat nou van die Italiane?" vra ek hom 'n derde keer.

"Al wat ek weet, is dat almal wat in Fox en Dunn se diens was, ontslaan is. Die Italiane is saam met die ander ontslaan. Jy ook. Ek het reeds 'n boswagter gestuur om dit vir hulle te sê."

Ek het my hande agter my rug gesit en vir myself gesê: Silas Miggel, as jy slaan, slaan jy hom dood. "Ek vra Mister vir die hoeveelste keer, wat moet van hulle word?"

Hy het die nip weggeskiet en 'n koggellaggie gegee. "Kom nou, Miggel," sê hy, "jy dink jy bluf my, maar jy bluf my nie. As ek na die lys van klagtes kyk wat teen jóú ingedien is, kan ek nie glo dat jy werklik 'n flenter omgee oor wat van hulle moet word nie. Jy is oor jouself bekommerd, nie oor die Italiane nie, en daarom vra ek jou vir die laaste keer om op te hou om my tyd te kom mors. Die saak is afgehandel."

"Wat se klagtes? Watter kant toe wil Mister nou spring?"

"Klagtes wat teen jou ingebring is, Miggel. Hier lê hulle, ek kan hulle vir jou voorlees as jy dit wil hê."

My ander oor het ook toegeslaan. Hy het sy bril begin skoonmaak en die papiere wat voor hom gelê het, oopgeslaan. Met ander woorde die papiere het reggelê nog voor ek daar was? "Waarmee wil Mister my nou gooi?"

"Ek lees vir jou, Miggel: '*12 Junie 1881*: Silas van Huyssteen, ook bekend as Silas Miggel, weier om vir Italiane 'n byl te leen om vuurmaakhout te kap. Hout moes gevolglik met hande gebreek word. *14 Junie 1881*: Jaag Petroniglia Grassi, vrou van Ilario Grassi, met stok dorp toe en dreig in teenwoordigheid van hoofkonstabel Ralph om haar te slaan.' Nog steeds Junie:

'Ontsê syboere vryheid van geloof en stel voor dat hulle ander geloof aanneem wat nie vis voorskryf vir Vrydae nie.'"

Ek staan daar en ek weet nie of ek aan die lag moet gaan en of ek die tafel op hom moet omkeer nie. "Dis Christie se klagtes wat Mister daar beet het, smyt weg, hy was 'n natbroek."

"'Stel voor dat hulle met blare was in plaas van met seep. Ontsê hulle die reg om by sloot aan westekant water te skep en dwing hulle om by minderwaardige plek aan oostekant te skep waar hy ook sy twee osse laat suip.'"

"Die bliksem!" sê ek. "Wat van al die vuurmaakhout? Wat van al die bokke? Wat van die tente se skuif en die kooigoedbos en al die ander dinge?" Snaaks, ek staan dit en opnoem, maar dis nes 'n klip wat nie wil trek nie. En Walker gaan net aan met lees.

"'Weerhou opsetlik inligting oor wildemoerbeiboom wat in woud voorkom. Weier aanvanklik om genoemde boom aan syboere uit te wys.'"

"Staat ek nou voor die magistraat?" vra ek.

"Nee. Hierdie klagtes is by my ingedien. 'Gedurende die maande van Augustus en September dwing hy Italiane om takke te kap vir heinings terwyl hy met geweer agter hulle staan.'"

"Dis nie waar nie! As ek nie met die geweer gestaan het nie, het hulle nie gekap nie, want dan het hulle bly uitkyk vir die gevaar wat hulle uit die Bos te wagte was. Mister wil my nou hier sit en gooi met Christie se nonsens om weg te kom van die Italiane af."

"Bestry jy hierdie aantygings, Miggel? Bestry jy dit dat jy tot op 'n dag die kinders met rieme aan die tentpale vasgemaak het? Bestry jy dit dat jy geweier het om vir een in 'n uiters onregverdige volstruissaak te getuig? Bestry jy dit dat dit jý was wat voorgestel het hulle moet 'n os slag en toe moes 'n onskuldige man daarvoor in die hof beledig word? Bestry jy dat jy Mister Christie meer as een keer met die dood gedreig het? Bestry jy dit dat jy die Italiane, wederregtelik en vir vier olifanttande, op 'n skip wou laai Kaap toe? Hoeveel van hierdie klagtes wil jy nog hoor? Ek sê vir jou, jy het vir hierdie mense nog nooit tyd gehad nie; jou eie belange op die platrand was al waarvoor jy die hele tyd gekeer het. Daar was selfs 'n tyd wat jy kans gesien het dat Mister Christie met hulle te voet Kaap toe moet loop, oor die driehonderd myl, en dit terwyl jy geweet het dat daar van daardie mense was wat dit nie kon haal nie. Nee, Miggel, jy sal nie vandag vir my vertel dat jy oor hulle toekoms bekommerd is nie; jy is oor jou eie toekoms bekommerd. Jy het nog nooit vir hulle omgegee nie, jy sal ook nooit vir hulle omgee nie en jy sal ook nie verder my tyd kom staan en mors met jou gekerm nie. Die saak is afgehandel."

Ek het nie veel van 'n weerwoord vir hom gehad nie. Al wat ek vir hom gesê het, was dat as hy dink Silas Miggel sou hom laat platry van 'n goewermentswiel wat nou deur die as moes loop om 'n kool te soek, is hy dom. En nog dommer as hy dink hy het die laaste van die Italiane óf van my gehoor.

Toe ek op die platrand kom, toe staan al wat Italiaan is by my hek en dit praat en dit lawaai en dit trek kruise en dit trek hare en dit knak vingers en dit beduie en dit stamp voete en dit maak vuiste.

"Meul gesluit, niks werk nie, signor Miggel!"

"Wat moet van ons word?"

"Skipgeld!"

"Huise trek uitmekaar!"

"Niks werk nie!"

"Skipgeld!"

"Hoe kom ons in Italia?"

Ek het hulle eers 'n bietjie laat uitpraat voor ek gepraat het. "Loop na julle huise toe en kom tot ruste. Môre val julle in. Môre maak ons vuur in daardie meul se gat en die sae gaat loop. Daar's genoeg van julle wat weet hoe die ding werk en ons gaat hom laat werk. Elke stuk hout wat op daardie twee werwe lê, gaat ons opsaag in planke of in balke en ons gaat dit op George verkoop vir skipgeld. Ek sal waens kry. Ons begin voordag en as die son sak, steek ons lanterns op. Teen die tyd lat die goewerment die meul laat skuif, is julle lankal by die huis."

Die eerste het ek aan hulle oë gesien hulle begin hou van wat ek sê, en toe was dit in hulle lywe en in hulle hande en kon ek verbyloop om in my eie huis te kom.

Mirjam was besig om die kleintjie te laat drink. Haar gelaat was die ene onrus toe ek in die deur staan. "Die meul is gesluit, Pa!" sê sy.

"Moenie jou ontstel nie, die kind kry dit in. Môreoggend loop die sae, die meul maak oop. Ek soek nou net daardie ivoorsteler ook nog om dinge aan die loop te kry."

"Wie het vir Pa gesê die meul maak weer oop?"

"Niemand nie, ek het dit gesê. Waar's Josafat Stander?"

"Die bobbejane is op Cuicatti se lot in die mielies, hy't 'n paar skote gaan skiet om hulle weg te skrik."

"Bobbejaan skrik nie verstand in sy kop in nie, dis net 'n mors van lood. En daardie kleintjie moet gedoop kom, Sondag vat ons hom dorp toe." Ek wou nog byvoeg dat ek hom my oorle vader se naam wou gee sowel as my eie, maar ek het nie tot daar gekom nie, want buite het iemand aan die skree gegaan en geskree en geskree, en ek hoor dis nie Mariarosa nie en ek hardloop. Dis Antonia. Sy was op die damwal en Borolini het op die water gedryf met sy gesig ondertoe, morsdood geverdrink in halflyf water.

Dit was Josafat Stander wat ingeloop het om hom uit te haal. Dit was Josafat Stander wat dorp toe geloop het om die konstabel te gaan sê en die priester te laat weet. Oor die platrand het 'n verslaenheid soos 'n miskombers kom lê. Ek het gepraat, ek het bok afgeslag en die vleis verdeel, ek het 'n kooksel patats by elke deur loop gee, ek het gesê ons sal die meul los tot Donderdag toe, maar die kombers wou nie lig nie. Die ergste was die verwyt wat oor my kom lê het; ek moes eerder gesien het sy gemoed sak te laag. Ek kon hom vooruit huis toe gestuur het, ek kon met hom gepraat het. Sononder loop ek van huis tot huis en deel pietersieliebos-treksel uit en in my hart dink ek: ja, Barrington, jy sit met jou gat in die hemel en ek sit met alles.

Ligdag het ek Josafat gestuur om op Spruitbos-se-eiland 'n kis te gaan leen. Dit was bergwind en benoud: as die priester nie opdaag nie, sou ons Borolini maar solank moes inspit. Ek het Cruci en Cuicatti aangesit om die gat te graaf, en 'n sloot loop oopsteek van die dam af om water in die kampe te kry. Daar was genoeg oor vir die ketel.

Toe Josafat met die kis kom, het ek my praat met hóm ook gepraat. "Die hout alleen mag hulle dalk nie op die skip kry nie," sê ek vir hom. "Daarom gaat ek jou vra wat jy my sal vra om vir my 'n paar grootvoete te skiet. Ek wil jou prys hoor, ek wil nie hoor jy vra my vir my meisiekind nie, want jy gaat haar nie kry nie."

"Ek het klaar 'n huis op die dorp gekoop."

"Ek hoop jy bly goed in hom. Ek vra wat jy my sal vra vir 'n paar grootvoete se skiet."

"Ek het vier mooi tande wat oom kan kry en saam met die hout verkoop. Ek het die naam van 'n goeie koper op George."

"Vir hoeveel?"

"Ek gee dit vir oom."

"Solat jy môre kan kom sê ek skuld jou?"

"Nee, sodat hierdie mense hier kan wegkom en oom tot ruste kan kom."

Driekwartdag het ek hulle bymekaargeroep. Ons kon nie langer vir die priester wag nie, hy sou die diens maar agterna moes hou soos vir Catarina. Ek het mooi met hulle gepraat, ek het vir hulle gesê ek weet hulle staan in hartseer en opstand, ek weet Borolini word ver van sy plek af weggelê, maar daar was niks wat ons daaraan kon doen nie. Ons moes maar net waak dat daar nie nog een bly lê nie. Toe ek klaar was, het Fardini oorgevat en op hulle eie taal en met die kraletjies gespeel of gebid, ek weet nie watter een van die twee nie. Party stukke het hy alleen gesê, party het almal saam gesê. Ek het eenkant toe gestaan tot die gat toegegooi moes kom.

"Die meul sal môre saag, signor Miggel?" het Fardini vir my kom vra toe dit klaar was en die vroue die blomme opsit.

"Ja. Coccia moet voordag begin stook. Ons gaat saag. Julle gaat huis toe."

En ek sien die man agter hom te perd oor die oopte kom; ek dog eers dis die priester, maar toe sien ek dis hoofkonstabel Ralph en ek begin solank nader loop. Dis seker oor die lyk, sê ek vir myself, ons graaf hom nie weer op nie.

"Middag, oom," groet hy toe hy afklim. Hy haal 'n papier uit sy sak en gee dit vir my. Ek meen toe dis die doodsertifikaat. "Ek is jammer, oom," sê hy.

"Ja, dis maar 'n nare ding wat nou op die laaste moet gebeur. Konstabel het nie dalk die priester langs die pad gekry nie?"

"Nee, oom. En dit is 'n dagvaarding daardie. As bode van die hof kom gee ek dit in oom se hande af. Dis vir oom."

Ek skrik nie. "Vir wat?" vra ek. "Ek skuld geniemand niks. Vat maar terug. As dit in Engels is, kan ek dit in elk geval nie lees nie."

"Dan is dit my plig om dit aan oom voor te lees en te verduidelik wat daarin staan."

"Is jy seker dis vir my, konstabel?" Ek wou hom moeite spaar.

"Ja, oom." Hy maak oop en hy begin lees: "'Court of the Resident Magistrate for Knysna. To John Ralph, Messenger of the Court.' Dit is nou ek, oom."

"Ek het jou gesê die ding is nie vir my nie."

"Dit is, oom. 'You' – dis nog altyd ek – 'are hereby required in Her Majesty's name to summon Silas van Huyssteen' – dis nou oom – 'to appear personally before this Court at Knysna on the eighteenth day of April 1883 at ten o'clock in the forenoon upon a charge of squatting unlawfully on Crown Land. Serve on the said Silas van Huyssteen a copy of this summons.' Oom moet môreoggend tienuur in die hof wees."

Pieter Kapp. "Luister, konstabel, jy staat nie nou voor Pieter Kapp nie, jy staat nou voor Silas Miggel en Silas Miggel het op hierdie platrand blyreg tot die dag lat hy besitter is. Klim op jou perd en ry."

"Ek is bevrees dan moet ek oom waarsku dat as oom nie môreoggend in die hof is nie, oom in hegtenis geneem sal word."

"Ek is nie onnooslik nie, ek weet. Loop sê vir Jackson ek sal daar wees."

Toe ek omdraai, staan Josafat agter my, 'n kop langer as wat ek self is, en ek weet ineens waarom Mieta gesê het Mirjam trap in die vuur. Hy staan daar en hy kyk vir my. Ek weet hy't gehoor, maar hy sê niks. Hy kyk net. Aan die bokant sien ek Tomé en Alberto Fardini en Cuicatti verbystap na die saagmeul toe en Petroniglia staan onderkant haar huis en ek weet sy sien die man te perd wegry. Dis of alles skielik in 'n helderte lê en ek duidelik sien: die Bos, die klowe, die bondel rooivlerkspreeus wat agter my houtkamer uit opvlieg, die meul, die damwal, die wolke teen die bloue lug. Diep in die Bos hoor ek 'n loerie roep en agter iewers gee 'n laksman een skrille skree.

Tienuur die môre toe staan ek in die hof, ek en 'n vreemde konstabeltjie wat my die hele tyd dophou asof hy dink ek sal dalk omdraai en weer aanloop. Ek sou nie omdraai nie. My staan sou ek staan. Ek het vir Fardini gesê ek is kort ná die middag by die huis, dan saag ons. Ek het vir Mirjam gesê sy moet ophou met huil, die kind kry dit in, en Sondag draai ek vir hom toe en vat vir hom in die Bos in sodat hy die lug kan inkry en weet waar sy plek is. Vir Josafat Stander het ek gesê die tande moet in my houtkamer lê as ek by die huis kom. Ek het vir hom gesê ek is nie onnooslik nie, ek weet hy gaan my meisiekind nie uitlos nie, hy moet vir hom van die lotte koop en vir haar op die platrand 'n huis bou sodat ek nog altyd my oog kan hou. Hy het my nie antwoord gegee nie.

"Waar's die magistraat? Ek is haastig."

"Hy sal nou kom. Oom moet stilbly en oom moet oom se hoed ophou."

"Vir wat?"

"Dis die magistraat se orders. Beskuldigdes moet hulle hoede ophou sodat hy hulle kan uitken."

"Ek is nie 'n beskuldigde nie, ek is Silas Miggel."

"Stilte in die hof!"

Ek weet nie vir wie hy so vreeslik geskree het nie, ek weet ook nie vir wat hy geskree het dat almal moes opstaan nie, want ek was klaar op my voete en in die bank toe Jackson binnekom. Hy het waardig tot by sy troon geloop en gaan sit. Hy had 'n groot kop en 'n half vierkantige gesig en toe hy opkyk en my raakkyk, toe bly sy oë op my asof ek daar staan sonder broek.

"Is jy Silas van Huyssteen, ook bekend as Silas Miggel?"

"Ja, your worship." My staan sou ek staan.

"Is jy woonagtig te Gouna?"

"Vir meer as sewentien jaar, your worship."

"Antwoord asseblief slegs ja of nee. Ek herhaal die vraag: Is jy woonagtig te Gouna?"

"Ja, your worship." Dit kon neuk.

"Is jy by verskeie geleenthede gewaarsku dat dit kroongrond is waarop jy bly?"

"Ja, your worship. Maar ek het later blyreg van Mister White gekry."

"Antwoord ja of nee. Is jy by verskeie geleenthede gewaarsku dat dit kroongrond is waarop jy bly?"

"Ja, your worship." Dit kon sleg neuk.

"Is jy by verskeie geleenthede gevra om die grond te verlaat?"

"Ja, your worship."

"Jy woon dus nog steeds onwettig op die kroongrond by Gouna?"

"Ek het blyreg."

"Antwoord ja of nee!" Hy't so hard geskree dat die konstabel gehop het waar hy staan. "Woon jy nog steeds onwettig op kroongrond?"

"Ja."

"Spreek die bank met agting aan!"

"Ja, your worship." Ek het in die moeilikheid gestaan en ek het sleg gestaan. Ek moes na 'n kant toe spring, maar ek het nie geweet waarheen nie. Oral het ek my teen 'n ja of 'n nee vasgeloop. En voor ek nog kon spring, toe vonnis hy al.

"Jy word hiermee skuldig bevind aan onwettige verblyf op kroongrond en word beveel om binne een week vanaf hierdie dag van die kroongrond te Gouna weg te wees. Jy mag alleenlik persoonlike besittings soos klere en huisgoed verwyder; geen bestaande gebou of geboue mag afgebreek of verwyder word nie."

"Hoe kan your worship my sit en vonnis as ek nog nie 'n woord se kans had om iets te sê nie?" Ek vra hom dit in sy gesig en dit lyk of hy uit sy troon uit oprys en lug langs kom om my plat te vee. Hulle sê hy het eendag 'n man bo van 'n perdewa af geklap in die straat. "Ek vra 'n kans om te verduidelik hoe my saak staan en waarom ek my nie van die platrand af sal laat vonnis nie."

"Nog een woord en ek laat jou opsluit vir minagting van die hof!"

Fardini was reg, hy't my gewaarsku en gesê 'n man loop

staan nooit in 'n hof as jy reg is nie; jy loop staan net as jy verkeerd is in die hoop dat hulle sal bewys jy's reg.

"As your worship my vandag op ja of nee van die platrand af vonnis. . ." Tot daar het ek gekom voor hy die konstabeltjie geroep het. Ek het nie gedink hy sou dit doen nie. Ek het voor die Here nie gedink hy sou dit regtig doen nie.

En die konstabeltjie was te lig; dit het drie gekos om my geboei en oor die straat tot by die selle te kry. Daar was nie omdraai om te gaan pleit nie. Ek sou ook nie pleit nie. Maar wat in my omgegaan het toe hulle my oor daardie straat lei, sal ek nooit vergeet nie, want ek het 'n val geval waaruit ek nooit weer sou kon opkom nie en die bitterste was die oë wat my val aanskou het. Toe hulle my sluit, toe sê die konstabeltjie nog ewe: "Ek is jammer, oom."

Here, sê ek vir myself, kon jy dan nie die goewermentswiel sien kom het nie?

Ek het nie gaan sit nie, ek het op my voete gebly. Donkeraand het ek uitgebreek en biddernag het ek aan my eie deur geklop en Josafat Stander het oopgemaak. Mirjam met die kers agter hom. Ek sê vir hulle daar is nie kans vir skrik nie, ek moet pak. Die eerste plek waar hulle my gaan kom soek as dit lig word, is by die huis. Ek moes wegkom, die goewermentswiel het my in my maai gery. Mirjam huil, sy sit my goed bymekaar en pak vir my kos. Josafat loop haal my byl en my saag en 'n paar rieme; ek kan nie die os en die slee vat nie, hulle sal my op die sleepsel agternasit. Mirjam huil, sy vra waar ek heen gaan. Ek sê ek sal laat weet. My verstand was helder, my lyf was kalm. Ek gee my laaste orders af en ek sê vir Josafat Stander: teen my sin soos dit is, gee ek my meisiekind aan hom af. Wanneer dit veilig is, sal ek kom sê waar ek my skerm gemaak het. Mirjam huil, sy sê sy en Josafat trek dorp toe met die kind, wat moet van my word? Ek sal na myself kyk, sê ek vir haar. Toe kry sy my aan die arm beet.

"Wat van die Italiane, Pa? Wat van die Italiane?"

"Watter Italiane?" vra ek. "Ek weet van geen Italiane nie."

Vyftien jaar lank pas ek die lelies op. Ek moet maar altyd my oë oophou vir 'n vreemde wat te naby die vleitjie kom en vir die vervloekste boswagters wat my nog altyd soek. Die oues het al geleer om versigtig te wees, party sê ek is lankal dood. Dis die jonges wat dink hulle kan my voorlê en vang en agterna daarmee voorspoed loop verdien. Ek het al 'n slag een in die been moes kwes. Ek pas die lelies op. Ek wou hulle nog vir Petroniglia gewys het. Ilario is toe mos ook begrawe.

Naskrif

Wat het van die Italiane geword?

Net een van hulle is uiteindelik terug Italië toe en dit is Pietro Fardini wat as agjarige seun saam met sy ouers, Pietro en Anna Fardini, gekom het.

Ongeveer 'n jaar nadat die dwarslêers afgekeur is, het die goewerment die saagmeul heropen en weer van die Italiane in diens geneem. Pietro, junior, het tydens 'n fratsongeluk by die meul sy een arm verloor, maar desnieteenstaande hom later as onderwyser bekwaam en op Gouna skoolgehou. Nadat hy terug is Italië toe, is daar nooit weer van hom gehoor nie.

Baie van die Italiane het Kaap toe getrek: Petroniglia Grassi het in ongeveer 1897 in die Kaap aangekom. Haar dogter, Monica, het ná haar man, Canovi, se dood gevolg en 'n tweede keer getrou. Die man het haar egter ná 'n jaar verlaat. Daar word vertel dat sy geken was vir haar strengheid en uitgesprokenheid, asook vir die mooi angeliere wat sy gekweek het.

Die Cruci's het Kaap toe getrek en so ook die vrygeselle. Paolo Coccia is op die platrand dood en begrawe.

Die van Cuicatti word vandag Sciocatti gespel en, soos die meeste nasate van die syboere, is die Sciocatti's vandag Afrikaanssprekend. Domenico Cuicatti en sy vrou, Luigia (geb. Fardini), het dertien kinders gehad. Domenico was later 'n geregistreerde boswerker. Luigia het tot in haar vyf-en-neëntigste jaar op die platrand by Gouna gebly. Van die kinders was vir baie jare grondbesitters op Gouna. Hulle seun, Henri (Henry), het vooruitgegaan as houtkoper en winkelier en in 1930 koop hy die totale meentgrond vir eenduisend-en-ses pond. In 1963 is hy egter voor sy huis op Gouna doodgeskiet deur ene Vosloo tydens 'n woordewisseling oor 'n pad. Die jongste seun, John, het hom as onderwyser bekwaam.

Angelo en Giuditta (geb. Fardini) het ook Kaap toe getrek en later in Parow grond gekoop. Hulle het ag kinders gehad en Giuditta (Nonna) was vir baie jare die geliefde vroedvrou van haar omgewing en het al haar werk te perd gedoen. Van die

Mangiagalli-nasate het tot vandag toe nog altyd met Italiane getrou.

Domenico Tomé en sy vrou, Antonia (geb. Fardini), het 'n klein boerderytjie op die platrand aan die gang gehou. Soms het hy op die paaie gewerk en later was hy bosbouvoorman. Hulle dogter, Angelina, het met Felitze (Felix) Radulfini getrou. Angelina en haar minnaar, Edman Prinsloo, is in 1914 op George ter dood veroordeel weens moord op Felitze. Een van hulle seuns het 'n Roomse priester geword.

Weens die uiters moeilike omstandighede van die Italiane is daar nooit betalings op die oorspronklike lotte gemaak nie. Die goewerment het gereeld beslag gelê op van hulle beeste en dit vir 'n gedeelte van die skuld verkoop. Later is die skuld teen hulle afgeskryf. Van die lotte van die Italiane wat weggetrek het, is teen elf pond vyftien sjielings stuk verkoop.

Die lelies: Vroeg in hierdie eeu het die Departement van Bosbou 'n draadheining om die vleitjie gespan om sodoende die lelies (*Valotta speciosa*/*Valotta purpurea*) teen moontlike beskadiging deur wegdwaal-osse te beskerm. Wat Bosbou egter nie geweet het nie, was dat die bosvarke deel was van die fyn ekologie van die lelies en op sekere tye van die jaar die lelies moes omdolwe om die aanwas van die bolle op 'n natuurlike wyse te bekamp. Met die oprig van die draadheining kon die bosvarke nie langer by die lelies kom nie en gevolglik is die hele vleitjie lelies dood.

Erkennings

My opregte dank en erkenning gaan aan die volgende persone en instansies waarsonder *Moerbeibos* nie geskryf sou gewees het nie:

Eddy Mangiagalli
Bradford Mangiagalli
James Sciocatti (Cuicatti)
Domenico Tomé
Joseph Robolini
Cassie Lamprecht
Maans McCarthy
T.C. Roux
Luigi Lottino
Die Assistent-Streekdirekteur, mnr. Kitto Erasmus, van die Departement Omgewingsake, Knysna.
Axel Jooste van die Departement Omgewingsake, Knysna.
Willie Cooper van die Departement Omgewingsake, Knysna (Diepwalle).
Suid-Afrikaanse Biblioteek, Kaapstad.
Staatsargief, Kaapstad.
S.A. Astronomical Observatory vir inligting oor die komeet.
Die Konsul-generaal van Suid-Afrika in Milaan, Italië, mnr. Johan Schutte, vir die beskikbaarstelling van 'n tolk, Sabina Mastropasqua.
Dr. Dawie Kriel, kultuurattaché, Suid-Afrikaanse Ambassade, Rome.
Dr. Meryl R. Foster, Public Records Office, Kew, Engeland.
The British Library, Reference Division, Londen.
Tossie Lochner, Aulla, Italië.

Ander bronne:
Die oorspronklike dagboeke van Henry Barrington.
Katharine Newdigate: *Honey, Silk and Cider*; H.A. Balkema, Kaapstad/Amsterdam 1956.

Winifred Tapson: *Timber and Tides*; Juta & Company Ltd., Kaapstad, 4de uitgawe, 1973.
Luigi Barzini: *The Italians*; Hamish Hamilton, Londen, 1965.
Dr. F.C. Calitz: Verhandeling ingelewer ter verkryging van die M.A.-graad aan die Universiteit van Stellenbosch, Maart 1957: "Die Knysna-boswerkers: Hulle taalvorm as denkvorm, met spesiale verwysing na hul bedryfsafrikaans."